PREMIÈRE MOISSON

l'art du vrai !

Le debeur ★★★★★
GUIDE GOURMAND DES QUÉBÉCOIS

Éditeur et rédacteur en chef
Thierry DEBEUR

Directrice de la publication
Huguette BÉRAUD

Secrétaire à la rédaction
Louise DULUDE-GAGNON

Recherchiste
Romain CHAUVET

Correctrices-réviseures
Huguette BÉRAUD
Louise DULUDE-GAGNON
Line LEBLOND

Rédacteurs
Huguette BÉRAUD
Charles-Henri DEBEUR
Don Jean LÉANDRI
Françoise PITT
Guénaël REVEL

Photographe
Charles-Henri DEBEUR

**Directeur de la production
et conseiller technique**
Jean-Paul FRANCESCHI

Comptabilité
Stéphane GAGNÉ
Carole JEAN-PIERRE

Conseillers en informatique
Benoit LAROCQUE
Daniel RHÉAULT

Conseiller juridique
Jeannette GIBARA, avocat

Conception de la couverture
Jean BUREAU

Infographiste
Lorraine ROBERGE

Mise au point des couleurs
Debeur Infographie

Vente et publicité
Jean-François COLLETTE
Elvire GOUZOUO

Imprimé au Canada

RÉDACTION-ADMINISTRATION
855, rue Verdure
BROSSARD QC   J4W 1R6
Tél.: 450-465-1700
Télécopieur: 450-466-7730
Courriel : redaction@debeur.com
Site Internet: **www.debeur.com**

GUIDE DEBEUR 2017

AVIS IMPORTANTS

Nos listes de restaurants et de boutiques sont mises à jour chaque année et ne sont modifiées que s'il y a eu un changement significatif. Notre intention n'est pas de réécrire systématiquement tous les commentaires chaque année et ceux-ci resteront identiques si rien n'a changé. Il s'agit avant tout d'un guide.

De plus, nous n'avons pas la prétention de publier un annuaire exhaustif de ces établissements, mais bien de faire un choix délibéré et arbitraire qui se veut néanmoins représentatif de la gastronomie au Québec.

La rédaction

Vous pouvez facilement identifier les établissements recommandés par le guide **Debeur** grâce à cet autocollant millésimé.

©1985-2016 Copyright - Éditions Debeur Ltée - Thierry DEBEUR. DÉPÔT LÉGAL - BIBLIOTHÈQUE NATIONALE DU CANADA et BIBLIOTHÈQUE NATIONALE DU QUÉBEC - quatrième trimestre 2016 - ISSN 1188-0953. Tous droits réservés.

ISBN 978-2-921377-61-4

Constat et avenir de la restauration

Par Thierry Debeur

Dans le milieu de la restauration, un commentaire revient souvent comme pour justifier les salles vides: «Y a trop de restaurants.» Mouais… L'excuse est facile. Pourquoi dès lors s'en ouvre-t-il de nouveaux chaque semaine? Pourquoi certaines personnes, fortes de l'expérience d'un premier établissement, en ouvrent-elles un deuxième puis un troisième? Parfois dans des endroits difficiles, voire inattendus comme Hoogan et Beaufort? Malgré cela, plusieurs restaurants sont pleins presque tout le temps. Il faut réserver pour avoir une place. On nous dit alors: «C'est grâce à la notoriété des propriétaires et des chefs qui les dirigent.» Peut-être, mais je connais des anonymes fonctionnant très bien depuis de nombreuses années.

Et que penser de ces établissements dits à la mode, dont la décoration frise celle d'une cafétéria ou d'un entrepôt! Pas de nappe, des chaises de jardin améliorées (ou pas), des couverts enroulés dans une serviette en papier… Cela ne devrait pas dénoter une très grande table. Pourtant, ils sont pleins eux aussi. Il semblerait que ce genre de décoration rassure les clients, leur laissant croire que l'endroit est bon marché, ce qui n'est pas toujours le cas. Une décoration trop chic donnerait l'impression que l'endroit est cher, ce n'est pas toujours vrai non plus.

Un nouveau venu s'installe dans les restaurants à la mode, le bruit! La décoration ne tient pas toujours compte des matériaux qui réverbèrent le son et l'amplifient même, au fur et à mesure que la salle se remplit. Chacun veut parler plus fort que l'autre pour se faire entendre et c'est l'esca-lade du bruit. Cela crée une certaine atmosphère dans laquelle, en plus, explosent les éclats de rire. Un environnement dérangeant pour les personnes qui aimeraient passer du bon temps à deux et pouvoir se dire des mots tendres sans être obligé de les hurler. Imaginez la scène!

Il y a aussi les «rock stars» de la cuisine, les tatoués et plus récemment les barbus, qui veulent se démarquer des autres, de montrer qu'ils sont différents. Différents en quoi? La plupart du temps, ils servent à peu près la même chose que les autres. On joue surtout sur l'attrait des produits locaux autant que possible, ou originaux avec des noms inconnus, souvent imprononçables, présentés sur l'assiette dans une architecture qui se veut recherchée sans l'être vraiment.

Enfin, il y a ceux qui s'habillent n'importe comment, quelquefois même en jeans délavés et troués. Ils oublient ou peut-être ne le savent-ils pas que l'uniforme de cuisinier est l'héritier de la vareuse d'officier de l'armée au 19e siècle. Des hommes sont morts au combat pour lui, même des cuisiniers. C'est un vêtement qui se mérite et réclame le respect. Sortir de la norme, se libérer des règles sociales établies dans ce domaine depuis des années, c'est triste… Ça aussi, c'est n'importe quoi.

Qui peut être assez devin pour prétendre connaître l'avenir de la restauration? Les effets mode ne durent pas très longtemps. D'après moi, il se créera un équilibre, une harmonie entre la tradition et la modernité des nouvelles générations. Mais on devra

SOMMAIRE VOL.32 ANNÉE 2017

32 ans d'information gastronomique

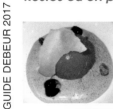

LE PETIT DEBEUR des vins, etc.   159

Un choix de vins, cidres et spiritueux, classés par ordre de prix, et commentés par une équipe de passionnés

TOURISME ET GASTRONOMIE
par Huguette Béraud et Thierry Debeur

toujours tenir en compte: le confort et le décor de l'établissement, l'originalité, la générosité et la saveur de l'assiette; importantes aussi, la compétence, l'attention et la gentillesse du service. Enfin l'emplacement, la facilité d'accès et de stationnement restent des atouts si importants que de nombreux urbains se rendent volontiers en banlieue où ils pourront facilement garer leur voiture (souvent sans frais), tout en découvrant d'excellentes tables.

Surtout, il sera nécessaire d'être à l'écoute du marché et des consomma-teurs, faire ce qu'il faut pour répondre adéquatement à la demande, assurer une bonne gestion et non pas décider aléatoirement de la voie à suivre.

Thierry Debeur

Thierry Debeur
Journaliste gastronomique et vinicole
Chroniqueur radio
Éditeur et rédacteur en chef du
Debeur, le guide gourmand des Québécois

La modernisation du guide Debeur 2017 et son contenu

Le *Debeur 2017* célèbre sa 32e édition. Il était temps de repenser son esthétique! Cette année, toutes les pages sont en couleur et comptent plus de photos pleine grandeur. De plus, le texte est présenté en deux colonnes avec une typographie légèrement différente. Il s'en suit une lecture plus coulante et plus conviviale.

Parce qu'ils sont le fondement même et la justification du *Guide Debeur,* les restaurants précèdent maintenant les boutiques gourmandes dans l'ordre des pages. Et il a fallu épurer le choix des établissements pour donner plus de place aux meilleures tables du Québec.

Voici donc un guide plus moderne qui suit les tendances, mais aussi, comme toujours, publie des critiques sans complaisance et sans prétention.

Pour terminer, nous pouvons nous applaudir et être fiers de produire notre guide entièrement dans notre belle province, et non pas en Orient ou ailleurs à l'étranger pour des raisons économiques. Nous participons ainsi activement à l'économie locale. Acheter un *Debeur,* c'est faire un achat de proximité, c'est acheter local. Pensons-y!

Partagez, faites suivre l'information et bonne lecture.

Le *Debeur 2017* est offert également en version numérique à 9,95$
Suivez Debeur sur www.debeur.com
sur www.facebook.com/GuideDebeur
et sur www.twitter.com/GuideDebeur

Les
RESTAURANTS

Les CHEFS de L'ANNÉE

par Josée Perreault
révision Mario Gingras

LA SOCIÉTÉ DES
CHEFS, CUISINIERS & PÂTISSIERS

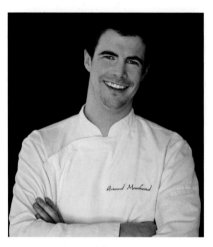

Arnaud Marchand
Chef cuisinier national de l'année
Chef propriétaire
de #MQparAM
Québec
www.arnaudmarchand.com/
www.facebook.com/ChefArnaud

Depuis sa participation à la compétition culinaire de l'émission *Les chefs* en 2010 – où il a accédé à la finale –, tout le Québec connaît Arnaud Marchand. À présent, il est chef et copropriétaire du restaurant **Chez Boulay – bistro boréal,** avec **Jean-Luc Boulay.** Arnaud est un jeune chef passionné, un entrepreneur déterminé et ambitieux.

À l'été 2014, il a fait installer un jardin urbain boréal sur le toit du **Manoir Victoria.** Il peut ainsi cultiver des produits locaux et aborigènes tels que le thé du Labrador, le gingembre sauvage, la camerise et plus encore. Grâce à ce jardin, les employés du bistro et journaliste de passage peuvent connaître certaines de nos richesses nordiques.

En 2015, il lançait sa gamme de produits locaux, **#MQparAM,** mettant en valeur les épices boréales issues de la cueillette. Ce chef se fait un point d'honneur de mettre de l'avant les produits du terroir, étant aussi un fier ambassadeur de l'organisme **Aliments du Québec.**

Durant sa carrière d'une quinzaine d'années, il a pris part à l'élaboration de plusieurs projets de cuisine professionnelle, et ce, depuis la construction des lieux jusqu'à la définition du concept et la création des menus.

L'**Association des restaurateurs du Québec** lui a décerné l'an dernier le prix **Chapeau!** dans la catégorie Jeune restaurateur. Nous sommes ici en présence d'un chef passionné, créatif et impliqué.

Geneviève Veillette
Chef pâtissière nationale de l'année
Chef propriétaire de
Créations et Saveurs
Saint-Jacques (Lanaudière)
www.creationsetsaveurs.com

La passion de Geneviève Veillette pour la pâtisserie et l'entrepreneuriat débute très tôt. À 16 ans déjà, elle fonde une première entreprise, **Les Péchés Sucrés,** où elle explore l'univers de la confiserie.

Au cégep, un cours portant sur le lancement d'entreprise confirme son besoin de pousser plus loin sa formation. Elle fera donc un DEP en pâtisserie, mais aussi un autre en cuisine d'établissement, afin d'élargir ses horizons. Durant cette période, elle remporte son premier prix lors du **Festival de la canneberge de Villeroy.**

Elle fait son stage à l'auberge **Le Baluchon** de Saint-Paulin et y sera embau-

chée tout d'abord comme garde-manger, puis comme première pâtissière pendant

plus de trois ans. La maternité l'oblige à quitter temporairement le marché du travail, mais en 2004 elle y reviendra en force avec deux nouveaux défis : l'enseignement de l'économie familiale et le démarrage de **Créations et Saveurs**, son entreprise actuelle. C'est un commerce spécialisé en pâtisserie française moderne et haut de gamme.

En 2001, elle obtient la médaille d'argent à la **Compétition des apprentis pâtissiers du Québec.** En 2005, elle est gagnante du concours **Créer une pâtisserie lanaudoise**, organisé par les **Fêtes gourmandes de Lanaudière.**

Depuis quelques années, les médias s'intéressent fort à Geneviève. On remarque et on cite souvent sa pâtisserie pour sa créativité.

La relève
Les apprentis cuisiniers et pâtissiers de l'année

par Françoise Pitt

ÉMELINE PÉRO
Apprentie cuisinière de l'année

U ne feuille de route impressionnante que celle de cette jeune Française de 22 ans, au Québec depuis à peine deux

ans. Quelle surprise ce fut pour elle de décrocher le titre d'Apprentie cuisinière 2016! Elle ne s'y attendait pas du tout. Les membres du jury ont été fort impressionnés par ses réalisations. Pas étonnant, puisqu'elle est maintenant permanente au restaurant **Le Saint-Amour** de Québec (★★★★★ Debeur), sous la supervision de **Jean-Luc Boulay** et de **Patrick Dubé,** devenus ses mentors.

Ce sont ses parents qui, après avoir visité le Québec et en être revenus ravis, lui ont donné le goût d'y venir. Elle obtient un baccalauréat technologique et un brevet de technicien supérieur, spécialité hôtellerie et restauration, fait des stages d'un bout à l'autre de la France, avant d'arriver au Québec pour un dernier stage au Saint-Amour. «La convivialité, l'ouverture et la gentillesse des gens m'ont tout de suite séduite», confie-t-elle.

Ce sont ses deux grands-mères qui l'ont initiée à la cuisine: «J'ai adoré faire des petits plats avec elles. D'emblée, cela a été comme une drogue. Je ne me voyais pas faire autre chose, notamment après mes deux premiers stages», explique-t-elle. **Émeline Péro** aime toucher à tout. Ici, elle découvre avec bonheur les produits de la forêt boréale. Pour elle, la cuisine est une belle façon de se rapprocher des gens et de partager avec eux. C'est ce que lui ont appris ses deux mamies et qu'elle met en pratique aujourd'hui: l'amour de la bonne cuisine, bien faite et goûteuse. Aussi aimerait-elle un jour ouvrir une table d'hôte où elle mettrait de l'avant les produits du jardin que les gens iraient cueillir eux-mêmes et apprendraient à cuisiner.

Ses principales qualités: le sens de l'organisation, la bonne humeur, la curiosité, le calme, le goût de la découverte. Le plus beau compliment qu'elle dit avoir reçu? Quand elle parle de cuisine, elle a des étoiles dans les yeux…

MIORI BELLEROSE
**Apprentie chocolatière
et pâtissière de l'année**

Aller le plus loin possible dans ce beau métier. C'est le leitmotiv de la lauréate en pâtisserie-chocolaterie de la relève 2016. **Miori Bellerose** a remporté le concours haut la main après avoir raflé la première place dans les trois catégories: bonbons de chocolat, desserts à l'assiette et entremets. «Comme je ne pouvais voir ce que les autres concurrents faisaient, j'espérais arriver deuxième tout au

plus, commente-t-elle. J'étais stressée, mais j'ai bien performé. Et j'ai gagné. Je n'arrivais pas à y croire.»

Parcours inusité que celui de cette jeune femme. Après des études en dessin, en dessin de mobilier et en dessin de bâtiment, elle travaille un temps dans ces branches en Beauce, mais subit les turpitudes du ralentissement de la construction et de la rénovation domiciliaires en région. Elle s'est alors souvenue de son travail à temps partiel à la **Boulangerie Première Moisson,** alors qu'elle était étudiante à Montréal. C'est là que s'est révélé à elle le merveilleux monde de la pâtisserie. «En chômage, j'ai commencé à faire de la pâtisserie chez moi, explique-t-elle. Les gens ont aimé. J'avais découvert ma passion.» Elle obtient son DEP en pâtisserie professionnelle à l'**École hôtelière de Montréal Calixa-Lavallée,** tout en travaillant à la **Pâtisserie Rococo.** Puis chez **Christophe Morel** et à la **Pâtisserie de Gascogne.** «Pour l'instant, je me spécialise en chocolat. Mais je veux tout apprendre. On n'a jamais trop de cordes à son arc.»

Ses principales qualités: le calme, la facilité et la rapidité d'apprentissage, l'autonomie, la ponctualité, la volonté de se perfectionner, le souci de la qualité du produit, la passion du métier. Dans ses projets: un baccalauréat en enseignement pour transmettre son savoir. Mais elle hésite encore entre l'enseignement et le métier de chef. Chose certaine, elle aspire à une vie riche en satisfactions, en connaissances et en belles expériences. Elle est sur la bonne voie. **D**

Portrait de chef

ANTONIN MOUSSEAU-RIVARD
L'artiste et le chef
Par Françoise Pitt - Photos Charles-Henri Debeur

C'est d'abord un artiste dans l'âme. Pour cause: fils de la comédienne Katerine Mousseau et du chanteur Michel Rivard, petit-fils du peintre Jean-Paul Mousseau. Dans son restaurant ouvert depuis un an à peine rue Ontario à Montréal, **Le Mousso,** on peut admirer des œuvres de son grand-père, élève de Paul-Émile Borduas et cosignataire du *Refus global,* dont une pièce rétroéclairée spectaculaire.

C'est LE chef dont on parle. À 32 ans, **Antonin Mousseau-Rivard** continue de se distinguer, sans avoir la tête enflée et avec la ferme volonté de pousser la cuisine québécoise au-delà de ses limites. Par-dessus tout, il privilégie le plaisir de bien manger, avec le cœur et avec les yeux.

Même s'il a parcouru une longue route pour arriver jusqu'au Mousso, ce n'est pas un hasard s'il s'est dirigé en cuisine. Dès son jeune âge, il a déjà «un attachement pour la bonne bouffe», comme il dit. À 16

ans, n'ayant jamais été bon à l'école, il conclut une entente avec sa mère (très compréhensive, insiste-t-il): d'accord pour abandonner l'école à condition de travailler, sinon il y retourne. Il commence comme plongeur chez **Maestro SVP** et vend des hot-dogs dans les festivals l'été. Puis il a la chance d'entrer au restaurant **Les Sarcelles**, à Saint-Lambert, où il a beaucoup appris. «C'était la bonne vieille école, explique-t-il. Beaucoup d'étapes pour une cuisine spectaculaire mais des résultats assez banals.» Après une dizaine d'années passées aux Sarcelles, on le retrouve chez **Frite Alors,** puis comme traiteur, pour **Star Académie** entre autres. Jusqu'au jour où tout débloque pour lui: il devient cuisinier au restaurant **Le Contemporain** du Musée d'art contemporain de Montréal. Il y restera six ans et y laissera sa marque.

Depuis le temps qu'il rêvait d'ouvrir son resto, c'est chose faite. Le Mousso a pris forme à l'automne 2015, dans un quartier qu'il affectionne. «C'est plein de foo-

dies, cette nouvelle «génération« [passionnée] qui aime découvrir», précise-t-il. Un resto qui lui ressemble. Pas d'affichage omniprésent, un peu de mystère doucement orchestré, pas de surcharge, pas d'autre décor que les œuvres de son grand-père. Un design à la fois brut et soigné, lourd et léger. Des matériaux bruts: métal, béton, brique, bois, acier. Ouvert le soir seulement, du mercredi au dimanche. Un menu unique, qui change aux saisons, suivant les arrivages: huit services pour 80$. Pas de cave à vins, mais une carte des vins déjà établie. Un accord mets et vins, offert à 120$ les mercredis et dimanches, à 140$ les jeudis, vendredis et samedis. C'est la maison qui propose le menu. C'est à prendre ou à laisser. Le but : la découverte.

«Tout se passe dans l'assiette, commente le chef. Et tout est pensé pour que les convives se sentent à l'aise et oublient le décor. Quand les plats arrivent sur la table, suit un moment de silence. Comme les tables sont volontairement rapprochées et que tous mangent la même chose, il se crée d'emblée une atmosphère chaleureuse qui amène facilement les gens à parler de cette expérience culinaire avec leurs voisins de table. C'est très convivial. Souvent, des gens qui ne se connaissaient pas boivent un verre ensemble.»

Une cuisine minimaliste, simple, concise et extrêmement technique. Une assiette bien belle à voir, colorée, où se décline chacun des ingrédients. À tout coup une œuvre d'art. Son leitmotiv: faire plus avec le moins possible. Sur le menu, le chef décrit chaque plat en trois mots qui sont, selon lui, les trois essences du plat. Une cuisine faite de moins d'ingrédients, mais de produits locaux à 96%: «Ce qui me motive, c'est d'aller chercher des ingrédients inusités et trouver de nouvelles façons de décorer l'assiette», avoue-t-il. Il a travaillé avec des producteurs pour créer des produits particuliers qui renouvelleront le décor de ses assiettes. En lui, l'artiste et le chef sont étroitement liés.

Le chef s'attend à ce que les convives lui fassent confiance en acceptant de s'aventurer dans des zones inconnues. Car la découverte s'avère importante pour qui bien manger rime avec immense plaisir.

Aussi, le chef n'hésite pas à titiller l'étonnement, voire l'appréhension, avec des mets souvent insolites, comme ce dessert baptisé *Sang d'échalote*, en réalité un gâteau au sang de cochon, avec glace à l'échalote grise! Sublime, paraît-il, rappelant le goût du gâteau à la mélasse et aux épices. Et cette galette croustillante de peau de cochon, dont le premier ingrédient est le collagène…

Depuis l'ouverture de son restaurant, Antonin Mousseau-Rivard a reçu de nombreux témoignages de reconnaissance. Un honneur bien mérité pour ce jeune chef qui a galéré ferme avant de trouver le filon qui change tout. Il associe sa formidable équipe à son succès, parlant au «nous» et non au «je». Et pas question de s'asseoir sur ses lauriers.

Un chef au talent fou, guidé par ses gènes artistiques (il a même été rapeur). Une belle carrure, des tatouages, une carapace qu'il s'est tissée depuis l'école. Une simplicité désarmante. Et un vrai bon gars! **D**

1023, Ontario E. Montréal, 438-384-7410

ÉVALUATION

10/20	★	: digne de mention.
12/20	★★	: bon.
14/20	★★★	: très bon.
16/20	★★★★	: excellent.
18/20	★★★★★	: haut de gamme.

[ÉR]: [en **É**valuation ou en **R**éévaluation]. Cette mention stipule que, soit l'établissement est trop récent, soit il a subi un changement lui valant une période probatoire (il sera donc évalué ou réévalué), soit les évaluateurs ont un doute.

Précisions

Chaque restaurant est évalué selon sa catégorie culinaire et son type de cuisine. Un trois étoiles cuisine française ne sera pas comparé à un trois étoiles cuisine italienne. Chaque catégorie a ses critères et concepts gastronomiques qui ne peuvent s'appliquer à tous les genres de cuisine. Les évaluateurs se basent sur des critères précis qui sont, par ordre d'importance, la cuisine, le service, le décor et l'ambiance.

Spécialités

Les mets que nous publions dans les spécialités y sont à titre indicatif, pour fournir une couleur culinaire, une idée de ce que les restaurants peuvent offrir. Il est évident que la plupart ne vont pas conserver le même menu toute l'année, sauf peut-être certains de ses classiques.

Qualité de l'information

Nos listes de restaurants et de boutiques sont mises à jour chaque année et modifiées en cas de changement notable. Les commentaires sont traités de la même façon. Cet ouvrage est avant tout un guide et non un annuaire exhaustif... Notre choix est délibéré et arbitraire, mais il se veut représentatif de la gastronomie au Québec. Enfin, tous les articles sont nouveaux afin de vous offrir une information actualisée.

Les informations contenues dans cet ouvrage ont été vérifiées avec grand soin et sont données à titre indicatif. Elles n'ont aucune valeur contractuelle et n'engagent ni leur auteur, ni l'éditeur, ni les personnes intéressées. Elles font partie de notre contenu rédactionnel et doivent être considérées comme un service à nos lecteurs, non comme de la publicité. **Aucun établissement n'a payé pour y figurer.** Le choix est à notre seule discrétion.

Politique d'évaluation

Tous les restaurants sont visités incognito. On réserve sous un faux nom, on déguste, on paye notre addition et on s'en va. C'est la seule façon valable, selon nous, de vous rapporter les expériences gastronomiques de façon honnête, objective et impartiale.

Nos évaluations sont TOUJOURS faites sur place, mais les renseignements complémentaires dont nous avons besoin sont obtenus par téléphone. Le restaurateur, qui n'a jamais été au courant de notre visite chez lui, peut se méprendre et penser que notre évaluation sera basée sur cet appel. Inconcevable! Pis encore lors de la mise à jour annuelle, juste avant de mettre sous presse: nos recherchistes appellent tous les restaurants pour vérifier certains points qui n'ont rien à voir avec nos évaluations ou nos commentaires. Ce travail indispensable à la bonne qualité de l'information est encore confondu avec celui de nos journalistes. Pourtant, nos factures sont la preuve de nos visites.

Enfin, les évaluations figurant sur cette liste sont subjectives et reflètent les opinions de nos journalistes gastronomiques. Au lecteur maintenant de faire sa propre expérience, de se forger une opinion.

Abréviations des prix

Prix: T.H. = Table d'**H**ôte - **C. = C**arte (moyenne de prix pour une entrée, un plat principal et un dessert, du moins cher au plus cher) - **F. = F**orfait (table d'hôte à laquelle il manque un plat)

Coups de cœur

 Ce sont les établissements qui ont fait l'objet d'un coup de cœur des journalistes du **Debeur**

Restaurants avec sommelier

Le symbole de la grappe indique les restaurants qui ont un sommelier professionnel accrédité par l'**Association canadienne des sommeliers professionnels (ACSP)**

La bouteille

 Cette bouteille indique qu'il s'agit d'un établissement où on peut apporter son vin, sa bière ou son cidre.
En Ontario, certains restaurants chargent malgré tout un droit de bouchon.

GUIDE DEBEUR 2017

Restaurants de Montréal

AFRICAIN

GRACIA AFRIKA ★★★
3506, rue Notre-Dame O., Mtl
Tél.: 514-713-1061 et 514-357-6699
SPÉCIALITÉS: Mwambé, poulet sauce au beurre d'arachide. Cabri, viande de chèvre cuite, sauce aux épices africaines, le luba luba. Grillot des îles, cubes de viande de porc marinés, grillés (très épicés). Lambi: fruit de mer aphrodisiaque. Loboke Ngolo, poissons chats frais, sauce piquante.
PRIX Midi: (fermé)
Soir: C. 30$ à 50$
OUVERTURE: Mar. et mer. 17h30 à 21h30. Jeu. à sam. 17h30 à 22h30.
NOTE: Plats à emporter. Service traiteur.
COMMENTAIRE: Je ne sais plus trop comment nous avons atterri dans ce petit restaurant sur la rue Notre-Dame, à l'ouest de l'avenue Atwater. La propriétaire, Bibi Ntumba, fait la cuisine avec des équipements improbables, un poêle et un réfrigérateur maison, tandis qu'un membre de sa famille s'occupe du service. Quelquefois, elle vient elle-même vous porter ses plats. Elle en profite alors pour vous parler, entre autres de sa culture et sa cuisine africaine. Originaire de Kinshasa, la capitale congolaise, elle propose des mets africains et créoles. Que c'est bon! Tout comme sa cuisine, la salle à manger n'est pas très grande. Cependant c'est chaleureux, un peu serré, mais on ne s'en plaindra pas tant nous avons aimé. Ici pas de chichi, tout est dans le goût et dans la bonne humeur. Petit dépaysement africain en plus.

ALGÉRIEN

AU TAROT ★★★
500, rue Marie-Anne E., Mtl
Tél.: 514-849-6860
SPÉCIALITÉS: Couscous royal (agneau, merguez, poulet). Pastilla (poulet, pigeon, pâte feuilletée). Couscous à la souris d'agneau. Tajines (de canard au miel et épices, d'agneau aux pruneaux, de pintade aux abricots ou de poulet au citron). Gâteau au miel. Baklava. Pâte d'amande.
PRIX Midi: (fermé)
Soir: C. 21$ à 43$ T.H. 34$
OUVERTURE: 7 jours 17h à 23h. Ouvert midi sur réserv. Fermé 24 et 25 déc., 1er janv. et les 2 sem. de la construction.
NOTE: Couscous sans gluten ou couscous d'épeautre. Pâtisseries orientales. Service de traiteur. Valet de stationnement. Service de livraison. Musique orientale. Ouvert depuis 1981.
COMMENTAIRE: Nourédine Kara, le propriétaire, vous accueille avec beaucoup de gentillesse, dans son coin de pays à Montréal, l'Algérie, pays d'Afrique du Nord bordant la mer Méditerranée. Au son d'une musique d'ambiance adéquate, Nourédine dépose tranquillement, un à un, les différents plats composant les fameux couscous de son pays. Les portions sont réellement généreuses et les cuissons justes. Le décor est sans prétention, mais confortable. On s'y sent bien. Le thé à la menthe est servi dans la plus pure tradition.

LES RITES BERBÈRES ★★
4697, rue de Bullion, Mtl
Tél.: 514-844-7863
SPÉCIALITÉS BERBÈRES: Assortiment d'entrées. Chekchouka. Shorba. Merguez faites maison. 10 sortes de couscous. Méchoui. Brochettes d'agneau. Baklava maison. Assortiment de desserts maison. Thé à la menthe.
PRIX Midi: (fermé)
Soir: C. 29$ à 40$
OUVERTURE: Mar. à dim. 17h à 23h. Fermé lun.

COMMENTAIRE: C'est le propriétaire qui fait la cuisine. L'assiette est bonne dans l'ensemble, mais le service manque d'attention. Il est lent et quelquefois désabusé. Musique berbère.

ARGENTIN

L'ATELIER D'ARGENTINE ★★★★
355, rue Marguerite-d'Youville, Vieux-Mtl
Tél.: 514-287-3362
SPÉCIALITÉS: Boudin noir poêlé, œuf miroir, chimichurri. Empanadas et panqueque. Bœuf Black Angus grillé. Bavette de flanchet grillée avec chimichurri et sauce criolla. Crème renversée à la vanille, caramel au lait de coco.
PRIX Midi: F. 16$ à 24$
Soir: C. 31$ à 67$
OUVERTURE: Lun. à mer. 11h30 à 22h. Jeu. et ven. 11h30 à 1h du mat. Sam. 10h30 à 1h du mat. Dim. 10h30 à 22h. Fermé 25 déc. et 1er janv.
NOTE: Très grande sélection de vins argentins d'importation privée à 50%. Jeu. à sam. spécial bar ouvert après 22h30: entrée et plat 22,50$. D.J. et percussions jeu. et ven. soir. Lun. à ven. 5 à 8, boissons, cocktails spécialisés, vins au verre 6$.
COMMENTAIRE: Beau décor moderne avec ses séparations en verre, son style résolument moderne et ses sièges confortables… Par contre, l'assiette a changé du tout au tout avec des mets argentins revisités. La chef nous propose des viandes, bien sûr, on s'y attendait, mais aussi des légumes apprêtés de façon intéressante et savoureuse. Le service est extrêmement courtois.

L'ATELIER D'ARGENTINE ★★★
1458, rue Crescent, Mtl
Tél.: 514-439-8383
SPÉCIALITÉS: Empenadas et panqueque. Raviolis à l'agneau braisé. Crème renversée à la vanille, caramel et à la noix de coco.
PRIX Midi: T.H. 16$
Soir: C. 34$ à 67$ T.H. 29$
OUVERTURE: Dim. à mer. 11h30 à minuit. Jeu. à sam. 11h30 à 1h du mat.
NOTE: Verre de vin avec T.H. en été. Tous les jours, 5 à 8, cocktails 6$. DJ du jeu. au sam. soir. La plus grande carte de vins argentins au Canada, 150 références.
COMMENTAIRE: Grande salle à manger qui gravite autour d'un bar central situé sous un puits de lumière. Une décoration moderne faite de métal et de bois dans un style qui rappelle un peu les entrepôts des années 1930, mais en plus chic. Le service est diligent et d'une extrême gentillesse. Certains devraient peut-être apprendre le français. L'assiette est toujours dans l'esprit du premier restaurant L'Atelier d'Argentine, situé dans le Vieux-Montréal, avec cependant un peu moins de recherche dans la présentation des assiettes. Mais le goût est là, surtout pour l'amateur de

viande rouge. Selon la tradition culinaire argentine, on propose ici des viandes cuites sur la grille. C'est la place.

ASIATIQUE

BLEU CARAMEL ★★★
4517, rue de La Roche, Mtl
Tél.: 514-526-0005
SPÉCIALITÉS: 70% JAPONAISES, 30% CORÉENNES: Assiette de dégustation de sushis. Tempura. Kalbi bulgogi. Gyoza mandoo (raviolis coréens). Kimchi. Dakalbi (poulet mariné épicé). Thon grillé au sésame.
PRIX Midi: (fermé)
Soir: C. 27$ à 47$
OUVERTURE: Mar. à sam. 17h à 23h. Fermé dim. et lun.
NOTE: T.H. soir 70$/2 pers. Plats végétariens. Poissons, fruits et légumes frais. Service de traiteur. Ouvert depuis 1999.
COMMENTAIRE: Restaurant nippo-coréen et salon de thé. L'endroit n'est pas spacieux, mais chaleureux et sympathique. Côté cuisine, un bon choix de spécialités coréennes et japonaises. La chef propriétaire propose des sushis à la façon de son pays d'origine, la Corée. On peut aussi y siroter, assis sur un tatami, plusieurs variétés de thés de Chine, du Japon, du Vietnam, de la Corée et de la Thaïlande.

CÖ BA ★★★★
1124, av. Laurier O., Outremont
Tél.: 514-908-1889
SPÉCIALITÉS: Homard Rockefeller. Rouleau au homard. Thon tataki. Salade mesclun et mangue. Nouilles pad thaï au poulet et aux crevettes. Rouleau Cô Ba: fraise, mangue, pétoncle épicé et crevette tempura. Millefeuille. Explosion chocolat frit et crème glacée.
PRIX Midi: (fermé)
Soir: C. 32$ à 55$ T.H. 27$ à 35$
OUVERTURE: Dim., mar. à jeu. 17h à 22h. Ven. et sam. 17h à 23h. Fermé lun., 24, 25 déc. et 1er janv.
NOTE: Bar à sushis. Menu 6 serv. pour deux, 85$ à 95$. Fenêtres coulissantes en été. Plats à emporter et livraison.
COMMENTAIRE: Une très bonne cuisine vietnamienne, savoureuse, avec un léger mélange de mets thaï et japonais. Il y a aussi un bar à sushis. Les très belles présentations sont un réel plaisir pour les yeux. Formule «apportez votre vin». Thé vert excellent, parfumé au jasmin et joliment présenté. Très beau salon privé avec tatami pour environ 14 personnes. Service professionnel et très courtois.

MISO ★★★[ER]
4000, rue Sainte-Catherine O., Mtl
Tél.: 514-908-6476
SPÉCIALITÉS CUISINE FUSION ASIATIQUE: Huîtres fraîches avec sauce ponzu gingembre. Sashimi de thon blanc poêlé aux épices japo-

naises, vinaigrette au yuzu sunomono. Sake no takaki, saumon grillé cajun, sauce wasabi. Magret de canard poêlé, œufs de caille. Soufflé au chocolat, nougat glacé, crème glacée tempura. PRIX Midi: F. 14$ à 25$
Soir: C. 38$ à 60$ T.H. 29$ à 45$
OUVERTURE: Lun. à ven. 11h30 à 14h30. Dim. à mer. 17h à 22h. Jeu. à sam. 17h à 23h. Fermé 25, 26 déc., 1er et 2 janv., 24 juin et 1er juil.
NOTE: Menu soir 4 serv. 45$ à 55$.
COMMENTAIRE: Restaurant au concept fusion asiatique et sushi-bar. Vaste sélection de plats du Japon et asiatiques. Cuisine de qualité naviguant entre le classicisme et l'innovation.

SOY ★★★★
5258, bd Saint-Laurent, Mtl
Tél.: 514-499-9399
SPÉCIALITÉS: Tartare de saumon, mayonnaise miso. Dumplings de porc, vinaigre rouge et gingembre. Morue avec croûte au gingembre. Saumon grillé aux 7 épices, mayonnaise miso. Canard à la sichuanaise servi avec pain à la vapeur. Bœuf kalbi grillé façon coréenne. PRIX Midi: T.H. 14$ à 15$
Soir: C. 21$ à 33$ T.H. 22$ à 27$
OUVERTURE: Lun. à ven. 11h30 à 15h. Dim. à jeu. 17h à 22h. Ven. et sam. 17h à 23h. Fermé 25 déc.
NOTE: Menu dégustation 9 serv. 37$. Dumplings frais du jour. Carte des vins. Service de traiteur.
COMMENTAIRE: Le restaurant est presque toujours plein. La cuisine de Suzanne Liu est toujours savoureuse et l'accueil est très sympathique. Les plats sont merveilleusement pensés. Subtil équilibre entre tradition et modernité.

CAJUN

LA LOUISIANE ★★
5850, rue Sherbrooke O., Mtl
Tél.: 514-369-3073
SPÉCIALITÉS: Crevettes à la créole. Galettes de crabe, mayonnaise créole. Alligator, frites, mayonnaise aux câpres. Jambalaya de crevettes et poulet. Poisson noirci. Entrecôte cajun Louisiane. Côte de bœuf dinosaure fumée. Tarte aux pacanes, aux deux chocolats. PRIX Midi: (fermé)
Soir: C. 30$ à 60$ F. 24$ à 32$
OUVERTURE: Mar. à dim. 17h30 à 22h. Fermé lun., 25 déc. et 1er janv.
COMMENTAIRE: Décor assez typique, disparate. Une salle à manger divisée en deux, une moitié est occupée par un mobilier genre bistro et l'autre par la cuisine, où l'on peut voir les cuisiniers faire cuire, flamber, crépiter et concocter des mets furieusement bons et épicés. Musique jazz et blues.

CHINOIS

AVIS
Dans les restaurants végétariens des pays d'Asie tels que la Thaïlande, la Chine, la Malaisie, tous les plats portant les appellations de viandes, de poissons et de fruits de mer sont strictement faits à base de produits végétaux. Les chefs utilisent les ingrédients (légumes, soja, seitan, farine de gluten et autres produits végétaux) qu'ils manipulent afin de leur donner les formes, les textures et les saveurs rappelant la viande, le poisson et les fruits de mer.

CHEZ CHINE ★★
Holiday Inn Select
99, av. Viger O., Mtl
Tél.: 514-878-4049
SPÉCIALITÉS CANTONAISES, MANDARINES et CONTINENTALES: Variété de dimsums maison. Crevettes au chili et noix glacées au miel. Poisson entier cuit à la vapeur. Homard sauté au gingembre, oignons verts. Canard laqué à la pékinoise. PRIX Midi: Dimsum 14$ C. 23$ à 35$
Soir: C. 26$ à 53$ T.H. 26$ à 32$
OUVERTURE: Lun. à dim. 11h30 à 14h. Mer. à sam. 17h30 à 21h30.
NOTE: Réserv. conseillée. Buffet au petit déjeuner. Dimsum 7 jours 11h30 à 14h. Canard laqué, 2 serv. 48$. Menu régional d'Asie soir 4 serv. Environnement Feng Shui.
COMMENTAIRE: Le restaurant est installé dans le quartier chinois, en face du Palais des congrès. Très beau décor chinois, typique et élégant, avec pagode, petit ruisseau et bassin animés de poissons vivants dans l'hôtel. Cuisine cantonaise authentique mais on y offre également une cuisine continentale.

CUISINE SZECHUAN ★★★
2350, rue Guy, Mtl
Tél.: 514-933-5041
SPÉCIALITÉS: Aubergines croustillantes, calmar épicé. Fleur de Tobu et tranches de poisson à la szechuan. Filet de poisson pané et légumes assortis, sauce épicée. Poulet au poivre sichuanais avec épinards. Bœuf ou poulet au cumin. Dumplings épicés. PRIX Midi: F. 12$
Soir: F. 12$ à 37$
OUVERTURE: Lun à mer. 11h30 à 22h. Jeu. à sam. 11h30 à 22h30. Dim. midi à 22h.
NOTE: Bière et saké. Plats à emporter. Livraison.
COMMENTAIRE: La chef et propriétaire de ce restaurant est sichuanaise. Elle propose une cuisine authentique et sans compromis de cette région très montagneuse et difficile d'accès du centre-ouest de la Chine. Une cuisine épicée et savoureuse.

JARDIN DE JADE-POON KAI ★★★
67, la Gauchetière O., Mtl
Tél.: 514-866-3127
SPÉCIALITÉS SZECHUANNAISES: Buffet tous les jours (une centaine de plats, dimsums).
PRIX Midi: F. 11$
Soir: F. 14$ à 15$
OUVERTURE: 7 jours 11h à 22h.
NOTE: Prix buffet la fin de semaine 15,80$.
COMMENTAIRE: Un buffet qui offre le choix d'une centaine de plats. Tout est frais et savoureux. Dépaysement assuré.

L'ORCHIDÉE DE CHINE ★★★★★
2017, rue Peel, Mtl
Tél.: 514-287-1878
SPÉCIALITÉS: Crevettes géantes sautées à la sauce piquante. Filet de poisson au gingembre. Côtes levées à l'ail. Bœuf à l'orange. Canard croustillant dans une crêpe chinoise. Poulet tranché au poivre sichuanais et épinards croustillants. Bœuf sauté sauce piquante à l'ail.
PRIX Midi: T.H. 18$ à 26$
Soir: C. 26$ à 41$
OUVERTURE: Lun. à ven. midi à 14h30. 7 jours 17h30 à 21h30. Fermé 24, 25 déc. et 1er janv.
NOTE: Ouvert depuis 1985.
COMMENTAIRE: Le cadre est élégant, le service cordial. Cuisine chinoise dans la tradition de New York. L'un des meilleurs restaurants chinois en ville. Vraiment excellent!

MR. MA ★★★★
1, pl. Ville-Marie, #11209, Mtl
Tél.: 514-866-8000
SPÉCIALITÉS: 70% SICHUANAISES, 30% CANTONAISES: Crevettes sichuanaises. Canard de Pékin. Morue noire charbonnière. Poulet général Tao. Bœuf sauce à l'orange. Canard croustillant.
PRIX Midi: T.H. 20$ à 35$
Soir: C. 25$ à 51$ T.H. 20$ à 35$
OUVERTURE: Lun. et mar. 11h30 à 15h et 17h à 22h. Mer. à ven. 11h30 à 22h30. Sam. 17h à 23h. Fermé dim. et du 23 déc. au 4 janv.
NOTE: Menu dégustation 60$ à 80$. Mets à emporter. Spécial cocktails mer. à ven. 15h à 19h. Stationnement gratuit après 17h.
COMMENTAIRE: Le propriétaire met l'accent sur la fraîcheur extrême et sur les saveurs des produits, principalement les fruits de mer. Service attentif et discret. Décor assez confortable, nappes blanches, salle à manger un peu grande.

SZÉCHUAN ★★★★
400, Notre-Dame O., Vieux-Mtl
Tél.: 514-844-4456
SPÉCIALITÉS: 80% SICHUANAISES type New York, 20% HUNANAISES: Crevettes géantes, sauce au miel. Crevettes à la Sichuan. Bœuf au parfum d'orange ou au poivre noir. Languettes de porc sauce à l'ail. Poulet général Tao.

PRIX Midi: T.H. 16$
Soir: C. 25$ à 49$ T.H. 18$
OUVERTURE: Lun. à ven. 11h30 à 14h30. Lun. à jeu. 17h à 22h. Ven. et sam. 17h à 22h30. Fermé dim., jours fériés et du 23 déc. au 3 janv.
COMMENTAIRE: Cet établissement du Vieux-Montréal offre une cuisine sichuanaise et hunanaise dans la tradition de New York. Toujours égal. Un des plus anciens restaurants sichuanais en ville.

TONG POR ★★★
12242, bd Laurentien, Ville Saint-Laurent
Tél.: 514-393-9975
SPÉCIALITÉS: 50% CANTONAISES, 30% THAÏLANDAISES ET 20% VIETNAMIENNES: Dimsums. Poulet épicé à la citronnelle. Salade thaïlandaise de homard. Fruits de mer sel et poivre. Poisson à la vapeur sauce aux fèves noires.
PRIX Midi: C. 13$ à 35$
Soir: Idem
OUVERTURE: 7 jours 11h à 23h.
COMMENTAIRE: Ce restaurant sert une variété de bons mets chinois, thaïlandais, vietnamiens et d'excellents dimsums. Variété accrue sam. et dim.

YUAN ★★★
2115, rue Saint-Denis, Mtl
Tél.: 514-848-0513
SPÉCIALITÉS VÉGÉTARIENNES: Champignons shiitake au sésame. Bouillon d'aubergine et tofu japonais. Végé poisson au citron. Végé fruits de mer croustillants au sel et poivre. Combo maki et sushi. Poulet général Tao, riz blanc ou brun. Assiette variée de végé viande à la mode Yuan.
PRIX Midi: T.H. 18$
Soir: C. 10$ à 32$ T.H. 18$
OUVERTURE: Mar. à ven. 11h à 15h et 17h à 22h. Sam. et dim. midi à 16h et 17h à 22h. Fermé lun.
NOTE: Buffet midi 10$. Buffet «Autant que vous pouvez en manger» mar. à jeu. soir 20$, ven. à dim. 22$. Plats végétariens congelés à emporter. Boutique de produits végétariens.
COMMENTAIRE: Le premier restaurant de cuisine végétarienne taïwanaise à Montréal. Ici, le propriétaire et les employés sont tous végétariens. Les produits végétariens sont importés de Taïwan au goût et sous forme de poisson, de viande, etc. On peut se les procurer à la boutique dans la cour intérieure.

CONTINENTAL

BARROCO ★★★★
312, rue Saint-Paul O., Mtl
Tél.: 514-544-5800
SPÉCIALITÉS: Gravlax de saumon sockeye, purée de panais fumés, caviar de saumon et mulet. Suprême de volaille du Québec croustillant. Paella Barroco.

PRIX Midi: (fermé)
Soir: C. 52$ à 78$
OUVERTURE: Dim. à mer. 18h à 22h30.
Jeu. à sam. 18h à 23h (la cuisine peut fermer plus tôt sans préavis).
NOTE: Huîtres fraîches en saison.
COMMENTAIRE: Une salle à manger qui rappelle un peu les maisons de poupée, cosy et confortable, un service attentif, accueillant et compétent, tout laisse présager une agréable expérience culinaire. Carte de style bistro qui propose de solides classiques de la cuisine française, revus et corrigés façon nord-américaine. Portions généreuses et joliment présentées. Un restaurant d'ambiance où l'on aime se ressourcer et retourner.

BOUILLON BILK ★★★★
1595, bd Saint-Laurent, Mtl
Tél.: 514-845-1595
SPÉCIALITÉS: Feta, gnocchis, crevettes. Turbot, sauce poisson, amandes, mangue. Bœuf, figue, café, câpres, cayenne doux, champignons de Paris. Pintade, mousse de foie, chou-fleur, poireau, chanterelles, prune. Fraises, crème chantilly, amandes, gâteau au matcha.
PRIX Midi: C. 27$ à 44$
Soir: C. 57$ à 66$
OUVERTURE: Lun. à ven. 11h30 à 14h30. 7 jours 17h30 à 23h. Fermé 25 déc. et 1er janv.
COMMENTAIRE: Enfin des tables nappées de blanc. Ras le bol des tables style cafétéria. Quoiqu'ici on peut avoir les deux. Mais c'est la classe dans les deux cas. Ambiance agréable, chaleureuse et courtoise. On y sert une cuisine brillante, fraîche et harmonieuse. Beaucoup de plaisir. Situé près du Quartier des spectacles; on peut aussi y aller avant les représentations. Un endroit où l'on aime retourner.

CHEZ DELMO ★★★
275, Notre-Dame O., Vieux-Mtl
Tél.: 514-288-4288
SPÉCIALITÉS: Filet frais de doré amandine. Homard Thermidor ou Newburg. Sole de Douvres meunière ou walleska (sauce aux écrevisses et homard). Fish and chips. Carré d'agneau de Kamouraska, pommes de terre rattes, champignons, haricots verts. Fondant chocolat.
PRIX Midi: F. 25,75$
Soir: C. 46$ à 97$
OUVERTURE: Lun. à ven. 11h30 à 14h30. Lun. à sam. 17h30 à 22h30. Fermé dim.
NOTE: Huîtres en spécial au bar jeu. soir. Carte de vins et champagnes. Valet stationnement, soir 15$. Ouvert depuis 1934.
COMMENTAIRE: Le service est charmant et bien fait, répondant à nos attentes. L'assiette est très bonne, mais on pourrait faire un gros effort pour ce qui est des présentations.

CHEZ MA GROSSE TRUIE CHÉRIE ★★★
1801, rue Ontario E., Mtl
Tél.: 514-522-8784

SPÉCIALITÉS: Plateau de cochonnailles artisanales: saucisson sec à l'ail et au fromage de chèvre, jambon cru fumé maison, terrine maison aux pistaches, fromage de tête et ses condiments. Cochonne à s'en lécher les doigts (côte levée fumée, frites au parmesan, salade de céleri et betterave à l'huile de thym et citron). Mousse chocolat Jivara et espresso.
PRIX Midi: (fermé)
Soir: C. 39$ à 58$ F. 29$ à 39$
OUVERTURE: Mar. à sam. 17h à 22h30. Fermé 25 déc. et 1er janv.
NOTE: Méga tout cochon à partager 35$/pers. Vins d'importation privée. Vins et bières du Québec. Sorbet maison. Huîtres à 1$ jeu. soir. Longue table, 14 à 20 pers. pour groupe. Fumoir maison. Mobilier recyclé. Stationnement gratuit (80 voitures).
COMMENTAIRE: Décor de taverne très tendance avec quelques trouvailles et une bonne ambiance. La terrasse, moderne et sympathique, possède un espace couvert. On y sert une cuisine savoureuse, solide et copieuse. On recommande les viandes. La carte des vins comporte des vins du Québec. Le service laisse quelquefois à désirer.

EVOO ★★★★
3426, rue Notre-Dame O., Mtl
Tél.: 514-846-3886
SPÉCIALITÉS: Crabe à carapace molle, ragoût de maïs, poivron rôti, confiture de piment chili. Cerf fumé, pommes de terre fondantes. Magret de canard, orange sanguine, oignons perlés, poireau, salsifis, os à moelle. Fraises du Québec, glace au thym, balsamique, mousse au yogourt et chocolat blanc, gâteau aux amandes.
PRIX Midi: Brunch à la carte 13$ à 18$
Soir: C. 48$ à 62$ T.H. 37$ le jeudi soir.
OUVERTURE: Mer. 18h à 22h30. Jeu. à sam. 10h à 14h (brunch) et 18h à 22h30. Dim. 10h à 15h (brunch). Fermé lun., mar. et 25 déc.
COMMENTAIRE: Peter Saunders, Sophie Ouellet et Claudie Harvey se sont connus alors qu'ils travaillaient au restaurant DNA. Ils y ont créé une belle amitié et ont ouvert ensemble EVOO (Extra Virgin Olive Oil). Ce restaurant du quartier Saint-Henri propose une table originale, légèrement sophistiquée et très savoureuse qui met en valeur les produits locaux de qualité. Une bonne équipe assure le service de façon conviviale et connaît bien la partition des plats offerts.

GIBBY'S ★★
298, pl. d'Youville, Vieux-Mtl
Tél.: 514-282-1837
SPÉCIALITÉS: Huîtres Rockefeller. Poissons frais grillés ou pochés. Homard 2 lb. Carré d'agneau grillé ou à la provençale. Entrecôte grillée (22 oz), pommes de terre, salade maison avec asperges. Crêpes jubilée. Gâteau au fromage.
PRIX Midi: (fermé)

LA CRÊPERIE DU VIEUX BELOEIL

940, Richelieu
BELOEIL QUÉBEC
450-464-1726

"Dès l'entrée, une bonne odeur de froment vient vous caresser les narines. Au milieu de l'établissement, l'une des crêpières s'affaire à étaler d'immenses crêpes, qu'elle replie sur une garniture copieuse. La grande plaque de fonte noire fume doucement, tandis que la crêpe fraîchement cuite craque sous le pliage. Vous pouvez le voir, c'est fait devant vous."

"L'espace est attrayant et les crêpes sont toujours délicieuses et généreuses. On aimerait toutes les essayer, mais après une ou deux, il ne nous reste plus que la gourmandise tant on est rassasié. Un délice dont nos papilles gustatives frémissent encore. C'est d'ailleurs, avec la gentillesse du service, ce qui a fait leur succès."

❏ **Crêpe aux asperges, jambon et fromage**
❏ **Spéciale saumon fumé**
❏ **Crêpe aux fruits de mer**
❏ **Crêpe framboises et bananes avec crème pâtissière**

★★★★ **Guide Debeur**

Soir: C. 48$ à 94$
OUVERTURE: Lun. à ven. 17h30 à 22h30.
Sam. et dim. 17h à 22h30.
NOTE: Terrasse pour l'apéritif, dans une cour intérieure, 60 pers. Personnel en habit traditionnel. Stationnement et service de valet gratuit.
COMMENTAIRE: Très orientée vers les cars de touristes, la cuisine ne semble pas vouloir faire de gros efforts pour suivre l'évolution de la cuisine au Québec. Service aimable. Ambiance d'antan.

LA CHAMPAGNERIE ★★★
343, rue Saint-Paul E., Vieux-Mtl
Tél.: 514-903-9343
SPÉCIALITÉS: Charcuteries artisanales. Caille à la jerk, crabe, pommes de terre grelots rouges, maïs. Fruits de mer grillés. Short rib de bœuf. Semi-freddo, lime et tequila.
PRIX Midi: (fermé)
Soir: C. 45$ à 76$
OUVERTURE: Mar. à dim. 17h à minuit. Bar jusqu'à 3h du mat. Fermé lun.
NOTE: Mer. à sam. DJ à partir de 18h. Menu dégustation. Cocktail dînatoire. Événements corporatifs. Mer. avant 20h, moins 50% sur les bulles, prix spéciaux sur le champagne. Jeu. prix spéciaux sur fruits de mer.
COMMENTAIRE: Avec les conseils du personnel, on y sabre soi-même les vins mousseux et même le champagne. Ce côté festif et original prélude à un bon moment entre amis. Une assiette conviviale, elle aussi, et goûteuse de surcroît. Situé en face du marché Bonsecours; stationnement payant sur les terrains à proximité et même dans le Vieux-Port, au quai de l'Horloge. L'un de nos collaborateurs, Guénaël Revel, dit «Monsieur bulles», y donne parfois des soirées commentées.

L'APPARTEMENT ★★★
600, rue William, Mtl
Tél.: 514-866-6606
SPÉCIALITÉS: Tataki de saumon biologique, gingembre et miel, betteraves tranchées, caviar citron, émulsion à la poire. Calmars grillés (téquila, chili et lime), salade de tomates et coriandre. Bavette de bœuf Angus grillée, pommes de terre rattes, légumes de saison. Fondant au chocolat 70% de Tanzanie, framboise et fleur de sel, glace à la vanille Les Givrés.
PRIX Midi: F. 15$ à 20$
Soir: C. 40$ à 60$ T.H. 35$
OUVERTURE: Lun. à ven. 11h45 à 14h et 17h à 22h45. Sam. 17h à 22h45. Fermé 25 déc. et 1er janv.
NOTE: Mar. soir moules et frites à volonté, 18$. DJ mer. à sam. soir. Soirée des dames mer.
COMMENTAIRE: Deux étages, deux espaces, deux ambiances, mais une même cuisine. Une assiette continentale évolutive, joliment présentée de manière très tendance. Quelques spécialités italiennes, mais surtout on apprécie leur

viande de bœuf Angus coupée dans les meilleurs morceaux.

LE HACHOIR ★★★
4177, rue Saint-Denis, Mtl
Tél.: 514-903-1331
SPÉCIALITÉS: Trio de tartares (saumon, thon, bœuf). Bavette (8 oz), onglet (9 oz), contre-filet (10 oz). Black Angus «1855» grillé, sauce poivre ou chimichurri et pommes de terre aligot. Crème brûlée, Amarula et café, sablé breton.
PRIX Midi: T.H. 10$ à 22$
Soir: C. 42$ à 55$
OUVERTURE: Lun. 17h à 23h. Mar. et mer. midi à 23h. Jeu. à sam. midi à minuit. Dim. 11h à 23h. Fermé lun. midi, 24, 25 et 31 déc., 1er janv. et 2 sem. en janv.
NOTE: Tout est haché en cuisine. À 98%, tout est fait maison. Sélection de vins, 60 étiquettes.
COMMENTAIRE: Un restaurant style bistro sympathique et sans prétention. Décor convivial et serré qui favorise des échanges amicaux. Bonne ambiance. En vedette, ce sont les multiples tartares et les hamburgers, mais aussi les fameux steaks. Tout est haché en cuisine. Tout est fait maison. C'est simple et c'est très bon. Quant au service, il est vraiment convivial et rapide. Ici, on s'amuse à faire plaisir! Même propriétaire que le Grinder.

LE PIER 66 ★★★
361, rue Bernard O., Mtl
Tél.: 514-903-6696
SPÉCIALITÉS: Thon albacore confit au citron. Pavé de saumon fumé façon pastrami, salsifis, bacon double fumé, câpres et crème fraîche. Pétoncles et ris de veau, têtes de violon, pois de mer sauvages.
PRIX Midi: F. 20$
Soir: C. 31$ à 49$ T.H. 25$ avant 18h et après 21h
OUVERTURE: Mar. à ven. 11h30 à 22h. Sam. 17h30 à 23h. Dim. 17h30 à 22h. Fermé lun.
NOTE: Comptoir de produits frais et de plats à emporter (salade de pieuvre, poisson fumé, gravlax, etc.). Épicerie fine. Assiette de poissons fumés maison ou plateau de coquillages, après théâtre.
COMMENTAIRE: Deux anciens propriétaires du défunt restaurant L'Autre Version dans le Vieux-Montréal, Jessie Lalonde et Pierre Jean, ont ouvert le Pier 66 en mars 2016. Ce restaurant du Mile-End est spécialisé en poissons et fruits de mer. Un thème très adapté à un «Quai» (Pier)… de pêcheurs. Ambiance bistro décontractée, avec une pointe d'élégance, on s'y sent bien. La carte est savoureuse et le choix de vins bien adapté. Si les mets sont souvent de véritables tableaux dans l'assiette, ils pèchent un peu par petite quantité vu le prix demandé. Mais les saveurs sont là et c'est très bon. Les desserts sont annoncés verbalement. Nous avons passé une excellente soirée et nous y retournerons, c'est sûr.

LE VIN PAPILLON ★★ (bistro)
2519, rue Notre-Dame O., Mt
Tél.: (pas de téléphone)
SPÉCIALITÉS: Oeuf mimosa à l'espagnole. Jambon de Petite Bourgogne. Champignons farcis. Tarte au fromage blanc.
PRIX Midi: (fermé)
Soir: C. 25$ à 35$
OUVERTURE: Mar. à sam. 15h à minuit.
COMMENTAIRE: Ici, pas de téléphone, on ne réserve pas. Impossible donc de savoir si c'est ouvert ou bien s'il y a de la place. Il faudra se rendre en personne dans ce restaurant à la cuisine ouverte. Si vous vous êtes dérangé pour rien, eh bien... tant pis pour vous! À part cela, voici un petit bar à vin très sympathique qui offre une cuisine savoureuse et conviviale, mais surtout, qui propose une carte des vins imposante et recherchée.

L'Ô ★★★
Hôtel Novotel
1180, de la Montagne, Mtl
Tél.: 514-871-2151 Hôtel: 514-861-6000
SPÉCIALITÉS: Tataki de thon albacore poêlé, croûte d'épices, duo de riz et julienne de légumes. Fish and chips de morue, sauce tartare. Cuisse de canard confit, purée de pommes de terre, haricots verts, caramel balsamique. Classique crème brûlée. Mousse au chocolat.
PRIX Midi: T.H. 21$
Soir: C. 38$ à 55$
OUVERTURE: 7 jours 11h30 à 22h. Fermé après 19h les 24 et 25 déc.
NOTE: Pas de T.H. midi en juil. et août. Terrasse de style lounge avec bar et sofas. Sélection de 20 vins au verre et d'importation privée. Brunch fête des Mères, des Pères, Pâques et sur réservation. Buffet déjeuner à partir de 6h. Petit déjeuner gratuit enfant 16 ans et moins.
COMMENTAIRE: Une cuisine de simplicité et de fraîcheur. Service très courtois et plein de bonne volonté. Décor moderne où la symbolique de l'eau, du feu et de la terre est représentée. Il a été créé par l'un des décorateurs du célèbre Hôtel Georges V, à Paris.

MAESTRO S.V.P. ★★★
3615, bd Saint-Laurent, Mtl
Tél.: 514-842-6447
SPÉCIALITÉS: Huîtres fraîches. Tartare de thon. Assiette de fruits de mer (bruschetta, palourdes, satay de crevettes, crabe des neiges, moules vapeur, calmars, demi-homard, crevettes à la noix de coco). Moules marinières, frites maison. Crème brûlée.
PRIX Midi: (fermé)
Soir: C. 31$ à 81$
OUVERTURE: 7 jours 16h à 20h. Fermé 24, 25 déc. et du 4 au 25 janv.
NOTE: Moules à volonté dim. et lun. Mar. à jeu. tapas de fruits de mer, 3$ à 15$. Bar d'huîtres fraîches, à l'année, provenant des États-Unis (Washington, New York) et du Canada. Poissons variés frais tous les jours. Crabe royal 110$.

COMMENTAIRE: Un des rares restaurants à servir essentiellement des fruits de mer et des poissons. L'assiette est copieuse et bien présentée. Le décor emprunte un style bistro moderne. Menus sur ardoise. L'atmosphère devient conviviale quand le service y contribue.

MÉCHANT BŒUF ★★★[ER]
124, rue Saint-Paul O., Vieux-Mtl
Tél.: 514-788-4020
SPÉCIALITÉS: Assiette de fruits de mer. Côtes levées braisées au sirop d'érable et Jack Daniel's. Poulet entier sur canette de bière. Méchant burger, bacon, fromage bleu, gruyère et oignons caramélisés. Filet mignon, purée de pommes de terre maison. Burger tartare. Brownie au chocolat.
PRIX Midi: (fermé)
Soir: C. 29$ à 73$
OUVERTURE: Dim. à mer. 17h à 23h. Jeu. à sam. de 17h à minuit trente.
NOTE: Huîtres. Côte de bœuf à partager. Duo de chansonniers mar. et mer. soir., D.J. jeu. à sam.
COMMENTAIRE: L'assiette est excellente, généreuse et agréablement présentée. On propose un choix de mets traditionnels de brasserie faite de produits frais de qualité. C'est vraiment très bien, bon et copieux. Décor confortable, moitié bistro, moitié discothèque, avec un immense comptoir de bar sur un côté. A changé de proprio et de chef. À suivre...

MOISHE'S ★★★[ER]
3961, bd Saint-Laurent, Mtl
Tél.: 514-845-3509
SPÉCIALITÉS: Morue noire de l'Alaska cuite au charbon, huile et citron. Poulet spécial Moishes. Chiche-kebab mariné. Bifteck de côte. Pommes de terre Monte-Carlo (beurre, ciboulette, paprika). Filet mignon sur œuf. Tarte Tatin.
PRIX Midi: (fermé)
Soir: C. 69$ à 97$
OUVERTURE: Lun. et mar. 17h30 à 22h. Mer. 17h30 à 23h. Jeu. et ven. 17h30 à minuit. Sam. 17h à minuit. Dim. 17h à 22h. Fermé 24, 25 déc. et 1er janv.
NOTE: Jeu. à sam., 21h à minuit, T.H. 25$. Stationnement gratuit.
COMMENTAIRE: Ce restaurant est une institution à Montréal, il est ouvert depuis 1938. Il s'était taillé une réputation en servant de la viande vieillie. Cette méthode revenant à la mode, Moishe's, grand spécialiste du bifteck, revient à ses premières amours, il choisit sa viande chez les producteurs locaux qui élèvent leurs bœufs naturellement.

QUEUE DE CHEVAL et HOMARD FURIEUX ★★★[ER]
1181, rue de la Montagne, Mtl
Tél.: 514-390-0091
SPÉCIALITÉS: QDC: Terre et mer. Homard Furieux: Bisque de homard et huile de truffe.

Huîtres fraîches. Sashimis. Homard épicé et crevettes tempura. Rouleaux de homard. Coupes de viandes vieillies à sec. La «Q» steak frites.
PRIX Midi: T.H. 27$
Soir: C. 68$ à 119$
OUVERTURE: Queue de cheval: Lun. à ven. 11:30 à 15h. Dim. à mer. 17h30 à 22h30. Jeu. à sam. 17h30 à minuit. Homard Furieux, salon fruits de mer: Dim. à mer. 17h30 à 2h du mat. Jeu. à sam. 17h30 à 3h du mat. Tous deux fermés 24, 25, 31 déc. et 1er janv.
COMMENTAIRE: Il a fermé puis déménagé deux fois... On attendait patiemment la réouverture de cet établissement connu pour ses steaks et fruits de mer. Après de longues rénovations, on a maintenant non pas un, mais deux restaurants. L'un s'appelle toujours QDC ou Queue de cheval, il est spécialisé en steak de qualité sur le gril comme autrefois. La deuxième salle à manger s'appelle Homard furieux – salon de fruits de mer, ou encore Angry Lobster, ce qui revient au même. Leur site internet queuedecheval.com est d'abord en anglais et l'espace en français est toujours une très mauvaise traduction de l'anglais. Une vraie rigolade! Quoique c'est plutôt triste en fait. Il doit certainement s'agir d'une traduction réalisée par un robot genre Google. Pour ce qui est des menus, ils sont tous en anglais et très compliqués quant à leur offre et leur aspect visuel.

RIB'N REEF ★★★
8105, bd Décarie, Mtl
Tél.: 514-735-1601
SPÉCIALITÉS: Salade César préparée à votre table. Homard frais au goût du client. Pattes de crabe d'Alaska. Tartare de thon Yellowfin. Côte de bœuf assaisonnée et rôtie lentement. Surlonge au poivre coupe New York. Cerises Jubilée flambées.
PRIX Midi: F. 29$ à 40$
Soir: C. 61$ à 116$ T.H. 39$ à 53$
OUVERTURE: Lun. à mer. 11h30 à 23h. Jeu. à sam. 11h30 à minuit. Dim. 16h30 à 23h. Fermé dim. après jour de l'An.
NOTE: Arrivage de poisson journalier et de homard deux fois la semaine, par avion. Pattes de crabe de l'Alaska et homard au poids. Choix de caviar. Bœuf premier choix Midwest américain, approuvé USDA. Viande cuite sur gril au charbon de bois. Viandes vieillies à sec. Salon avec menu de cigares. Stationnement gratuit avec voiturier. Certificat de Wine Spectator depuis 1960.
COMMENTAIRE: Danny Cousineau, l'ancien chef de la Queue de cheval, dirige les fourneaux de cette maison à la décoration luxueuse et confortable. On recommande la viande cuite sur le gril au charbon de bois qui est excellente. Service familial et aimable. Cave à vin imposante, 800 sortes de vin, 12 000 bouteilles, et l'on peut même y organiser des repas pour 10 à 30 personnes.

VARGAS ★★★★
Steak house, sushis
690, bd René-Lévesque O., Mtl
Tél.: 514-875-4545
SPÉCIALITÉS: Huîtres Rockefeller. Satay au bœuf grillé, sauce thaïlandaise aux arachides. Filet mignon qualité Angus canadien vieilli à la perfection. Côte de bœuf. Rib steak. Pizza sushi. Crème brûlée.
PRIX Midi: F. 18$ à 25$
Soir: C. 33$ à 79$
OUVERTURE: Lun. à ven. 11h à 23h. Sam. 17h à 23h. Dim. 17h à 22h. Fermé midi jours fériés et 25 déc. toute la journée.
NOTE: Dégustation de sushis 3 serv. 50$. Les sushis ne sont pas servis entre 14h30 et 17h.
COMMENTAIRE: Décor classique et de bon goût, voire raffiné. Une cuisine de style steak house et fruits de mer, élaborée avec des produits frais de haute qualité. Leur spécialité c'est la côte de bœuf. Les portions sont très généreuses et conviennent parfaitement aux gros mangeurs de qualité, l'un n'empêchant pas l'autre. Bon choix de vin, nettement dominé par les vins rouges, quelques demi-bouteilles, et un choix raisonnable de vin au verre. Service professionnel et attentif.

CORÉEN

AVIS
Kimchi: Le kimchi est un condiment d'accompagnement. Il existe une grande variété de kimchis. Les ingrédients de base (chou, radis, concombre) ne s'y retrouvent pas tous nécessairement en même temps et ils ne sont pas tous piquants, contrairement à une croyance populaire. C'est selon les saisons, les régions et même les traditions familiales.

5000 ANS
A changé de nom, voir SAMCHA

LA MAISON DE SÉOUL ★★★
5030, rue Sherbrooke O., Mtl
Tél.: 514-489-3686
SPÉCIALITÉS: Jap Chae (nouilles de pommes de terre). Bulgogi (émincé de bœuf mariné, grillé avec sauté de légumes). Bibimbap (riz avec bœuf, légumes marinés et œuf au plat). Jeangol (fondue de fruits de mer). Tempura de crème glacée.
PRIX Midi: F. 12$ à 14$
Soir: C. 20$ à 36$
OUVERTURE: Lun. à sam. 11h30 à 15h et 17h à 22h30. Fermé dim, 24 et 25 déc., 1er janv. et jours fériés.
NOTE: Commandes et livraison payées en argent comptant seulement.
COMMENTAIRE: On va à La Maison Séoul pour sa cuisine authentique jusque dans les moindres détails. Le kimchi est bien dosé et

frais, ce n'est pas un plat, mais un accompagnement (voir avis dans cette section).

MIGA ★★★
432, rue Rachel E., Mtl
Tél.: 514-842-4901
SPÉCIALITÉS: Bibimbap (bœuf, œuf, courgette, champignon, carotte, chou, riz). Cim Chibap (kimchi, bœuf, légumes et riz). Kalbi (côte de bœuf). Bulgogi. Gâteau de riz.
PRIX Midi: C. 16$ à 21$
Soir: Idem T.H. 18$
OUVERTURE: Lun. à ven. 11h30 à 15h. Lun. à sam. 17h à 21h30. Fermé dim.
NOTE: Lun. à ven. un plat différent en spécial chaque midi. Mets à emporter.
COMMENTAIRE: Kyung Hee Yoo, originaire de la Corée du Sud, vous réserve un accueil tout en courtoisie et en délicatesse, dans ce restaurant qu'elle exploite avec sa sœur et son fils. C'est très bon et pas cher.

RESTAURANT 5000 ANS ★★★
3441, rue Saint-Denis, Mtl
Tél.: 514-845-8902
SPÉCIALITÉS: Kimchi pajeon (crêpe coréenne au porc et kimchi). Chulpan cuisiné sur la table, soupe et petit bibimbap inclus. Barbecue coréen (côte de bœuf cuisinée sur la table). Dolsot bibimbap (riz, légumes, bœuf, œuf).
PRIX Midi: F. 19$ à 52$
Soir: Idem
OUVERTURE: Lun. à sam. 10h à 14h. Lun. à dim. 17h à 22h.
NOTE: Barbecue coréen sur la table, 2 pers. 34$. Pas de dessert.
COMMENTAIRE: Le nom de ce restaurant évoque les 5000 ans d'histoire de la Corée. Les assaisonnements s'harmonisent parfaitement avec les plats de cette cuisine coréenne classique. Très bon rapport qualité-prix.

SAMCHA ★★[ER]
2176-A, rue Sainte-Catherine O., Mtl
Tél.: 514-932-7565
SPÉCIALITÉS: Barbecue coréen. Ragoût. Crème glacée. Gâteau au fromage.
PRIX Midi: C. 17$ à 31$
Soir: Idem
OUVERTURE: Dim. à jeu. 11h30 à 23h. Ven. et sam. 11h30 à 3h du matin.
NOTE: Barbecue coréen à volonté, 25$.
COMMENTAIRE: Cet établissement a changé de nom (auparavant 5000 Ans) et de propriétaire. Une carte à prédominance coréenne. Des plats préparés avec soin, tels que le Pajean et Bibimbap, qui permettent d'apprécier une cuisine encore trop peu connue. À suivre…

CRÊPERIE

LA CRÊPERIE DU VIEUX-BELŒIL
★★★★★
Voir section MONTÉRÉGIE

ESPAGNOL

PINTXO ★★★
330, av. Mont-Royal E., Mtl
Tél.: 514-844-0222
SPÉCIALITÉS BASQUES: Chorizo et pieuvre grillée, purée de pois chiches à l'encre de seiche, oignons rouges au citron. Œufs brouillés à la morue. Boudin noir, chutney aux pommes. Carré de cerf en croûte de pistaches. Tarte Santiago aux amandes.
PRIX Midi: T.H. 19$
Soir: C. 39$ à 53$
OUVERTURE: Lun. à ven. midi à 14h. Lun. à dim. 18h à 23h. Fermé 25 déc. et 1er janv.
NOTE: Choix de pintxos. Menu dégustation (4 pintxos, 1 plat principal) 40$. Vins exclusivement espagnols, 80% en importation privée.
COMMENTAIRE: À l'origine, pintxo était une petite tranche de pain sur laquelle on mettait une peu de nourriture. Pintxo en basque ou tapas en espagnol, ce sont aujourd'hui de petites bouchées délicieuses dont on commande plusieurs variétés pour composer son menu. Ici, c'est à la fois un plaisir des yeux tout autant que du goût.

TAPAS,24 ★★★★
420, rue Notre-Dame O. #4, Mtl
Tél.: 514-849-4424
SPÉCIALITÉS DE BARCELONE: Oeufs frits, pommes de terre et foie gras poêlé. Pieuvre, pommes de terre, pimentón et huile d'olive. Zarzuella: ragoût de fruits de mer et poissons. Tapas de Barcelone: Croquette de jambon ibérique, Crevettes à l'ail et piments forts, Ailes de poulet désossées, sauce alegre. Beignets de chocolat fondant. Chocolat, pain, huile d'olive et fleur de sel.
PRIX Midi: T.H. 22$
Soir: C. 27$ à 68$. Tapas 3$ à 22$
OUVERTURE: Lun. à ven. 11h30 à 14h30. Lun. à sam. 17h à 23h. Fermé dim. (ouvert pour groupes privés).
NOTE: Service de voiturier lun. à sam. dès 17h30.
COMMENTAIRE: Voici le petit frère du Tapas, 24 de Barcelone (Espagne), propriété du chef Carles Abellan. Ce fameux chef espagnol, diplômé de l'école hôtelière de Barcelone, formé au célèbre restaurant El Bulli de Feran Adria, propose ici un hommage à la cuisine de Barcelone. Des tapas exceptionnelles, mais aussi des spécialités ibériques, dont une incontournable paella que nous avons eu le plaisir de goûter. Une cuisine généreuse, créative et moderne. Décor contemporain et agréable. Le service pourrait faire un petit effort d'attention.

TAPEO ★★★
511, rue Villeray, Mtl
Tél.: 514-495-1999
SPÉCIALITÉS: Crevettes à l'ail. Pétoncles aux lardons. Pieuvre grillée. Croquettes de morue.

Morue en croûte. Fideos (pâtes courtes, saucisson, crevettes, champignons, aïoli aux amandes). Short rib de bœuf. Thon albacore.
PRIX Midi: F. 20$
Soir: C. 12$ à 27$
OUVERTURE: Mar. à ven. midi à 15h et 17h30 à 23h. Sam. 17h à 23h. Dim. 17h à 22h. Fermé 24, 25, 31 déc. et 2 prem. sem. de janv.
NOTE: Il faut compter manger 3 à 4 tapas minimum et un dessert de 6$ à 10$. Paella pour deux env. 50$. Table semi-privée de la chef, 18 pers.
COMMENTAIRE: Restaurant sur deux étages, au décor de bistro, simple et moderne, dans un quartier populeux. Le menu est inscrit dans des cercles sur un mur genre tableau noir. La jeune chef, Marie-Fleur St-Pierre, a ouvert un second établissement, Meson, restaurant général espagnol, au 345, rue Villeray. Une sorte de prolongation de son savoir-faire, dont on se régale au Tapeo. Une cuisine conviviale, créative et spontanée. Très belles présentations. Service enthousiaste et courtois.

FRANÇAIS

♥ ALEXANDRE ET FILS ★★★★ (bistro)
1454, rue Peel, Mtl
Tél.: 514-288-5105
SPÉCIALITÉS: Avocat au crabe. Gambas grillées sur risotto d'orge. Foie gras de canard. Quenelles de brochet. Homard froid parisien. Choucroute de mer. Épaule d'agneau à la semoule de couscous. Bavette à l'échalote. Tartare de bœuf. Cassoulet toulousain. Fondant au chocolat. Gâteau café de Paris. Nougat glacé.
PRIX Midi: F. 24$ à 38$
Soir: C. 38$ à 70$ T.H. Express 34$
OUVERTURE: 7 jours midi à 2h du matin.
NOTE: Côte de bœuf pour 2, 46$/pers. Terrasse et brasserie parisienne au rez-de-chaussée, John Sleeman pub au 2e étage. Bon choix de bières. Salon à cigares au 2e étage. Piste de danse sur réserv. Stationnement 6$ le soir.
COMMENTAIRE: Alexandre présente une table sympathique dans un cadre débordant d'ambiance parisienne où la carte bistro, des plus appétissantes, nous fait faire un tour d'horizon des régions de France, de quoi satisfaire tous les goûts. Beaucoup d'ambiance et un service «à la parisienne» mais avec l'amabilité en plus.

À L'OS ★★★
5207, bd Saint-Laurent, Mtl
Tél.: 514-270-7055
SPÉCIALITÉS: Os à mœlle. Pieuvre grillée, pot-au-feu de calmars. Tartare de bison, vinaigrette aux cèpes et au porto. Ris de veau. Collier d'agneau sur os braisé, pistou de fenouil, rapinis, sauce aux épices. Pain perdu chocolat au lait et noisettes.

PRIX Midi: (fermé)
Soir: C. 48$ à 58$ T.H. 45$
OUVERTURE: Mar. à dim. 18h à 23h. Fermé lun. Fermé 24 au 26 déc. et 1er janv.
COMMENTAIRE: La salle à manger est simple et confortable. Belle vaisselle bien adaptée aux mets présentés. La cuisine est ouverte sur un côté de la salle à manger. Une assiette française revisitée, créative, savoureuse et intéressante. Les cuissons sont justes, les saveurs, bien mariées et les garnitures, bien adaptées. Si on boude un peu le sel, par contre on n'a pas peur d'utiliser et de mettre en valeur les épices avec beaucoup de doigté. N'oubliez pas d'apporter votre vin.

AU PETIT EXTRA ★★★[ER] (bistro)
1690, rue Ontario E., Mtl
Tél.: 514-527-5552
SPÉCIALITÉS: Soupe de poisson. Confit de canard, salade landaise. Tartare de bœuf (onglet). Mœlleux au chocolat. Crème brûlée.
PRIX Midi: F. 17$ et 22$
Soir: C. 35$ à 51$
OUVERTURE: Lun. à ven. 11h30 à 14h30. Jeu. à sam. 17h30h à 22h30. Dim. à mer. 17h30 à 22h. Fermé le midi 24 juin et 1er juil. Fermé 24, 25 déc. et 1er janv.
NOTE: Belle carte des vins d'importation privée à prix raisonnables, 30 vins au verre. Prix intéressants en automne.
COMMENTAIRE: Fidèle à lui-même malgré les années. Genre bistro, on affiche le menu sur une ardoise. Ambiance bistro conviviale. Changement de proprio et de chef. À suivre…

AU PIED DE COCHON ★★★ (bistro)
536, rue Duluth E., Mtl
Tél.: 514-281-1114
SPÉCIALITÉS: Quenelles d'esturgeon. Hamburger de foie gras. Gnocchis au bacon dans la meule. Tartare de boudin et foie gras au sel. Pied de cochon farci au foie gras. Pouding chômeur à l'érable.
PRIX Midi: (fermé)
Soir: C. 37$ à 73$
OUVERTURE: Mer. à dim. 17h à minuit. Fermé lun. et mar.
NOTE: Plats pour emporter. Les fenêtres sur l'avant du resto s'ouvrent en été. Le menu change régulièrement. Plateau de fruits de mer en saison.
COMMENTAIRE: Le chef propriétaire est un passionné du foie gras qu'il décline de multiples façons avec succès. Il nous sert une cuisine française avec quelques spécialités québécoises. Une assiette copieuse, généreuse et très savoureuse, qui vous laisse repus. Nous avons aimé la finition de la viande au four à bois qui lui donne un croustillant savoureux. Ambiance bistro, un peu bruyante, très animée, sans prétention. Décor simple, tables de bois sans nappe. Service attentif et passionné. Carte des vins bien adaptée et bien présentée.

BEAVER HALL ★★★ (bistro)
1073, Côte du Beaver-Hall, Mtl
Tél.: 514-866-1331
SPÉCIALITÉS: Salade repas de chèvre chaud, saumon fumé. Fish and chips du Beaver Hall. Tartare de bœuf coupé au couteau. Bavette grillée à l'échalote, frites et salade. Foie de veau poêlé, échalotes confites et pommes boulangère. Crème brûlée. Mousse au chocolat.
PRIX Midi: F. 15$ à 33$
Soir: C. 35$ à 53$ F. 36$
OUVERTURE: Lun. 11h30 à 15h. Mar. à ven. 11h30 à 22h. Sam. 16h à 22h. Fermé dim. et jours fériés.
COMMENTAIRE: L'assiette est excellente. Belles présentations, saveurs et fraîcheur sont au rendez-vous. Carte des vins bien adaptée avec un bon choix de vins au verre. Le service est jeune et bien dirigé.

BIRKS CAFÉ PAR EUROPEA
★★★ (bistro)
1240, Square Phillips, Mtl
Tél.: 514-397-2468
SPÉCIALITÉS: Risotto Carnaroli crémeux au parmesan, champignons sautés. Tartare de saumon, salade de courgettes en tagliatelles. Foie gras au torchon, chutney de figues.
PRIX Midi: F. 22$ C. 29$ à 33$
Soir: (fermé)
OUVERTURE: Repas, lun. à ven. 11h à 14h30. Ouverture du café et salon de thé, lun. à mer. 10h à 18h, jeu. et ven. 11h à 21h, sam. 10h à 17h, dim. midi à 17h.
NOTE: Petite ardoise 19,50$. Retour du marché F. 21,50$. «The Afternoon Tea» 26,50$, salé-sucré, canapés, club sandwichs, scones, macarons.
COMMENTAIRE: Installés sur la mezzanine de la bijouterie, on y mange dans un décor bistro de luxe où le service se fait à pas feutrés sur le tapis «mur à mur». On y a bu de l'eau minérale dans des verres de cristal Murano. Et toute la vaisselle est du même calibre.
ATTENTION: Au moment de mettre sous presse, nous apprenons que Birks café devrait fermer ses portes.

BISTRO CHEZ ROGER ★★★ (bistro)
2316, rue Beaubien E., Mtl
Tél.: 514-593-4200
SPÉCIALITÉS: Pieuvre grillée, poivron, harissa, orange et hummus. Tartare de bœuf classique à l'huile de truffe. Grillade d'agneau ou assiette barbecue (poulet, côtes levées, saucisses, canard). Gâteau au fromage et bleuets.
PRIX Midi: (fermé)
Soir: C. 33$ à 57$
OUVERTURE: Lun. à dim. 18h à 23h. Fermé 24, 25, 31 déc. et 1er janv.
NOTE: Lun. soirée tartare 18$. Dim. steak AAA vieilli par le Marchand du Bourg.
COMMENTAIRE: Ancienne taverne de quartier transformée moitié en boudoir, moitié en resto-bistro. Le décor est moderne, agréable et confortable. La cuisine est ouverte sur la salle

à manger qui se divise en deux niveaux. L'endroit est simple, jeune, sympa. La formule est facile, on ne se casse pas la tête, c'est bon et c'est copieux. Le service est jeune et compétent.

BISTRO L'AROMATE
★★★[ER] (bistro)
Hôtel Le Saint-Martin
980, bd de Maisonneuve O., Mtl
Tél.: 514-847-9005
SPÉCIALITÉS: Pieuvre du Maroc, salsa de papaye et de mangue, purée d'avocat au miso, gel de lait de coco. Onglet de veau, purée de panais, champignons forestiers, sauce aux cèpes. Carré d'agneau, polenta crémeuse aux herbes, gelée d'agneau à la menthe et citrons confits, crumble merguez. Tarte au sucre revisitée, bouchée chaude et fondante en croûte de noix, caramel à la fleur de sel, glace à la vanille.
PRIX Midi: F. 24$ à 35$
Soir: C. 41$ à 77$ F. 28$ à 45$
OUVERTURE: Dim. à mer. 11h30 à 22h. Jeu. et ven. 11h à 23h. Sam 11h30 à 23h. Fermé 25 déc. et 1er janv.
NOTE: Mar., tatare à volonté 25$. Spécial sur les huîtres jeu. soir. Saucisses et charcuterie à volonté ven. soir 29$.
COMMENTAIRE: De style bistro, jeune, moderne et chic, le décor se joue en blanc, vert amande et gris ardoise. Une assiette créative et savoureuse, presque sensuelle. Service toujours très aimable.

BONAPARTE ★★★★
Auberge Bonaparte
443, rue Saint-François-Xavier, Vieux-Mtl
Tél.: 514-844-4368
SPÉCIALITÉS: Goujonnette de sole de Douvres, meunière d'herbes et pignons de pin. Raviolis de champignons parfumés à la sauge fraîche. Navarin de homard à la vanille. Mignon de bœuf rôti, cinq poivres et cognac. Crème brûlée de foie gras. Soufflé au chocolat.
PRIX Midi: F. 16$ à 28$
Soir: C. 41$ à 86$ T.H. 39,95$
OUVERTURE: Lun. à ven. 11h30 à 14h. 7 jours 17h30 à 22h30. Fermé midi jours fériés. Fermé 25 déc. et 1er janv.
NOTE: Menu dégustation 7 serv. 78$. 10 choix de tables d'hôte le midi, 5 le soir. Section resto-bar. Mets spéciaux sur demande pour personnes allergiques, végétariennes et intolérantes au gluten. Ouvert depuis 1984.
COMMENTAIRE: Cuisine excellente et raffinée, service agréable. Les salles à manger sont claires, l'espace bien découpé et aéré. La section hôtel comprend 30 chambres et une suite, et le restaurant, 3 salles à manger, dont une en forme de serre.

BORIS BISTRO ★★★ (bistro)
465, rue McGill, Mtl
Tél.: 514-848-9575
SPÉCIALITÉS: Tatin au fromage avec du boudin. Tartare de bison. Quinoa royal aux crevet-

tes et amarillo. Risotto au canard, pleurotes et sauge. Cuisse de lapin à la moutarde noire et huit poivres. Nem aux framboises, pommes et chocolat blanc. Glace artisanale à l'érable.
PRIX Midi: T.H. sept. à avr. 19$ à 26$
Soir: C. 34$ à 44$
OUVERTURE: Mai à août: lun. à ven. 11h30 à 23h. Sam. et dim. midi à 23h. Sept. à avril: lun. à ven. 11h30 à 14h. Mar. à ven. 17h à 22h. Sam. 18h à 22h. Fermé à la période des fêtes.
NOTE: Pas de T.H. le midi en été. 100% de vins en importation privée par Boris Bistro, choix élaboré d'une trentaine de vins au verre. Mineurs acceptés uniquement sur la terrasse jusqu'à 20h. Réserv. préférable, seulement par téléphone. Choix de plats végétariens, végétaliens et pain sans gluten. Plat principal disponible en demi-portion.
COMMENTAIRE: L'assiette est bonne dans l'ensemble. Le service est jeune, dévoué et très gentil. Décor zen, musique jazz branché. L'été, il y a une très grande terrasse où l'on mange à l'ombre des arbres ou des parasols. Ambiance agréable, un peu perturbée par la circulation de la rue McGill, malgré l'îlot de verdure urbain qui fait écran.

CHAMBRE À PART ★★★★
3619, rue Saint-Denis, Mtl
Tél.: 438-386-3619
SPÉCIALITÉS: Pâté en croûte de Jérôme, condiments. Tataki de bison, œufs de caille et romaine. Magret de canard au maïs, brioche, magret fumé et poire. Médaillon de bœuf, gnocchi, aubergine, pesto. Tatin, pomme cortland, crème fraîche, calvados. Sablé aux noix caramélisées, fraises du Québec.
PRIX Midi: F. 17$ à 25$
Soir: C. 34$ à 50$
OUVERTURE: Mar. à ven. 11h30 à 14h. Lun. à sam. 17h à 23h. Fermé dim.
NOTE: Carte des vins d'importation privée à 70%.
COMMENTAIRE: Les deux copropriétaires sont non seulement partenaires dans la vie, mais aussi dans les affaires puisque copropriétaires de La Fabrique qui se trouve juste à côté. Il est chef, elle est sommelière. En renfort, deux autres associés se sont ajoutés à l'équipe. La décoration de ce nouveau restaurant est plus déliée, plus féminine. Bois blond des tables, fer forgé en volutes, briques des murs, cages de bois pour les lampes. Un grand carrelage noir et blanc fait le lien entre la grande salle et le bar, genre jardin intérieur qui la prolonge. L'assiette est excellente, pleine de saveurs et de fraîcheur. Bon service qui devrait peut-être un peu moins «pousser» les propositions de cocktails, même s'ils sont bons.

CHEZ CHOSE ★★★
1879, rue Bélanger, Mtl
Tél.: 514-843-2152
SPÉCIALITÉS: Party de champignons, œuf 63°C, copeau de Zacharie Cloutier. La Chose

la Chef: Cuisse de lapin farcie de cippolini et chanterelles, glace de viande au romarin. Pavé de boudin noir maison au colombo et sa crème de colombo. Pot de crème au chocolat noir, noisettes caramélisées et chantilly. Sorbets.
PRIX Midi: F. 22$
Soir: C. 35$ à 58$
OUVERTURE: Jeu. et ven. 11h30 à 14h. Mer. à sam. 17h à 22h. Dim. 10h à 14h30. Fermé lun. et mar.
NOTE: Produits du terroir à 95%. Viande de producteurs du Québec. Le plat «La Chose la Chef» propose une viande différente chaque semaine. F. jeu. et ven. midi 16$ et 20$. Vins d'importation privée.
COMMENTAIRE: Bon petit restaurant familial de quartier. Madame et monsieur en salle, la fille de madame à la cuisine. C'est honnête et c'est bon. La décoration est assez ordinaire mais agréable. Menu sur ardoise. On sent ici un désir de plaire et de partager, en particulier si le client choisit le menu dégustation. Mais, bon, j'y retournerai volontiers, pour la gentillesse, pour l'accès et le stationnement facile et surtout pour les saveurs dans l'assiette.

CHEZ LA MÈRE MICHEL ★★★★★ ♥
1209, rue Guy, Mtl
Tél.: 514-934-0473
SPÉCIALITÉS FRANÇAISES CLASSIQUES: Barquette aux oignons doux, mesclun à l'huile d'olive. Omble de l'Arctique grillé à la graine de moutarde. Magret de canard aux agrumes. Tournedos de bœuf, béarnaise, champignons, frites. Soufflé Grand Marnier et chocolat. Feuilleté aux fraises maison.
PRIX Midi: (fermé)
Soir: C. 48$ à 93$
OUVERTURE: Mar. à sam. 17h30 à 21h30. Fermé dim., lun. et 25 déc.
NOTE: Ouvert depuis 1965, 52 ans déjà! Une des belles caves à vins de Montréal qu'il est possible de visiter. Plusieurs salons souterrains, dont une cave champenoise. Belle variété de vins à prix raisonnables. Serre vitrée. Jardin en façade.
COMMENTAIRE: Le décor est chaleureux tout en ayant de la classe, l'ambiance est cossue et calme. Nous préférons le salon jardin d'hiver et la petite salle attenante, avec leur allure seigneuriale provençale, décorés de magnifiques photos de René Delbuguet, de plantes et de panneaux de cuivre émaillé. Dans ce joli décor, Micheline Delbuguet, l'une des premières femmes-chefs du Québec, nous sert une cuisine toujours aussi délicieuse avec la complicité du chef Stéphane Falvo, de solides classiques français, à base de produits frais et naturels.

♥ CHEZ LÉVÊQUE ★★★★ (bistro)
1030, av. Laurier O., Mtl
Tél.: 514-279-7355
SPÉCIALITÉS: Planche de charcuteries maison à partager. Terrine de foie gras, chutney maison et brioche. Foie de veau au vinaigre de

framboise déglacé au vinaigre de cidre. Loup de mer grillé flambé au pastis. Sole de Douvres grenobloise. Filet mignon et tournedos Rossini. Boudin noir maison, pommes fruits.
PRIX Midi: T.H. 21$
Soir: C. 38$ à 84$ T.H. 35$ à 56$
OUVERTURE: Dim. à mer. 11h à 22h. Jeu. 11h à 23h. Ven. et sam. 11h à minuit.
NOTE: Carte de vins très variée d'importation privée, majoritairement produits français.
COMMENTAIRE: Ouvert depuis 1972, 45 ans en 2017. Tout un anniversaire! Chez Lévêque, tout tourne autour du thème des évêques. Des icônes un peu partout illustrent des évêques gourmands. Cela va jusque dans les toilettes où l'on entend de la musique grégorienne. Ici, on sert une cuisine savoureuse, faite de solides classiques de brasserie française, soupe à l'oignon, cervelle et rognons de veau, blanquette, crêpes Suzette. Une vraie brasserie française, sympathique et confortable. Une équipe dynamique travaille de concert avec leurs mentors André Besson, Patricia et Pierre Lévêque, pour que se fondent les goûts classiques et les saveurs nouvelles afin de toujours renouveler les plaisirs gourmands. Une maison de confiance qui sait entourer ses clients d'attentions.

CHEZ SOPHIE ★★★★ (bistro)
1974, rue Notre-Dame O., Mtl
Tél.: 438-380-2365
SPÉCIALITÉS: Oeuf moelleux croustillant, mousseline de pommes de terre, poêlée de champignons et d'asperges, émulsion de cèpes. Morue noire laquée au miso, mousseline de chou-fleur, daikon à l'orange, émulsion de lime. Millefeuille amandes et pistaches, glace au chocolat noir.
PRIX Midi: T.H. 30$
Soir: C. 56$ à 72$
OUVERTURE: Mar. à ven. 11h30 à 14h30. Mar. à sam. 17h30 à 22h30. Fermé dim. et lun.
NOTE: Plusieurs choix de salades le midi. Menu dégustation, 4 serv. 80$.
COMMENTAIRE: Chez Sophie est un joli petit restaurant de cuisine française avec une touche italienne. Décor moderne et de bon goût, avec un comptoir de bar dans le prolongement de la cuisine, où règne la chef copropriétaire Sophie Tabet. Celle-ci propose une cuisine créative, savoureuse et joliment présentée. Des cuissons justes, des assemblages harmonieux et des assaisonnements adéquats. Nous avons eu un véritable coup de cœur pour l'œuf norvégien. Pour ce qui est des vins, Marco Marangi, son conjoint, a de vraies trouvailles. On dirait même qu'il devine votre goût pour vous servir ce qu'il y a de mieux en accord avec la cuisine de Sophie. De plus, ses vins au verre sont d'un très bon rapport qualité-prix.

CODE AMBIANCE ★★★
1874, rue Notre-Dame O., Mtl
Tél.: 514-939-2609
SPÉCIALITÉS: Ceviche de pétoncles et gravlax maison. Tartare de saumon frais, salade garam masala, croûtons et légumes. Morue poêlée, croustillant de bacon à la méditerranéenne. Cuisse de canard poêlée, pommes de terre, salade, foie gras poêlé. Tarte Tatin.
PRIX Midi: T.H. 15$ à 25$
Soir: C. 37$ à 69$ T.H. 40$ à 55$
OUVERTURE: Mar. à ven. 11h30 à 14h. Mar. à sam. 16h à 21h30. Fermé dim., lun. et du 25 déc. au 5 janv.
NOTE: Menu découverte 4 serv. 60$. Cave à vin d'importation privée à 95%. 18 ans et plus. Bar à vin jusqu'à minuit.
COMMENTAIRE: Ce restaurant offre un décor résolument moderne, très beau et confortable à l'ambiance feutrée. Ici, c'est avant tout une ambiance où la convivialité, la qualité et l'originalité sont mises en honneur. L'assiette est française et propose de solides classiques bien revisités, savoureux et joliment présentés.

EUROPEA ★★★★★[ER]
Restaurant de l'année Debeur 2010
1227, rue de la Montagne, Mtl
Tél.: 514-398-9229
SPÉCIALITÉS: Calmars citronnés structurés en tagliatelles, œuf de caille poché, croûton d'encre de seiche au beurre à l'ail. Foie gras poêlé. Civet de homard aux ris de veau cara-

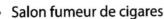

mélisés, confit au citron. Tagliatelles fraîches aux porcinis, quinoa croquant. Joues de veau du Québec braisées lentement, panais et pommes fondantes.

PRIX Midi: T.H. 45$

Soir: C. 86$ à 97$ T.H. 90$

OUVERTURE: Mar. à ven. midi à 14h, 7 jours 18h à 22h. Fermé 24, 25 déc. et 1er janv.

NOTE: Menu 6. serv., 89,50$. Menu dégustation 12 serv. 119,50$. 2 tables du chef de 4 pers., petit salon de 4 à 6 pers. pour l'apéritif. Forfait sommelier 5 verres de vins en accord avec les mets 74,50$. Service de traiteur. Atelier «Chef d'un soir» (max. 2 pers.) dim. à ven. de 15h30 à 17h, 75$ (tablier et verre de vin offerts).

COMMENTAIRE: Originaires du sud-ouest de la France, ils sont trois associés passionnés, deux cuisiniers et un maître d'hôtel. Ils ont ouvert ce restaurant en 2002 pour mettre en valeur les produits du Québec avec tout leur talent et leur passion. Les salles à manger s'étendent sur deux étages. L'assiette est créative et bonne. Service professionnel.

H4C PLACE ST-HENRI ★★★★ (bistro)
538, place Saint-Henri, Mtl
Tél.: 514 316-7234

SPÉCIALITÉS: Pieuvre tandoori, yogourt caramélisé, oignon rouge, riz basmati, noix de cajou, noix de coco. Mousse de foie de volaille. Gnudi de ricotta de homard, girolles et asperges. Selle et filet d'agneau, patates sucrées, pois chiches frais, yogourt, épices kebab. Citron, meringue au gin et concombre.

PRIX Midi: (fermé)

Soir: C. 66$ à 86$

OUVERTURE: Mer. à ven. 18h à 23h. Sam. 10h à 14h et 18h à 23h. Dim. 10h à 15h. Fermé lun., mar., 24 et 25 déc.

NOTE: Menu dégustation 7 serv. 110$, 7 serv. Vins au verre à partir de 9$.

COMMENTAIRE: Installé dans une ancienne poste, ce très bel établissement mérite qu'on s'y arrête et même qu'on fasse un détour. Une salle à manger au coup d'œil agréable, confortable même si on y joue la carte bistro. Enfin bien assis! La carte est courte, mais alléchante, et annonce une garantie de fraîcheur. Sous la direction du chef Dany Bolduc, la carte propose une cuisine française revisitée. Les saveurs y sont exaltées de très belle façon. Les présentations sont magnifiques et l'on se plaît à les regarder longuement avant d'entamer son plat. Tout y est bien pensé, les saveurs s'épaulent l'une à l'autre en une harmonie réussie. Service compétent, attentif et super aimable.

HAMBAR ★★★★ (bistro)
Hôtel Saint-Paul
355, rue McGill, Vieux-Mtl
Tél.: 514-879-1234

SPÉCIALITÉS: Gnocchis maison, champignons sauvages. Os à moelle, escargots. Ris de veau, purée de céleri-rave et jus de viande.

Risotto homard, lime, oignons verts. Papardelle maison, canard confit. Sablé breton au sarrasin, mûres, bleuets et crème fraîche.

PRIX Midi: F. 19$ à 22$

Soir: C. 42$ à 65$

OUVERTURE: Lun. à ven. 11h30 à 23h. Sam. et dim. 11h à 23h.

NOTE: Coin d'Youville et McGill. 30 vins au verre. Carte des vins, 250 inscriptions en majorité d'importation privée. Menus réduits de 14h30 à 16h30.

COMMENTAIRE: Le décor, très design, chic et bien éclairé, est vraiment agréable. La cuisine propose une assiette moderne, savoureuse et harmonieuse dans l'ensemble. À souligner l'extrême gentillesse et l'attention constante des serveurs et des serveuses.

KITCHEN GALERIE ★★★ (bistro)
60, rue Jean-Talon E., Mtl
Tél.: 514-315-8994

SPÉCIALITÉS: Foie gras poêlé sur pain d'épices, réduction de caramel de vin rouge, fruits confits. Huîtres travaillées oui et non. Parfait de foie gras, compote d'oignons caramélisés. Côte de bœuf rôtie en face à face. Pot de foie gras cuit au lave-vaisselle, gelée de muscat au poivre long.

PRIX Midi: (fermé)

Soir: C. 35$ à 72$

OUVERTURE: Mar. à sam. 17h à 23h30. Fermé dim. et lun. Fermé du 22 déc. au 22 janv. et sem. de la construction.

NOTE: Menu changeant tous les jours; carte des vins chaque semaine. 150 étiquettes, à partir de 39$. Menu dégustation 40$ et plus, 4 à 10 serv.

COMMENTAIRE: Pas de carte, mais une table d'hôte qui reflète ce que le chef trouve quotidiennement au marché. Il est jeune, enthousiaste et créatif, et cela s'exprime jusque dans l'assiette. Celle-ci est savoureuse et présentée de façon originale. Le décor est celui d'un bistro tout petit, mais convivial. La cuisine est ouverte dans la salle, derrière le comptoir. Pas de serveur, les chefs servent aux tables.

LA COUPOLE ★★★★ (bistro)
Hôtel Le Crystal de la Montagne
1325, René-Lévesque O., Mtl
Tél.: 514-373-2300

SPÉCIALITÉS: Tartare bœuf ou saumon. Bavette de veau, salsa maïs et polenta au thym citronné. Filet de bœuf grillé sauce au thé des bois, pommes de terre Yukon. Crème brûlée à la fleur de monarde.

PRIX Midi: F. 25$ à 53$

Soir: C. 29$ à 71$

OUVERTURE: 7 jours 11h à 15h et 17h à 23h.

NOTE: Petit menu avant spectacle au Centre Bell, 17h à 19h, service rapide. Menu saisonnier avec produits du Québec.

COMMENTAIRE: C'est moderne, c'est beau, c'est central: on s'y sent bien. Surtout si l'on est assis dans les confortables sièges rouges près de la vitre qui donne sur René-Lévesque. Le chef propose une cuisine française de qualité. Le service, quant à lui, répond adéquatement aux attentes. La carte des vins est appropriée et présente un grand choix de vins au verre.

LA GARGOTE ★★
351, pl. d'Youville, Vieux-Mtl
Tél.: 514-844-1428
SPÉCIALITÉS: Salade d'endives au bleu et aux noix. Magret de canard aux raisins et au miel. Côte de veau grillée, tapenade aux olives. Trio de crème brûlée.
PRIX Midi: T.H. 18$ à 22$
Soir: C. 49$ à 66$ F. 21$ à 28$
OUVERTURE: Lun. à ven. midi à 14h30. Lun. à dim. 17h30 à 22h. Fermé dim. et lun. soir en hiver et le midi les jours fériés.
NOTE: Ambiance de quartier en été. Feu de foyer en hiver.
COMMENTAIRE: Un petit restaurant de quartier chaleureux, où l'on sert une cuisine sans beaucoup d'originalité, mais honnête et généreuse, voire familiale. La salle à manger rappelle les bons petits restos de France. Service très attentif et aimable. Un restaurant de tradition, simple et réconfortant.

LALOUX ★★★[ER] (bistro)
250, av. des Pins E., Mtl
Tél.: 514-287-9127
SPÉCIALITÉS: César d'endives rouges, croustilles de prosciutto, pop-corn aux ris de veau. Suprême de pintade, fumée et cuite sous-vide, confit au gingembre, bacon, rhubarbe. Tarte au citron, guimauve au romarin, espuma de yaourt aux agrumes, sorbet au pamplemousse.
PRIX Midi: F. 15$ à 24$
Soir: C. 40$ à 71$
OUVERTURE: Lun. à ven. 11h45 à 14h30. 7 jours 17h30 à 22h30. Fermé 1er janv. et midi jours fériés.
NOTE: La carte évolue en fonction des produits locaux bio-écoresponsables. Menu saisonnier, dégustation au gré du chef 68$. Cave à vin d'importation privée à 80%, bonne sélection. 12 vins au verre. Vins naturels et biologiques.
COMMENTAIRE: Décor typiquement bistro français, très parisien et service à l'avenant. Le nouveau chef Patrick Plouffe a travaillé dans plusieurs excellents restaurants de Montréal comme le Quartier général et Chez l'Épicier. Respectueux de l'environnement.

LA MAISON DU MAGRET ★★ (bistro)
102, rue Saint-Antoine O., Vieux-Mtl
Tél.: 514-282-0008
SPÉCIALITÉS: Foie gras au torchon, salade, chutney aux figues, pain de figues. Burger de canard maison. Magret de canard, légumes, frites, sauce au foie gras. Gâteau basque, pâte brisée, ganache au chocolat. Tarte Tatin caramélisée, avec glace à l'érable.
PRIX Midi: T.H. 22$

Soir: C. 42$ à 56$ T.H. 35$
OUVERTURE: Lun. à ven. 11h à 15h. Mar. et
mer. 17h30 à 20h. Jeu. à sam. 17h30 à 22h.
Fermé dim.
NOTE: Espace gourmand avec les plats de la
carte à emporter, produits locaux et de la Maison du magret. Carte des vins à dominante
Sud-Ouest de la France. Desserts maison.
COMMENTAIRE: À mi-chemin entre le restaurant et le bistro de luxe, ce restaurant a été
aménagé dans une ancienne banque. Quoique
le mot bistro implique un bar ou encore un
comptoir où l'on peut manger ou boire un verre, l'endroit respire le style et la convivialité
d'un bistro de qualité. À part les desserts, tout
ici tourne autour du thème du canard. Si vous
aimez le foie gras, les magrets, le confit ou les
manchons, c'est un incontournable.

LA PETITE MAISON ★★★ (bistro)
5589, av. du Parc, Mtl
Tél.: 514-303-1900
SPÉCIALITÉS: Boudin noir, beurre de pomme. Feuilleté aux champignons, sauce mornay
et œuf mollet. Omelette maison. Risotto aux
champignons, pleurotes et épinards. Truite fumée. Tarte au chocolat, guimauve brûlée et
graham. Chaussons aux prunes et crème légère vanille (recommandé).
PRIX Midi: (fermé)
Soir: T.H. 35$
OUVERTURE: Mer. à ven. 17h à 22h. Sam.
et dim. 9h à 14h et 17h à 22h. Fermé lun.,
mar. et 1er juil.
NOTE: Salon privé 35 pers.
COMMENTAIRE: Le chef Danny St-Pierre a
été, entre autres, fondateur du restaurant Auguste à Sherbrooke, animateur et chroniqueur
à la télé et à la radio. Sa popularité a-t-elle
changé la mentalité du chef? Que nenni! Pas
du tout la grosse tête, au contraire. C'est un
passionné qui s'amuse dans la Petite Maison,
son nouveau restaurant de l'avenue du Parc à
Montréal. Même s'il décide du contenu de la
carte et, en fait, de tout ce qui concerne l'établissement, il a confié la cuisine à un cuisinier
et déambule entre les tables, veille à tout, s'in-
quiète du bien-être de ses clients, sert quelques
plats et va même jusqu'à débarrasser des tables. Farci d'humour, de simplicité, de gentillesse et de bonne humeur, il s'entretient avec
tout le monde, souriant et discutant volontiers
des recettes et des aliments utilisés. L'assiette?
Excellente, savoureuse, mais on devrait faire
un effort pour les présentations. C'est un peu
comme à la maison. Le service? Bien, mais on
pourrait faire mieux. Le décor? Style bistro,
petit, intime et un peu hétéroclite. On y retourne? Certainement!

LA SALLE À MANGER ★★★ (bistro)
1302, av. Mont-Royal E., Mtl
Tél.: 514-522-0777
SPÉCIALITÉS: Carpaccio de saison. Saumon
grillé, cassolette de palourdes et saucisses,
rouille, verdure. Porcelet de lait rôti. Demi-râ-
ble de lapin, tarte Tatin à l'oignon, vinaigrette
à la pieuvre.
PRIX Midi: (fermé)
Soir: C. 42$ à 55$
OUVERTURE: 7 jours 17h à minuit. Fermé
24, 25 déc. et 1er janv.
NOTE: Nouveau menu chaque jour. Porcelet
de lait pour 12 pers. sur réserv. Charcuterie
maison, viande vieillie sur place. 350 à 375
sortes de vins, dont 15 au verre. Sélection de
vins natures. 30 sortes de bière de microbrasseries québécoises et d'importation privée.
COMMENTAIRE: Une exellente formule qui
marche à fond, ambiance sympa, mais vraiment très bruyante. La cuisine est très bien
faite, succulente, copieuse et bien servie. On
sent que le chef aime ce qu'il fait, il y a de la recherche dans le mariage des éléments qui
composent chaque plat. Le menu n'est pas
monotone. Le personnel sait travailler et peut
faire vite à l'occasion. Le décor surprend par sa
simplicité recherchée de bistro d'autrefois, décoration pensée.

LA SOCIÉTÉ ★★★ (bistro)
Lœws Hôtel Vogue Montréal
1415, de la Montagne, Mtl
Tél.: 514-507-9223
SPÉCIALITÉS: Soupe à l'oignon. Gravlax de
saumon au gin, purée de carottes, œufs de saumon, caviar de hareng. Demi-homard sur le
grill, pinces en salade de légumes croquants,
choux de Bruxelles. Tarte fine aux pommes,
caramel et sorbet aux pommes, meringue croquante. Nougat glacé.
PRIX Midi: T.H. 19$
Soir: C. 34$ à 79$ F. 29$
OUVERTURE: 7 jours 11h à 15h et 17h à 23h.
NOTE: Menu cocktail 15h à 17h. Mar. et ven.
soir, «5 à huîtres», 1$ l'huître. Service de voitu-
rier 10$. Entrée pour pers. à mobilité réduite
au 1425, rue de la Montagne.
COMMENTAIRE: Plusieurs restaurants se sont
succédé dans cet hôtel au fil des ans, mais
celui-ci perdure. Décor tout à fait brasserie parisienne avec son plafond en verre Tiffany qui
donne une lumière mordorée dans la salle.
C'est beau, c'est spacieux et dépaysant. Dans
une autre pièce se trouve un superbe bar; on
peut aussi y manger, y boire des cocktails et
autres boissons. L'assiette est bien présentée
et c'est très bon. Le service est agréable. Le
dernier chef en date, Gilles Tolen, originaire de
la région parisienne, a travaillé notamment
dans les cuisines du prestigieux Hôtel George
V, et celles de son restaurant aux trois macarons Michelin, Le Cinq. Puis il s'est joint à l'é-
quipe des Muses (aujourd'hui Lumière), dans le
luxueux Hôtel Scribe. Il a également travaillé
aux côtés du fameux chef québécois Normand
Laprise, propriétaire du Toqué!, avant de diriger les cuisines du Decca 77. Nous sommes
curieux de voir comment il va relever le défi des
cuisines du bistro La Société. Cela ne devrait
être que pour le mieux.

 **L'AUBERGE SAINT-GABRIEL**
★★★★[ER]
426, rue Saint-Gabriel, Vieux-Mtl
Tél.: 514-878-3561
SPÉCIALITÉS: Plateau de charcuteries. Côte de bœuf vieillie 48 jours, aligo, salade. Poulet de Cornouailles cuit à la broche. Tarte chocolat et caramel salé.
PRIX Midi: T.H. 22$
Soir: C. 47$ à 108$
OUVERTURE: Mar. à ven. midi à 14h30. Mar. à jeu. 18h à 22h. Ven. et sam. 18h à 22h30. Fermé dim. et lun.
NOTE: Brunch à Pâques et fête des Mères. Cave à vin. Bar. Service de traiteur à domicile. Terrasse extérieure. Valet de stationnement. Annexé au night-club Le Velvet.
COMMENTAIRE: Il est situé au cœur du Vieux-Montréal. L'assiette est savoureuse, faite avec des produits frais et bien traités. Des mets d'influence française, italienne et asiatique. Aussi, quelques plats de cuisine traditionnelle québécoise. Ici les chefs se succèdent avec aujourd'hui, Ola Claesson, un chef d'origine suédoise qui a travaillé à l'hôtel Le Meurice (★★ Michelin) à Paris ainsi qu'au Allen & Overy à Londres. À suivre...

L'AUTRE SAISON ★★
2137, rue Crescent, Mtl
Tél.: 514-845-0058
SPÉCIALITÉS: Pâtes cheveux d'ange aux truffes. Crevettes au Pernod. Saumon de l'Atlantique grillé aux asperges. Foie gras poêlé, sauce aux bleuets. Carré d'agneau à la provençale. Confit de canard, frites maison. Soufflé au Grand Marnier ou au chocolat.
PRIX Midi: F. 24$
Soir: C. 48$ à 81$ T.H. 31$ à 34$
OUVERTURE: Lun. à ven. 11h30 à 23h. Sam. 17h à 23h. Ouvert sam. midi en été. Fermé dim. et jours fériés.
NOTE: Ven. et sam. pianiste 18h à 23h. Cave à vin plus de 25 000 bouteilles. Gibier: caribou, ours, wapiti. Champignons sauvages en saison (morilles, chanterelles...).
COMMENTAIRE: Belle maison victorienne du 19e siècle. Un décor surchargé, un peu «over the top», mais qui peut plaire selon les goûts. On y sert une cuisine française très classique, bonne, mais qui pourrait être mieux présentée. Service feutré.

LE BEAUX-ARTS RESTAURANT
★★★★[ER] (bistro)
1384, rue Sherbrooke O., Mtl
Tél.: 514 285-2000, #7
SPÉCIALITÉS: Croustilles de tartare de saumon, mayo au yuzu, purée de pois, piment de Sainte-Béatrix. Morue confite, émulsion d'une brandade, huile d'estragon, zucchinis en textures. Gâteau au fromage à l'avocat, confit d'ananas, émulsion de fèves tonka.
PRIX Midi: F. 23$ à 27$
Soir: C. 35$ à 58$ F. 23$ à 27$

OUVERTURE: Mar. à dim. 11h30 à 14h30. Mer. 17h30 à 21h. Fermé lun., 25 déc. et 1er janv. Suivre les horaires du musée.
COMMENTAIRE: L'établissement se trouve dans les murs du Musée des beaux-arts de Montréal (côté sud) au deuxième étage, décoré de toiles. C'est très chaleureux, moderne. On nous sert une assiette excellente et bien présentée. Le service est courtois. Le restaurant appartient maintenant au chef Laurent Godbout, aussi propriétaire de Chez L'Épicier. Attendons de voir ce qu'il va en faire...

LE CLUB CHASSE ET PÊCHE ★★★★
423, rue Saint-Claude, Mtl
Tél.: 514-861-1112
SPÉCIALITÉS: Pétoncles poêlés à la crème de citron et purée de fenouil. Risotto au cochonnet braisé, lamelles de foie gras. Terre et mer. La bombe: tarte au caramel et au chocolat, sorbet de chocolat 80%.
PRIX Midi: (fermé)
Soir: C. 64$ à 80$
OUVERTURE: Mar. à sam. 18h à 22h30. Fermé dim., lun., 25 déc. et 1er janv.
NOTE: Carte des vins, près de 500 étiquettes.
COMMENTAIRE: Une des meilleures tables de Montréal. On s'y sent bien et l'atmosphère est calme selon l'heure. On savoure ici une excellente cuisine de saveurs, et le gibier et le foie gras sont très bien travaillés. Il y a une belle présentation des assiettes. C'est une bonne adresse! Un peu chère cependant, mais elle vaut le déplacement pour une belle expérience.

LE MARGAUX ★★★★ (bistro)
5058, av. du Parc, Mtl
Tél.: 514-448-1598
SPÉCIALITÉS: Trilogie de foie gras. Pétoncles poêlés, salsa de mangue. Ris de veau en persillade. Rognons à la moutarde ancienne. Côte de veau aux morilles. Noisettes de veau réduction au porto, foie gras poêlé. Assiette autour du chocolat.
PRIX Midi: T.H. 19$ à 33$
Soir: C. 43$ à 68$ T.H. 47$
OUVERTURE: Mar. à ven. 11h30 à 14h. Mer. à sam. 17h30 à 22h. Fermé dim., lun., et mar. soir. Fermé 2 sem. à Noël.
NOTE: Le midi, plats du jour à emporter, 9$ à 20$. Le soir, menu 4 serv., 47$.
COMMENTAIRE: La décoration est celle d'un café bistro, un peu dépouillée, grise. Tableaux modernes sur un mur. Nappes blanches recouvertes de papier. Belle vaisselle moderne, blanche et épurée. L'assiette est agréable et très savoureuse. Une authentique et belle cuisine de bistro français. Une adresse à mettre dans ses carnets.

LEMÉAC ★★★[ER] (bistro)
1045, av. Laurier O., Outremont
Tél.: 514-270-0999
SPÉCIALITÉS: Hareng fumé des Îles-de-la-Madeleine, salade de rattes et betteraves. Tartare de bœuf ou de saumon. Magret de canard,

Naturellement
pure

sauce aigre-douce. Onglet de bœuf et frites. Boudin maison, sauce au cidre, purée de céleri-rave. Pain perdu, glace confiture de lait.
PRIX Midi: F. 19$ à 27$
Soir: C. 41$ à 91$
OUVERTURE: Lun. à ven. 11h45 à minuit. Sam. et dim. 10h à minuit. Fermé 25 déc. et 1er janv.
NOTE: Après 22h, spécial à prix fixe 25$ (plus de 25 choix d'entrées et plats principaux). Suggestions du chef en surplus de la carte du soir. Carte de vin, plus de 500 références et plusieurs importations privées.
COMMENTAIRE: C'est beau, c'est élégant, c'est spacieux, mais l'atmosphère fait un peu défaut, un peu froide. L'assiette est bien construite et savoureuse. On y sert une très bonne cuisine de bistro français évolutive. Service aimable. Encore un changement de chef. Le dernier en date, Maxim Vadnais, a travaillé au M sur Masson. À suivre...

L'ENTRECÔTE ST-JEAN
★★★ (bistro)
2022, rue Peel, Mtl
Tél.: 514-281-6492
SPÉCIALITÉS: Salade Boston aux noix de Grenoble. Entrecôte St-Jean dans une sauce à base d'épices et de moutarde avec frites en allumette. «Végéphil», steak végétarien avec substitut végétal, frites, sauce moutarde maison. Profiteroles au chocolat.
PRIX Midi: F. 25$ T.H. 31$
Soir: Idem
OUVERTURE: Lun. à mer. 11h30 à 23h. Jeu. et ven. 11h30 à 23h. Sam. et dim. 17h à 23h. Fermé du 23 déc. au 7 janv.
NOTE: Existe depuis 1991. Spécial entrecôte 25,45$. Un seul menu.
COMMENTAIRE: On vient ici surtout pour les grillades de bœuf. On aimerait vite devenir un habitué de cet établissement agréable et honnête tant dans le concept que dans les prix qu'il offre. On en a pour son argent. Excellent rapport qualité-prix. Décor bistro français. Service courtois et attentif. Une institution depuis 1991, toujours pareil à lui-même.

LE POIS PENCHÉ ★★★ (bistro)
1230, de Maisonneuve O., Mtl
Tél.: 514-667-5050
SPÉCIALITÉS: Soupe à l'oignon gratinée «traditionnelle». Huîtres sur écailles. Plateau de fruits de mer. Terrine de foie gras. Moules et frites. Tartares (bœuf, saumon). Filet mignon, foie gras poêlé. Gâteau au fromage. Profiteroles sauce chocolat Valrhona et glace vanille.
PRIX Midi: T.H. 25$
Soir: C. 43$ à 85$ F. 31$ à 35$
OUVERTURE: Lun. à ven. 11h à 23h. Sam. et dim. 10h à 23h. Fermé 2 et 3 janv.
NOTE: Lun. à ven., 5 à huîtres, 20$ la douzaine. Carte des vins d'importation privée à 90%.
COMMENTAIRE: Décor de brasserie parisienne qui ne manque pas de charme. Le service

peut être d'une extrême gentillesse selon la personne qui vous sert. L'assiette est très bonne et il ne manque pas grand-chose pour atteindre l'excellence. Ne pas manquer les fruits de mer présentés sur glace que l'on peut voir dès l'entrée de la salle à manger, au bout du bar. Bon choix de vins au verre.

LE QUARTIER GÉNÉRAL
★★★★[ER] (bistro)
1251, rue Gilford, Mtl
Tél.: 514-658-1839
SPÉCIALITÉS: Lapin de Stanstead farci au chorizo. Foie gras poêlé et pressé en terrine, craquant aux noisettes pralinées. Filet de veau du Québec poêlé. Caille farcie aux champignons portobello et panée, purée d'artichaut, salade de haricots verts. Marquise au chocolat.
PRIX Midi: F. 20$
Soir: C. 44$ à 58$ T.H. 40$
OUVERTURE: Lun. à ven. 11h30 à 14h30. 7 jours 18h à 22h.
NOTE: T.H. soir 4 serv. Apportez votre vin. Cuisine ouverte. Foyer.
COMMENTAIRE: Ce restaurant offre un beau moment de gastronomie simple, abordable et savoureuse. La cuisine est ouverte sur une salle à manger à la décoration sobre, voire zen, mais conviviale. Le menu est écrit à la craie sur de grands tableaux noirs et propose une cuisine française gentiment interprétée et mise au goût du jour. Les présentations sont agréables et sans prétention. Le service est très bien fait, avec doigté et intelligence. Le talentueux chef Jonathan Rassi a quitté pour le restaurant Les 400 coups. Il a été remplacé par Vincent Chatelais. À suivre...

LE RENDEZ-VOUS DU THÉ ★★
1348, rue Fleury E., Mtl
Tél.: 514-384-5695
SPÉCIALITÉS: Cassoulet. Confit de canard. Foie de veau de grain. Jarret d'agneau braisé. Carré d'agneau. Plateau de pâtisseries françaises.
PRIX Midi: T.H. 13$ à 17$.
Soir: C. 25$ à 52$ T.H. 24$ à 26$
OUVERTURE: 7 jours, midi à 21h.
NOTE: Tout est cuisiné à base de thé. Souper spectacle 3 serv. 39$ à 45$. Soirée poésie. Soirée privée.
COMMENTAIRE: D'abord ouvert en tant que salon de thé, cet établissement est devenu un restaurant où la plupart des plats sont cuisinés avec une touche de thé. Une assiette qui tient ses bases dans la cuisine française classique. Quelque 300 soupers-spectacles y sont présentés chaque année. 80% en français. On y passe de très belles soirées. Plaisir garanti!

LES CONS SERVENT ★★★ (bistro)
5064, rue Papineau, Mtl
Tél.: 514-523-8999
SPÉCIALITÉS: Pieuvre, moules fumées, avocat, oignons rouges, cajoux. Veau, archange, roquette sauvage, pesto de basilic à l'arachide.

Papardelle de canard confit, brocoli et peau de canard croustillante. Beignet de poire, caramel salé et bacon bits.
PRIX Midi: (fermé)
Soir: C. 33$ à 48$ T.H. 35$
OUVERTURE: Dim. à mer. 17h à 22h. Jeu. à sam. 17h à 23h. Fermé 25 déc. et 1er janv.
NOTE: Charcuteries maison. Marinades maison pour emporter. Carte des vins bio et d'importation privée à 100%. Événements réguliers de vignerons invités et dégustation de microbrasserie.
COMMENTAIRE: Pourquoi ce nom? «C'est un jeu de mots, explique le serveur, il y a les conserves et puis on essaie de faire les cons, mais vous allez voir, on est très professionnels, par contre!» Ce fut le cas. Si la tenue vestimentaire est décontractée, le service est tout à fait professionnel et attentif. Pour l'assiette, c'est très bon, une formule bistro français. La salle à manger, avec son mur rempli de conserves et de livres, est résolument bistro, chaleureuse et conviviale. Le sommelier Victor Lhermitte, fils de l'acteur français Thierry Lhermitte, a fait ses études à l'École Bocuse à Lyon (France).

 LE VALOIS ★★[ER]
3809, Ontario E., Mtl
Tél.: 514-528-0202
SPÉCIALITÉS: Croquettes de fromage de chèvre, panko, noix caramélisées, crémeux de betterave rouge. Calmars à la plancha, coulis pimientos del piquillos. Pavé de boudin noir maison. Tartare de bœuf Angus, parmesan, champignons. Cronuts, crème anglaise et crème glacée vanille.
PRIX Midi: F. 19$ à 25$
Soir: C. 30$ à 57$ T.H. 39$ 4 serv.
OUVERTURE: 7 jours 11h à 23h. Fermé 24, 25 déc. et 1er janv.
NOTE: Plats du chef à l'ardoise, tous les soirs. Carte des vins, 250 étiquettes, importation privée à 100%.
COMMENTAIRE: Voilà une cuisine de brasserie française traditionnelle. Les assiettes sont généreuses dans les proportions, elles manquent un peu de relief, mais c'est quand même bon! Le service est très gentil, accommodant, un peu lent. Le décorateur Luc Laporte a conçu un décor moderne et vaste. Le nouveau chef, Gavin Gourdon-Givaja, a travaillé dans de bonnes maisons comme Chez L'Épicer, Sinclair, Apollo et La Saulaie. Souhaitons qu'il remonte un peu le niveau de cette table montréalaise. À suivre…

L'EXPRESS ★★★[ER] (bistro)
3927, rue Saint-Denis, Mtl
Tél.: 514-845-5333
SPÉCIALITÉS: Soupe de poisson. Mousse de foie de volaille aux pistaches. Pieuvre aux lentilles. Loup de mer frais. Poulet de grain, sauge et citron. Os à mœlle au gros sel. Foie de veau à l'estragon. Onglet, beurre à l'échalote. Tartare de bœuf. Pot-au-feu. Île flottante.

PRIX Midi: C. 20$ à 58$
Soir: Idem
OUVERTURE: Lun. à ven. 11h30 à 2h du matin. Sam. 10h à 2h du matin. Dim. 10h à 1h du matin. Petit déjeuner 8h à 11h30. Fermé soir du 24 déc. et 25 déc.
NOTE: Carte des vins d'importation privée à 95%, 10 000 bouteilles.
COMMENTAIRE: Une valeur sûre à Montréal. La formule bistro par excellence! Un peu cher, mais c'est toujours plein. Un des meilleurs steaks tartares de Montréal. Un nouveau chef a pris le contrôle de la cuisine. À suivre…

MAISON BOULUD ★★★★★
Hôtel Ritz Carlton
Restaurant de l'année Debeur 2013
1228, rue Sherbrooke O., Mtl
Tél.: 514-842-4224 1-800-363-0366
SPÉCIALITÉS: Raviolo au jaune d'œuf coulant, ricotta di bufala, girolles du Québec. Crabe des neiges, avocat wasabi. Gnocchetti au homard, champignons, émulsion de coraline, poireaux. Ris de veau, cannelloni de langue de veau, asperges vertes, jus pantelleria. Coulant au chocolat, crémeux de caramel, glace au lait caramélisé.
PRIX Midi: F. 38$ T.H. 45$
Soir: C. 80$ à 102$
OUVERTURE: Lun. à ven. midi à 14h. 7 jours 18h à 22h30. Sam. et dim. brunch midi et 14h30.
NOTE: Menu dégustation 5 serv. 95$. Carte des vins de plus de 500 étiquettes. Bar au restaurant. Petit déjeuner à partir de 7h.
COMMENTAIRE: Le chef Daniel Boulud, propriétaire de nombreux restaurants à travers le monde, a commencé son ascension à New York où il obtient trois macarons Michelin pour son restaurant Daniel. Cependant, un macaron lui a été enlevé en octobre 2014. Il propose ici une assiette française contemporaine raffinée, créative, chaleureuse et conviviale, magnifiquement élaborée par le chef Riccardo Bertolino, un ancien du restaurant Daniel. Quant au décor, il a été dessiné par le designer japonais Kazushige Masuya. On y retrouve le côté zen, épuré, mais avec beaucoup de classe et d'équilibre. Le service est professionnel et attentif.

MARCHÉ DE LA VILLETTE ★★★[ER] (bistro)
Quartier des Arts
324, rue Saint-Paul O., Vieux-Mtl
Tél.: 514-807-8084
SPÉCIALITÉS: Gaspacho. Soupe à l'oignon gratinée. Assiette de charcuterie sur planche. Feuillantine comtoise. Cassoulet royal. Choucroute alsacienne. Fondue au fromage. Cronuts.
PRIX Midi: F. 17$
Soir: C. 20$ à 34$ F. 20$
OUVERTURE: Dim. à mer. 9h30 à 19h. Jeu. et sam. 9h30 à 22h. Fermé 25 déc. et 1er janv.

NOTE: Vins au verre. Accordéon ven. et sam. soir. Dim. parties de bureau, soirées privées, mariages. Plateau de charcuteries composé par le client à partir de 29$.

COMMENTAIRE: On y mange bien, pour un prix abordable, les assiettes sont copieuses, le service décontracté et sympathique. Des sandwichs fourrés de charcuteries maison aux solides plats régionaux, tout est servi dans un grand brouhaha de conversation qui essaie de couvrir la musique de ritournelles françaises, sur fond d'accordéon. Le papa Jean-Pierre Marionnet était un boucher charcutier hors pair qui connaissait bien son métier. Nicole, son épouse et Ludovic, son fils, perpétuent la tradition des recettes de famille.

MONSIEUR B ★★★
371, rue Villeneuve E., Mtl
Tél.: 514-845-6066

SPÉCIALITÉS: Tartare de saumon, mayonnaise épicée, roquette, fenouil mariné. Risotto, fromage de chèvre et agneau braisé. Bavette de bœuf Black Angus, polenta crémeuse au persil, pleurotes érigées, sauce au poivre vert de Madagascar. Panna cotta à la vanille, dolce de leche, fraises du Québec.

PRIX Midi: (fermé)
Soir: C. 41$ à 55$
OUVERTURE: 7 jours 18h à 22h. Fermé 25 déc. et 1er janv.
NOTE: Menu dégustation 6 serv. 52$.
COMMENTAIRE: Façade ordinaire, petit resto de quartier, mais pour ceux qui osent pousser la porte et affronter son décor minimaliste, la surprise les attend dans l'assiette. Un jeune chef s'affaire dans une petite cuisine. Il est inventif, imaginatif et va au-delà de la cuisine traditionnelle. Dans chaque assiette se révèle un talent inattendu, des mariages qui surprennent, mais qui restent en équilibre. Les mets sont délicieux, simples dans leurs saveurs, mais toujours avec ce je-ne-sais-quoi qui se marie délicatement. Apportez votre vin.

PÉGASE ★★
1831, rue Gilford, Mtl
Tél.: 514-522-0487

SPÉCIALITÉS: Foie gras poêlé du moment. Bavette de bison, œuf poché. Carré d'agneau aux deux moutardes. Tarte Tatin, caramel à la fleur de sel. Mourir de chocolat 70% (mousse, ganache).

PRIX Midi: (fermé)
Soir: C. 45$ à 52$ T.H. 39$ à 47$
OUVERTURE: Lun. à dim. 18h à 21h30. Ven. et sam. 2 serv. 18h et 21h.
COMMENTAIRE: Au rez-de-chaussée d'une petite maison centenaire, un petit resto sympa avec une quinzaine de petites tables nappées de blanc, mais recouvertes d'un napperon de papier. On propose une cuisine française avec des produits frais. Service très aimable et compétent. Apportez votre vin.

RENOIR ★★★★
Restaurant de l'année Debeur 2009
Hôtel Sofitel le Carré Doré
1155, rue Sherbrooke O., Mtl
Tél.: 514-788-3038
SPÉCIALITÉS: Homard de nos côtes, asperges du Québec de Nicole Saint-Jean, sorbet pamplemousse, verveine. Crabe du Québec en trilogie. Lotte rôtie façon bouillabaisse, velouté de poisson, fenouil confit, croûtons au safran. Bavette de bœuf grillée et chimichurri. Plateau maison de pâtisseries françaises.
PRIX Midi: F. 31$ T.H. 36$
Soir: C. 50$ à 88$ T.H. 65$
OUVERTURE: 7 jours midi à 15h et 17h à 22h30. Petit déjeuner 7 jours 6h à 11h.
NOTE: Le midi «L'express 30 minutes» 29$, 4 serv. et café. Nouveau menu chaque mois et demi. Table du chef pour 12 pers. dans le restaurant. Mets sans gluten. Menu basses calories.
COMMENTAIRE: Constamment à la recherche de produits frais régionaux de qualité, le chef Olivier Perret, originaire de la Bourgogne, met l'accent sur les saveurs franches et la beauté des présentations. Le décor est chic et moderne; le service, très professionnel, rapide et attentif. On offre une carte des vins intéressante avec une excellente variété de vins au verre. Roland DelMonte, Meilleur ouvrier glacier de France, est devenu le chef pâtissier de l'établissement.

RESTAURANT CHRISTOPHE ★★★
1187, rue Van Horne, Mtl
Tél.: 514-270-0850
SPÉCIALITÉS: Ris de veau crousti-fondant, jus corsé. Rôtisson de cerf de Boileau, sauce au porto. Escalope de foie gras poêlée, petits oignons caramélisés sur toast brioché, salade croquante. Jarret d'agneau aux herbes, risotto de champignons. Triple chocolat: fondant, sorbet au cacao et son coulis.
PRIX Midi: (fermé)
Soir: C. 46$ à 64$
OUVERTURE: Mar. à sam. 18h à 22h. Fermé dim., lun., 25 déc. et 1er janv.
NOTE: Menu découverte 5 serv. 60$. Menu changeant aux saisons. Réserv. pour groupe.
COMMENTAIRE: Christophe Geffray, nous propose une cuisine française savoureuse, avec mise en valeur des produits du Québec. Ambiance cosy et chaleureuse, service courtois. N'oubliez pas d'apporter une bonne bouteille de vin.

RESTAURANT O'THYM ★★ (bistro)
1112, bd de Maisonneuve E., Mtl
Tél.: 514-525-3443
SPÉCIALITÉS: Saumon boucané maison mi-cuit, couscous israélien. Tartare de bœuf aux canneberges. Confit de canard à l'érable, purée butternut. Tarte fine aux abricots, coulis cardamome.
PRIX Midi: T.H. 17$ à 20$

Soir: C. 32$ à 63$
OUVERTURE: Mar. à ven. 11h30 à 14h30. Dim. à jeu. 18h à 22h. Ven. et sam. 18h à 23h.
NOTE: Réserv. conseillée.
COMMENTAIRE: Un petit bistro sympathique, sans prétention, pas très confortable, mais au service gentil quoiqu'un peu lent. Le menu est affiché sur des tableaux noirs. On sert une cuisine simple, assez savoureuse et gentiment présentée.

RESTAURANT PLEIN SUD ★★
222, av. Mont-Royal E., Mtl
Tél.: 514-510-6234
SPÉCIALITÉS CORSES ET PROVENÇALES: Millefeuille de betterave au chèvre frais. Salade niçoise. Pissaladière. Sauté de veau à la corse et ses gnocchis. Onglet de bœuf grillé, sauce crémée au bleu. Fondant chocolat à cœur de châtaigne. Fiadone (gâteau corse), citron et fromage.
PRIX Midi: T.H. 15$ à 19$
Soir: C. 31$ à 48$
OUVERTURE: Lun. à dim. 11h30 à 14h. Lun. à sam. 17h30 à 22h. Fermé dim. soir (été) et jours fériés.
NOTE: Vins corses d'importation privée en majorité.
COMMENTAIRE: Décor sans prétention, style bistro de quartier, mais convivial et chaleureux. Une assiette familiale bien savoureuse qui offre des spécialités corses ainsi que quelques recettes du Sud de la France. Comme le nom du restaurant l'indique, on est ici dans un thème «plein sud». Donc du soleil plein les papilles. Un choix de vins du Sud complètera le portrait.

SEL GRAS ★★★
5245, bd Saint-Laurent, Mtl
Tél.: 514-564-1090
SPÉCIALITÉS: Pieuvre grillée, purée de haricots rouges, oignons marinés et pesto de chou frisé. Risotto au bœuf bourguignon, champignons sautés et petits pois verts, cresson au citron. Jarret d'agneau braisé, couscous de blé avec légumes braisés, salsa aux pois chiches frits et merguez grillé.
PRIX Midi: C. 28$ à 41$
Soir: C. 44$ à 59$
OUVERTURE: Mer. à ven. 11h30 à 14h30. Mer. à dim. 18h à 23h.
NOTE: Menu saisonnier. Carte des vins, 250 références.
COMMENTAIRE: Ce restaurant sert une cuisine française avec des influences méditerranéennes et portugaises. L'assiette est très goûteuse et ne manque pas d'assaisonnement; le sel et le gras sont bien ajustés. On ressent un grand sentiment de satisfaction devant les arômes des plats. La décoration moderne est bien équilibrée: blanc, noir et bois blond des plateaux des tables. L'atmosphère est agréable, et le service, aimable et bien fait.

TOQUÉ ! ★★★★★
Restaurant de l'année Debeur 2005
900, pl. Jean-Paul Riopelle, Mtl
Tél.: 514-499-2084
SPÉCIALITÉS: Carpaccio de cerf, bourgots, melon, aïoli. Pétoncles princesse marinés à l'eau de concombre. Longe de porcelet, girolles, purée de poivrons, sauce au thym et citron. Mousse au chocolat au lait Andoa, lime.
PRIX Midi: F. 27$ à 48$
Soir: C. 83$ à 101$
OUVERTURE: Mar. à ven. 11h30 à 13h45. Mar. à jeu. 17h30 à 22h. Ven. et sam. 17h30 à 22h30. Fermé dim. et lun. Fermé autour du 22 déc. au 7 janv.
NOTE: Réserv. préférable. Menu dégustation 7 serv. 132$, avec 5 verres de vin 212$, avec 7 verres 237$. Très belle cave de 8 000 bouteilles et 420 étiquettes de vin, on y accède par une cage de verre. Valet de stationnement 17$/véhicule.
COMMENTAIRE: Le chef propriétaire, Normand Laprise, nous propose des mets qui tirent leur inspiration de la cuisine française et québécoise, pour tout dire, nord-américaine évolutive. Une cuisine qui utilise les produits frais du marché avec un accent particulier sur la mise en valeur des produits du Québec. Toutes les assiettes sont très joliment décorées sur un ton art déco, qui ajoute au plaisir de manger.

VERTIGE ★★★
540 av. Duluth E., Mtl
Tél.: 514-842-4443
SPÉCIALITÉS: Carpaccio de bœuf aux saveurs asiatiques. Joue de cochon braisée à la provençale. Morue rôtie aux oignons confits, brandade, sauce beurre blanc. Fondant au chocolat.
PRIX Midi: (fermé)
Soir: C. 28$ à 45$
OUVERTURE: Mar. à sam. 17h30 à 22h. Fermé dim. et lun. Fermé 25 déc. et 1er janv.
NOTE: Menu dégustation 5 serv. 49$, 6 serv. 59$. Menu tapas mar. à jeu. 6 tapas 29$.
COMMENTAIRE: Une très belle cuisine, avec de la recherche. Le décor est confortable et on y mange bien. Service très professionnel. Le menu dégustation offre un bon rapport qualité-prix.

 XO LE RESTAURANT ★★★★★
Hôtel Saint-James
355, rue Saint-Jacques, Vieux-Mtl
Tél.: Tél. 514-841-5000
SPÉCIALITÉS: Crevettes grillées, ailes de canard confites, noix de cajou, riz à l'ail noir. Tartare d'agneau. Os à mœlle rôti, tartare de betterave, croûtons de bagel, purée de porcini et truffe. Crème brûlée au Nutella.
PRIX Midi: T.H. 25$
Soir: C. 52$ à 74$
OUVERTURE: Dim. à ven. 11h à 15h. Dim. à sam. 18h à 22h. Petit déjeuner 7h à 11h.

NOTE: Menu midi change tous les mois. Menu dégustation 9 serv. 120$, cuisine inspirée de l'art moderne, accord mets et vins 85$. Cave à vin 98% en importation privée. Menu bar 11h à 23h. Service de valet pour la voiture et vestiaire gratuits.

COMMENTAIRE: XO Le Restaurant est installé dans l'ancien hall de la Banker's Hall. L'entrée de l'établissement est riche et imposante, plafond haut, large couloir, décor impressionnant. Mais ce n'est rien comparé à l'intérieur du restaurant. Le décor, d'une autre époque, fascine par sa richesse, son luxe élégant, dorure, couleurs, colonnes immenses montant jusqu'aux mezzanines, escaliers imposant à grande volée, hauteur du plafond, verrière du fond de la salle, alcôves, mobilier, etc. Le calme des lieux, le professionnalisme du service gentiment prévenant, la qualité du menu rempli de surprises à venir, la présentation des plats, leur composition artistique, tout s'est assemblé pour nous procurer une excellente soirée. C'était divin! Le chef, Julien Robillard, est à la hauteur de la beauté de l'établissement. Une réelle réussite dans le mariage des arômes, la délicatesse des saveurs, et la fraîcheur des ingrédients choisis. Desserts magnifiques, autant dans la présentation que dans la gourmandise. De l'audace, de l'équilibre, surprenant et délicieux. Une cuisine innovante, toute en douce harmonie, un morceau de bonheur à partager!

GREC

FAROS ★★★
362, Fairmount O, Mtl
Tél.: 514-270-8437
SPÉCIALITÉS: Grande sélection de poissons grillés. Pieuvre grillée, riz et légumes. Thon au gingembre, wasabi, sauce soya. Côtelettes d'agneau grillées, jus de citron, huile d'olive. Espadon ou bar noir grillé. Côtes de veau grillées. Baklava maison.
PRIX Midi: (fermé)
Soir: C. 33$ à 70$
OUVERTURE: 7 jours, 17h30 à 23h. Fermé 24, 25 déc. et 1er janv.
NOTE: Réserv. conseillée. Carte de vins grecs, 50 étiquettes. Service de valet gratuit 18h à minuit.
COMMENTAIRE: Le décor chaleureux fait penser à une taverne grecque avec, en plus, un étal de légumes et de poissons. Beaucoup d'ambiance! Nous y avons dégusté, entre autres, un bar noir grillé à point et d'une grande finesse, des crevettes sauce tomate et fromage feta très savoureuses. Les assiettes sont généreusement remplies, impossible de manger un repas au complet. On nous a servis avec attention, courtoisie et professionnalisme.

IKANOS ★★★★
112, rue McGill, suite 1, Mtl
Tél.: 514-842-0867

SPÉCIALITÉS GRECQUES MODERNES: Pétoncles et foie gras. Fleurs de courgettes. Assiette de fruits de mer grillés. Calmars frits ou grillés. Baklava. Loucoumades (beignets au miel).
PRIX Midi: T.H. 24$
Soir: C. 32$ à 58$
OUVERTURE: Lun. à ven. 11h30 à 14h30. Lun. à jeu. 17h30 à 22h30. Ven. et sam. 17h30à 23h30. Fermé dim., 25 déc. et 1er janv.
NOTE: Four au charbon de bois. Menu tapas. Poissons et viandes grillés. Bar cocktails maison.
COMMENTAIRE: On sert ici une cuisine grecque contemporaine (enfin!), où les poissons et les fruits de mer sont servis frais et d'aimable façon. La présentation suit l'invention et l'assemblage des goûts. Une cuisine de saveurs et d'harmonie. Décor contemporain lui aussi et confortable. Service courtois, diligent et attentif.

MILOS ★★★★
5357, av. du Parc, Mtl
Tél.: 514-272-3522
SPÉCIALITÉS: Tranches de courgette et d'aubergine légèrement frites, tzatziki maison, fromage saganaki. Pieuvre grillée de la Méditerranée, façon sashimi. Crevettes géantes du Mexique grillées. Thon Big Eyes servi bleu, champignons shiitake et asperges. Crème glacée au baklava.
PRIX Midi: T.H. 25$
Soir: C. 65$ à 82$
OUVERTURE: Lun. à ven. midi à 14h45. Dim. à mer. 17h30 à 23h. Jeu. à sam. 17h30 à minuit. Fermé midi sam. et dim.
NOTE: Jeu. à sam., T.H. soir trois serv. 25$ après 22h, dim. quatre serv. 45$.
COMMENTAIRE: Le patron, Costas Spiliadis, fait venir quatre fois par semaine des produits des États-Unis, du Maroc, du Portugal et de la Grèce. C'est une institution à Montréal. On y mange dans un décor modernisé où les belles nappes blanches ont remplacé les nappes à petits carreaux rouges. C'est plus lumineux et plus confortable. Dans la cuisine ouverte, le chef prépare des poissons frais et des fruits de mer dans la tradition grecque et méditerranéenne. Tout est excellent et l'ambiance y est formidable, surtout lorsqu'il y a du monde. Cher le soir cependant.

RODOS ★★
5583, av. du Parc, Mtl
Tél.: 514-270-1304
SPÉCIALITÉS: Soupe aux lentilles et poisson. Assiette de fruits de mer. Crevettes, pétoncles, espadon, thon, calmar frit, loup de mer ou côtelettes d'agneau grillées avec pommes de terre et légumes. Moussaka. Baklava.
PRIX Midi: F. 15$ à 20$
Soir: C. 31$ à 63$ T.H. 38$
OUVERTURE: Lun. à sam. 11h30 à 14h30 et 17h à 23h. Dim. 17h à 22h. Fermé 25 déc.

NOTE: Menu dégustation 38$, dim. à ven. Ouvert dim. midi sur réserv.

COMMENTAIRE: Le décor est très beau et dépaysant au possible. Dès l'entrée, on est subjugué par les pots de géraniums et d'hibiscus en fleurs, ainsi que par la petite terrasse-balcon-tonnelle qui abrite trois tables. À l'intérieur, c'est la Grèce: murs blancs, sol de tomettes, arcades, fausses fenêtres à petits carreaux, tables avec des nappes blanches, sous-nappes à carreaux, grandes potiches de terre cuite, assiettes aux couleurs vives accrochées aux murs, une véritable carte postale! On sert une cuisine grecque traditionnelle, très familiale et généreuse.

HAÏTIEN

CASSEROLE KRÉOLE
Traiteur, plats à emporter, lunch sur place ★★★
4800, rue de Charleroi, Montréal-Nord
Tél.: 514-508-4844 et 514-800-2540
SPÉCIALITÉS: Soupe de giraumon. Poulet créole. Griot de porc grillé au four servi avec bananes pesées et salade. Cabri (gigot de chèvre en sauce). Gâteau rhum et raisins.
PRIX Midi: C. 15$ à 21$
Soir: Idem
OUVERTURE: Mar. à sam. 11h à 18h. Fermé dim., 25 déc. et 1er janv.
NOTE: Traiteur et plats à emporter. Musique créole et latine.
COMMENTAIRE: Deux chefs haïtiens Hans Chavannes et Kenny Pelissier, sympathiques et accueillants, une serveuse au sourire magique. On s'y sent bien. Un décor frais et très simple, fait de planches de bois brut peintes de couleurs vives, une belle ambiance qui rappellent les Antilles. Des textes décorent les murs. Le prix du lunch, taxes comprises, est difficile à battre. Outre le petit resto, ils ont aussi une boutique ouverte jusqu'à 17h. Des produits faits maison sont en vente: la traditionnelle sauce Pikliz, marinade pour la viande, sirop à la cannelle, purée de piments, huiles aromatisées. Attention, c'est chaud ce qui veut dire très piquant en créole.

INDIEN

RESTAURANT GANDHI ★★★★
230, rue Saint-Paul O., Vieux-Mtl
Tél.: 514-845-5866
SPÉCIALITÉS: Agneau tikka (mariné aux épices et rôti au four tandouri). Saumon tandouri. Biryani au poulet. Poulet korma. Prawn poori (crevettes piquantes sur crêpes indiennes). Poulet au beurre. Poulet tikka masala (cuit au four d'argile). Tandouri naan (pâte à pain cuit au four tandouri).
PRIX Midi: F. 17$ à 25$
Soir: C. 25$ à 44$ T.H. 27$ à 35$

OUVERTURE: Lun. à ven. 11h30 à 14h. 7 jours 17h30 à 22h30. Jours fériés de semaine, fermé le midi seulement.
NOTE: Menu végétarien, menu dégustation.
COMMENTAIRE: Musique de fond indienne, flaveurs chargées de mystère, plats aux couleurs chatoyantes. Salle à manger agréable, élégante, nappes blanches et serviettes de tissu. Serviette chaude pour s'essuyer les mains. Service aimable. Un beau choix de mets indiens. Cuisine de l'est de l'Inde agrémentée de mets du Bangladesh. Certains plats sont mis au goût du Québec.

INDONÉSIEN

NONYA ★★★★
151, av. Bernard O., Mtl
Tél.: 514-875-9998
SPÉCIALITÉS: Soupe Laksa (curry jaune, vermicelles, poulet, crevettes, œufs de caille). Crevettes grillées, sauce curry rouge. Ragoût de bœuf Rendang. Brochettes d'agneau grillées, sauce aux arachides. Riz collant noir, lait de coco. Crème brûlée à la feuille de pandan.
PRIX Midi: (fermé l'été)
Soir: C. 25$ à 46$ T.H. 26$ à 30$
OUVERTURE: Mar. à sam. 17h à 22h. Dim. et lun. 17h à 21h. Ouvert midi en hiver.
NOTE: Menu dégustation «Rijuttafel» 8 assiettes (4 pers. min.), 58$/pers.
COMMENTAIRE: Nonya signifie madame. Le seul restaurant indonésien à Montréal. La cuisine est toujours bonne, dépaysante et authentique. Les propriétaires sont très accueillants. Ivan, le chef copropriétaire a fait ses études dans une école hôtelière suisse. Il cuisine des plats savoureux avec de belles présentations.

INTERNATIONAL ET MÉTISSÉ

AVIS
Cette section dite internationale ou encore métissée se veut un mélange de cultures, une tendance à la mondialisation d'une cuisine toujours à la recherche de son identité... ou qui s'en fiche. Néanmoins, le résultat est souvent très réussi. Voici quelques bonnes et belles tables qui méritent notre intérêt.

ACCORDS ★★★★
212, rue Notre-Dame O., Vieux-Mtl
Tél.: 514-282-2020
SPÉCIALITÉS: Calmar, kale, laitue romaine, fromage de chèvre. Thon albacore, graines de citrouille, courge, sarriette. Maquereau, camerise, laitue sucrine, persil. Agneau, navet, oignon mariné, crème à la moutarde. Rhubarbe, miel, panna cotta au babeurre.

PRIX Midi: T.H. 25$
Soir: C. 33$ à 45$
OUVERTURE: Lun. à ven. 11h30 à 15h.
Mar. à sam. 17h30 à 22h30. Fermé dim. et
jours fériés.
NOTE: Menu basé sur des assiettes partagées.
Menu carte blanche à l'aveugle 5 serv. 60$,
avec accord des vins 90$ (demi-verre), 105$
(verre). Une cinquantaine de vins au verre. Une
carte des vins avec plus de 400 références.
COMMENTAIRE: Une carte originale. Des
mariages subtils et bien faits. Un vrai bonheur!
Le personnel, très courtois et surtout passion-
né, a une bonne connaissance des vins.

BISTROT LA FABRIQUE
★★★ (bistro)
3609, rue Saint-Denis, Mtl
Tél.: 514-544-5038
SPÉCIALITÉS: Foie gras poêlé. Terrine de fromages coulants du Québec, jambon de pays,
marmelade de pommes, graines de moutarde.
Tarte fine, marmelade de champignons, tartare de bœuf, copeaux de vieux cheddar, vinaigrette balsamique. Pain perdu, caramel de gi-
rofle, fleur de sel.
PRIX Midi: (fermé)
Soir: C. 33$ à 62$
OUVERTURE: Mar. à sam. 17h30 à 22h30.
Dim. 17h30 à 21h30. Dim. brunch 10h30 à
14h30. Fermé 24 au 27 déc.
NOTE: Cuisine centrale ouverte. Carte des
vins d'importation privée à 100%, biologique à
75%, 100 étiquettes. Terrasse pour le brunch.
COMMENTAIRE: Le décor tourne autour
d'une cuisine installée au milieu de la salle à
manger. On dirait que les tables et les clients
essaient tant bien que mal de s'approprier un
bout de plancher, tandis que les cuisiniers
s'affairent à préparer des plats à l'origine in-
certaine, mais combien créatifs et savoureux le
plus souvent. On est tout à la fois dans la cuisine et dans la salle à manger. C'est jeune, c'est
sympa, et surtout cela sort des sentiers battus.
Une cuisine conviviale qui étonne, et c'est le
but, sinon pourquoi aller au restaurant? Carte
des vins bistro adaptée.

BRASSERIE LES ENFANTS
TERRIBLES ★★★ (bistro)
1257, av. Bernard O., Outremont
Tél.: 514-759-9918
SPÉCIALITÉS: Salade de betteraves cuites en
croûte de sel et chèvre chaud. Tartare de saumon. Bavette de bœuf, beurre maître d'hôtel,
frites maison. Côtes levées de porc, sauce
BBQ maison, frites et salade de chou. Pouding
chômeur.
PRIX Midi: F. 16$ à 21$
Soir: C. 27$ à 75$
OUVERTURE: Lun. 11h30 à 23h. Mar. à ven.
11h30 à minuit. Sam. 9h30 à minuit. Dim.
9h30 à 23h. Fermé 25 déc. et 1er janv.
NOTE: Ambiance chaleureuse. Carte sur ardoise renouvelée tous les jours. Produits du

terroir québécois. Menu pour enfants. Cocktails.
COMMENTAIRE: L'endroit est résolument
bistro. La salle à manger tourne autour d'un
imposant comptoir de bar. En ce qui concerne
l'assiette, c'est très bon. On sent ici une bonne
volonté manifeste et beaucoup de fraîcheur
dans l'ensemble. Service sympa.

BRASSERIE LES ENFANTS
TERRIBLES ★★★ (bistro)
209, ch. de la Rotonde, Île des Sœurs
Tél.: 514-508-6068
SPÉCIALITÉS: Calmars frits. Tartare de bœuf
ou de saumon. Fish and chips. Filet mignon,
pommes de terre au fromage bleu de Charlevoix et bacon. Côte de bœuf grillée, marmelade de champignons, foie fras. Pouding chômeur.
PRIX Midi: F. 16$ à 21$
Soir: C. 27$ à 88$
OUVERTURE: Lun. 11h30 à 21h30. Mar. et
mer. 11h30 à 22h. Jeu. et ven. 11h30 à minuit. Sam. 10h à minuit. Dim. 9h30 à 21h30.
Fermé soir du 24 déc. Fermé 25 déc. et 1er
janv.
NOTE: Carte sur ardoise renouvelée tous les
jours (poisson + création). Produits québécois.
Menu pour enfants. Carte de cocktails personnalisées. Stationnement gratuit.
COMMENTAIRE: Service attentionné, gentil,
professionnel, évoluant en un ballet bien réglé
dans la vaste salle à manger. Ambiance sympa,
un peu bruyante à cause de la musique très
rythmée et des conversations enthousiastes des
clients. Malgré le bruit, on se sent bien. Cuisine
de brasserie pas compliquée mais réjouissante.
Les assiettes sont généreuses, bien savoureuses
et présentées de façon moderne. Enfin une
bonne adresse à recommander sur l'Île-des-
Sœurs.

CHEZ L'ÉPICIER bar à vin
★★★★ (bistro)
311, rue Saint-Paul E., Vieux-Mtl
Tél.: 514-878-2232
SPÉCIALITÉS: Tartare de bœuf, huîtres, gingembre et soya, purée de cresson et chips de
riz croustillant. Filet de bœuf, pommes de terre
croustillantes, sorbet de jus de viande corsé.
Jus de betterave et framboise, crème chocolat
blanc, hibiscus, glace yogourt chèvre et framboise.
PRIX Midi: (fermé)
Soir: C. 56$ à 76$
OUVERTURE: 7 jours 17h30 à 22h. Fermé
du 1er au 15 janv.
NOTE: Menu dégustation 7 serv. 85$, accord
des vins 60$. Service de traiteur.
COMMENTAIRE: Le chef Laurent Godbout,
chef de l'année SCCPQ 2006 et lauréat du
Prix Debeur 2006, nous propose toujours une
très belle assiette pleine de saveurs, une cuisine
généreuse et bien présentée. Aussi chef copropriétaire du restaurant Attelier Archibald à

Granby, ainsi qu'un autre établissement à Palm Beach en Floride. Il vient de reprendre Le Beaux-Arts, restaurant du musée des Beaux-arts de Montréal.

🍇 CHEZ VICTOIRE ★★★ (bistro)
1453, rue Mont-Royal E., Mtl
Tél.: 514-521-6789
SPÉCIALITÉS: Chou-fleur rôti et truffe, bacon, brouillade d'œuf, beurre, citron. Côte de bœuf Angus vieillie 45 jours, os à mœlle, sauce vin rouge, champignons. «Affogato», glace vanille, Oréo, espresso, caramel salé.
PRIX Midi: (fermé)
Soir: C. 42$ à 53$ T.H. 45$ à 55$ (4 serv.)
OUVERTURE: Lun. à dim. 17h à minuit.
NOTE: F. 25$ après 22h. Dim. T.H. 30$. Produits du terroir, ferme à 25km de Montréal, légumes 50% bio. Patchworks des années 50 au mur. Carte des vins d'importation privée à 95% recherchée, bio à 80%.
COMMENTAIRE: Bistro de quartier de style rétro, sympa. Tout s'organise autour du bar, la mezzanine plonge sur le bar. Cuisine d'inspiration française qui suit les saisons, recherchée ou bistro selon les plats, mais accessible.

DECCA77 ★★★★
1077, rue Drummond, Mtl
Tél.: 514-934-1077
SPÉCIALITÉS: Salade grecque farfelue, tomates fumées, tuiles aux olives, sorbet origan, citron. Spaghettis aux œufs, lapin de la ferme Besnier. Pouding chômeur, glace Coureur des bois.
PRIX Midi: T.H. 25$ à 30$
Soir: C. 28$ à 65$
OUVERTURE: Lun. à ven. 11h30 à 14h30. Lun. à sam. 17h à 22h. Fermé dim. et jours fériés.
NOTE: Menu dégustation 5 serv. 77$, accord des vins 35$; 7 serv. 99$, accord des vins 50$. Deux bars à cocktails, 1 section brasserie, 1 section restaurant. Lounge au 2e étage. Cocktails pour 250 pers. Prix spéciaux (5 à 7) tous les jours.
COMMENTAIRE: Décor très design. L'assiette est résolument internationale. On affiche la cuisine contemporaine, inspirée du marché. C'est excellent! Très belle carte des vins avec de grands formats. Le service est professionnel et attentionné.

Ê.A.T. Être Avec Toi ★★★
Hôtel W
901, Square Victoria, Mtl
Tél.: 514-395-3183
SPÉCIALITÉS: Soupe de poisson, croûtons et rouille. Moules frites. Plateau royal de fruits de mer. Paella. Guédille de homard. Joue de bœuf braisée à l'écorce d'orange, parmentière à l'huile d'olive. Mousse au chocolat, copeaux de chocolat et noisettes torréfiées. Crème brûlée à la pistache et framboise.
PRIX Midi: T.H. 28,90$
Soir: C: 35$ à 56$

OUVERTURE: Lun. à ven. 11h30 à 23h. Sam. et dim. 11h30 à 17h30 (brunch) et 17h30 à 23h.
COMMENTAIRE: Ê.A.T. sont les initiales des mots «être avec toi». On y mange bien, mais pas aussi bien que ce à quoi on s'attendait, au vu des photos du site web du restaurant. Surtout le midi... On y a découvert une assiette de poisson et fruits de mer assez familiale, avec une différence très supérieure pour les desserts. Ces derniers remplissaient la promesse de l'établissement. Ce fut excellent! Il doit certainement y avoir un pâtissier ou une pâtissière de talent en cuisine. Par ailleurs, le service est très bon. Le décor – murs couverts d'œuvres d'art, fenêtres décorées du logo de la Ville de Montréal – concourt à créer une ambiance détendue et conviviale. Quant au hall de l'hôtel W, il est superbe.

GARDE-MANGER ★★★
408, Saint-François-Xavier, Vieux-Mtl
Tél.: 514-678-5044
SPÉCIALITÉS: Huîtres. Plateau de fruits de mer (crevettes, pétoncles vivants, crabes et huîtres). Short ribs de bœuf braisés à l'espresso. Sandwich à la crème glacée. Profiteroles au chocolat.
PRIX Midi: (fermé)
Soir: C. 52$ à 82$
OUVERTURE: Mar. à dim. 17h30 à 23h. Fermé lun.
COMMENTAIRE: Le décor rappelle les pubs ou brasseries québécoises d'antan avec des murs de briques, de vieilles boiseries, des étagères avec livres et objets hétéroclites. Tout cela donne beaucoup d'ambiance. La carte est écrite sur un tableau noir au mur, avec quelques vins pour la sélection du jour. Le chef Chuck Hughes mélange les cuisines française et italienne, revues et corrigées à la nord-américaine. Leur spécialité, ce sont les fruits de mer. Il y a d'ailleurs un plat typique de l'endroit, un plateau de fruits de mer, une sorte d'orgie de mollusques de toutes sortes.

GUS ★★★★ (bistro)
38, rue Beaubien E., Mtl
Tél.: 514-722-2175
SPÉCIALITÉS: Salade César traditionnelle. Nachos au foie gras. Tartare de cerf. Carré d'épaule d'agneau. Côtes de porc, marinade au babeurre. Gâteau au chocolat.
PRIX Midi: F. 16$ à 22$
Soir: C. 40$ à 61$
OUVERTURE: Jeu. et ven. 11h30 à 13h30. Lun. à sam. 17h30 à 22h. Fermé dim., 25 déc. et 1er janv.
NOTE: «Gus margarita» à ne pas manquer. Portes coulissantes créant une semi-terrasse l'été.
COMMENTAIRE: De style resto-bistro, chaleureux et sympathique, cette petite salle à manger rappelle un peu les petits bouchons lyonnais. Dans sa cuisine ouverte, le chef Fergusson propose une cuisine simple mais toujours

bien travaillée et généreuse. Une cuisine de fraîcheur qui suit les saisons. Service aimable, compétent et attentif.

HOOGAN & BEAUFORT
★★★★ (bistro)
4095, rue Molson, Mtl
Tél.: 514-903-1233
SPÉCIALITÉS INTERNATIONALES: Pieuvre grillée sur le feu, pommes de terre rattes, olives, yogourt au poivron brûlé. Tagliatelle, chanterelles, Louis d'Or, jus de volaille. Onglet de bœuf, shiitake, oignons, chimichurri, jaune d'œuf. Curd au citron brûlé, miel d'Anicet, sablé au sarrasin.
PRIX Midi: C. 27$ à 38$
Soir: C. 46$ à 62$
OUVERTURE: Mer. à ven. 11h30 à 13h30. Mar. à dim. 17h30 à 22h30. Fermé lun., 25 déc. et 1er janv.
NOTE: Ouvert depuis déc. 2015. Menu dégustation 5 serv. 70$, accord mets et vins 45$. Poisson ou viande servis entiers.
COMMENTAIRE: Ce n'était vraiment pas évident de trouver l'entrée de ce restaurant de la rue Molson, derrière Le Journal de Montréal. Cet établissement situé dans un endroit improbable, loin des rues commerçantes, était pourtant plein. Les deux propriétaires, le chef Marc-André Jetté et le sommelier William Saulnier, tous les deux anciennement du restaurant Les 400 coups, ont appelé ce nouveau restaurant Hoogan & Beaufort, du nom des agriculteurs qui possédaient le terrain et l'ont vendu à Angus pour construire les ateliers ferroviaires Angus Shop. La cuisine est ouverte sur une salle à manger au mobilier épuré, avec chaises de jardin et tables sans nappe. Dans un coin, des mets cuisent au feu de bois. L'assiette est excellente et joliment présentée. On devrait faire attention au mûrissement des pièces de viande qui, trop fraîches, peuvent se révéler très dures à mastiquer. Par ailleurs, le service est très aimable.

JOE BEEF ★★ (bistro)
2491, rue Notre-Dame O., Mtl
Tél.: 514-935-6504
SPÉCIALITÉS: Spaghettis au homard. Foie gras double Down. Côtes levées barbecue du fumoir. Côte de bœuf pour deux. Os à mœlle, bacon et oignon. Gâteau Marjolaine.
PRIX Midi: (fermé)
Soir: C. 32$ à 61$
OUVERTURE: Mar. à sam. 18h30 à 22h. Fermé dim. et lun. Fermé 2 sem. en août et janv.
NOTE: Bar à huîtres. Nouveau menu chaque semaine. Carte des vins.
COMMENTAIRE: C'est bruyant, un peu cher, mais toujours plein. Il vaut mieux réserver. Le décor ancien nous a semblé un peu dépareillé et inconfortable. Le menu, comme la carte des vins, est inscrit sur de grands tableaux noirs. Le service est d'une extrême gentillesse, voire charmeur. L'assiette est généreuse et très

bonne dans l'ensemble. Une cuisine d'influence française, anglaise et italienne gentiment fusionnée.

LABARAKE
Caserne à manger ★★★[ER] (bistro)
3165, rue Rachel E., Mtl
Tél.: 514-521-0777
SPÉCIALITÉS: Gaspacho andalou, soupe froide de tomates, salsa de courgettes. Calmars frits. Fish and chips. Tartare de bœuf, œuf mollet, croûtons et salade. Tartare de saumon. Burger de bœuf Angus. Short ribs de bœuf braisés, sirop d'érable, soya, balsamique, purée de céleri-rave. Panna cotta dans l'esprit d'une tarte citron.
PRIX Midi: F. 15$
Soir: C. 32$ à 66$
OUVERTURE: Lun. à ven. 11h30 à 14h30. Dim. 10h à 14h30. 7 jours 17h30 à 22h30. Fermé sam. midi. Fermé lun. midi jours fériés.
NOTE: Plats à partager, Plateau de charcuteries et fromages 29$. Repas des ouvriers 15$.
COMMENTAIRE: Installé dans les murs d'une ancienne caserne de pompiers, ce restaurant propose une cuisine généreuse, créative, gentiment présentée et élaborée avec des produits frais du terroir. Sur leur site on peut lire: «Aujourd'hui, il s'agit toujours d'une caserne, mais à manger, aménagée en bar-restaurant très tendance et convivial». L'équipe est composée d'anciens du restaurant Le Saint-Gabriel. Ambiance sympathique, menu simple comportant de solides classiques de bistro. Bonne sélection de vins au verre à prix très abordable.

LAURIE-RAPHAËL ★★★★★
Hôtel Le Germain
2050, rue Mansfield, Mtl
Tél.: 514-985-6072
SPÉCIALITÉS: Tartare de thon rouge, carpaccio de tomates, fraises du Québec, crustacés. Filet de bœuf Angus, sauce au madère, sel à la mœlle, variété de carottes. Soufflé fruit de la passion, crème chocolat blanc et yuzu, sorbet yaourt et fruit de la passion.
PRIX Midi: T.H. 25$ à 39$
Soir: C. 65$ à 101$ T.H. 85$
OUVERTURE: Lun. à ven. 11h30 à 14h. 7 jours 18h à 22h30. Fermé midi jours fériés.
NOTE: Menu-surprise 3 serv. midi 39$. Menu gastronomique 10 serv. 120$. La boutique LR au rez-de-chaussée est ouverte 7 jours, 9h à 22h.
COMMENTAIRE: C'est luxueux, très tendance, à la mode. Cependant, les tables sont un peu petites pour la grandeur des plats, pour le confort des convives ou tout simplement pour un établissement haut de gamme. Le chef propriétaire Daniel Vézina propose une cuisine internationale avec une base très française malgré tout, mais repensée avec goût et créativité. Le service est aimable et assez compétent.

LE CHIEN FUMANT ★★★ (bistro)
4710, de Lanaudière, Mtl
Tél.: 514-524-2444
SPÉCIALITÉS: Tartare de bœuf coréen. Grosse côte de veau milanaise, guanciale (joue et bajoue de porc). Calmars Chinatown. Flanc de porc Donair. Ribsteak pour deux. Sandwich à la crème glacée maison.
PRIX Midi: (fermé)
Soir: C. 39$ à 78$
OUVERTURE: Mar. à dim. 18h à 2h du mat. Brunch dim. 10h à 15h. Fermé lun. et temps des fêtes.
NOTE: Mar. et mer. 5 plats à partager, 30$. Carte des vins d'importation privée, 100 étiquettes. Sélection d'alcools forts. Spécialisé dans les cocktails classiques.
COMMENTAIRE: Un bistro qui a l'allure d'un pub anglais et où l'on mange très bien. Le menu est inscrit sur un tableau noir sur le mur. Des plats internationaux élaborés avec des produits frais. Une assiette savoureuse et inventive. Un mélange de genres, mais très bien réussi. Un peu cher cependant.

LE COMPTOIR
CHARCUTERIES ET VINS ★★★
4807, bd Saint-Laurent, Mtl
Tél.: 514-844-8467
SPÉCIALITÉS: Saumon mariné, rhubarbe, asperge, ricotta et basilic. Plateau de charcuteries maison. Pleurote king rôti, magret séché, crème d'ail, amandes, basilic, tomates, balsamique. Ganache chocolat ivoire au citron, purée d'olives noires, nougatine de pignons et amandes.
PRIX Midi: (fermé)
Soir: C. 19$ à 33$
OUVERTURE: 7 jours 18h à minuit. Fermé du 23 déc. au 3 janv.
NOTE: Grand choix de vins importés et natures. Cocktails maison. Menu à l'ardoise.
COMMENTAIRE: Restaurant de forme allongée. De la petite salle, on voit les cuisiniers travailler derrière un comptoir qui délimite la cuisine. Le chef fait toute sa charcuterie lui-même qu'il sert sur une planche de bois. Formule sympa. Chacun compose son menu selon son appétit. Décor avec beaucoup de bois. Rien d'époustouflant, mais un endroit très bon et bien sympathique.

LE FILET ★★★
219, av. Mont-Royal O., Mtl
Tél.: 514-360-6060
SPÉCIALITÉS: Huîtres au gratin de miso. Tataki de wagyu, aubergines, miso. Rillettes de maquereau fumé, huile, citron, toast. Risotto de langoustine et mascarpone. Cavatelli, joue de veau, copeaux de foie gras. Carré au sirop d'érable, crème fraîche, pacanes.
PRIX Midi: (fermé)
Soir: C. 45$ à 64$
OUVERTURE: Mar. à ven. 17h45 à 22h30. Sam. 17h30 à 22h30. Fermé dim. et lun. Fermé 24, 25 déc. et 1er janv.

NOTE: Poisson sous toutes ses formes. Grand bar.

COMMENTAIRE: Les propriétaires du Club Chasse et pêche se sont associés avec deux compères pour ouvrir ce restaurant situé sur le plateau entre le boulevard Saint-Laurent et l'avenue du Parc. Une cuisine orientée vers la mer, mais qui offre quand même quelques viandes aux réticents. Une cuisine de saveurs et de charme!

LE LOCAL ★★★[ER] (bistro)
740, rue William, Mtl
Tél.: 514-397-7737

SPÉCIALITÉS: Salade de betteraves jaunes, fromage de chèvre, huile de truffe, œuf en panko, lardons. Guedille de crevettes nordiques sur pain brioché au cheddar, cornichon mariné frit. Ravioli aux fromages, canard confit, shiitake et roquette. Tartare de saumon à l'huile de truffe et lime. Assiette de mignardises et petits fours.
PRIX Midi: F. 25$ T.H. 30$
Soir: C. 42$ à 72$
OUVERTURE: Lun. à mer. 11h30 à 22h. Jeu. et ven. 11h30 à 23h. Sam. 17h à 23h. Dim 17h30 à 22h. Fermé 25 déc., 1er janv., 24 juin et jours fériés.
NOTE: Inspiration de la brigade variant tous les soirs. Cave à vin 70 crus, d'importation privée à 90%. Section lounge. Réserv. avec bookenda.com
COMMENTAIRE: C'est tout le temps plein, ou presque. Pour l'assiette, le chef se lâche dans une cuisine française aux accents internationaux. Bonne carte des vins. Si vous êtes amateur de vin, vous ne serez pas déçu! Service jeune, aimable et attentif. Stationnement très facile et abordable tout autour de l'établissement.

LE MONTRÉAL
Resto à la carte ★★★
Casino de Montréal
1, av. du Casino, Mtl
Tél.: 514-392-2709

SPÉCIALITÉS: Soupe à l'oignon façon du chef. Assiette de fruits de mer. Crevettes géantes en tempura, rouleau de printemps, coulis de mangue à la cardamome verte, coulis de cerises de terre. Carré d'agneau rôti, cuit à basse température, avec piments péruviens. Bœuf Tomahawk, légumes. Tarte repensée à la lime.
PRIX Midi: F. 16$ à 20$
Soir: C. 34$ à 90$
OUVERTURE: Lun. à sam. 11h30 à 14h30. Dim. à jeu. 17h à 23h. Ven. 16h30 à 23h. Sam. 16h30 à minuit.
NOTE: Menu expérience 3 serv. 39$/pers. Vue imprenable sur la ville. Atmosphère feutrée. Stationnement gratuit.
COMMENTAIRE: Le Montréal bénéficie d'un décor agréable, complètement refait, avec une cuisine ouverte sur la salle, seulement séparée par des parois vitrées. On peut voir les chefs s'affairer à préparer les plats. La carte propose des mets de cuisine internationale avec une propension aux mets italiens. L'assiette est bonne, voire très bonne selon les plats choisis, avec des présentations en général agréables. Les cuisines sont toujours sous la responsabilité du chef Jean-Pierre Curtat qui dirige tous les restaurants du casino. Le service est bien fait et bien encadré par les anciens de Nuances. Il faut savoir que ceux-ci sont aussi sommeliers et peuvent vous faire faire quelques belles expériences gastronomiques. Claude Magazzinich, l'excellent maître d'hôtel est toujours là pour diriger les opérations.

LE MOUSSO ★★★★
1023, rue Ontario E., Mtl
Tél.: 438-384-7410

SPÉCIALITÉS: Tarte à l'oursin. Entrée colagène, crevettes en salade, chiée d'herbes. Pétoncles, navet, tomates, jus de champignons et tomates séchées. Homard, champignons, peau de poulet. Canneberge, érable et foie gras. Crème glacée au petit lait, fraises, poivre.
PRIX Midi: (fermé)
Soir: C. 80$
OUVERTURE: Mer. à dim. 18h à 22h. Fermé lun., mar. et 25 déc.
NOTE: Menu 9 serv. 80$ établi d'avance par le chef, avec les vins 140$. Mer. et dim. soir menu 8 serv. 70$, 120$ avec accord des vins. Produits locaux et saisonniers. Changement de menu tous les trois mois. Cuisine ouverte. Bar à cocktails maison.
COMMENTAIRE: Le chef propriétaire Antonin Mousseau-Rivard a de qui tenir. Fils de la comédienne Katerine Mousseau et du chanteur Michel Rivard, petit-fils du peintre Jean-Paul Mousseau, c'est un authentique artiste culinaire! Après avoir travaillé dans de bonnes maisons, il a ouvert son restaurant Le Mousso, où l'on peut admirer des œuvres de son grand-père. Ce qui frappe chez ce chef, c'est sa simplicité désarmante et sa convivialité. Des qualités qui se retrouvent dans ses assiettes avec, en plus, le goût, quelquefois sublime, et la beauté, à la fois brute et soignée, tout comme le décor du restaurant. Car ses plats sont de véritables œuvres d'art. C'est un chef passionné qui aime découvrir, qui repousse ses limites et adore partager avec ses clients. Il propose ici un menu unique de neuf services, qui suit les saisons et les arrivages tout en privilégiant les produits locaux. On peut être assis à la même table que d'autres clients selon la section. Mais c'est toujours dans un esprit de convivialité et de partage. Une expérience qu'il faut avoir vécue au moins une fois. Elle en vaut vraiment la peine.

LES 400 COUPS ★★★★ (bistro)
400, rue Notre-Dame E., Vieux-Mtl
Tél.: 514-985-0400

SPÉCIALITÉS: Asperges du Québec, palourdes. Doré jaune du lac Ontario, sarrasin, argouse. Papardelle au lapin, champignons,

choux de Bruxelles. Crème au citron, meringue, crumble d'amandes. Crémeux au caramel.
PRIX Midi: F. 22$ T.H. 28$
Soir: C. 55$ à 71$
OUVERTURE: Mar. et mer. 17h30 à 22h. Jeu. et ven. 11h30 à 13h30. Jeu. à sam. 17h30 à 22h30. Fermé dim., lun., 25 déc. et 1er janv.
NOTE: Menu dégustation 5 services 75$, accord mets et vins 120$. Menus pour pers. allergiques, végétariennes et végétaliennes sur demande. Cuisine saisonnière.
COMMENTAIRE: Une équipe prometteuse occupe les cuisines de ce restaurant. Jonathan Rassi a remplacé Guillaume Cantin aux fourneaux. Un jeune chef qui a beaucoup de talent et qui assure la continuité de son prédécesseur avec doigté et finesse. Il n'a pas peur de l'aventure et fait avant tout une cuisine de saveurs et de plaisir.

LES DEUX SINGES DE MONTARVIE
★★[ER] (bistro)
176, rue Saint-Viateur O., Mtl
Tél.: 514-278-6854
SPÉCIALITÉS: Salade Bossa Nova, vinaigrette de truffe d'été. Omble fumé, hollandaise au foie gras, betteraves. Flanc de porc, miso, ananas. S'more au café: café, vodka, crème, guimauves, biscuit.
PRIX Midi: (fermé)
Soir: Menu dégustation 65$, végétarien 50$.
OUVERTURE: Mar. à sam. 18h à 22h30. Fermé dim., lun. et jours fériés.
NOTE: Il est fortement recommandé de réserver.
COMMENTAIRE: Un bistro sympa, tout en atmosphère. Décor hétéroclite, voire extravagant, mais qui, dans sa diversité, fait unité. Les cuisiniers s'activent dans une cuisine entourée d'un comptoir de bar où on peut manger. Une cuisine inventive et savoureuse, internationale parce qu'on y trouve des influences africaines, asiatiques et du sud-ouest de la France. Belles présentations. Service aimable et attentif.

LE ST-URBAIN ★★★ (bistro)
96, rue Fleury O., Mtl
Tél.: 514-504-7700

SPÉCIALITÉS: Morilles du Québec, tournesol. Agneau rôti, pois sucrés, champignons sauvages, truffe, crème parmesan. Longe de veau, crème de thon, radis, jeunes pousses. Granité framboise et lime.
PRIX Midi: F. 21$ à 23$
Soir: C. 43$ à 61$
OUVERTURE: Mar. à ven. 11h30 à 14h et 17h30 à 22h. Sam. 17h30 à 22h. Fermé dim., lun., et du 24 déc. au 4 janv.
NOTE: Menu dégustation 6 serv., 70$, prévoir 2h30. Produits de saison du Québec, légumes du jardin.
COMMENTAIRE: Si le décor est assez ordinaire et d'une simplicité à toute épreuve, le vrai plaisir, c'est dans l'assiette qu'on le trouve. Elles sont très savoureuses et généralement bien présentées. Et l'on ne lésine pas sur les ingrédients frais de grande qualité. Fier d'être recommandé par Océan Wise garant d'une pêche responsable. Le service est compétent dans l'ensemble, courtois et «friendly». Vins d'importation privée dont 20 servis au verre. Tout à côté, au 114 de la même rue, le chef Marc-André Royal possède aussi La Bête à pain, une boulangerie, pâtisserie et traiteur.

M.MME ★★★★ (bistro)
240, av. Laurier O., Mtl
Tél.: 514-274-6663
SPÉCIALITÉS: Pétoncles princesse marinés, lait du tigre, maïs et millet croustillant. Terrine de foie gras de canard, safran, fraises, basilic pourpre et brioche. Caille rôtie et ris de veau croustillants, petits pois, morilles et radis. Abricots melba, sablé breton, sabayon au muscat, mélisse.
PRIX Midi: (fermé)
Soir: C. 30$ à 51$
OUVERTURE: 7 jours 17h à 1h du mat.
COMMENTAIRE: Le chef Stelio Perombelon est de retour avec son excellente cuisine dans ce restaurant de l'avenue Laurier. C'est un mélange des cuisines française et italienne revues et corrigées par le chef. Si l'assiette est toujours excellente grâce à sa touche personnelle, on propose aussi un très grand choix de vins avec quelques trouvailles inédites. Pour l'amateur de

vins, c'est l'endroit où aller. Un bar à vin? Oui, mais gastronomique! Décor de briques avec un pan de mur couvert d'un cellier à vin illuminé par un rétro-éclairage, tables bistro, ambiance très agréable.

MONTRÉAL PLAZA ★★★★★
6230, rue Saint-Hubert, Mtl
Tél.: 514-903-6230
SPÉCIALITÉS: Huîtres gratinées. Cerf et couteaux de mer. Bourgots et miso. Patate à rien. Thon confit et sashimi. Dessert bleu et meringue. Sorbet à la fraise, crème vanille, meringue, lame de chocolat et framboises fraîches.
PRIX Midi: (fermé)
Soir: C. 23$ à 60$
OUVERTURE: 7 jours 17h à 23h.
NOTE: Pas de plats spécifiques pour l'entrée et le plat principal. Ce sont des portions dont l'importance est située entre l'entrée et le plat principal. Sauf pour les desserts, il n'y a donc pas d'ordre précis pour l'ensemble des plats proposés à la carte. Accès réservé pour deux pers. en fauteuil roulant.
COMMENTAIRE: Charles-Antoine Crête, ancien chef au Toqué!, est (enfin) un chef qui étonne, qui surprend, qui n'a pas peur d'essayer des assemblages quelquefois hétéroclites pour en faire d'inoubliables petits chefs-d'œuvre d'harmonie et de saveurs. Pour nous, c'est la justification première d'un grand restaurant. Être étonnés et positivement surpris. C'est bien cela que nous recherchons chez un grand chef. Cela n'a pas de prix. Nous avons aimé? Non! Nous avons adoré.
Nous avons vécu là un moment exceptionnel. Un beau morceau de gastronomie à l'état pur. Avec de la créativité non seulement dans les harmonies des saveurs, mais également dans les présentations originales. On sent ici toute la passion du cuisinier, une liberté d'expression qui n'a pas de limite. Un chef éclaté! Dans le bon sens du terme. Vous trouvez peut-être que j'exagère? Allez y faire un tour. Nous sommes sortis de l'établissement les papilles émerveillées, encore frémissantes de plaisir.

PASTAGA ★★★
Vin nature & restaurant
6389, bd Saint-Laurent, Mtl
Tél.: Tél.: 438-381-6389
SPÉCIALITÉS: Saumon de l'Atlantique mariné, rattes crémeuses et salmon jerky râpé. Poitrine de porcelet laquée au vin rouge, pancake, marinade aux aubergines. Mousse chocolat amer, fond de caramel.
PRIX Midi: F. 15$ à 22$
Soir: C. 24$ à 28$
OUVERTURE: Jeu. à sam. 17h à minuit. Ven. 11h30 à 14h. Dim. à mer. 17h à 22h. Brunch sam. et dim. 10h à 14h. Ouvert midi en hiver. Fermé 25 déc.
NOTE: Produits locaux, principalement biologiques. Camion de rue M. Crémeux (bouffe de rue) lors d'événements de la ville (festival Juste

pour rire), privés ou corporatifs. Les plats changent suivant les produits de saison.
COMMENTAIRE: L'établissement est installé dans les anciens locaux du restaurant Apollo. Le décor a été amélioré (on y est mieux assis), il est plus convivial aussi et deux tables ont été installées dans la cuisine avec un écran plat au mur pour suivre les matchs sportifs. Les chefs sont Martin Juneau, gagnant du prix du meilleur chef canadien 2011, anciennement chef de La Montée de lait puis du Newtown, et Louis-Philippe Breton, de la défunte Montée de lait. Ils nous proposent une cuisine savoureuse, généreuse et légère. Service courtois et convivial tout comme la cuisine et le reste de l'établissement.

PULLMAN ★★★★[ER] (bistro)
3424, av. du Parc, Mtl
Tél.: 514-288-7779
SPÉCIALITÉS: Plateau de fruits de mer. Huîtres sur écailles et sur glace. Tartare de cerf et chips maison. «Grilled-cheese» de cheddar au porto. Gravlax de saumon à la russe. Mini burger de bison, pommes allumettes. Truffes au chocolat. Churros à la cannelle.
PRIX Midi: (fermé)
Soir: C. 27$ à 56$
OUVERTURE: Dim. à mar. 16h30 à minuit. Mer. à sam. 16h30 à 1h du mat. Fermé 25 déc. et 1er janv.
NOTE: Spécialisé dans les vins et tapas. Bar à vin. Service assuré seulement par des sommeliers formés. Formule trio de vins thématique chaque semaine. Grande sélection de vins au verre d'importation privée à 90% (Europe), en majorité biologiques, 400 étiquettes.
COMMENTAIRE: Ce resto très branché sert des mets originaux de qualité, très savoureux, dans des portions qui se rapprochent des tapas. La clientèle est plutôt jeune, le service aussi, mais il est compétent et surtout très aimable. Dans un décor unique, l'ambiance est conviviale et animée. Une très belle carte des vins présente aussi un grand choix de vins au verre.

RESTAURANT DE L'INSTITUT ★★★
Hôtel de l'Institut
3535, rue Saint-Denis, Mtl
Tél.: 514-282-5155
SPÉCIALITÉS: Religieuse au foie gras, compotée de pruneaux et bleuets, purée de betteraves. Lait et pétales de morue cuite à basse température et sorbet andalou. Filet de veau fumé, fenouil croquant à la rhubarbe, ricotta rôtie à l'anis étoilé, émulsion aux olives noires.
PRIX Midi: F. 20$
Soir: C. 42$ à 53$ T.H. 52$
OUVERTURE: Lun. à ven. midi à 13h30. Mar. à sam. 18h à 21h. Petit déjeuner lun. à ven. 7h à 9h30, sam. et dim. 7h30 à 10h30. Fermé jours fériés et 2 sem. aux fêtes.
NOTE: Midi menu express 20$. Menu soir 5 serv. 52$. Promotions fréquentes mar. et mer. soir T.H. 27$ et 37$. Comptoir pour manger

et prendre un verre. Réserv. souhaitable. Accessible aux personnes à capacité restreinte. Stationnement payant. Menu saisonnier.

COMMENTAIRE: Les finissants de l'ITHQ travaillent dans ce restaurant d'application. La décoration est belle, et l'ambiance améliorée d'une touche d'élégance et de clarté apportée par madame Liza Frulla, la nouvelle directrice générale. Présentations recherchées et saveurs sont au rendez-vous. Il y a aussi un très bon choix de vins au verre. Le service est gentil, manquant parfois de formation selon la personne. C'est normal puisqu'il s'agit d'une école hôtelière.

RESTAURANT GRINDER ★★★★
Griffintown
1708, rue Notre-Dame O., Mtl
Tél.: 514-439-1130

SPÉCIALITÉS: Demi-homard, beurre d'algues, pangrattato. Tataki de pétoncles, lime, chili thaï, purée d'avocat, ciboulette, menthe, graines de sésame. Flétan tandoori, taboulé de quinoa, tomates cerises, concombre, yogourt au gingembre, betteraves crues, wonton frit.

PRIX Midi: F. 15$ à 35$
Soir: C. 41$ à 92$

OUVERTURE: Lun. à ven. 11h30 à 15h. Dim. à mer. 17h30 à 23h. Jeu. à sam. 17h30 à minuit.

NOTE: Huîtres fraîches en saison le soir. Carte de vins et cocktails maison. Salle privée, 60 à 80 pers.

COMMENTAIRE: Récession, dites-vous? Allez faire un tour au restaurant Grinder. Nous y sommes allés un mardi et c'était plein. «Le jeudi c'est pire!», nous dit la serveuse. L'endroit est chaleureux, le service attentionné et l'assiette bistro généreuse et bien savoureuse. La formule gagnante quoi! Même propriétaire que le Hachoir, et c'est l'endroit pour manger de la bonne viande. D'ailleurs, à 30 mètres plus loin, une boucherie du même nom et du même propriétaire a ouvert. Une boutique où l'on fait vieillir à froid de l'excellente viande de bœuf qui figure ensuite sur la carte du restaurant. Du goût, de la convivialité et beaucoup d'ambiance, du plaisir donc, un endroit où l'on aime volontiers retourner.

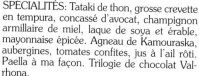

RESTAURANT LA CHRONIQUE ★★★★★
104, av. Laurier O., Mtl
Tél.: 514-271-3095

SPÉCIALITÉS: Tataki de thon, grosse crevette en tempura, concassé d'avocat, champignon armillaire de miel, laque de soya et érable, mayonnaise épicée. Agneau de Kamouraska, aubergines, tomates confites, jus à l'ail rôti. Paella à ma façon. Trilogie de chocolat Valrhona.

PRIX Midi: C. 72$ à 90$
Soir: Idem

OUVERTURE: Mar. à ven. midi à 14h. 7 jours 18h à 22h. Fermé 24 et 25 déc., 1er et 2 janv., fête du Travail.

NOTE: Menu de saison. Menu soir 5 serv. 90$. Menu dégustation avec foie gras 7 serv. 120$, avec vins au verre 220$. Menu thématique dernier mer. du mois 99$. Brunch à Pâques et fête des Mères.

COMMENTAIRE: Ce restaurant propose une cuisine très créative et savoureuse, d'inspiration française, mais avec des escapades orientales, italiennes, etc. Marc De Canck, le chef propriétaire fondateur de l'établissement, s'est associé avec le chef Olivier de Montigny. Deux compères perfectionnistes et passionnés qui nous offrent une assiette exceptionnelle et originale, magnifiquement présentée. Une des grandes tables de Montréal. Une adresse incontournable où, selon leurs dires «à La Chronique, le bonheur est dans l'assiette!». Et comme c'est vrai.

RESTAURANT PER TE ★★★
371, rue Guizot E., Mtl
Tél.: 514-389-3000

SPÉCIALITÉS: Saumon braisé, beurre de câpres et tomates séchées. Tortelli de homard sauce à l'estragon, tomates cerises. Fettuccine au prosciutto fumé, petits pois sauce mascarpone. Médaillon de cerf, petits fruits et porto. Côte de veau grillée sauce aux porcinis. Tiramisu à la minute.

PRIX Midi: F. 20$ à 30$
Soir: C. 32$ à 65$ F. 20$ à 30$

OUVERTURE: Mar. à ven. 11h à 15h et 17h30 à 21h. Sam. 17h à 22h. Fermé dim., lun., 24, 25 et 31 déc. et jours fériés.

NOTE: Soirées gastronomiques quatre fois par an, 150$/pers. incluant vin, menu dégustation, service et taxes. Appeler pour les dates.

COMMENTAIRE: Dans un décor à la fois simple, classique et élégant, le maître d'hôtel et copropriétaire Luigi De Rose propose une cuisine internationale avec une dominante italienne. Son associé, le chef Richard Cadet, de parents zaïrois mais né en Belgique, est au Québec depuis 1995 et ne compte pas repartir de sitôt. Tant mieux, car ses assiettes sont savoureuses et généreuses. Voici donc une belle équipe qui nous montre de la convivialité et du plaisir à travailler. Luigi est aux petits soins avec chaque table également et répond rapidement aux désirs des clients. Il aime son métier, qu'il maîtrise parfaitement, son contact est des plus chaleureux.

ROBIN DES BOIS ★★
Le resto bienfaiteur
4653, bd Saint-Laurent, Mtl
Tél.: 514-288-1010

SPÉCIALITÉS: Soupe dahl (lentilles rouges, crème sure, coriandre, huile de lime). Ceviche de tilapia. Salade de pieuvre confite, pieuvre grillée, accompagnement au choix. Salade de canard confit. Tarte à la lime. Riz au lait de coco, coulis de mangue.

PRIX Midi: C. 15$ à 36$
Soir: Idem

OUVERTURE: Lun. à ven. 11h30 à 22h. Sam. 17h à 22h. Fermé dim. Préférable de réserver.
NOTE: Plats végétariens, végétaliens et menu sans gluten. Été et sem. de relâche, cours de cuisine donné par le chef, pour les 10 à 13 ans. Ven., midi à 14h, menu 15$ servi par les enfants du camp. Musiciens mer. soir. Nouveau décor pour les 10 ans d'existence, ouvert depuis 2006.
COMMENTAIRE: Robin des Bois est un organisme à but non lucratif dont tous les profits sont versés à des organismes de charité. À part les chefs et les gérants, tout le personnel est bénévole. L'ambiance y est des plus conviviales et agréable. De style bistro, le décor est sans chichi, tout comme le service, à cause de la grande gentillesse des bénévoles. L'assiette est bonne.

VERSES ★★★[ER] (bistro)
Hôtel Nelligan
100, rue Saint-Paul O., Vieux-Mtl
Tél.: 514-788-4000
SPÉCIALITÉS: Tataki de thon. Tartare de dorade, pommes vertes, brioche. Plateau fruits de mer (crevettes, calmars, huîtres et homard). Panna cotta vanille, gelée de fraises, glace pistache.
PRIX Midi: T.H. 24$
Soir: C. 38$ à 64$
OUVERTURE: Lun. à ven. midi à 14h. Dim. à mer. 17h30 à 22h. Jeu. à sam. 17h30 à 22h30. Petit déjeuner 7 jours 6h30 à 10h30.
NOTE: Bar 7 jours, 11h à 22h30. Midi T.H. annoncée la voix ainsi qu'un plat en soirée. Carte de vins d'importation privée à 80%. 30 vins au verre.
COMMENTAIRE: Dans un décor paisible et agréable, un peu colonial, on propose ici une carte bistro de luxe. Choix des vins bien adapté. Service soigné et professionnel.

IRANIEN

MAISON DE KEBAB ★★★
820, av. Atwater, Mtl
Tél.: 514-933-0933 et 514-933-7726
SPÉCIALITÉS: Soupe ash (iranienne). Aubergines grillées et tomates. Kebab au poulet ou au filet mignon. Kabieeh (2 brochettes, bœuf haché et riz). Assiette du chasseur (4 brochettes de 3 viandes et 2 sortes de riz). Crème glacée, gâteau iranien.
PRIX Midi: F. 10$ à 12$
Soir: C. 17$ à 47$ F. 10$ à 12$
OUVERTURE: 7 jours 11h30 à 23h.
NOTE: Thé gratuit à volonté. Ne sert pas d'alcool. Argent comptant seulement. Forfait midi lun. à ven. seulement. Spécial du jour. WIFI disponible.
COMMENTAIRE: L'établissement propose diverses spécialités authentiquement iraniennes. À essayer pour le dépaysement et l'aventure. Service très aimable et attentif, dans la langue

iranienne, si vous le voulez. Décor très ordinaire, familial, un peu cafétéria, mais on vient là surtout pour manger.

ITALIEN

BIS ★★[ER]
1229, rue de la Montagne, Mtl
Tél.: 514-866-3234
SPÉCIALITÉS: Calmars frits, sauce d'anchois épicée. Carré d'agneau, croûte de pistache. Pâtes au ragoût d'agneau. Linguines aux fruits de mer. Cannoli à la ricotta. Profiteroles.
PRIX Midi: T.H. 23$ à 28$
Soir: C. 37$ à 81$
OUVERTURE: Lun. à ven. 11h30 à 23h. Sam. et dim. 17h à 23h. Fermé 24 et 25 déc., 1er et 2 janv. et jours fériés.
NOTE: Arrivage de poisson frais chaque jour. Spécialités truffe blanche en saison et escalope de veau de lait. Menu moins de 495 calories. Menu végétarien et sans gluten.
COMMENTAIRE: L'assiette est sympathique, italienne, classique, de type familial. Le service est très convivial. Ce restaurant pourrait faire mieux compte tenu des prix pratiqués.

CASA CACCIATORE ★★★
170, rue Jean-Talon E., Mtl
Tél.: 514-274-1240
SPÉCIALITÉS: Crevettes à la Mike (à l'ail, très épicées). Caprese (tomates, bocconcini). Gnocchi sauce rosée. Agneau sauce au romarin et vin blanc. Veau Pavarotti. Tagliolini alla Gigi (pâtes en sauce flambées au cognac). Linguini pescatore. Tiramisu. Crêpe au mascarpone.
PRIX Midi: T.H. 20$ à 29$
Soir: C. 36$ à 60$ T.H. 31$ à 48$
OUVERTURE: Lun. à ven. 11h30 à 23h30. Sam. et dim. 16h30 à 23h30. Fermé du 24 au 26 déc., le 1er janv. et à Pâques.
NOTE: Ouvert depuis 1982.
COMMENTAIRE: Une bonne cuisine, de type plutôt familial, au goût simple et en portions copieuses. Peu ou pas de présentation dans les assiettes. Une cuisine sans surprise. Pâtes maison.

DA EMMA ★★★
777, rue de la Commune O., Mtl
Tél.: 514-392-1568
SPÉCIALITÉS ROMAINES: Thon à la marinière. Fettucine aux champignons (aux cèpes). Escalope de veau sauce au vin. Scaloppine alla zingara. Straccetti (carpaccio de bœuf sauté à l'espadon. Boulettes de veau sauce à la viande. Agneau au four. Petit cochon de lait. Panna cotta.
PRIX Midi: C. 34$ à 80$
Soir: Idem
OUVERTURE: Lun. à ven. midi à 14h. Lun. à sam. 18h à 22h30. Fermé sam. midi et dim. Fermé du 23 au 26 déc. et en mars.
NOTE: Pâtes fraîches. Stationnement gratuit.

COMMENTAIRE: Après être descendu par un escalier de pierre au décor très dépouillé, on ouvre une lourde porte de fer, genre pare-feu. Et là, c'est la magie! Dès que l'on pénètre dans la grande salle à manger, au plafond soutenu par de superbes piliers de pierre, on est tout de suite pris en charge par un personnel courtois qui nous installe, à notre convenance, à l'une des jolies tables nappées de blanc. Un immense bar longe l'un des côtés de la salle. Les chefs propriétaires, Emma-Risa et Lorenzo Aureli, proposent une excellente cuisine familiale italienne, sans chichi ni prétention, mais très savoureuse. Service professionnel et attentif.

DA VINCI ★★★★
1180, rue Bishop, Mtl
Tél.: 514-874-2001
SPÉCIALITÉS: Osso buco, lit de risotto avec rapini, parmesan. Linguini pescatore (aux fruits de mer). Côte de veau de lait, purée de pommes de terre et légumes. Carpaccio di manzo (bœuf). Tiramisu maison.
PRIX Midi: T.H. 24$ à 48$
Soir: C. 42$ à 91$
OUVERTURE: Lun. à ven. 11h30 à 23h. Sam. 17h à 23h. Fermé dim., 25 déc., 1er janv., 24 juin et 1er juil.
NOTE: Poisson frais méditerranéen. Vaste sélection de vins de toute l'Italie. Lounge au rez-de-chaussée ouvert lun. à sam. 17h à 1h du mat.
COMMENTAIRE: Le chef Ferrante propose une fine cuisine, mais pas snob pour un sou. La carte présente une alléchante variété de mets savoureux. Dans cette maison du 19e siècle, le décor est élégant, mais sans ostentation. Il y a plusieurs salles, dont une de genre bistro. Les produits sont frais et bien apprêtés. Service aimable, très accueillant et attentionné.

DOCA ★★★★
1059, rue Wellington, Mtl
Tél.: 514-866-3622
SPÉCIALITÉS: Morue fraîche. Pieuvre grillée avec chorizo et olives. Risotto aux champignons de saison, copeaux de parmesan, roquette et huile de truffe. Beignes faits maison, caramel et fleur de sel.
PRIX Midi: T.H. 22$
Soir: C. 45$ à 83$
OUVERTURE: Mar. à ven. 11h30 à 15h. Lun. à mer. 17h30 à 22h30. Jeu. à sam. 17h30 à 23h. Fermé dim., 25 déc. et 1er janv.
COMMENTAIRE: Décor moderne genre entrepôt revampé. En entrant on se trouve face à la cuisine à aire ouverte, où s'affairent les cuisiniers, puis on longe un long comptoir de bar élégant entouré de chaises hautes.
Le chef François Laurin, un ancien du Sofia, y sert une cuisine actuelle bien maîtrisée. Une carte bien diversifiée. Des plats plutôt italiens. L'assiette est excellente, l'assaisonnement est juste, un petit tour de moulin à poivre et nous voilà embarqués pour un beau voyage des

sens. C'était délicieux, avec du goût, des saveurs, de la couleur et du plaisir. Un beau moment à passer!
Un détail d'importance, le bar est muni d'une machine à traiter l'eau. Elle produit sans limite de l'eau pure froide, de l'eau température douce et de l'eau pétillante. Nous en avons bu trois bouteilles bien fraîches.

FERRARI ★★★ (bistro)
1407, rue Bishop, Mtl
Tél.: 514-843-3086
SPÉCIALITÉS: Mousse de foie de volaille au parfum de truffe blanche. Fettucine Gigi. Tagliani Buccia, beurre, huile d'olive et zeste de citron. Lapin au vin blanc. Escalope de veau, champignons et truffe. Tiramisu.
PRIX Midi: T.H. 19,50$
Soir: C. 36$ à 50$ T.H. 31$ à 38$
OUVERTURE: Lun. à ven. 11h30 à 22h. Sam. 17h30 à 22h. Fermé dim. et jours fériés.
NOTE: 9 variétés de pâtes fraîches maison, 16 choix de sauces. Vente de café importé d'Italie et d'huile d'olive maison parfumée au basilic.
COMMENTAIRE: On propose une cuisine italienne traditionnelle familiale. Les portions sont justes et savoureuses. Les pâtes fraîches sont particulièrement bonnes, voire incontournables. Petite carte des vins avec une majorité de vins italiens. Service rapide, précis et attentif.

GRAZIELLA ★★★★
Complexe 116
116, rue McGill, Mtl
Tél.: 514-876-0116
SPÉCIALITÉS: Tataki de thon à queue jaune mariné, vinaigrette pugliese, caviar de citron, graines de sésame, roquette italienne. Gnocchi au fromage Pecorino, tomates des collines. Risotto (selon l'humeur du chef). Osso buco à la milanaise. Crostata de mascarpone et ricotta, confit d'orange. Tarte à l'orge, ricotta et vanille.
PRIX Midi: F. 27$
Soir: C. 47$ à 75$
OUVERTURE: Lun. à ven. midi à 14h30. Lun. à sam. 18h à 22h. Fermé sam. midi. Fermé dim., jours fériés, dern. sem. de juil. et 1re sem. d'août.
NOTE: Carte des vins recherchée (200 à 250 bouteilles). Tout est fait maison. Salles privées, 10 à 80 pers.
COMMENTAIRE: Graziella Battista lui a donné son prénom, tout simplement. Le décor est moderne, chaleureux, élégant et bien conçu. La cuisine trône au centre de la salle à manger. L'assiette propose une cuisine du nord de l'Italie, interprétée par Graziella de jolie façon, toute en saveurs et en sensibilité. Les pâtes sont faites maison. Le service est aimable.

IL BOCCALINI ★★★
1408, rue de l'Église, Ville Saint-Laurent
Tél.: 514-747-7809 et 747-1002
SPÉCIALITÉS: Pâtes aux palourdes. Linguini alla Gigi (jambon, champignons, fromage crè-

me, échalote). Pizza romana, saucisse italienne, champignons, poivrons. Calmar et zucchini frits. Linguini aux fruits de mer, palourdes, calmars, crevettes. Tiramisu. Soufflé au chocolat. Limoncello.
PRIX Midi: F. 15$
Soir: C. 35$ à 67$ T.H. 32$ à 38$
OUVERTURE: Mar. à ven. 11h à 15h. Mer. à ven. 17h à 22h. Sam. 17h à 23h. Fermé dim., lun., mar. soir et jours fériés.
NOTE: Situé entre Décarie et Sainte-Croix. Stationnement gratuit à partir de 17h à la bibliothèque nationale. Plats à emporter. Ouvert sur réserv. jours de fermeture.
COMMENTAIRE: Si la devanture ne paie pas de mine, à l'intérieur, c'est l'ambiance de l'Italie et c'est excellent. Le chef cuisine très bien les viandes de veau et les pâtes fraîches faites maison. Service impeccable, chaleureux et rapide.

IL CORTILE ★★★
Passage du musée
1442, rue Sherbrooke O., #02, Mtl
Tél.: 514-843-8230
SPÉCIALITÉS: Osso buco. Gnocchi sauce au gorgonzola et épinards. Salade de fruits de mer. Papardelles aux champignons sauvages. Risotto porcini (cèpes et champignons sauvages). Émincé de veau aux champignons sauvages. Escalope de veau, citron et vin blanc. Tiramisu.
PRIX Midi: F. 23$ à 40$
Soir: C. 38$ à 71$ F. 27$ à 44$
OUVERTURE: 7 jours 11h30 à 14h30 et 17h à 22h. Fermé 25 déc.
NOTE: Menu gastronomique 7 serv.
COMMENTAIRE: Le décor est confortable et très agréable, surtout l'été, lorsque la salle à manger s'étend sur la cour intérieure, agrémentée de fleurs et de plantes vertes. Ambiance garantie, rehaussée par le service à l'italienne plutôt chaleureux, attentif et rapide. Une cuisine italienne classique, généreuse et savoureuse. La carte des vins propose un choix exclusif de vins italiens. Soirée réussie, si vous êtes placé au centre de l'espace-terrasse. On se croirait en Italie.

LA MOLISANA ★★★
1014, rue Fleury E., Mtl
Tél.: 514-382-7100
SPÉCIALITÉS: Gnocchi maison. Penne Molisana au saumon fumé. Pizza au prosciutto, bocconcini. Osso buco à la casalinga (jarret de veau, champignons, sauce demi-glace). Risotto pescatore (aux fruits de mer). Dolce de leche. Panna cotta maison.
PRIX Midi: T.H. 14$ à 22$
Soir: C. 22$ à 48$ T.H. 19$ à 36$
OUVERTURE: 7 jours 11h à minuit. Fermé 24 déc.
NOTE: Menu-terrasse 10 choix 10$ dim. à jeu. Pizzas au four à bois. Musiciens latino ven. et sam. soir.

COMMENTAIRE: La cuisine est généreuse quoiqu'un peu timide dans les saveurs, mais on s'y sent à l'aise et tout est fait pour nous satisfaire.

LE RICHMOND ★★★★
Griffintown
377, rue Richmond, Mtl
Tél.: 514-508-8749
SPÉCIALITÉS: Carpaccio de veau, poivre noir et graines de fenouil, sauce tonnato, pêches truffées, pousses d'arugula, copeaux de Pecorino. Filet mignon Rossini, bœuf Angus Pride, foie gras, truffe fraîche, purée de Yukon Gold, légumes de saison. Semi-freddo chocolat et pistache, gel au chocolat blanc, pistaches cristallisées, croquant aux pistaches.
PRIX Midi: T.H. 25$ à 57$
Soir: C. 48$ à 99$
OUVERTURE: Mar. à ven. 11h30 à 15h. Lun. à sam. 17h30 à minuit. Brunch dim. 11h à 16h.
NOTE: Service de valet 10$ mer. à sam. soir, gratuit le jour et dim. à mar. soir. Plateau de dégustation de desserts/4 pers. 48$. Importation privée et carte des vins à découvrir. Marché italien au 333, rue Richmond.
COMMENTAIRE: Ce restaurant a ouvert dans le quartier Griffintown. Les deux propriétaires sont des anciens du restaurant Misto. L'un étant chef, l'autre designer, ils ont créé un décor très spécial dans un genre de vieil entrepôt industriel qu'ils ont revampé. Bar central illuminant l'ensemble, utilisation de fer, bois rustique, velours, fauteuils ou chaises de métal, portes de garage. Décor hétéroclite sympathique avec une ambiance animée mettant en valeur la cuisine italienne du nord. Les assiettes sont belles, les mets inventifs, jeunes. Tout est bon! Service attentionné.

MERCURI ★★★★
645, rue Wellington, Mtl
Tél.: 514-394-3444
SPÉCIALITÉS: Tartare de bœuf. Sashimi de thon. Parpadelles porcini au lapin. Ravioli cendré. Faux-filet sur l'os. Bucatini, chili, pesto et noix de pin. Risotto du chef.
PRIX Midi: F. 15$ à 23$
Soir: C. 50$ à 79$
OUVERTURE: Mar. à ven. 11h30 à 14h30 et 17h30 à 23h. Sam. 18h à 23h. Fermé dim., lun., 24, 25 déc. et 1er janv.
NOTE: Menu dégustation 5 serv. 75$. Four à bois.
COMMENTAIRE: Jœ Mercuri, ancien chef du défunt Bronte, a ouvert son propre restaurant sur la rue Wellington, à l'angle de la rue des Sœurs-Grises (près de McGill). Si le stationnement est un peu difficile, la table par contre vaut largement le détour. Une assiette généreuse, conviviale et savoureuse, où l'italien s'ouvre sur la Méditerranée sans chichi et le résultat est là: du plaisir. Il y a deux salles à manger: la bistro et la gastronomique. Cette dernière n'ouvre que le soir et propose une

carte plus élaborée. Un immense foyer à bois réchauffe la salle et constitue à lui seul le show de la soirée. On y cuisine des grillades style parilladas. Il était temps que le chef Mercuri puisse s'exprimer totalement dans toute sa mesure.

RISTORANTE DIVINO ★★
3500, Côte-Vertu, # 105, Mtl
Tél.: 514-333-0088
SPÉCIALITÉS: Aubergine gratinée. Linguine aux fruits de mer. Risotto de la semaine. Osso buco à la milanaise. Veau au vin de Marsala ou piccata (citron). Côtelettes d'agneau grillées, légumes, purée ou pâtes. Tarte Tatin maison. Tiramisu maison.
PRIX Midi: F. 15$ à 24$
Soir: C. 25$ à 52$ F. 16$ à 35$
OUVERTURE: Lun. à jeu. 11h à 22h. Ven. 11h à 23h. Sam. 16h à 23h. Dim. 16h à 22h. Fermé 1er janv.
NOTE: Poissons frais du jour. Moules à volonté lun. à mer. 13,95$. Dim. soir 4 choix de plats, 14,95$. 4@7 au bar. Situé sur la rue Beaulac, près du cinéma.
COMMENTAIRE: Le propriétaire tenait une boulangerie à Antibes, entre Cannes et Nice, dans le sud de la France. Ras-le-bol du pays, il arrive au Québec avec femme et enfants et rachète cet établissement pour y perpétuer une cuisine italienne familiale très savoureuse. Le chef n'a pas peur de mettre des aromates, de l'ail, des épices et tout ce qui apporte cette couleur méditerranéenne si agréable. Les portions sont très généreuses. Le décor, de type méditerranéen, est immense, et le son résonne un peu lorsqu'il y a du monde. L'ambiance est agréable, et, dès l'entrée, la bonne odeur des cuisines vous prend dans les narines et vous met en appétit. Service courtois, rapide et compétent.

TOMATE BASILIC ★★★★
12585, rue Sherbrooke Est, Mtl
Tél.: 514-645-2009
SPÉCIALITÉS: Calmar frit avec mayonnaise aux tomates séchées. Foie de veau aux herbes et vinaigre de vin rouge, pâtes aux herbes et tomates. Jarret d'agneau braisé à la milanaise, linguini au beurre et herbes, gremolata fraîche. Tarte aux framboises et chocolat blanc, fromage mascarpone. Tiramisu.
PRIX Midi: F. 11$ à 24$
Soir: C. 22$ à 44$ F. 20$ à 32$
OUVERTURE: Dim. à mer. 11h à 22h. Jeu. à sam. 11h à 23h. Fermé 25 déc.
NOTE: Menu 21h/21$, 3 choix d'entrées, 5 choix de plats principaux, si vous arrivez après 21h. Carte des vins d'importation privée à 90%, 200 étiquettes. Comptoir de mets et sauces maison à emporter. Menu enfant, coin cinéma.
COMMENTAIRE: En route pour se rendre à ce restaurant, dans l'est de Montréal, bien après LH Lafontaine, on se demandait si cela valait le coup d'aller si loin. Eh bien oui, car c'est réellement un excellent restaurant italien. Joliment décoré, divisé avec goût, intime, sympathique et agréable. Harmonie de gris soutenu avec des points rouges. Nous avons fait là un excellent repas, cuisiné généreusement avec des produits savoureux et honnêtes. Ici pas de chef vedette ni de rock star de la cuisine. Très bon service. Nous avons apprécié le vin au verre servi de la bouteille à la table. Un resto italien qui vaut le détour!

JAPONAIS

AZUMA ★★★
5263, bd Saint-Laurent, Mtl
Tél.: 514-271-5263
SPÉCIALITÉS: Salade de thon épicé. Crabe à carapace molle. Morue noire marinée cuite au four. Chawanmushi (flan aux œufs, fruits de mer et poulet). Gyoza (dumplings style japonais). Glace au thé vert. Sésame noir, mousse au chocolat.
PRIX Midi: F. 13$ à 16$
Soir: C. 19$ à 50$
OUVERTURE: Mar. à ven. midi à 14h30. Mar. à jeu. 17h30 à 21h30. Ven. et sam. 17h30 à 22h. Fermé dim. et lun., 25 déc., 1er janv., 24 juin et 1er juil.
NOTE: Poisson du jour. Plateau repas servi avec crevettes et légumes tempura, 4 morceaux de makimono (sushis), légumes assortis, salade et soupe. Fondue japonaise pour deux 54$.
COMMENTAIRE: Un des restaurants qui sert du vrai sushi. Le chef propriétaire japonais fait une cuisine authentique et de qualité. Rapport qualité-prix intéressant. Les prix sont raisonnables.

ISAKAYA ★★★★
3469, av. du Parc, Mtl
Tél.: 514-845-8226
SPÉCIALITÉS: Carpaccio de hiramé usuzukuri. Feuilleté d'anguille. Cocktail de thon. Gobo tempura. Sushis. Pétoncles de mer grillés sauce gingem-beurre. Crevettes «roche» frites style popcorn. Filet de morue noire misoyaki grillé.
PRIX Midi: F. 9$ à 13$
Soir: C. 30$ à 45$ F. 19$ à 26$
OUVERTURE: Mar. à jeu. 11h30 à 14h et 18h à 21h30. Ven. 18h à 22h30. Sam. 17h30 à 22h. Dim. 17h30 à 21h. Fermé lun., 25 déc. et 1er janv.
NOTE: Spécial du midi Bento (Bento = boîte à lunch), isakaya bento: sushi, sashimi, tempura, poulet servi avec salade ou soupe miso, 13$.
COMMENTAIRE: Une des meilleures cuisines japonaises de Montréal. Le chef propriétaire est japonais. Entre tradition et modernité, les plats sont merveilleusement pensés. Toujours des produits d'une grande qualité, surtout les poissons. Prix raisonnables.

JUN I ★★★★★
156, av. Laurier O., Mtl
Tél.: 514-276-5864
SPÉCIALITÉS: Sushis. Sashimi de pétoncles, thon à queue jaune, saumon biologique, 5 sauces. Maguro taru (tartare de thon, champignons et huile de truffe). Trio Kaiso (salade d'algues wakamé, vinaigrette au shiso). Mille crêpes, vanille de Madagascar, sauce caramel amer et banane.
PRIX Midi: T.H. 29$ à 31$
Soir: C. 20$ à 33$
OUVERTURE: Mar. à ven. 11h30 à 14h. Lun. à jeu. 18h à 22h. Ven. et sam. 18h à 23h. Fermé dim., 24, 25 déc. et 1er janv.
NOTE: Carte des vins. Sakés importés.
COMMENTAIRE: JUN I veut dire «pure passion». L'ancien chef de Soto a ouvert ce restaurant en mai 2005. Le décor évoque la forêt québécoise. Côté cuisine, la tradition japonaise s'allie aux nouvelles tendances. Création de plats et de sushis avec une variété de bons produits et un mélange de saveurs.

KYO Bar japonais ★★★ (bistro)
711, Côte de la Place d'Armes, Vieux-Mtl
Tél.: 514-282-2711
SPÉCIALITÉS: Sushis. Okonomiyaki, crêpe japonaise surmontée aux fruits de mer. Hamachi bibimbap, vivaneau à queue jaune. Tori karaage, poulet frit sauce à l'ail. Tempura Moriawase. Morue au miso gindara saikyo yaki.
PRIX Midi: F. 15$ à 20$
Soir: C. 24$ à 56$
OUVERTURE: Lun. à ven. 11h30 à 14h30. Lun. à dim. 17h à 23h. Fermé 25 déc. et le midi jours fériés.
NOTE: Carte de saké (alcool japonais) exceptionnelle. Bar à sushis. DJ ven. soir.
COMMENTAIRE: Décor nippon moderne dans des murs antiques de briques rouges et de pierre, harmonie de noir et de bois blond ponctuée de rideaux rouges, chaises confortables et tables ordinaires ou tables hautes ou comptoir. Le service est aimable, jeune et charmant. Une carte courte qui semble un peu compliquée au début vous obligera à demander de nombreuses explications au serveur. Une fois que vous aurez compris la différence entre les sashimis, les sushis, les makis, les plats composés, le comptoir à sushis et les combinaisons, tout ira bien. L'assiette est agréable, bien présentée et bonne. On y sert, entre autres, un tartare de bœuf coréen, un bon choix de sakés, la boisson alcoolisée traditionnelle japonaise faite à base de riz. Probablement la meilleure sélection à Montréal.

MAÏKO SUSHI ★★★★
387, rue Bernard O., Mtl
Tél.: 514-490-1225
SPÉCIALITÉS: Tataki de mangue, choix de poisson (mahi mahi, thon rouge ou kampachi), radis blanc, sauce coriandre. Délice Maïko, crabe d'Alaska légèrement frit roulé dans une feuille de soja, sauce à l'huile de truffe. Perles Maïko (6 morceaux de truite en sushi flambé, fois gras, sauce truffe). Beignet frit de banane, flambé au brandy.
PRIX Midi: T.H. 14$ à 22$
Soir: C. 25$ à 60$ T.H. 31$ à 47$
OUVERTURE: Lun. à ven. 11h30 à 14h30. Lun. à dim. 17h à 23h. Fermé 24, 25 déc. et 1er janv.
NOTE: Bar à sushis. Menu soir 4 serv. Spécialité: Soleil de Maïko (galette de riz croustillant, tartare de thon, tobiko, fromage fondant). Plats végétariens. Arrivage de poissons du Japon (rouget, kamikaï, etc.) chaque fin de semaine. Réserv. en ligne. Aussi un restaurant à Dollard-Des-Ormeaux.
COMMENTAIRE: Restaurant de quartier. Trois belles salles se succèdent. Le décor est élégant avec des nappes blanches et des chaises en cuir de couleur beige foncé. La chef propriétaire est vietnamienne. Les sushis, sashimis et makis sont frais. Le service est fait avec gentillesse et attention. Agréable terrasse pour les beaux jours.

MIKADO ★★★★★
399, av. Laurier O., Mtl
Tél.: 514-279-4809
SPÉCIALITÉS: Hotaté limé ré (pétoncles frais, pâte de prune, shiso-yuzu, mayo wasabi). Rouleau au homard farci à la chair de crabe. Albacore tataki (thon blanc). Limé no sachi shiitake (crevettes et pétoncles sautés au sichimi). Crabe à carapace molle. Sushi Maki. Tarte aux pommes Mikado.
PRIX Midi: T.H. 14$ à 22$
Soir: C. 31$ à 53$
OUVERTURE: Lun. à ven. 11h30 à 14h30. Dim. à mer. 17h30 à 22h. Jeu. à sam. 17h30 à 23h. Fermé 24 et 25 déc.
NOTE: Omakase, menu dégustation 6 à 8 serv. 65$ à 95$ le soir. Bento (boîte à lunch de 6 plats ou tapas).
COMMENTAIRE: La salle est vivante. La carte offre une variété de sushis et de sashimis frais de qualité préparés par les chefs Kimio et Ryo. D'origine vietnamienne, le chef propriétaire Kimio apprête les sushis depuis longtemps. Par rapport aux Japonais, toujours très traditionnels dans ce genre de cuisine, ce chef vietnamien aborde le sushi en toute liberté, avec plus de créativité. Sa création Kamikazé est même copiée par les autres Japonais en ville.

PARK RESTAURANT ★★★
378, av. Victoria, Westmount
Tél.: 514-750-7534
SPÉCIALITÉS JAPONAISES, CORÉENNES ET SUD-AMÉRICAINES: Soupe miso biologique. Nouilles igname sautées aux légumes. Boîte à Bento (assortiment de 4 mets). Nigiri Park Lunch (plateau de sushis). Maki du chef. Teriyaki bœuf Don. Côtes levées Kalbi braisées. Sashimi ou Nigiri maki.
PRIX Midi: C. 20$ à 48$ sans dessert

Soir: C. 28$ à 77$ sans dessert
OUVERTURE: Lun. à ven. 11h30 à 14h30.
Sam. 10h à 14h30. Lun. à mer. 17h30 à 22h.
Jeu. à sam. 17h30 à 23h. Fermé dim.
COMMENTAIRE: «Park est un restaurant de
sushis [...] qui associe la pureté de la cuisine
japonaise traditionnelle aux saveurs coréennes
et sud-américaines», lit-on sur le site internet
de l'établissement. D'origine coréenne, le chef
propriétaire Antonio Park a vécu dans plusieurs pays, il a d'ailleurs grandi en Amérique
du Sud. Cela explique son interprétation toute
personnelle des différentes cuisines qu'il s'est
appropriées et a fusionnées. Nous avons dégusté plusieurs plats, dont des sushis très bons
et des côtes levées excellentes. Belles présentations des plats, c'est frais et bon, décor minimaliste de la salle à manger, service gentil mais
un peu inattentif.

AVIS

**Au moment de mettre sous presse, nous
apprenons que cet établissement est passé au feu et qu'il sera fermé pour une durée indéterminée. Le propriétaire envi-
sage d'ouvrir un autre restaurant, Kam-
pai Garden, sur la rue Ste-Catherine.**

SAKURA ★★★
3450, rue Drummond, Mtl
Tél.: 514-288-9122
SPÉCIALITÉS: Sushis. Omakase (spécial du
chef). Kaiso (salade d'algues, vinaigrette au
sésame). Sakura (sashimi, crevettes, pétoncles,
saumon). Homard tempura. Loveboat (variété
de sushis, tempura et yakitori).
PRIX Midi: T.H. 12$ à 20$
Soir: C. 28$ à 60$ T.H. 50$
OUVERTURE: Lun. à ven. 11h30 à 14h30.
Lun. à dim. 17h à 22h. Fermé 25 déc. et 1er
janv.
NOTE: Happy combo 19$ à 21$. Spécial du
jour changeant quotidiennement. Fondue/2
pers. préparée à votre table 66$. Plats à em-
porter. Livraison. Stationnement gratuit.
COMMENTAIRE: La propriétaire est japonaise, les serveuses sont toutes habillées en cos-
tumes de style japonais. Cet établissement fait
partie des 4 ou 5 restaurants appartenant à des
propriétaires japonais traditionnels. Tous les
plats sont illustrés sur le menu, même les desserts et les cocktails sont présentés en photos.
Les illustrations sont appétissantes, en plus
d'aider les clients à faire leur choix parmi les
nombreux plats japonais. Excellents sushis et
le reste est à l'avenant.

SHO-DAN ★★★★
2020, rue Metcalfe, Mtl
Tél.: 514-987-9987
SPÉCIALITÉS: Morue noire grillée. Phœnix
(rouleau de feuille soya, goberge, avocat, mangue, oignon frit, thon rouge). Besame Mucho
(tartare de thon, tempura, crevette, feuille de
soya). Mont-blanc (crème glacée vanille, chocolat tempura, coulis de fruits).

PRIX Midi: F. 15$ à 25$
Soir: C. 32$ à 63$
OUVERTURE: Lun. à ven. 11h30 à 14h30.
Lun. 17h à 22h. Mar. et mer. 17h à 22h30.
Jeu. à sam. 17h à 23h. Fermé dim., 24, 25
déc., 1er janv. et le midi jours fériés.
NOTE: Réserv. préférable. Spécial midi: sushis/2 pers. 46$. Plats végétariens. Sushi bar.
Stationnement payant. Accès aux personnes à
mobilité réduite.
COMMENTAIRE: Un couple, qui aimait les sushis avec passion, a ouvert un restaurant japonais avec les chefs sushis du Mikado. Comme
le restaurant est situé au cœur du centre-ville,
le midi, il faut réserver. Les chefs sont motivés
à créer selon le goût du client. Au sushi bar, le
chef cuisine devant les clients.

TATAMI ★★★
140, rue Notre-Dame O., Vieux-Mtl
Tél.: 514-845-5864
SPÉCIALITÉS: Taboo: queue de homard, crabe épicé, thon, saumon, avocat, concombre,
tobico, feuille de soya. Club sandwich de fruits
de mer. Dragon ball: crevette tempura, thon
épicé, bâtonnet de crabe, coriandre, feuille de
miso. Tara: crevette tempura, crabe épicé, saumon, avocat, feuille de miso.
PRIX Midi: C. 11$ à 17$
Soir: C. 12$ à 42$
OUVERTURE: Lun à ven. 11h30 à 14h30.
Lun. à jeu. 17h à 21h30. Ven. et sam. 17h à
22h. Dim. 16h à 21h. Fermé midi sam. et
dim. Été: dim. 15h à 21h30.
NOTE: Table aquarium. Carte des vins, 5 variétés de sakés froids. Demi-terrasse (portes
s'ouvrant sur l'extérieur).
COMMENTAIRE: La propriétaire est vietnamienne. Les sushis et les sashimis sont d'une
fraîcheur irréprochable. On peut même les
déguster à une table recouvrant un aquarium
d'eau salée.

TRI EXPRESS ★★★
1650, av. Laurier E., Mtl
Tél.: 514-528-5641
SPÉCIALITÉS: Salade ceviche de fruits de
mer. Pétoncles et pamplemousse. Salade de
filet mignon. Sushis. Omakase: maki tempura
(le croquant), concassé de homard dans une
feuille de concombre (le divin). Filet mignon à
la manière de Tri. Le St-Joseph: maki (tartare
de thon et saumon, homard). Sashimi à la manière de Tri (thon, saumon, vivaneau).
PRIX Midi: F. 21$ à 25$
Soir: F. 27$
OUVERTURE: Mar. et mer. 11h à 21h. Jeu. et
ven. 11h à 22h. Sam. et dim. 16h à 22h. Fermé lun. et du 1er au 7 janv.
NOTE: Menu dégustation 4 serv. 48$. Menu/
2 pers. 40$ à 60$.
COMMENTAIRE: Maître sushi, le chef Tri Du
a ouvert son propre petit restaurant depuis
février 2006, après avoir travaillé dans les
meilleurs restaurants de Montréal. Une très petite salle dont ce maître sushi est évidemment
l'âme avec ses créations et ses ingrédients
d'une très grande fraîcheur. Ce sont parmi les
meilleurs sushis en ville.

ZEN YA ★★★★
486, rue Sainte-Catherine O. #200, Mtl
Tél.: 514-904-1363
SPÉCIALITÉS: Huîtres fraîches crues. Rouleau
de homard, cresson, avocat. Calmar frit. Bar
chilien, nouilles et légumes sautés. Homard
motoyaki. Spécial Omakase: assiette de sushis
et de sashimis, robata (grillades). Bento box.
Crème glacée tempura. Gâteau opéra au thé
vert.
PRIX Midi: T.H. 16$ à 29$
Soir: C. 25$ à 70$
OUVERTURE: Lun. à ven. 11h30 à 14h30.
Lun. à dim. 17h30 à 22h. Fermé jours fériés,
25 déc. et 1er janv.
NOTE: Tables de tatamis, 12 pers. Salle karaoké. Menu saké.
COMMENTAIRE: Ce restaurant signe son
concept par «Une nouvelle expérience japonaise». Il est situé à l'étage d'un bâtiment anonyme de la rue Sainte-Catherine O. Immense
et longue salle peinte en noir pour dissimuler la
brique et le plancher. Des lignes modernes de
verre et de métal forment un élégant décor
contemporain. Le menu est long et varié mais
toujours excellent.

LIBANAIS

DAOU ★★★
519, rue Faillon E., Mtl
Tél.: 514-276-8310
SPÉCIALITÉS: Fatouche. Feuilles de vigne
(yabrak). Hommos. Taboulé. Kebbe nayé. Poitrine de poulet marinée. Rouget frit. Saumon
grillé. Shish-kebab. Agneau grillé. Rakakat
(feuilleté au fromage). Baklava. Crêpe farcie au
fromage et sirop d'érable.
PRIX Midi: C. 26$ à 53$
Soir: Idem
OUVERTURE: Mar. à sam. 11h30 à 22h. Dim.
11h30 à 21h. Fermé lun. Fermé 25 déc., 1er
et 2 janv.
NOTE: Plat du jour le midi. Arak (boisson alcoolisée libanaise). Vins libanais.
COMMENTAIRE: Un des plus anciens restaurants libanais de Montréal. Décor très ordinaire, genre salle de banquet d'hôtel. Service
en chemise blanche, gilet et pantalons noirs,
rapide, attentif, aimable, de style bistro. Aucune présentation dans l'assiette, mais le goût
est là et la générosité des portions aussi. Entreprise familiale.

LA SIRÈNE DE LA MER ★★★★
114, rue Dresden, Ville Mont-Royal
Tél.: 514-345-0345
SPÉCIALITÉS: Pieuvre grillée. Friture de La
Sirène (fines lamelles frites de courgettes et
aubergines). Calmars frits. Machawi grillé (bro-

GUIDE DEBEUR 2017

chettes poulet, filet mignon ou viande hachée). Pieuvre ou bar du Chili grillés. Thon épicé en croûte au sésame. Katayef (crêpe farcie au fromage et sirop). Halawet el-jiben (pâte semoule farcie au fromage, sirop de rose).
PRIX Midi: F. 15$ à 23$
Soir: C. 36$ à 64$
OUVERTURE: Dim. et lun. midi à 21h30. Mar. à ven. midi à 22h. Sam. midi à 22h30. Fermé 25 déc.
NOTE: T.H. lun. à ven. Concept de plats à partager. Carte des vins, 100 étiquettes. Cellier dans la salle à manger. Mer. soir huîtres à moitié prix 16$/dz. Salle privée, équipement électronique (wi-fi et écran 93 po.) pour 65 pers. Rénové en 2015. Toilette pour personne à mobilité réduite. Stationnement gratuit.
COMMENTAIRE: Belle salle à manger au décor classique et très sobre. Service aimable et bien fait. On peut choisir son poisson à la poissonnerie (poissons importés de la Méditerranée) qui fait partie de l'établissement. Les poissons sont toujours frais et le chef les prépare selon votre goût.

RESTAURANT SOLEMER ★★★
1805, rue Sauvé O., Mtl
Tél.: 514-332-2255
SPÉCIALITÉS: Salade fatouche. Hommos. Crevettes grillées Solemer. Pieuvre grillée. Poisson frit ou grillé. Taboulé. Filet de saumon de l'Atlantique grillé. Brochette de poulet mariné. Chiche-kebab. Chiche-taouk. Crêpes à la crème katayef.
PRIX Midi: T.H. 21,95$
Soir: C. 29$ à 60$ T.H. 21,95$
OUVERTURE: Dim. et lun. 11h30 à 21h30. Mar. à ven. midi à 22h. Sam. midi à 23h. Fermé 24 déc. et 1er janv.
NOTE: Réserv. après 18h. T.H. midi et soir lun. à ven. Poissons frais et fruits de mer vendus au poids. Plats à emporter. Carte de vins, 90 étiquettes.
COMMENTAIRE: La salle est grande, spacieuse et bien décorée. D'un côté se trouve une poissonnerie qui communique avec le restaurant où l'on peut choisir son poisson ou ses crustacés que le chef prépare à notre goût. Cette table libanaise propose une carte plutôt méditerranéenne avec des mets savoureux servis en portions généreuses. Une solide cuisine de type familial. L'accueil est plutôt chaleureux et les serveurs attentionnés et aimables.

MÉDITERRANÉEN

BYLA.BYLA. ★★★
Resto-bar café
1395, av. Dollard, LaSalle
Tél.: 514-368-1888
SPÉCIALITÉS MÉDITERRANÉENNES ET CONTINENTALES: Salade de poulet Toscane. Oeuf poché avec saumon fumé, œufs de poisson, sauce hollandaise. Bifteck d'entrecôte 14 oz, coupe sterling, légumes et pommes de terre. Côte de veau de lait, sauce balsamique aux figues, pommes de terre et légumes. Verrines gourmandes.
PRIX Midi: C. 20$ à 31$
Soir: Idem
OUVERTURE: Mar. à dim. 10h à 14h. Jeu. à sam. 17h à 22h. Fermé lun. et 1er janv.
NOTE: Gagnant de la «meilleure soupe» au Festival de LaSalle 2016. Stationnement très accessible.
COMMENTAIRE: Byla Byla est un dérivé du mot espagnol bailar (danser). Sauf qu'ici on ne danse pas, on cuisine. Et plutôt bien. Des spécialités continentales (steaks et fruits de mer), mais revues et parfumées aux senteurs de la Méditerranée, avec quelques touches d'épices nord-africaines. C'est réellement très bon, voire excellent! Tout ici est fait à la minute avec des produits frais, ce qui explique le délai du service quelquefois lent. Les présentations sont assez belles et agréables à l'œil. Décor café bistro confortable et gentiment aménagé.

O.NOIR ★★
124, rue Prince-Arthur E., Mtl
Tél.: 514-937-9727
SPÉCIALITÉS: Crevettes, sauce balsamique. Filet d'épaule de bœuf grillé, sauce poivre et brindilles, légumes de saison. Profiteroles au nougat glacé maison, sauce caramel, confiture de fraises maison. Gâteau chocolat, coulis de cerises caramélisées.
PRIX Midi: (fermé)
Soir: F. 34$ T.H. 41$
OUVERTURE: 7 jours, 11h à 13h sur réserv. 15 pers. min. Soir deux services, 17h30 à 18h15 et 20h30 à 21h30. Fermé 24, 25 déc. et 1er janv. Terasse: lun. à dim., de midi à 1h du matin. Réserv. recommandée.
NOTE: Dim. soir musique live. Carte des vins d'importation privée à plus de 50%. 10 lignes de bières de microbrasseries.
COMMENTAIRE: Un restaurant où l'on mange dans le noir total, une expérience unique. Non seulement on comprend mieux le monde des non-voyants, mais on apprécie mieux ce que l'on mange. Sans la vue, nos autres sens s'intensifient pour savourer l'arôme et le goût de la nourriture. On met l'accent sur la qualité des mets, sur les saveurs. Une cuisine simple, consistante et savoureuse. Mais on ne saura jamais si c'est bien présenté.

OSCO! ★★★
Hôtel InterContinental Montréal
360, rue Saint-Antoine O., Mtl
Tél.: 514-847-8729
SPÉCIALITÉS: Filet d'agneau poêlé au thym et citron, bayaldi d'aubergine aux amandes et oignons croustillants. Tartare de bœuf au couteau façon «OSCO!», avec croûtons. Ris de veau, écailles d'amande, frégola au beurre d'artichaut et parmesan. Chariot à desserts maison (assortiment gâteaux et verrines).

PRIX Midi: F. 21$ à 23$
Soir: C. 34$ à 66$ T.H. 45$
OUVERTURE: 7 jours 11h à 22h. Petit déjeuner à partir de 6h30.
NOTE: Concept de plats à partager. Cellier, 600 bouteilles d'importation privée. Cuisine snack-bar à l'heure du lunch ou pour continuer la soirée (14h à 1h du mat.). Menu à l'ardoise, 25$, changeant quotidiennement. Brunch fête des Mères, Noël, jour de l'An, Pâques.
COMMENTAIRE: Les éléments du décor sont modernes, l'ambiance est de style brasserie de luxe. À l'entrée, une cage de verre abrite un cellier avec un grand choix de vins. Pour les vins au verre, un chariot chargé de bouteilles dans des seaux à glace, incluant des blancs et des rosés, est roulé jusqu'à votre table. Le chef Matthieu Saunier propose une excellente cuisine très méditerranéenne d'influence française. Le service est d'une gentillesse extrême.

MEXICAIN

BISTRO CACTUS ★★ (bistro)
4461, rue Saint-Denis, Mtl
Tél.: 514-849-0349
SPÉCIALITÉS: Ceviche. Guacamole. Jalapeno relleno (farci au fromage et au bœuf). Al pastore (tacos au poisson). Crevettes tropicales sautées, sauce au basilic, coriandre et gingembre. Burritos. Enchiladas. Fajitas. Quesadillas.
PRIX Midi: C. 20$ à 33$
Soir: Idem
OUVERTURE: Hiver: dim. à jeu. 16h à 22h. Ven. et sam. midi à 23h. Été: dim. à jeu. midi à 22h. Ven. et sam. midi à 23h. Fermé 24, 25 déc. et 1er janv.
NOTE: Bar de danse CACTUS (salsa, merengue, cumbia, bachata) sur deux étages. Inscription à des cours de danse sur demande. Jeudi pratique de salsa et kizumba dès 20h. Bouteilles de vin à 25$.
COMMENTAIRE: Le décor est propre et chaleureux, les banquettes sont dures. La carte propose des mets mexicains assez bien typés avec quelques adaptations. Les plats sont délicieux et surtout très copieux.

CHIPOTLE ET JALAPENO ★★
1481, rue Amherst, Mtl
Tél.: 514-504-9015
SPÉCIALITÉS: Crevettes sautées à la crème de chipotle. Mole poblano, poulet, piment, noix, cacao. Cochinita pibil, petit cochon mariné avec l'épice achiote, orange, cuit vapeur avec feuille plantain.
PRIX Midi: F. 15$
Soir: C. 22$ à 37$
OUVERTURE: Lun. et mar. 10h à 16h. Mer. à sam. 10h à 22h. Dim. 10h à 20h. Fermé jours fériés.
NOTE: Menu dégustation 27$/pers., 48$/2 pers. Cours de cuisine mexicaine sur réservation. Petite épicerie au 1er étage, au-dessus du restaurant. Bières mexicaines. Vins latino-américains ou espagnols. Margaritas maison. Brunch: café à volonté, jus et salade de fruits inclus.
COMMENTAIRE: Tout petit et sans prétention, mais une cuisine honnête, authentique et sincère. Le genre de petit restaurant de quartier comme on en trouve au Mexique.

LE PETIT COIN DU MEXIQUE ★★
2474, rue Jean-Talon E., Mtl
Tél.: 514-374-7448
SPÉCIALITÉS: Soupe de fruits de mer. Entrée mixte (sopes, guacamole, tacos, quesadilla). Chile poblanorelleno (piments mexicains farcis de fromage). Tortas. Tacos al pastor (porc mariné). Enchilada verte ou de mole. Chilaquiles rouges ou vertes. Gâteau trois laits. Pêche rompope.
PRIX Midi: F. 10$ à 12$
Soir: C. 17$ à 38$ T.H. 12$ à 19$
OUVERTURE: Mer. 11h30 à 21h. Jeu. à sam. 11h à 22h. Dim. 11h à 21h. Fermé lun., mar., 25 déc. et 1er janv.
NOTE: Produits mexicains. Menu de fruits de mer (ceviche, poisson, brochette de crevettes). Service de traiteur sur réserv.
COMMENTAIRE: Un petit restaurant sympa, une cuisine simple et savoureuse typiquement mexicaine, que l'on peut accompagner de bières du pays, de téquila ou de margarita. Pour continuer l'expérience, ne pas oublier de goûter aux desserts. Ambiance familiale.

TAQUERIA MEX ★★
4306, bd Saint-Laurent, Mtl
Tél.: 514-982-9462 514-573-5930
SPÉCIALITÉS: Salade de crevettes. Quesadilla au poulet ou végétarienne. Guacamole maison. Nachos au fromage fondu. Tacos. Burrito de crevettes, de poulet, de steak ou végétarien. Enchilada au poulet. Ranchero au poulet, au steak ou végétarien. Churos maison (beigne au caramel). Flan de coco.
PRIX Midi: C. 22$ à 25$
Soir: Idem
OUVERTURE: Lun. à ven. 11h30 à 22h. Sam. et dim. midi à 22h. Fermé 24, 25, 26, 31 déc. et 1er janv.
NOTE: Musique latine continuelle. Bières et sangria mexicaines. Margarita et mojito maison. Daïquiris aux fruits (mangue, fraise, framboise). Nouveau mobilier.
COMMENTAIRE: Situé en face du parc Vallières, voici un petit resto sympathique au décor ordinaire, mais très coloré, jusque sur la façade. Le décor fait plus penser à un resto-minute qu'à un restaurant, sauf que la ressemblance s'arrête là. Les assiettes sont généreuses, toutefois il n'y a pas de dessert à la carte. En résumé: amusant, intéressant, sympathique, consistant, parfumé, sans prétention!

PÉRUVIEN

MADRE ★★★ (bistro)
2931, rue Masson, Mtl
Tél.: 514-315-7932
SPÉCIALITÉS: Poulpe braisé aux piments péruviens. Ceviche classique de pétoncles au jus de lime. Tacos aux crevettes et haricots noirs. Jarret d'agneau braisé, bière et coriandre, cassoulet de haricots. Petit pot chocolat noisette, meringue et baies de saison.
PRIX Midi: (fermé)
Soir: C. 36$ à 43$ F. 29$ à 36$
OUVERTURE: Lun. à sam. 17h30 à 22h. Fermé dim., 25 déc. et 1er janv.
NOTE: Le prix des plats principaux inclut une entrée. Lun. et mar., 3 serv. 29$. Stationnement facile.
COMMENTAIRE: Mario Navarrete Jr, chef propriétaire, propose une cuisine «nuevo latino», nouvelle cuisine latine d'influence péruvienne, de son pays d'origine. L'assiette est réellement très savoureuse, simple et créative, et constitue une découverte et un plaisir des sens. Le décor est minimaliste, un peu comme dans un couloir, tout en longueur, avec des tons de brun très foncé. On y est servi avec beaucoup d'amabilité.

MADRE SUR FLEURY ★★★
124, rue Fleury O., Mtl
Tél.: 514-439-1966
SPÉCIALITÉS: Poulpe braisé aux piments péruviens. Ceviche classique de pétoncles au jus de lime. Tacos aux crevettes et haricots noirs. Jarret d'agneau braisé, bière et coriandre, cassoulet de haricots. Petit pot chocolat noisette, meringue et baies de saison.
PRIX Midi: (fermé)
Soir: C. 36$ à 43$ F. 29$ à 36$
OUVERTURE: Lun. à sam. 17h30 à 22h. Fermé dim., 25 déc. et 1er janv.
NOTE: Le prix des plats principaux inclut une entrée. Lun. et mar., 3 serv. 29$.
COMMENTAIRE: Anciennement «À table», ce restaurant a changé le nom pour devenir «Madre sur Fleury». Le chef propriétaire Mario Navarrete Jr, a changé aussi la vocation internationale du restaurant pour revenir vers sa spécialité et ses origines: la cuisine péruvienne savoureuse et revisitée par lui et ses assistants. Une cuisine latine avec la technique française. Une belle expérience!

MOCHICA ★★★★
3863, rue Saint-Denis, Mtl
Tél.: 514-284-4448
SPÉCIALITÉS: Ceviche de poisson à la péruvienne. Tartare d'alpaga. Bar péruvien étuvé. Causa (étagé de crabe, de poisson, de pommes de terre, avocat et maïs). Anticucho de corazon (cubes de cœur de veau marinés, grillés, pesto de huacatay, patates douces, manioc et maïs géant).

PRIX Midi: (fermé)
Soir: C. 17$ à 56$
OUVERTURE: Mer. et jeu. 17h à 22h. Ven. à dim. 17h à 23h. Fermé lun. et mar.
NOTE: Menu «Mer», menu «Terre». Menu dégustation, 3 serv. 20$ à 45$. Viande d'alpaga et poisson corvina en exclusivité. Vins péruviens d'importation privée.
COMMENTAIRE: Harmonie des couleurs, vitrines d'artefacts, collection de masques, bas-reliefs, nous transportent dans un resto-musée à la gloire des Mochicas ou Moches, une brillante civilisation d'Amérique du Sud. Service courtois, compétent et attentif. Le serveur connaît bien les plats qu'il sert. La cuisine est bonne. Les mets servis surprennent et dépaysent par la nature des aliments utilisés, parfois inconnus pour nous. Ils nous permettent de voyager et nous donnent envie d'en apprendre davantage sur le Pérou.

PUCAPUCA ★★
5400, bd Saint-Laurent, Mtl
Tél.: 514-272-8029
SPÉCIALITÉS: Agillo (poisson, ail, piment jaune du Pérou). Chupe de camarones (velouté de crevettes). Ají de gallina (poulet au piment jaune péruvien). Sudado de pescado (sauce aux piments jaunes péruviens, coriandre, tomates, poisson). Foie de veau sauté aux légumes, piments jaunes du Pérou. Filet de porc maigre à la sauce adobo (trois herbes et bière). Sorbets.
PRIX Midi: F. 8$
Soir: C. 19$ à 27$ T.H. 15$
OUVERTURE: Mar. à ven. midi à 14h30. Jeu. à sam. 18h à 23h. Ouvert sur réserv. dim. et lun. midi et soir, mar. et mer. soir. Fermé 24, 25 déc., 1er janv. et 24 juin.
NOTE: 3 à 5 choix de poissons frais. Plats du chef chaque soir. Musique latino-américaine. Carte des vins (15 étiquettes) majoritairement sud-américains. Ambiance relaxante. Cuisine familiale.
COMMENTAIRE: Un petit restaurant péruvien de style café-bistro, aux murs peints en rouge et au sol en béton coloré, aux chaises dépareillées et aux tables bancales. La cuisine péruvienne, à l'origine familiale, n'est pas forcément très épicée mais elle est authentique. C'est selon les mets. Service très sympathique et familial.

PORTUGAIS

CASA VINHO ★★★
3750, rue Masson, Mtl
Tél.: 514-721-8885
SPÉCIALITÉS: Pieuvre grillée. Saucisson portugais à l'ail et à l'huile d'olive. Mixte de fruits de mer: pétoncles, pieuvre et calmar grillés. Filets de sardine poêlés, huile, ail et oignon. Côtes levées, poulet, saucisse, frites maison, salade. Crème brûlée. Natas de l'univers (petit gâteau).

PRIX Midi: (fermé)
Soir: C. 24$ à 43$ T.H. 19$ à 24$
OUVERTURE: Mar. à dim. 17h à 21h30.
Fermé lun., 24, 25, 26 déc., 1er et 2 janv.
NOTE: Réserv. conseillée. Cave à vin, 40 étiquettes, d'importation privée à 50%. Bières
des Îles de la Madeleine et de microbrasseries.
Ouvert midi sur réserv. à partir 12 pers., avec
menu établi.
COMMENTAIRE: La façade n'attire pas l'attention. On pourrait passer tout droit sans remarquer qu'il y a un restaurant. Mais une fois
à l'intérieur, on se sent au Portugal. Une belle
ambiance, le fado joue en toile de fond en per-
manence. Un menu simple met à l'honneur
une cuisine portugaise familiale authentique,
faite de produits naturels et frais, apprêtée avec
beaucoup de soin et d'honnêteté. C'est délicieux et copieux.

CHEZ DOVAL ★★
150, rue Marie-Anne E., Mtl
Tél.: 514-843-3390
SPÉCIALITÉS: Pieuvre grillée. Crevettes sautées, vin blanc, citron, ail. Casserole de fruits
de mer. Calmars, sardines, morue, poulet ou
caille grillés. Steak à la portugaise au curry.
Porc et palourdes. Tartelette aux œufs. Pouding au riz. Crème caramel.
PRIX Midi: T.H. 13$ à 15$
Soir: C. 23$ à 49$ T.H. 14$ à 29$
OUVERTURE: 7 jours 11h30 à 23h. Fermé
25 déc. et 1er janv.
NOTE: Poissons frais grillés sur charbon de
bois. Nouvelle T.H. chaque jour. Carte des vins,
80 sortes.
COMMENTAIRE: Il y a deux salles à manger:
l'une a gardé sa décoration des années 1970,
aux murs crépis flanqués de quelques assemblages de briques rouges et de chaises de type
saloon; l'autre a des allures de bistro avec bar
et gril. L'ambiance est chaleureuse. On y mange une cuisine traditionnelle portugaise de type
familial, généreuse et savoureuse, servie avec
amabilité et nonchalance. Petit choix de bons
vins portugais.

FERREIRA CAFE ★★★★
1446, rue Peel, Mtl
Tél.: 514-848-0988
SPÉCIALITÉS: Risotto aux champignons sauvages et cuisse de canard confite. Filets de
sardine rôtis à la fleur de sel. Morue noire rôtie
en croûte de cèpes, réduction de porto. Natas
maison: tartelettes à la vanille, glace riz au lait.
PRIX Midi: F. 24$ à 45$
Soir: C. 42$ à 87$
OUVERTURE: Lun. à ven. 11h45 à 15h. Dim.
à mer. 17h30 à 23h. Jeu. à sam. 17h30 à minuit. Dim. 17h à 22h. Fermé 1er janv. et midi
jours fériés.
NOTE: Poissons entiers et fruits de mer importés du Portugal. Menu après 22h, 2 serv. 24$.
Mar. «wine night», remise 50% sur vins portu-
guais. Cave à portos (100 sortes).

COMMENTAIRE: Ouvert en 1996, des rénovations majeures en automne 2015 ont transformé le Ferreira en un lieu à la décoration plus
moderne, plus sobre sans pour autant renier la
culture portugaise. On ajouté des panneaux de
verre, des murs de plâtre traités à la main où
s'accrochent des hirondelles en porcelaine noire (symbole de la famille). La cuisine est généreuse et bonne, la carte des vins impressionnante.

L'ÉTOILE DE L'OCÉAN ★★★
101, rue Rachel E., Mtl
Tél.: 514-844-4588
SPÉCIALITÉS: Pieuvre et calmars marinés et
grillés. Casserole de palourdes et de porc Alen-
tejana. Paella. Saucisses portugaises flambées
à la grappa. Plat mixte (poisson et fruits de mer
grillés au four). Cataplana de fruits de mer.
PRIX Midi: T.H. 14$ et 20$
Soir: C. 24$ à 50$ T.H. 28$ à 35$
OUVERTURE: 7 jours 11h30 à 23h. Fermé
25 et 26 déc.
NOTE: Musiciens ven. et sam. dès 19h.
COMMENTAIRE: Décor très agréable, coloré
et chaleureux. On se sent transporté au Portugal. L'ambiance est intime, assez animée et
confortable. Le service se montre hyper aimable, très accommodant, mais excessivement
lent lorsqu'il y a beaucoup de monde. La cuisine propose des grillades au charbon de bois,
des poissons frais et des fruits de mer. Il y a
aussi une bonne sélection de vins, de portos et
de fromages.

PORTUS 360 ★★★★★
777, bd Robert-Bourassa, Mtl
Tél.: 514-849-2070
SPÉCIALITÉS: Morue à la portugaise. Riz aux
fruits de mer, demi-homard, crevettes, calmars,
moules, palourdes. Carne de porco à Alente-
jana (porc et palourdes). Figues au chocolat.
Natas du céu (crème du paradis).
PRIX Midi: T.H. 25$
Soir: C. 46$ à 73$
OUVERTURE: Lun. à ven. 11h30 à 14h30.
Lun. à sam. 17h30 à 23h. Fermé sam. midi,
dim., 25 déc. et 1er janv.
NOTE: Vue panoramique 360 degrés sur la
ville. Nouveau décor.
COMMENTAIRE: La salle à manger se trouve
tout en haut de la tour Evo, un immeuble situé
sur le boulevard Robert-Bourassa. Il s'agit d'un
des rares restaurants tournants au Canada et
c'est le seul à Montréal. Le tour complet dure
une heure trente environ. On a une vue incomparable sur la Rive-Sud, le fleuve Saint-Laurent
et les immeubles modernes du centre-ville de
Montréal. La chef Helena Loureiro y propose
une carte portugaise et méditerranéenne savoureuse et joliment présentée. Une cuisine de
fraîcheur, de goût et de plaisir. Une cuisine haut
de gamme tant par l'élévation de la salle à
manger que par la qualité des mets que la chef
met dans les assiettes avec beaucoup de délicatesse, de sensibilité et de générosité. Mais
quelle belle aventure!

RESTAURANT HELENA ★★★★ (bistro)
438, rue McGill, Vieux-Mtl
Tél.: 514-878-1555
SPÉCIALITÉS: Morue noire de l'Est. Caldo verde (soupe verte). Feijoada de mariscos (ragoût de fruits de mer aux fèves de Lima, calmars, crevettes, palourdes, moules). Parillada aux fruits de mer. Morue à la portugaise. Fondant au chocolat.
PRIX Midi: T.H. 24$
Soir: C. 50$ à 75$
OUVERTURE: Lun. à ven. 11h30 à 14h30. Lun. à sam. 17h30 à 23h. Fermé sam. midi, dim., 24, 25 déc., 1er janv. et fêtes légales.
COMMENTAIRE: Une excellente table qui déborde un peu la cuisine portugaise par ses accents méditerranéens. Mais le goût et le plaisir sont là, sans compromis. Belles présentations des assiettes, sans pour autant tomber dans l'extravagance. Le décor est moderne, voire tendance, mais imprégné de la culture portugaise. Le service est très aimable.

SOLMAR ★★
111 et 115, rue Saint-Paul E., Vieux-Mtl
Tél.: 514-861-4562
SPÉCIALITÉS: Effiloché de morue. Pétoncles sautés au chorizo. Cataplana de fruits de mer. Filet mignon à la portugaise. Filet de porc et palourdes poêlés. Escalope de veau au porto sec. Fraises au porto.
PRIX Midi: F. 14$ à 22$
Soir: C. 36$ à 68$
OUVERTURE: 7 jours midi à 23h.
NOTE: Assiette du jour à partir de 20$. Menu dégustation 4 serv. 55$, accord des vins 40$. Sélection intéressante de portos depuis 1900 et de vins rouges depuis 1968. Spectacles de fado ven. et sam.
COMMENTAIRE: Ce restaurant portugais, situé dans un bâtiment deux fois centenaire, est ouvert depuis 1979. La salle à manger est très belle, chaleureuse et confortable; la cuisine est familiale, simple et copieuse. La fin de semaine ou lors du festival d'avril ou d'automne, les soirées fados apportent une très bonne ambiance.

QUÉBÉCOIS

LES FILLES DU ROY ★★★
Hôtel Pierre du Calvet
405, rue Bonsecours, Vieux-Mtl
Tél.: 514-282-1725
SPÉCIALITÉS: Assiette traditionnelle du Québec: tourtière, ragoût de boulettes et de pattes, ketchup de fruits et patates en purée. Filet mignon sauce caribou. Poisson doré sur risotto de pétoncles. Filet de cerf glacé au miel, sauce poivrade et canneberges, purée de pommes de terre. Gâteau mi-cuit au chocolat.
PRIX Midi: C. 10$ à 15$
Soir: C. 40$ à 77$ T.H. 45$
OUVERTURE: 7 jours 10h à 22h30.
NOTE: Menu-terrasse en été. On peut bavarder avec les perroquets dans la serre. Salle musée avec exposition d'admirables sculptures en bronze de M. Trottier, le propriétaire, et d'autres artistes, sur demande uniquement.
COMMENTAIRE: Dans un décor très ancien, on retrouve tous les éléments du Québec d'autrefois. Un peu comme dans un musée, on se sent carrément transporté dans une autre époque, en l'occurrence, celle des coureurs des bois, mais avec le luxe des grandes familles montréalaises des 18e et 19e siècles. C'est très beau, voire surtout très romantique. Mais pas un romantisme de dentelle, non, un romantisme solide, puissant, de marchand bien nanti. La carte n'a rien d'original ni de très inventif, mais l'assiette est bonne et copieuse. Elle se veut traditionnelle, classique, avec une connotation dite québécoise (tourtière, ragoût de boulettes, ketchup maison).

SALVADORIEN

LA CARRETA ★★★[ER]
350, rue Saint-Zotique E., Mtl
Tél.: 514-273-8884
SPÉCIALITÉS: Tamal (bouillon, pain de maïs, poulet). Carreton (riz, poulet, crevettes). Albondigas (boulettes de viande salvadoriennes). Pupusa (galette garnie de fromage ou de viande). Burritos. Guacamole. Fajitas au poulet. Quesadillas. Trio de tacos. Arroz à la plancha (crevettes, poulet, riz). Steak à l'oignon sauté (avec riz et salade). Plantain grillé. Beignet frit, sauce chaude.
PRIX Midi: C. 18$ à 43$
Soir: Idem
OUVERTURE: Dim. à mer. 11h à 22h. Jeu. à sam. 11 h à 23h. Fermé 25 déc. et 1er janv.
NOTE: Divers types de combos (combo typico: pupusa, yuka, enchilada). Boissons salvadoriennes traditionnelles. Sangria blanche ou rouge, piña colada, margarita, mojito maison.
COMMENTAIRE: Idéal pour se décontracter en famille ou entre amis. Une pupuseria, petit restaurant spécialisé en cuisine salvadorienne qui ne paie vraiment pas de mine. On dirait deux anciennes boutiques aménagées, tant bien que mal, en un seul établissement. Mais, c'est sympathique et le service aussi, très souriant et aimable. On y mange bien et pour pas cher.

THAÏLANDAIS

CHAO PHRAYA ★★★★★
50, av. Laurier O., Mtl
Tél.: 514-272-5339
SPÉCIALITÉS: Salade de mangue et homard. Dumplings, sauce au beurre d'arachides. Crevettes grillées aux feuilles de menthe, piment et oignons rouges. Filet de poisson, sauce aux trois saveurs épicées. Bœuf sauté, piments forts, échalotes et oignons. Poulet au curry vert, lait de coco et basilic.

AVIS

Dans les restaurants végétariens des pays d'Asie tels que la Thaïlande, la Chine, la Malaisie, etc., tous les plats portant les appellations de viandes, de poissons et de fruits de mer, sont strictement faits à base de produits végétaux. Les chefs utilisent les ingrédients (légumes, soja, seitan, farine de gluten et autres produits végétaux) qu'ils manipulent afin de leur donner les formes, les textures et les saveurs rappelant la viande, le poisson et les fruits de mer.

PRIX Midi: (fermé)
Soir: C. 35$ à 47$
OUVERTURE: Dim. à mer. 17h à 22h. Jeu. à sam. 17h à 23h.
NOTE: Produits frais de la mer (poissons, crevettes, calmars…). Musique thaïlandaise. 2e étage privé, 20 pers.
COMMENTAIRE: La fraîcheur des ingrédients, la préparation des plats, au fur et à mesure des commandes, contribuent à l'excellence de la nourriture. D'ailleurs depuis son ouverture en 1988, ce restaurant n'a rien perdu de sa popularité. Il est recommandé de réserver.

CHU CHAI ★★★
4088, rue Saint-Denis, Mtl
Tél.: 514-843-4194
SPÉCIALITÉS VÉGÉTARIENNES THAÏLANDAISES: Bouchées cinq saveurs. Crevettes panées sel et poivre. Brochette de poulet à la sauce d'arachides. Canard au curry rouge et noix de coco. Bœuf au piment et basilic.
PRIX Midi: F. 10$ à 18$
Soir: C. 22$ à 36$ T.H. 50$
OUVERTURE: Jeu. à sam. 11h à 14h. Mar. à jeu. 17h à 22h. Ven. et sam. 17h à 23h. Fermé dim. et lun., 25 déc. et 1er janv.
NOTE: Restaurant flexitarien. Cuisine santé, végétalienne et sans glutamate. Menu du soir 4 serv. comprend un cocktail. Loft privé 50 pers.
COMMENTAIRE: Premier restaurant de fine cuisine végétarienne thaïlandaise. Cuisine végétarienne authentique et traditionnelle. Tous les plats portant les appellations de viande et de fruits de mer sont strictement faits à base de produits végétaux. Au Chuch Bistro, adjacent à la maison mère, on sert une gastronomie végétalienne sans produit animal, sans GMS (glutamate monosodique), dans une ambiance conviviale et décontractée. On peut emporter les mets chez soi ou manger sur place.

PHAYATHAÏ ★★★★
1235, rue Guy, Mtl
Tél.: 514-933-9949
SPÉCIALITÉS: Soupe Ton Yum à la citronnelle. Salade poulet et mangue verte. Pinces de crabe, piments maison. Fruits de mer sautés au basilic. Pad thaï. Poisson entier frit à la sauce aux piments. Poulet au curry Panang, crevettes citronnelle. Poulet au curry vert et au lait de coco.

PRIX Midi: T.H. 14$ à 19$
Soir: C. 27$ à 42$
OUVERTURE: Mar. à ven. 11h30 à 14h30. Mar. à dim. 17h à 22h30. Fermé lun., 25 déc., 1er janv. et 24 juin.
NOTE: Carte des vins.
COMMENTAIRE: On trouve ici une cuisine authentique et beaucoup de fraîcheur. Le mariage des divers ingrédients tropicaux est bien équilibré. Le dépaysement s'avère total grâce aux épices soigneusement choisies et l'harmonie des mets, le tout servi dans un cadre joliment décoré. Le service est courtois et attentionné.

TALAY THAÏ ★★★
5697, ch. Côte-des-Neiges, Mtl
Tél.: 514-739-2999
SPÉCIALITÉS: Tom yam kung (soupe aux crevettes et citronnelle). Poulet Bangkok. Choix de crevettes, poulet ou filet de poisson au curry rouge ou vert. Pad thaï. Bœuf sauté à l'ail, poivrons et feuilles de basilic. Rouleau froid avec poulet, œuf, carotte, coriandre et laitue. Panier doré de poulet, oignons, petits pois avec sauce thaï.
PRIX Midi: F. 10$
Soir: C. 21$ à 29$ F. 18$
OUVERTURE: Lun. à ven. 11h à 22h. Sam. à dim. (fermé le midi) 16h à 22h. Fermé 1er juil., 24, 25 déc. et 1er janv.
NOTE: Carte des vins.
COMMENTAIRE: Un restaurant de cuisine traditionnelle thaï situé à l'étage, dans un cadre agréable, quoiqu'un peu minimaliste mais typiquement thaïlandais, décoré de grandes statues. Entre autres, on y mange d'excellents pad thaï au goût parfait. C'est l'un des endroits pour savourer les vrais plats thaïs.

THAÏLANDE ★★★★
88, rue Bernard O., Mtl
Tél.: 514-271-6733
SPÉCIALITÉS: Fruits de mer au curry rouge à la marmite. Mok Pla (filet de poisson au lait de coco, curry rouge, enrobé de feuille de bananier, cuit à la vapeur). Filet de poisson, jus de lime. Ped Krob (canard croustillant, sauce épicée). Crème brûlée au thé de jasmin.
PRIX Midi: T.H. 13$ à 19$
Soir: C. 21$ à 53$ T.H. 32$ à 45$
OUVERTURE: Mer. à ven. 11h30 à 14h. Lun., mer. et jeu. 17h à 22h. Ven. et sam. 17h à 22h30. Fermé mar., 24, 25 déc. et 1er janv.
NOTE: Carte des vins.
COMMENTAIRE: Sans aucun doute, une des meilleures tables thaï à Montréal. Le beau décor intérieur est ponctué de statues. Une section comporte des tables basses; on s'assoit par terre, sur des sortes de coussins. C'est un réel bonheur de goûter la cuisine de ce restaurant qui utilise toujours les meilleurs produits. Il faut goûter le mok pla (filet de poisson), un plat du nord de la Thaïlande, d'où le propriétaire est originaire. La présentation des assiettes est soignée, et le service, empressé.

TURC

BARBOUNYA ★★★
234, av. Laurier O., Mtl
Tél.: 514-439-8858
SPÉCIALITÉS TURQUES ET GRECQUES: Hummus, tartinade de pois chiches. Tomate farcie, riz, herbes, yaourt. Barbounya en ceviche, tomates, chili, variété d'épices. Tartare d'agneau, croustilles de pita, légumes marinés. Calmars frits, verdure, amandes. Baklava. Revani, gâteau de pistache, crème de yaourt à la vanille.
PRIX Midi: (fermé)
Soir: C. 22$ à 37$
OUVERTURE: Mar. à sam. 17h à 23h. Sam. et dim. 10h à 15h. Fermé dim. et lun.
NOTE: Même propriétaire que le restaurant Su à Verdun.
COMMENTAIRE: Un restaurant tout à fait délectable, qui mélange allègrement les genres (notamment turc et grec) mais toujours avec équilibre et doigté, autant dans les saveurs que les présentations. Au milieu d'un décor contemporain, on s'assoit à de longues tables partagées avec d'autres convives. Mais l'ambiance est là, et le plaisir aussi. Ah, au fait, le barbounya est un poisson de la famille des rougets, originaire de la Méditerranée.

RESTAURANT SU ★★★
Restaurant-traiteur
5145, rue Wellington, Verdun
Tél.: 514-362-1818
SPÉCIALITÉS: Caviar d'aubergine, yogourt. Pâtes fraîches traditionnelles turques (yogourt à l'ail, sauce tomate). Aubergine farcie d'agneau, riz et yogourt. Kebab d'agneau et aubergine. Poisson du jour grillé. Pâtes kadaif farcies au fromage, sirop de sucre.
PRIX Midi: (fermé)
Soir: C. 35$ à 47$
OUVERTURE: Mar. à sam. 17h à 22h. Fermé dim., lun., 25 déc. et 1er janv.
NOTE: Menu suivant l'arrivage des produits. Menu découverte 5 serv. 48$, formule à partager. Carte des vins. Potager sur le toit.
COMMENTAIRE: Perdu dans un quartier à vocation commerciale et ouvrière, ce restaurant propose une cuisine familiale turque. La propriétaire est une cuisinière passionnée, et ce, depuis l'enfance. C'est bon et sincère. Le service est gentil et attentionné. L'ambiance est agréable.

VIETNAMIEN

HOÀI HU'O'NG ★★
5485, rue Victoria, Mtl
Tél.: 514-738-6610
SPÉCIALITÉS: Soupe tonkinoise. Crevettes à la canne à sucre. Brochettes de porc barbecue, rouleaux aux cheveux d'ange. Bœuf au poulet à la citronnelle. Crêpe vietnamienne aux crevettes, porc et salade. Spécial pour familles: soupe (poisson, crevettes ou poulet), poisson mijoté dans terrine, crevettes sautées aux épices, poulet sauté, salade avec crevettes et porc, bœuf en cubes sautés sur feu vif.
PRIX Midi: F. 8$ à 20$
Soir: C. 18$ à 23$ F. 9$ à 23$
OUVERTURE: Mar. à dim. 11h à 15h et 17h à 22h. Fermé lun.
NOTE: Midi express 7,50$. Soir express 8,75$.
COMMENTAIRE: Affaire familiale. Toute la famille est à l'œuvre dans ce petit restaurant. On y mange bien à des prix très raisonnables. Service rapide et chaleureux. Vous tomberez vite sous le charme de cette table authentique.

ONG CA CAN ★★★
79, rue Ste-Catherine E., Mtl
Tél.: 514-844-7817
SPÉCIALITÉS: Grillades vietnamiennes. Sautés au wok. 7 spécialités au bœuf (potage, fondue maison, 3 sortes de rouleaux, bœuf grillé, galantine). Nouilles croustillantes sautées aux légumes, à la viande ou aux fruits de mer. Sauté de poulet avec feuilles de basilic.
PRIX Midi: F. 12$ à 17$
Soir: C. 22$ à 37$ T.H. 22$ à 25$
OUVERTURE: Mar. à ven. 11h30 à 14h30. Mar. à sam. 17h à 21h. Fermé dim. et lun.
NOTE: Ouvert depuis 1981. Plats à emporter.
COMMENTAIRE: Une entreprise familiale considérée comme l'une des meilleures pour les mets vietnamiens. Le jeune chef, Phan Tien Tran, met tout son talent dans la créativité, la finesse et la fraîcheur des mets. Un bon choix pour aller souper avant un spectacle. Le service est courtois et rapide.

PHO BANG NEW YORK ★★★
1001, bd Saint-Laurent, Mtl
Tél.: 514-954-2032
SPÉCIALITÉS: Rouleaux impériaux au porc. Soupe tonkinoise au bœuf, crevettes, poulet, citronnelle et légumes. Vermicelles au poulet grillé et rouleaux impériaux. Poisson arc-en-ciel, fèves jaunes, farine tapioca, lait de coco.
PRIX Midi: F. 8$ à 13$
Soir: Idem
OUVERTURE: 7 jours 10h à 21h30. Fermé 25 déc.
NOTE: Soupe piquante à la citronnelle (seulement sam. et dim.). Ne prennent pas les cartes de crédit ni Interac.
COMMENTAIRE: Très bon pho maison (resto spécialisé dans les soupes tonkinoises aux nouilles de riz à base de bouillon de bœuf). Service empressé et souriant. Ce restaurant affiche très souvent complet. Mieux vaut réserver.

PHO TAY HO ★★★
6414, rue Saint-Denis, Mtl
Tél.: 514-273-5627
SPÉCIALITÉS: Soupe tonkinoise. Salade de bœuf saignant au citron. Salade de poulet et abats. Poisson grillé, sauce aux crevettes. Porc

barbecue avec vermicelles et salade. Nouilles frites aux légumes et fruits de mer.
PRIX Midi: T.H. 12$
Soir: C. 19$ à 32$ T.H. 12$
OUVERTURE: Mer. à lun. 10h à 21h. Fermé mar.
NOTE: Carte des vins. Paiement Interac ou comptant seulement.
COMMENTAIRE: Les Vietnamiens aiment se retrouver en famille dans ce restaurant à la cuisine style Vietnam du Nord. Il offre une grande variété de plats. Essayez l'excellente pho au poulet. C'est souvent complet midi et soir. Bruyant!

RESTAURANT PHO LIEN ★★
5703, chemin Côte-des-Neiges, Mtl
Tél.: 514-735-6949
SPÉCIALITÉS: Pho (soupe tonkinoise, 16 variétés). Salade de papaye verte. Galettes de riz grillées avec œuf. Côtelette de porc grillée avec riz et salade. Bœuf grillé avec vermicelles de riz.
PRIX Midi: F. 13$ à 14$
Soir: C. 17$ à 24$ F. 15$ à 17$
OUVERTURE: Lun. à ven. 11h à 22h. Sam. et dim. 10h à 22h. Fermé mar.
NOTE: Ven. à dim. soupe piquante. Attention: paiement comptant seulement.
COMMENTAIRE: Ce resto est situé dans le quartier multiculturel par excellence de Côte-des-Neiges. Comme de nombreux restaurants vietnamiens, Pho Lien se spécialise dans la soupe tonkinoise. Le bouillon a un goût remarquable. Il faut aussi essayer le dessert trois couleurs, délicieux ! Un peu bruyant.

RESTAURANTS DE LA BANLIEUE DE MONTRÉAL

OUEST DE L'ÎLE DE MONTRÉAL

AUBERGE DES GALLANT
★★★★★ qué
Voir section MONTÉRÉGIE
(RÉGION Vaudreuil-Soulanges).

LE SURCOUF ★★★ fra
51, rue Sainte-Anne, Sainte-Anne-de-Bellevue
Tél.: 514-457-6699
SPÉCIALITÉS FRANÇAISES: Foie gras au torchon. Étagé de veau au shiitake et portabella à la crème d'Oka. Pétoncles gratinés au parmesan sur lit de poireaux. Scampi à la provençale. Foie de veau à l'échalote. Filet mignon au poivre flambé au cognac. Profiteroles au chocolat.
PRIX Midi: F. 15$ à 20$
Soir: C. 38$ à 87$ T.H. 34$ à 55$

OUVERTURE: Mar. à ven. 11h30 à 14h. Mar. à dim. 17h30 à 21h. Fermé lun., 24 au 26 déc. et sem. de relâche scolaire.
NOTE: Menu bistro 26$. Véranda vitrée. Foyer créant une ambiance chaleureuse.
COMMENTAIRE: Le restaurant est installé dans une petite maison de ville. On y sert une cuisine typiquement française traditionnelle, avec une formule bistro intéressante.

RIVE SUD DE MONTRÉAL

BISTRO DES BIÈRES BELGES ★★ bel
2088, rue Montcalm, Saint-Hubert
Tél.: 450-465-0669
SPÉCIALITÉS BELGES: Soupe à l'oignon à la bière Maudite. Pieuvre grillée. Lasagne de cerf au fromage bleu. Tartares (bœuf ou saumon). Moules frites: marinière, dijonnaise, sichuanaise, au roquefort, thaï. Carbonnade flamande, braisé de bœuf à laTrois Pistoles. Gaufre de Bruxelles, sorbet aux framboises et à la Blanche de Chambly.
PRIX Midi: F. 9$ à 22$
Soir: C. 24$ à 54$
OUVERTURE: Lun. à jeu. 11h à 22h. Ven. 11h à 23h. Sam. 17h à 23h. Dim. 16h à 22h. Fermé 25 déc., 1er janv. et midi jours fériés.
NOTE: 14 préparations de moules différentes servies avec frites. Un bon choix de 120 bières, dont plus de 50% d'importation privée et quelques bières québécoises de qualité.
COMMENTAIRE: Petit resto belge sympa, surtout en été lorsqu'on peut manger sur la terrasse (quoiqu'un peu bruyante à cause du boul. Taschereau). Spécialité de la maison: moules et frites. Service aimable.

BISTRO V ★★★★ (bistro) fra
1463, rue Lionel-Boulet, Varennes
Tél.: 450-985-1421
SPÉCIALITÉS FRANÇAISES: Foie gras poêlé. Thon albacore, roquette et chicorée, vinaigrette xérès et amandes, gel de fraise, concombre, tuile de betterave. Crème brûlée citron-vanille, guimauve, meringue brûlée, crumble.
PRIX Midi: T.H. 16$
Soir: C. 34$ à 67$ T.H. 27$
OUVERTURE: Lun. à ven. 11h30 à 14h. Mar. à sam. 17h à 22h. Fermé dim. et 25 déc.
NOTE: Menu dégustation 6 serv. 69$, accord mets et vins 104$ le soir seulement. Brunch Pâques et fête des Mères. Menu enfant 6$ à 10$.
COMMENTAIRE: Voici une belle table style bistro qui remplit bien le contrat que les propriétaires se sont fixé: «bistronomie», contraction des mots bistro et gastronomie. «L'art de faire de la grande cuisine dans un petit restaurant à prix abordable». Même après leur déménagement, le décor est toujours chic et confortable. Le service est courtois, profession-

nel, attentif et l'assiette ne manque pas de créativité, ni de goût bien sûr. Une bonne adresse!

CAFÉ RICARDO ★★★ (bistro) int
310 A, rue d'Arran, Saint-Lambert
Tél.: 450-550-2233
SPÉCIALITÉS INTERNATIONALES: Gaspacho, tomates, croûtons à l'ail confit, huile aux poireaux. Gravlax de saumon, soupe froide de pois verts. Tartare de saumon à la fraise et citron vert. Nid de meringue craquante, ananas, lime, chantilly au chocolat blanc et basilic.
PRIX Midi: F. 18$ à 30$
Soir: F. 30$ à 33$
OUVERTURE: 7 jours 11h à 16h. Mar. à sam. 17h à 21h. Petit déjeuner lun. à ven. 9h à 11h. Fermé dim. et lun. soir, 25 déc., 1er janv. et fête du Travail.
NOTE: Produits du terroir québécois. Planches de charcuteries et de fromages à partager 24$. Vins Ricardo, bières de microbrasseries. Vins au verre 8$. Bon choix de thés, tisanes, cafés. Adjacent à l'Espace Ricardo comprenant un magasin d'accessoires de cuisine et une section sucrée. Stationnement gratuit.
COMMENTAIRE: Un endroit convivial, agréable et souriant, à l'image de son propriétaire, le sympathique et fameux Ricardo Larrivée. Les belles journées, les tables sont disposées sur une terrasse surélevée, séparée du trottoir par quelques rangées de vignes ceinturées par des rosiers. Pour un peu, on se croirait dans un domaine vinicole et cela a beaucoup de charme. L'expérience vaut le déplacement. Non seulement c'est réellement très bon et joliment présenté, mais on sent également un souci de l'écologie et de la santé. Comme quoi on peut tout faire et à des prix raisonnables. À noter que le menu comprend aussi deux plats végétariens. Si vous aimez partager, vous pouvez demander la planche de charcuteries ou de fromages pour deux personnes. Sur la liste des desserts, deux sont aussi à partager: l'assortiment sucré de Mama Choka et celui de pâtisseries maison.

CERVÉJARIA ★★★★[ER] (bistro) port
540, rue d'Avaugour #1600, Boucherville
Tél.: 450-906-3444
SPÉCIALITÉS PORTUGAISES: Pieuvre grillée. Peixe empanado: fish and chips portugais. Frango: demi-poulet de Cornouailles mariné à la portugaise. Bife do lombo: faux-filet de bœuf et œuf miroir. Tartelette à la crème pâtissière.
PRIX Midi: F. 12$ et 18$
Soir: C. 25$ à 39$
OUVERTURE: Lun. à ven. 11h30 à 22h. Sam. et dim. 17h à 22h. Fermé 24, 25 déc. et 1er janv.
NOTE: Ardoise du jour. Bières du Portugal. Carte de vins du Portugal et d'Espagne. Commande à emporter.
COMMENTAIRE: Un restaurant tout en longueur avec un haut plafond noir, du bois, des

carreaux de céramique. Dès l'entrée, des assiettes décoratives grimpent sur le mur, un vase au décor portugais, du bois lustré rehaussé des fameux carreaux de faïence bleus habillent les murs. C'est très moderne, la cuisine est ouverte sur la salle, les flammes montent de la grille de cuisson, un comptoir vitré expose fruits de mer et poissons. Du bruit, de l'ambiance, un personnel jeune, accueillant, sympathique, heureux de vous mettre à l'aise, une bonne cuisine bien typée qui a du goût. Un établissement moderne, avec une belle ambiance du sud de l'Europe.

CHEZ LIONEL ★★★ (bistro) fra
1052, rue Lionel-Daunais #302, Boucherville
Tél.: 450-906-3886
SPÉCIALITÉS FRANÇAISES: Ganache de foie gras, purée de betterave, crumble sucré-salé. Raviolis de canard fondu, champignons biologiques poêlés, huile de truffe. Tarte citron en verrine, crumble aux amandes, crème citron acidulée au beurre non salé, meringue italienne, zestes confits au sirop de gingembre.
PRIX Midi: F. 17$ à 29$
Soir: C. 34$ à 54$
OUVERTURE: Lun. à ven. 11h30 à 15h. Dim. à mer. 17h à 22h. Jeu. à sam. 17h à 23h. Fermé 25 déc. et 1er janv.
NOTE: Menu sur ardoise. Menu Ian Perrault, dégustation 4 serv. 45$. Vins d'importation privée à 97%
COMMENTAIRE: Situé à l'emplacement de l'ancien restaurant L'autre côté de la Saulaie, le lieu a été redécoré et repensé avec bonheur. L'espace semble plus grand et on a ajouté deux terrasses chauffées. L'endroit est très agréable et on y mange bien. Il y a cependant une différence dans les présentations: certaines sont très belles alors que d'autres le sont moins.

CHMPGN+CIE ★★★ méd
Quartier DIX30
6000, boul. de Rome #230, Brossard
Tél.: 450-656-8348
SPÉCIALITÉS MÉDITERRANÉENNES: Calamars frits avec aioli de lime et Sriracha. Chorizo espagnol avec dattes et fromage Haloumi grillé. Poulet portugais avec purée de panais et aspiration. Pieuvre marocaine grillée avec chorizo, broccolini et houmous. Millefeuille. Tiramisu. Crème brûlée avec Grand Marnier.
PRIX Midi: T.H. 15$
Soir: C. 37$ à 70$ T.H. 20$ à 35$
OUVERTURE: Mar. à sam. 11h30 à 14h30. Mer. à sam. 17h à 22h. Fermé dim., lun., 25 déc. et 1er janv.
NOTE: Spécialisé dans les bulles, mousseux et champagnes. Bar à champagne, plus de 20 étiquettes, jusqu'à 3h du mat. Bar cru, pintxos et plats. Menu dégustation deux pintxos et un plat 40$. Soirée club DJ mar. à sam. après 22h.
COMMENTAIRE: Chmpgn, on l'a compris, est le mot «champagne» auquel on a enlevé

toutes les voyelles. Original, oui, car pratiquement imprononçable. Il est évident qu'on offre ici un bon choix de bulles, et pas seulement du champagne. On pourra ainsi goûter à des vins mousseux de qualité comme un excellent Tenuta Lovia Prosecco Superiore Brut, fin et élégant. On en trouve pour tous les goûts et toutes les bourses. Il y a même, sur la terrasse, un bar à champagne commandité par Moët & Chandon, un concept unique au DIX30.

J'ignore pourquoi on dit qu'il s'agit là d'un restaurant de tapas, car nous n'en avons trouvé qu'une dizaine sur la carte. Pour le reste, les portions sont tout à fait raisonnables et même souvent copieuses. De plus, les mets sont très artistiquement présentés. Un plaisir pour les yeux autant que pour le palais. Les saveurs sont là. On pourrait cependant reprocher un excès d'épices piquantes lorsque le chef principal est absent. Ce fut le cas lors de notre visite. Un piquant enflammé digne d'un restaurant thaï. Nous avons malgré tout terminé tous nos plats, car c'était vraiment excellent. Surtout la pieuvre marocaine, d'une tendreté incomparable.

Le service est jeune, agréable, attentif mais surtout très aimable. Nous avons passé une belle soirée, sans stress, dans la détente et le plaisir contemplant l'animation tranquille de la longue allée conduisant de l'Étoile au Cinéplex Odéon.

COPAINS GOURMANDS
★★★ (bistro) fra
352, rue Guillaume, Longueuil
Tél.: 450-928-1433

SPÉCIALITÉS FRANÇAISES: Tartares de saumon ou de cerf. Ravioli de canard, sauce tomate et fromage de chèvre. Crème brûlée au foie gras. Rognons de veau aux deux moutardes. Boudin noir en croûte. Tarte feuilletée au sirop d'érable.
PRIX Midi: F. 16$ à 27$
Soir: C. 31$ à 66$ F. 18$ à 37$
OUVERTURE: Lun. à ven. 11h30 à 15h. Lun. à dim. 17h à 22h. Fermé sam. midi, dim. midi et jours fériés.
NOTE: Plats inscrits au tableau, changeant tous les jours. Salle climatisée. Stationnement facile.
COMMENTAIRE: Un petit bistro, où l'on sert une cuisine simple et de bon goût, dans une ambiance familiale agréable. La carte est petite, mais savoureuse; le choix de vins, adapté à la carte. Les vins au verre sont servis de la bouteille à la table. Le décor est simple et confortable. Service attentionné. Deux terrasses, l'une extérieure, l'autre intérieure très bistro.

CRU ★★★★ int
Bar à huîtres
585, av. Victoria, Saint-Lambert
Tél.: 450-671-8278

SPÉCIALITÉS INTERNATIONALES: Calmars frits, kimchi, cresson, mangue, basilic. Tataki de bœuf, papaye verte, œuf miroir, cresson,

menthe. Cavatelli de ricotta, homard frais, pois verts, tomates Valoroso, bisque. Morue d'Islande, ramen, daikon, enoki, bisque de crevettes. Burger d'espadon façon banh mi, edamames.
PRIX Midi: T.H. 16$ à 26$
Soir: C. 43$ à 82$
OUVERTURE: Lun. à mer. 11h30 à 22h. Jeu. et ven. 11h30 à 23h. Sam. 17h à 23h. Dim. 17h à 22h. Fermé 25 déc., 1er janv., Pâques, Action de grâce.
NOTE: Huîtres fraîches. Carte des vins, 80 références.
COMMENTAIRE: L'intérieur de la bâtisse du défunt restaurant Les Cigales a été complètement repensé et décoré avec beaucoup de goût, d'élégance et d'atmosphère! Le nouveau nom, Cru, fait référence à la fraîcheur des produits employés en cuisine ainsi qu'au buffet d'huîtres. C'est le propriétaire du restaurant Primi Piatti, à Saint-Lambert, qui a investi dans Cru pour son fils Julian. Tout est excellent et extrêmement frais. Les plats sont en général empreints de notes à la fois méditerranéennes et asiatiques. Les fines herbes et les épices, associées aux produits utilisés, nous transportent dans une dimension créative et originale très intéressante. L'assiette est présentée avec recherche et créativité. Voici donc une très belle table sur la Rive-Sud (Montréal), spécialisée en poissons, fruits de mer et huîtres. Si les prix sont un peu élevés, cela se comprend facilement: les produits de la mer sont devenus très chers à l'achat.

DUR À CUIRE ★★★ (bistro) fra
219, rue Saint-Jean, Longueuil
Tél.: 450-332-9295

SPÉCIALITÉS FRANÇAISES: Tartare de cerf de Boileau, champignons marinés, chips de king. Ravioli à la bourguignonne au bœuf Black Angus, bouillon de vin rouge, lardons, oignons. Crémeux citron, foam pistaches, noix caramélisées.
PRIX Midi: F. 15$ à 20$
Soir: C. 40$ à 62$
OUVERTURE: Jeu. et ven. 11h à 14h. Mar. à dim. 17h30 à 22h. Fermé lun.
NOTE: Côte de bœuf à partager.
COMMENTAIRE: La famille des fleuristes Smith et Frères a occupé ces locaux pendant de nombreuses années. Si l'extérieur n'a pas changé avec les nouveaux propriétaires, l'intérieur a été bien adapté à une formule bistro. Simple mais efficace. L'assiette est très bonne et le service convivial. On y retourne volontiers!

LA CARCASSE ★★ int
85, bd Marie-Victorin, Candiac
Tél.: 450-907-4900

SPÉCIALITÉS INTERNATIONALES: Crab cake: chair de crabe, poivrons, paprika fumé, salsa de maïs et mayonnaise aux agrumes. Tartare de bœuf, cornichons sucrés, persil plat, émulsion d'huile d'olive, réduction balsamique.

Steak frites La Carcasse: filet d'épaule qualité supérieure, crumble de gorgonzola, épices Carcasse. Gâteau au fromage, noisettes et chocolat, baies du moment.

PRIX Midi: F. 13$ à 17$
Soir: C. 43$ à 71$
OUVERTURE: Mer. à ven. 11h à 14h. Mar. à jeu. 17h à 22h. Ven. et sam. 17h à 23h. Dim. 17h à 22h.
NOTE: Fermé deux semaines à Noël.
COMMENTAIRE: En boucherie, on parle de fesse, de longe, de pièce, de quart, d'épaule... donc de viande incluant souvent les os, la carcasse. Une carcasse est littéralement la charpente osseuse d'un animal, son squelette. Cette précision n'enlève rien à La Carcasse, un restaurant spécialisé dans le steak, mais qui offre aussi des poissons et des fruits de mer. La viande y est délicieuse, et l'assiette est savoureuse et décontractée. L'intérieur est joliment décoré et la terrasse ombragée l'été est agréable si l'on peut obtenir une place à l'ombre, ce qui n'est pas évident au coucher du soleil. Le service est aimable selon la personne, mais il manque un peu d'attention et de répondant en général. N'oubliez pas d'apporter une bonne bouteille.

LA MAISON KAM FUNG ★★★★ chi
7209, bd Taschereau #111, Brossard
Tél.: 450-462-7888
SPÉCIALITÉS CHINOISES: Dumplings aux crevettes et au porc. Dimsums. Poisson et canard à la mode de Pékin. Fruits de mer. Poulet général Tao. Pad thaï. Homard avec gingembre et échalotes.
PRIX Midi: T.H. 10,95$
Soir: C. 11$ à 44$ T.H. 14$ à 30$
OUVERTURE: 7 jours 10h à 23h.
NOTE: Pas de desserts le soir. Stationnement gratuit.
COMMENTAIRE: Le restaurant propose une grande variété de dimsums ainsi que des menus cantonais selon la tradition de Hong Kong. Pour le brunch du dimanche, il est conseillé d'y aller tôt pour avoir de la place. Nous aimons beaucoup ces petits plats savoureux, cuits à la vapeur, servis dans de petites boîtes en bois. Tout était excellent!

LA TOMATE BLANCHE ★★★★ ita
Quartier DIX30, av. des Lumières
9385, bd Leduc, #10, 2e étage, Brossard
Tél.: 450-445-1033
SPÉCIALITÉS ITALIENNES: Spaghetti à la salsa cruda, tomates fraîches et confites. Risotto risi bisi (canard confit, pois verts, prosciutto). Escalope de veau ai porcini (champignons porcini, brandy, noisettes, thym, demi-glace, crème, pâte aglio e olio). Beignet ricotta, sauce caramel à la fleur de sel.
PRIX Midi: F. 17$ à 29$
Soir: C. 38$ à 84$ T.H. 45$
OUVERTURE: Lun. à ven. 11h à 14h30. Dim. à jeu. 17h à 22h. Ven. et sam. 17h à 23h. Fermé 24, 25 déc. et 1er janv.
COMMENTAIRE: Le décor est magnifique, moderne, avec un souci du détail. Les tables sont nappées de blanc; la vaisselle et les couverts, originaux et bien dessinés. On mange dans une ambiance feutrée. La cuisine est très belle, savoureuse et faite à base de produits frais de qualité. Donc, pas de compromis. Le service est aimable. Une belle soirée! L'été, la terrasse en hauteur, avec ses parasols élégants, ajoute son charme estival.

L'AUROCHS ★★★★ cont
Quartier DIX30, av. des Lumières
9395, bd Leduc #5, 2e étage, Brossard
Tél.: 450-445-1031
SPÉCIALITÉS STEAK HOUSE ET FRUITS DE MER: Plateau de fruits de mer. Tartare de bœuf. Tartare de saumon. Côtes levées Nagano, frites. Ribeye 12 oz saisi à la plancha, fini au gril. Cowboy (côte de bœuf à partager). Gâteau au chocolat maison.
PRIX Midi: T.H. 16$ à 31$
Soir: C. 42$ à 80$ T.H. 39$
OUVERTURE: Lun. à mer. 11h à 22h. Jeu. et ven. 11h à 23h. Sam. 17h à 23h. Dim. 17h à 22h. Fermé 25 déc. et 1er janv.
NOTE: Viande de bœuf CAB. Spécialisé en viande vieillie à sec. A sa propre chambre de vieillissement.
COMMENTAIRE: Le décor est très design, spacieux et confortable. Une terrasse ombragée de parasols surplombe une place. Ici, c'est l'endroit pour déguster de la viande et des fruits

de mer. C'est frais, excellent et bien présenté. Un plaisir pour les yeux aussi. Le service se montre compétent et agréable.

LE MÉCHANT LOUP ★★★ fra
5215, chemin Chambly, Saint-Hubert
Tél.: 450-678-7767
SPÉCIALITÉS FRANÇAISES ET CONTINENTALES: Tartare et boudin noir, tarte Tatin à l'oignon, cheddar. Risotto de canard, réduction de balsamique. Bavette grillée, sauce échalote, frites ou légumes. Pouding au pain grillé, chocolat 55%, ganache caramel et chocolat salé, glace vanille.
PRIX Midi: C. 24$ à 48$
Soir: C. 35$ à 73$ T.H. 34$ à 46$
OUVERTURE: Mar. à ven. 11h30 à 15h. Mar. à sam. 17h à 21h30. Fermé dim. et lun., 24 et 25 juin. Ouvert 24 et 31 déc.
NOTE: Ardoise suit les arrivages. Prix spéciaux mar. à jeu. Bar à vin. 15 choix de vins au verre. Vins d'importation privée à 50%. Service de traiteur. Exposition de tableaux.
COMMENTAIRE: S'il y a un mot pour décrire l'endroit, c'est convivialité. On y est gentiment accueilli dans une maison unifamiliale bien transformée en restaurant. Le décor est chaleureux tout comme la cuisine. Celle-ci est bonne, copieuse, sans prétention. On essaie de soigner les présentations. Une assiette française, voire continentale. Carte des vins, moyen de gamme, mais de solides classiques d'un bon rapport qualité-prix.

LE MÉRIDIONAL ★★★ méd
550, chemin Chambly #10, Longueuil
Tél.: 450-679-4242
SPÉCIALITÉS FRANÇAISES ET MÉRIDIONALES MAROCAINES: Soupe de poisson. Crevettes sauce au safran et crème vin blanc. Tajine de poulet de Cornouailles, citron confit, olives vertes. Tajine de veau aux pruneaux. Carré d'agneau en croûte d'épices, porto, ail rôti, miel et thym. Veau aux trois moutardes. Mousse de mascarpone, lime, coulis de cerise noire.
PRIX Midi: T.H. 14$ à 20$
Soir: T.H. 24$ à 43$
OUVERTURE: Mer. à ven. 11h30 à 14h30. Mer. à sam. 17h à 22h. Été: fermé midi. Dim. à mar. ouvert sur réserv. 12 pers. et plus.
NOTE: Service traiteur. Menu soir 6 serv. Carte des vins de la Méditerranée seulement. Viande halal.
COMMENTAIRE: Le chef Kamal (d'origine vietnamienne et marocaine) propose une cuisine méridionale et française avec des accents marocains, surtout dans son choix d'épices. Il peut aussi préparer des plats authentiquement marocains, sur demande. Nous y avons fait un repas plein de saveurs, coloré et harmonieux. La salle à manger est confortable et calme. L'épouse du chef assure le service, elle est très fière du travail de son mari. Et pour cause.

LE ROUGE ★★★ asi
Quartier DIX30
6000, bd de Rome #60, Brossard
Tél.: 450-676-8886
SPÉCIALITÉS ASIATIQUES: Rouleaux impériaux. Crevettes géantes style szechuan. Pad thaï au poulet et crevettes. Bœuf au poivre noir. Poulet général Tao. Chow mein cantonais. Poulet malaisien, légèrement pané, mélange légumes et fruits. Dragon et phœnix (poulet et crevettes géantes, sauce crémeuse).
PRIX Midi: T.H. 14$ à 19$
Soir: C. 25$ à 50$ T.H. 26$ à 38$
OUVERTURE: Lun. à jeu. 11h30 à 22h. Ven. 11h30 à 23h. Sam. midi à 23h. Dim. midi à 22h.
NOTE: Situé dans le hall de la salle de spectacle L'Étoile. Carte des vins. Stationnement souterrain gratuit.
COMMENTAIRE: Cuisine chinoise avec des mets de Sichuan, de Canton et de Hunan, et aussi des plats thaïlandais, malaisiens et mongols. C'est beau, chic et bon. Le service n'est pas mal du tout, quoiqu'il pourrait être un peu plus raffiné. Entrée imposante de la salle à manger, on a l'impression de pénétrer dans un temple gourmand gardé par des statues de soldats, grandeur nature, avec des murs peints en rouge. Les prix sont très abordables.

LE TIRE-BOUCHON
★★★ (bistro) méd
141-K, bd de Mortagne, Boucherville
Tél.: 450-449-6112
SPÉCIALITÉS FRANÇAISES ET MAROCAINES: Salade d'agrumes, fleur d'oranger, cannelle, dattes, menthe. Pastilla. Tajine d'agneau, pruneaux, amandes et sésame. Tartare saumon et bœuf, salade composée. Tajine poulet, oignons, citrons confits. Thé à la menthe comme à Marrakech.
PRIX Midi: T.H. 17$ à 29$
Soir: C. 39$ à 54$ T.H. 29$ à 34$
OUVERTURE: Mar. à ven. 11h30 à 14h30. Mar. à sam. 17h30 à 22h. Fermé dim., lun., 24, 25 déc., 1er, 2 janv. et jours fériés.
NOTE: Brunch les jours de fête. Près de l'autoroute 20. Ouvert depuis 1997.
COMMENTAIRE: Un bon petit bistro français bien stylé, installé au bout d'un petit centre commercial, qui propose une assiette très honorable et qui fait beaucoup d'effort dans la présentation. Le décor est simple et de bon goût. Le service évolue avec simplicité et compétence. Choix des vins moyen de gamme et bien adapté avec un bon rapport qualité-prix. Attention aux heures de fermeture le soir, peut fermer plus tôt si pas de clientèle.

L'INCRÉDULE ★★★[ER] fra
288, rue Saint-Charles O., Vieux-Longueuil
Tél.: 450-674-0946
SPÉCIALITÉS FRANÇAISES: Boudin noir maison aux pommes, oignons caramélisés, marinade de tomates séchées. Bavette de bœuf,

sauce vin rouge maison. Foie de veau, sauce au poivre vert de Madagascar, purée de pommes de terre aux lardons. Coupe citron en verrine, crumble, meringue.
PRIX Midi: T.H. 19$ à 29$
Soir: C. 37$ à 69$ T.H. 42$
OUVERTURE: Dim. à mer. 11h à 21h. Jeu. à sam. 11h à 22h. Brunch sam. et dim.
COMMENTAIRE: Un petit restaurant, au décor simple et agréable. Dans leur menu, on peut lire: «Nous optons pour des produits biologiques et locaux quand nous en avons le choix. Nous valorisons le respect de l'environnement dans tout ce que nous faisons». Un très bel engagement! L'assiette est bonne. Le service est professionnel.

L'OLIVETO ★★★★ méd
205, rue Saint-Jean, Vieux-Longueuil
Tél.: 450-677-8743
SPÉCIALITÉS MÉDITERRANÉENNES: Carpaccio de filet de bœuf. Tartare de saumon. Feuilleté d'escargots au gorgonzola. Cavatelli, joue de veau braisée parfumée à l'huile de truffe. Pot citron, beurre citron, concassé de petit beurre, yaourt au miel.
PRIX Midi: F. 22$ à 30$
Soir: C. 35$ à 52$
OUVERTURE: Mar. à ven. 11h30 à 14h. Mar. à sam. 17h30 à 21h. Fermé dim., lun., et du 24 déc. au 6 janv.
NOTE: Vins d'importation privée et sélection distinguée.
COMMENTAIRE: Joli petit restaurant installé depuis 1996, dans une maison de ville bleue, avec une terrasse jardin l'été. Décor douillet, parquet de bois franc, tables couvertes de blanc. On y sert une cuisine méditerranéenne recherchée.

LOU NISSART ★★★ fra
260, rue Saint-Jean, Vieux-Longueuil
Tél.: 450-442-2499
SPÉCIALITÉS NIÇOISES ET PROVENÇALES: Bonbons de boudin. Salade niçoise. Pissaladière (pizza à l'oignon). Socca (crêpe de pois chiche). Ratatouille. Daube niçoise. Pavé de foie de veau du Québec ou ris de veau ou gambas à la provençale. Nougat glacé.
PRIX Midi: F. 15$ à 20$
Soir: C. 35$ à 56$ T.H. 27$ à 40$
OUVERTURE: Mar. à ven. 11h à 14h30. Mar. à sam. 17h à 21h30. Fermé dim., lun., 24, 25, 31 déc., 1er janv. et les sam. midi.
NOTE: Bon choix de pizzas à la provençale. Nouvelle T.H. aux 10 jours, environ 12 choix. Carte des vins d'importation privée. Grand choix de vins au verre.
COMMENTAIRE: Le décor provençal aux couleurs bleu et ocre jaune est confortable et intime. Ambiance méridionale, surtout la terrasse arrière l'été, que nous adorons. Beaucoup de spécialités typiques de la région niçoise (France, Côte d'Azur). Service très agréable et attentif.

MESSINA ★★★ ita
Le resto-club de classe affaires
329, rue Saint-Charles O., Vieux-Longueuil
Tél.: 450-651-3444
SPÉCIALITÉS ITALIENNES: Plateau antipasto (saumon fumé, tomates, mozarella di bufala, crostini au fromage de chèvre chaud, fine pizza végétarienne). Saumon de notre fumoir. Linguini crevettes et fromage de chèvre. Bout de côte de bœuf. Veau parmigiana. Tiramisu maison.
PRIX Midi: T.H. 11$ à 17$
Soir: C. 23$ à 51$ T.H. 22$ à 45$
OUVERTURE: Lun. à ven. 11h à 23h. Sam. 13h à 20h. Dim. 8h à 23h.
NOTE: Plats à 8$ le midi. Saumon fumé maison.
COMMENTAIRE: Le décor est très beau, très novateur. La vaisselle est belle, moderne. Rien à dire concernant la verrerie, mais pour ce qui est des couverts en acier inoxydable, on pourrait faire un effort. L'assiette est bonne et ne manque ni de couleurs, ni de relief. Pas d'extravagance, mais une cuisine soignée, classique, dans l'ensemble. Pas de surprise! La carte des vins est intéressante et comporte un choix de vins au verre, en format de 3oz ou 5oz. Cela permet de changer de vin, selon le plat, sans exagérer la consommation. Bon choix de bières.

MOGHEL TANDOORI ★★★ ind
538, av. Victoria, Saint-Lambert
Tél.: 450-890-0909
SPÉCIALITÉS INDIENNES: Samoussa. Palak Paneer (curry d'épinards et fromage cuits avec des épices). Crevettes et poulet tandoori. Curry d'agneau. Poulet à la mangue. Poulet au beurre. Poulet tikka. Pain naan.
PRIX Midi: T.H. 12$ à 16$
Soir: C. 20$ à 30$ T.H. 19$ à 31$
OUVERTURE: Lun à sam. 11h30 à 14h30 et 17h à 22h30. Dim. 16h30 à 22h30.
COMMENTAIRE: Un très bon restaurant indien avec des plats authentiques servis avec beaucoup de gentillesse et d'attention. Des produits frais pour une cuisine raffinée et savoureuse. Service très aimable mais un peu lent.

NIJI ★★★★★ jap
Quartier DIX30
9385, bd Leduc #5, Brossard
Tél.: 450-443-6454 et 1-855-443-6454
SPÉCIALITÉS JAPONAISES CONTEMPORAINES: Maki foie gras. Parfait au saumon. Ceviche aux fruits de mer. Sushi et sashimi. Salade de thon gril. Bar chilien. Gyokai Tempura. Nyu Sashimi Hamachi. Kimchi Tako. Kaki au gratin. Thon Tataki. Tartare de thon. Ebi Tempura. Filet mignon Angus. Grillade Niji.
PRIX Midi: F. 15$ à 28$
Soir: C. 33$ à 72$
OUVERTURE: Lun. à jeu. 11h30 à 14h30 et 17h à 22h. Ven. 11h30 à 14h30 et 17h à

23h. Sam. 17h à 23h. Dim. 17h à 22h. Fermé midi et jours fériés.
NOTE: Huîtres fraîches. Menu spectacle 3 serv. 39$. Soirée huîtres lun. et mar. 1$ l'huître. Carte des vins. Jeu. martini 2 pour 1 dès 17h. Bento-box.
COMMENTAIRE: L'établissement, joliment décoré, comporte deux salles: la première, près du comptoir de travail, intègre une très belle cuisine ouverte. La seconde comprend une section de tatami installée sur une estrade, une table plus intime en alcôve et des tables sobrement décorées. Si la cuisine est japonaise contemporaine, le décor l'est également. Calme et élégant. Le chef propriétaire porte beaucoup d'attention à travailler avec des produits de qualité d'une très grande fraîcheur. Il utilise des ingrédients choisis avec goût et les dispose en de très belles présentations dans l'assiette ou sur des plateaux de bois. Quant au service, il est tout simplement hors pair. Discret, feutré, attentif, courtois, compétent quoi! Une excellente adresse.

NOVELLO ★★★ (bistro) ita
1052-401, rue Lionel-Daunais, Boucherville
Tél.: 450-449-7227
SPÉCIALITÉS ITALIENNES: Mini burger de bœuf wagyu. Côte de veau de lait grillée avec huile d'olive, fines herbes et balsamique. Crevettes géantes poêlées sauce marinara. Linguini pescatore. Filet mignon sur os. Tiramisu maison 100% mascarpone.
PRIX Midi: T.H. 17$ à 25$
Soir: C. 28$ à 80$ T.H. 43$ à 50$
OUVERTURE: Lun. à mer. 11h30 à 22h. Jeu. et ven. 11h30 à minuit. Sam. 17h à 23h30. Dim. 17h à 22h. Fermé 24, 25 déc. et 1er janv.
NOTE: Poissons frais de provenance internationale (Nouvelle-Zélande, mer Rouge et autres). Machine œnomatique, 18 sélections au verre. Jeudi thématique, lounge (boudoir), DJ sur place à partir de 21h30.
COMMENTAIRE: Dans un décor italien qui se veut haut de gamme. C'est confortable et beau, on sert une cuisine généreuse et très bonne. Si le prix peut sembler élevé, il se justifie par les quantités servies dans les assiettes. Font un excellent osso buco. On peut même se passer de l'entrée tant c'est copieux. Les présentations pourraient être améliorées. Le service est très bien fait.

OLIVIER LE RESTAURANT
★★★★ **fra**
679, rue Adoncour, Longueuil
Tél.: 450-646-3660
SPÉCIALITÉS FRANÇAISES CLASSIQUES: Terrine de foies de volaille maison. Turbot aux agrumes. Magret de canard au poivre vert. Carré d'agneau aux herbes. Abats (foie, rognons, ris de veau). Tartes (sucre, pacanes, bleuets, etc.). Profiteroles au chocolat chaud.
PRIX Midi: F. 16$ à 24$

Soir: C. 27$ à 58$ F. 23$ et 39$
OUVERTURE: Lun. à ven. 11h30 à 14h. Lun. à sam. 17h30 à 21h. Fermé dim. et jours fériés.
NOTE: Menu 4 serv. sam. 34$ à 46$. Sélection de 5 choix de fromages. T.H. change tous les jours. Plus de 100 étiquettes de vins. Terrines, sorbets et desserts maison.
COMMENTAIRE: Le chef Gérard Rogé nous propose une belle cuisine française classique. Les présentations sont simples et les saveurs sont en général franches et généreuses. Le service est courtois et chaleureux. Une cuisine goûteuse avec des cuissons justes.

PARRA ET CAETERA
★★★ **(bistro) fra**
181, rue Saint-Charles O., Longueuil
Tél.: 450-677-3838
SPÉCIALITÉS FRANÇAISES: Salade lyonnaise (salade de saison, croûtons dorés, lardons poêlés, œuf poché). Raviolis de chèvre maison, tomates séchées, infusé de basilic, noix de pin. Quenelle de brochet sauce Nantua, tagliatelle fraîche. Tarte Tatin. Île flottante.
PRIX Midi: T.H. 16$ à 29$
Soir: C. 37$ à 75$ T.H. 22$ à 34$
OUVERTURE: Mar. à ven. 11h30 à 14h30 et 17h à 21h30. Sam. 17h à 22h. Fermé dim. et lun.
NOTE: 5 à 7, planches de tartares, calmars, nems, 16$ à 18,50$. Menu sans gluten.
COMMENTAIRE: Cet établissement est dirigé par le jeune couple de Lyonnais Christine et Stéphane Friso. Christine gère la salle à manger avec doigté et attention, le tout baignant dans une extrême gentillesse, tandis que Stéphane dirige les fourneaux pour nous servir une cuisine française dominée par de solides classiques bistro. On y trouvera par exemple d'excellents rognons de veau tendres et savoureux, un boudin noir aux pommes, des quenelles de brochet sauce Nantua (typiquement lyonnais), des îles flottantes ou une tarte Tatin. Car tout ici est fait maison avec des produits frais. Une cuisine simple, sans prétention, mais combien généreuse et bonne! Le décor n'a pratiquement pas changé. Une ambiance bistro français sympathique et confortable.

PASTA E VINO ★★ ita
1000, av. Victoria, Saint-Lambert
Tél.: 450-671-7377
SPÉCIALITÉS ITALIENNES: Trio de pâtes du jour. Osso buco milanaise. Veau sorrentino, sauce tomate demi glace, porto, champignons portobello. Escalope de veau saltimbocca (crème, prosciutto, champignons). Crème brûlée.
PRIX Midi: (fermé)
Soir: C. 32$ à 61$ T.H. 26$ à 51$
OUVERTURE: Mer. et jeu. 17h à 22h. Ven. et sam. 17h à 23h. Dim. 17h à 21h. Fermé lun. et mar., 24, 25 déc. et 1er janv.
NOTE: Il est préférable de réserver. Spécial du chef tous les jours.

COMMENTAIRE: Le resto fournit les pâtes; le client, son vin (d'où l'enseigne Pasta e Vino). L'assiette est fraîche, savoureuse et copieuse. Connaît cependant des hauts et des bas quelquefois. Le service se montre hyper gentil et accommodant. L'ambiance familiale, confortable et conviviale prend place dans un décor rafraîchissant. Un excellent rapport qualité-prix.

PIZZERIA SOFIA
L'amore della pizza ★★★ ita
Le Square DIX30
9200, bd Leduc, local 140, Brossard
Tél.: 450-445-1005
SPÉCIALITÉS ITALIENNES: Pieuvre grillée. Arancini à la saucisse. Pizza parma. Lasagne à la bolognaise. Linguine aux fruits de mer. Grande variété de pizzas. Pizza avec nutella et fraises. Tiramisu.
PRIX Midi: C. 37$ à 63$
Soir: Idem
OUVERTURE: Lun. à dim. 11h à 23h. Fermé 25 déc., 1er janv. et Pâques.
COMMENTAIRE: L'endroit est sympathique et chaleureux. Une pizzeria confortable, agréablement décorée, une ambiance comme on en rencontre en Italie. Le plafond est très haut comme dans une manufacture. La décoration est très claire, beaucoup d'espace pour circuler. Derrière un long comptoir deux grands fours à pizza et à l'opposé un bar avec un cellier. La sélection du menu est sobre tout en contenant des surprises dans la composition des plats. Des saveurs franches et des produits frais, un moment de bonheur, une cuisine familiale, simple, aux vrais parfums d'Italie, sans lourdeur. Le personnel est charmant, attentif, prévenant. Cet établissement bénéficie du stationnement couvert du DIX30, gratuit et chauffé à deux pas de son entrée.

PRIMI PIATTI ★★★★ ita
47, rue Green, Saint-Lambert
Tél.: 450-671-0080
SPÉCIALITÉS ITALIENNES: Escalope de veau poêlée, sauce au beurre et Prosecco, asperges vertes, carpaccio de truffe et mozarella di bufala. Pieuvre fregola vinaigrette à la marjolaine. Poisson frais avec crevettes, palourdes, moules, tomates fraîches, safran et bouillon parfumé au thym. Pain doré poêlé au beurre clarifié, caramel sel de mer, crème glacée vanille à l'ancienne.
PRIX Midi: T.H. 21$ à 27$
Soir: C. 31$ à 82$ T.H. 35$ à 50$
OUVERTURE: Lun. à mer. 11h30 à 22h. Jeu. et ven. 11h30 à 23h. Sam. 17h à 23h. Dim. 17h à 22h. Fermé jours fériés.
NOTE: Arrivage quotidien de poissons frais. Four à bois pour pizzas. 3 caves à vin, 275 sélections d'importation privée à 95%, prix raisonnables. 20 vins au verre.
COMMENTAIRE: Un des bons italiens de la Rive-Sud au centre-ville de Saint-Lambert. On

y mange très bien, c'est même le plus souvent excellent. Le chef n'a pas peur d'assaisonner ses plats et c'est très agréable. Il doit certainement faire la cuisine à son goût sans se baser sur le marketing alimentaire. Des mets savoureux, puissants, corsés et délicieux! Service très bien fait, le personnel répond rapidement aux demandes des clients et sait bien harmoniser les mets et les vins.

RESTAURANT BAZZ ★★★★ int
591, av. Notre-Dame, Saint-Lambert
Tél.: 450-671-7222
SPÉCIALITÉS INTERNATIONALES: Tartare de bœuf AAA au cheddar fort, pommes et truffe. Chaudrée de fruits de mer au maïs et estragon, gâteau de homard, crevettes tempura, purée de pommes de terre citronnée. Ribs de porc laqué à l'érable, chausson de porc confit aux canneberges.
PRIX Midi: (fermé)
Soir: C. 42$ à 49$ T.H. 34,50$ à 44,50$
OUVERTURE: Jeu. à sam. 17h30 à 22h. Fermé dim. à mer., 24, 25 déc., 1er janv. et 2 premières sem. de janv.
NOTE: Réserv. conseillée. Menu dégustation 6 serv. 75$ à 82$. Menu de groupe.
COMMENTAIRE: Un des très bons restaurants de la Rive-Sud. Une valeur sûre à Saint-Lambert. Cet établissement, tenu par trois chefs propriétaires, propose une cuisine imaginative. Rien qu'en lisant le menu, l'aventure commence. On ne s'ennuie pas. On y trouve une touche créative, nouvelle et savoureuse. Ici, les chefs ne craignent pas d'assaisonner, de mélanger les saveurs, d'oser de nouveaux mariages.

RESTAURANT CHEZ JULIEN
★★★ (bistro) fra
130, ch. Saint-Jean, La Prairie
Tél.: 450-659-1678
SPÉCIALITÉS FRANÇAISES: Foie gras deux façons, sorbet poire et rhum, tartelette à la rhubarbe. Tartare de saumon et pieuvre grillée, mangue, caviar. Boudin noir façon général Tao, légumes croquants, aigre-douce à l'érable. Carré d'agneau en croûte de thym et dijon. Cœur fondant au chocolat, griottes au Kirsh. Tarte au sucre.
PRIX Midi: F. 12$ à 24$
Soir: C. 35$ à 67$ T.H. 33$ à 45$
OUVERTURE: Mar. à ven. 11h30 à 14h30. Mar. à sam. 17h à 21h30. Fermé dim., lun., 1er juil., 24, 25 déc. et jours fériés.
NOTE: Menu spécial «début de semaine», mar. à jeu. soir. Bières de microbrasserie en fût. 100 étiquettes de vins en spécialité et importation privée. Brunch pour Pâques et fête des Mères. Menu saisonnier.
COMMENTAIRE: Dans ce petit restaurant à l'ambiance bistro, installé au cœur du Vieux-La Prairie, on sert une cuisine fraîche, simple et bonne. On recommande le steak tartare de bœuf. La carte des vins est bien expliquée.

GUIDE DEBEUR 2017

SHOJI ★★★ jap
2035A, av. Victoria, Saint-Lambert
Tél.: 450-672-5888
SPÉCIALITÉS JAPONAISES: Sushis et grillades. Rouleaux aux crevettes. Salade sashimi tataki. Taru sancho (trilogie de tartares: thon blanc, rouge et saumon). Nid d'hirondelle au bœuf, poulet ou fruits de mer. Filet akami (filet mignon) ou magret de canard cuit sur sole chauffante.
PRIX Midi: F. 9$ à 20$
Soir: C. 30$ à 52$ T.H. 30$ à 35$
OUVERTURE: Mar. à ven. 11h à 14h30 et 17h à 22h. Sam. et dim. 16h à 22h. Fermé lun., 25 et 31 déc.
NOTE: Importation de fruits de mer et poissons du Japon.
COMMENTAIRE: Un design très yin et yang, de noir et de blanc, sobre et harmonieux, chic et confortable. La carte est plus évoluée le soir, les plats gastronomiques y ont la vedette. Si vous aimez la viande pas trop cuite, signalez-le à la serveuse, ce sera meilleur. N'oubliez pas d'apporter une bonne bouteille de vin. Service très aimable. Le propriétaire est jeune, le service aussi. Ils méritent beaucoup d'encouragement, car ils veulent bien faire.

SUSHI YASU ★★★ jap
835, ch. de Saint-Jean, La Prairie
Tél.: 450-659-1239
SPÉCIALITÉS JAPONAISES: Maguro Tataki (thon semi-cuit, sauce ponzu). Sushis pizza. Aile de raie frite. Tsubugai karaage (palourdes frites). Sushis (Hamachi, Unagi, Ika, Tako, etc.). Calmars grillés et frits. Una-don. Crème glacée à la fève rouge, au thé vert ou au gingembre. Banane tempura.
PRIX Midi: T.H. 11$ à 15$
Soir: C. 23$ à 43$ T.H. 21$ à 32$
OUVERTURE: Mar. à ven. 11h30 à 14h30. Mar. à jeu. 16h30 à 21h. Ven. et sam. 16h30 à 22h. Fermé dim., lun. et jours fériés.
NOTE: Maki 12 à 54 morceaux, 12$ à 56$. Maki et sushi 14 à 54 morceaux, 19$ à 68$.
COMMENTAIRE: Petit restaurant japonais en toute simplicité du décor, géré par une famille, mené par le père respectueux des traditions. Une seconde adresse sur boul. de Rome, à Brossard, où les plats sont plus familiaux. Le chef est un véritable spécialiste en sushi. Il les prépare à l'instant avec des produits d'une grande fraîcheur. Tout est très bon.

TRATTORIA LA TERRAZZA ★★★ ita
Casa da Carlo
575, av. Victoria, Saint-Lambert
Tél.: 450-672-7422
SPÉCIALITÉS ITALIENNES: Tartare de saumon. Risotto aux champignons, saucisse italienne, épinards. Escalope de veau de lait, saumon fumé, sambucca, crème, échalotes françaises. Côte de veau déglacée au Grand Marnier, sauce au poivre. Profiteroles. Tiramisu.
PRIX Midi: T.H. 13$ à 20$

Soir: C. 31$ à 64$ F. 21$ à 40$
OUVERTURE: Mar. à ven. 11h30 à 15h. Dim., mar. et mer. 17h à 22h. Jeu. à sam. 17h à 22h30. Fermé lun., 24 déc. et les 2 sem. suivantes. Fermé dim. en hiver.
NOTE: Établi depuis 2005. Le chef exécute des plats hors-menu sur demande. Terrasse dans un parc.
COMMENTAIRE: L'endroit est sympathique, surtout l'été lorsque la terrasse est ouverte. À l'intérieur, tout respire le plaisir et la bonne humeur. Ambiance italienne, bien sûr. L'assiette est généreuse et bien travaillée par le chef, qui ne se prive pas d'assaisonner comme il convient et de colorer sa cuisine des accents savoureux de l'Italie. Bon choix de vins italiens. Le service, quant à lui, est très bien fait, avec doigté et rapidité.

VESTIBULE signé L'Aurochs
★★★★ (bistro) int
Quartier DIX30
9395, bd Leduc #15, Brossard
Tél.: 450-676-4440
SPÉCIALITÉS INTERNATIONALES: Plateau d'huîtres. Bavette de bœuf, sauce gingembre et érable, pommes de terre grelots rôties et carottes. Tartare du moment. Côtes levées sauce barbecue au scotch. Plateau de fromages du Québec. Mœlleux au chocolat.
PRIX Midi: F. 15$ à 29$
Soir: C. 25$ à 47$ T.H. 45$ à 55$
OUVERTURE: Lun. à mer. 11h à 22h. Jeu. à sam. 11h à 2h du mat. Fermé dim. et 25 déc.
NOTE: Carte de wisky de plus de 130 choix. Stationnement intérieur gratuit. Mar. bouteilles de vin à moitié prix. 25 à 30 choix de vins au verre, change toutes les semaines. Huîtres à partir 1$/pièce le jeudi. Menu de saison changeant aux 8 semaines.
COMMENTAIRE: On pénètre dans un décor convivial, chaleureux, un style bistro contemporain confortable. Il y a des soirées à thème comme le jazz tous les jeudis soirs. On peut aussi y suivre les parties de hockey sur un écran géant, mais là il vaut mieux réserver. On se rappelle que Brossard est le fief du Canadien. La cuisine propose une carte principalement faite de tapas, mais aux portions convenables, très bien présentées avec un souci d'originalité et d'esthétique. Elle comporte aussi des plats principaux. Service attentif, courtois, compétent et rapide sauf au moment de régler l'addition.

VILLA MASSIMO ★★★★ ita
120, bd Taschereau, La Prairie
Tél.: 450-444-3416
SPÉCIALITÉS ITALIENNES: Osso buco milanaise. Carré d'agneau du Colorado. Filet mignon de cerf, sanglier ou bison. Bœuf de Kobe. Médaillon de veau au gorgonzola. Crème glacée italienne. Tiramisu. Tartufo amaretto
PRIX Midi: T.H. 20,95$
Soir: C. 36$ à 89$ T.H. 31$ à 55$

OUVERTURE: Lun. à ven. 11h à 23h. Sam. 17h à 23h. Dim. 17h à 22h. Fermé 25 déc. et le midi 24 juin.

NOTE: Menu dégustation 8 serv. 70$ et 100$ pour deux. Création de plats au goût du client. Cave à vin géante (plus de 18 000 bouteilles de collection) et dégustation sur place. Guitariste ven. et sam. soir.

COMMENTAIRE: Une des meilleures tables italiennes de la Rive-Sud de Montréal. Une carte abondante, variée, dominée par la plus pure tradition italienne. Les saveurs et la générosité sont au rendez-vous. On trouve encore ici le service en salle avec les flambages, les découpages et les préparations devant le client, ce qui montre une volonté de faire bien et dans la tradition. Les pâtes, les crèmes glacées et tous les desserts sont faits maison. C'est frais et c'est bon.

RIVE NORD DE MONTRÉAL

LA FONDERIE (Laval) ★★★ cont
2133, bd le Carrefour, Laval
Tél.: 450-681-8234
SPÉCIALITÉS DE FONDUES: Escargots à la provençale. Fondues chinoise, bourguignonne, valaisanne, fromage et chocolat. Fondue La Fonderie: filet de bœuf, poulet en aiguillettes, agneau aux herbes, saumon de l'Atlantique, crevettes tigrées, pétoncles des Îles et langoustine. Jarret d'agneau braisé au merlot. Brownie au chocolat.
PRIX Midi: (fermé)
Soir: C. 29$ à 62$
OUVERTURE: Dim. à jeu. 17h à 21h. Ven. et sam. 17h à 22h. Fermé lun. et 25 déc.
NOTE: Table à raclette suisse et québécoise. Ven. et sam. 21h, menu fin de soirée T.H. 23$.
COMMENTAIRE: Ce restaurant qui était sur la rue Lajeunesse à Montréal depuis 1986, a déménagé à Laval. Le chef est devenu propriétaire, il n'a pas changé le nom ni la vocation du restaurant. Il y a un second «La Fonderie» à Montréal, rue Rachel E.

L'AROMATE RESTO-BAR
★★★ (bistro) int
Centropolis
2981, bd St-Martin O., Laval
Tél.: 450-686-9005
SPÉCIALITÉS INTERNATIONALES: Crevettes sautées à l'émulsion orientale. Raclette. Fondue parmesan. Bavette de bœuf marinée. Choix de tartares (bœuf, aux 3 saumons, etc.). Risotto multigrains au canard confit. Tarte au sucre réinventée en boule frite de caramel au sel.
PRIX Midi: T.H. 16$ à 27$
Soir: C. 35$ à 57$ F. 24$ à 37$
OUVERTURE: Lun. à ven. 11h30 à 22h. Sam. 17h à 22h. Dim. 17h à 21h30. Fermé 25 déc.

NOTE: Mar. soir tartare à volonté 27$.
COMMENTAIRE: On retrouve la philosophie du propriétaire, Jean-François Plante, dans ce restaurant. Le bistro affiche un décor élégant, moderne, avec une très belle terrasse. Le personnel est jeune, dynamique; le service, très bien fait, professionnel. Les assiettes sont généreuses et savoureuses. Attendons de voir ce que fera le nouveau chef.

LA VIEILLE HISTOIRE ★★★ fra
284, bd Sainte-Rose, Laval
Tél.: 450-625-0379
SPÉCIALITÉS FRANÇAISES: Terrine de gibier maison. Boudin de homard et ris de veau, pâtes fraîches au shiitake, duxelles de champignons. Duo de gibier, compotée de cerf et oignons rouges au vinaigre balsamique et garam masala. Verrine de fruits et sorbet, croustillant aux amandes.
PRIX Midi: (fermé)
Soir: C. 44$ à 49$ T.H. 39,95$
OUVERTURE: Mar. à dim. 17h30 à 22h. Fermé lun., 25 déc. et 1er janv.
NOTE: Menu dégustation 5 serv. 54,45$. Nouveau menu aux 4 mois.
COMMENTAIRE: Les propriétaires accueillent la clientèle, depuis 1983, dans cette vieille maison québécoise construite en 1835. Jolie cuisine d'origine française faite tout en sensibilité.

LE FOLICHON ★★ fra
804, rue St-François-Xavier, Vieux-Terrebonne
Tél.: 450-492-1863
SPÉCIALITÉS FRANÇAISES: Bouillabaisse (poissons et crustacés). Tartare de bœuf, pétoncles et saumon. Rognons de veau à la façon du chef. Magret de canard et de gibier. Crème brûlée orange et Cointreau. Gâteau Reine-Élisabeth.
PRIX Midi: T.H. 13$ à 26$
Soir: C. 33$ à 68$ T.H. 29$ à 45$
OUVERTURE: Mar. à ven. 11h30 à 14h. Mar. à dim. 17h à 22h. Fermé lun., sem. relâche scolaire, fin fév. début mars.
NOTE: Menu soir 5 serv. Saumon fumé maison. Desserts maison. Menu express soir 24,95$, avant le théâtre.
COMMENTAIRE: Situé près du Théâtre du Vieux-Terrebonne, ce restaurant ancestral propose une jolie cuisine dans un cadre très sympathique. Une assiette simple mais toujours savoureuse. C'est aussi l'endroit pour déguster du gibier. Du plaisir à l'état brut. Grande terrasse de bois à l'extérieur. Très bien paysagé l'été.

LE MITOYEN ★★★★★ fra
652, pl. Publique, Sainte-Dorothée, Laval
Tél.: 450-689-2977
SPÉCIALITÉS FRANÇAISES: Raviolis farcis à la queue de bœuf. Filet de veau au xérès, raviolis aux cèpes, crumble de parmesan. Côte de bœuf, demi-homard ou crevettes tigrées, sauce à la pâte de truffe. Mignon de cerf de Boileau, sauce au cassis de l'île d'Orléans.

PRIX Midi: (fermé)
Soir: C. 50$ à 85$ T.H. 49,50$
OUVERTURE: Mar. à dim. 18h à minuit. Fermé lun., 24 et 25 déc., 1er et 2 janv. Ouvert en tout temps sur réserv. de 10 pers. et plus.
NOTE: Menu dégustation 7 serv. 100$, avec les vins 145$. Brunch pour Pâques et fête des Mères.
COMMENTAIRE: Installé dans une romantique maison, cet établissement propose une cuisine française raffinée avec de beaux produits du Québec. Le chef propriétaire, Richard Bastien, sait s'entourer de chefs à la hauteur de son talent, qui font une cuisine savoureuse, avec des choix intéressants, mettant bien en valeur les produits frais utilisés. Les présentations sont soignées et délicates. La carte des vins comporte un bon choix de vins au verre. Le service est aimable, jeune et souriant, un peu sérieux parfois. Une excellente adresse.

L'IMPRESSIONNISTE ★★★ fra
245, chemin de la Grande-Côte, Saint-Eustache
Tél.: 450-491-3277
SPÉCIALITÉS FRANÇAISES CLASSIQUES: Escalope de ris de veau, sauce aux poires, vin blanc et muscade. Pavé de thon rouge à la japonaise, sauce ponzu. Filet de morue grillé au four, aïoli. Carré d'agneau, sauce à la moutarde et au piment d'Espelette. Clafoutis aux amandes et cerises, glace à l'Amaretto.
PRIX Midi: F. 15$ à 29$
Soir: F. 34$ à 39$
OUVERTURE: Lun à ven. 11h30 à 14h. Dim. à jeu. 17h30 à 20h30. Ven. à sam. 17h30 à 21h30.
NOTE: Ouvert depuis 1988.
COMMENTAIRE: Un joli décor, chic, tranquille et agréable. Des reproductions de peintres impressionnistes, notamment Renoir, ornent les murs. Cuisine très traditionnelle française, avec de solides classiques quelquefois adaptés au Québec. Menu de saison issu d'une bonne utilisation de produits frais régionaux. C'est excellent! Service agréable. Bon rapport qualité-prix, vaut le détour.

RESTAURANT AMATO ★★★★ ita
192, bd Sainte-Rose, Laval
Tél.: 450-624-1206
SPÉCIALITÉS ITALIENNES: Fazzoletti farcis épinards et ricotta, sauce aux tomates et parmesan. Escalope de veau de lait du Québec, prosciutto et figues. Risotto aux cèpes et truffes dans crêpe au parmesan croustillant. Jarret d'agneau braisé au romarin. Crêpes Suzette. Tiramisu.
PRIX Midi: T.H. 16$ à 30$
Soir: C. 28$ à 84$ F. 29$ à 45$
OUVERTURE: Mar. à ven. 11h30 à 14h. Mar. à sam. 17h30 à 22h. Dim. 17h30 à 21h30. Fermé entre Noël et jour de l'An.
COMMENTAIRE: Installé dans une maison datant de 1895, cet établissement propose une cuisine italienne traditionnelle raffinée. Décor agréable avec ses tables aux nappes blanches

et ses fauteuils antiques aux coussins rouges. Service aimable et attentionné selon la personne. On devrait peut-être soigner les petits détails qui font toute la différence. Magnifique terrasse fleurie et ombragée pour y faire un repas des plus romantiques durant les beaux jours.

TOMO ★★★ jap
214, bd Labelle, Rosemère
Tél.: 450-419-8878
SPÉCIALITÉS JAPONAISES: Poulet général Tao. Fruits de mer au curry, légumes et riz. Tartare de thon et miel. Queue de homard roulé en sushi. Nid d'amour, légumes sautés avec bœuf, poulet, crevettes sur nid de nouilles croustillantes. Crème glacée frite.
PRIX Midi: F. 15$ à 22$
Soir: C. 27$ à 62$ F. 20$ à 30$
OUVERTURE: Mar. à ven. 11h à 15h. Mar. à dim. 17h à 22h. Fermé lun. et 25 déc.
NOTE: 5 salles de tatamis. Grand stationnement gratuit.
COMMENTAIRE: L'assiette est très bonne, copieuse et joliment présentée. Le service se montre très aimable, patient et compétent. La cuisine s'ouvre sur une trop grande salle à manger moderne, de sa table on regarde vers les cuisiniers qui s'affairent aux différentes préparations culinaires.

RESTAURANTS DE LA RÉGION DE MONTRÉAL

LANAUDIÈRE

LE LAPIN QUI TOUSSE
★★★ (bistro) int
410, rue Notre-Dame, Joliette
Tél.: 450-760-3835
SPÉCIALITÉS INTERNATIONALES: Boudin noir. Foie de veau au porto, gratin de pommes de terre ou frites belges. Lapin sauce ardennaise. Rognons de veau aux baies de genièvre. Paella (pétoncles, scampi, crevettes, moules). Pouding chômeur maison.
PRIX Midi: T.H. 18$ à 23$
Soir: C. 38$ à 65$ T.H. 36$ à 45$
OUVERTURE: Mar. à ven. 11h30 à 14h. Mar. à sam. 17h30 à 21h30. Fermé dim., lun. et jours fériés.
COMMENTAIRE: On ne sait plus très bien qui fait quoi dans cet établissement. La chef a formé son directeur de salle pendant deux ans et ils ont interverti leur rôle. La chef est responsable de la salle et lui est responsable des fourneaux. En fait, il s'agit du mari et de sa femme et vice versa. Cependant, on propose une assiette bistro savoureuse avec tous les

grands classiques. Ambiance intime et chaleureuse.

LE PRIEURÉ ★★★★ fra
402, bd l'Ange-Gardien, L'Assomption
Tél.: 450-589-6739
SPÉCIALITÉS FRANÇAISES: Sauté minute de crabe, pétoncles et crevettes à la fondue de tomates, crème et vin blanc. Pétoncles géants à la chablisienne. Boudin noir au porto. Cuisse de canard confit, marmelade d'oignons au vin rouge. Nougat glacé aux pacanes et sirop d'érable.
PRIX Midi: T.H. 23$ à 58$
Soir: C. 48$ à 78$
OUVERTURE: Mar. à ven. 11h45 à 13h30. Mar. à sam. 18h à 21h. Fermé dim., lun., jours fériés et 2 dernières sem. d'août.
NOTE: Cave à vin (200 étiquettes).
COMMENTAIRE: Le chef Thierry Burat et son épouse nous proposent une cuisine d'inspiration française faite avec des produits frais d'ici. Une halte incontournable dans la région de Lanaudière, durant laquelle on pourra admirer la belle maison historique dans laquelle est installé le restaurant, et visiter la chapelle privée destinée aux mariages.

TENUTA Restaurant-Bar ★★★★ ita
310, Montée des Pionniers, Terrebonne
Tél.: 450-585-6606
SPÉCIALITÉS ITALIENNES ACTUALISÉES: Salade de homard, avocat, mangue, balsamique vieilli. Gnocchis en tenue croustillante et moelleuse, champignons portobello, asperges, sauce taleggio crémeuse. Raviolis de foie gras monté au beurre de truffe. Carré d'agneau d'Alberta poêlé, sauce aux champignons et marsala. Fondant au chocolat noir, glace vanille fraîche.
PRIX Midi: (fermé)
Soir: C. 63$ à 88$ F. 24$ à 35$
OUVERTURE: Dim. à mer. 17h à 22h. Jeu. à sam. 17h à 23h. Fermé 24 et 25 déc.
NOTE: Huîtres à l'année. Carte des vins, prix Wine Spectator 2006 à 2015.
COMMENTAIRE: Un excellent restaurant italien situé en bordure d'un centre commercial, près de l'autoroute. Un décor moderne très design. Une carte italienne évolutive offrant une très belle assiette, savoureuse, faite avec des produits frais. Une belle carte de vins avec un très bon choix de vins au verre. Un service très compétent, attentif, patient et courtois. Devrait avoir un sommelier, surtout pour le prix demandé. Addition assez chère.

TRATTORIA GUSTO ★★★ ita
165, rue Saint-Paul, Joliette
Tél.: 450-398-0888
SPÉCIALITÉS ITALIENNES: Gnocchis sauce au pesto, tomates séchées et crème. Filet de porc, croûte à l'espresso, sauce brandy, safran. Jarret d'agneau braisé, risotto. Cannoli sicilien maison. Tiramisu.

PRIX Midi: (fermé)
Soir: C. 29$ à 49$ T.H. 20$ à 41$
OUVERTURE: Mar à jeu. et dim. 16h30 à 21h. Ven. et sam. 16h30 à 22h. Fermé lun., 25 déc. et 1er janv.
NOTE: 40 choix pour la T.H. du soir.
COMMENTAIRE: N'oubliez pas d'apporter votre vin ou votre bière et de les marier avec les mets italiens que va préparer le chef Massimo Di Cicco. Une cuisine italienne honnête et savoureuse, mettant en valeur les recettes traditionnelles typiques de l'Italie. Une adresse sympathique à fréquenter avec des amis.

LAURENTIDES

AVIS
De plus en plus de restaurants dans les Laurentides ne sont ouverts que le soir. Ils ont apparemment de la difficulté à concurrencer les restos rapides le midi et le problème s'accentue d'année en année.

ADÈLE BISTRO ★★★★ fra
1241, ch. du Chantecler, Sainte-Adèle
Tél.: 450-229-4894
SPÉCIALITÉS FRANÇAISES: Mousse de foie de volaille, oignons confits au Lillet rouge, brioche grillée au chocolat, dattes et canneberges. Poitrine de poulet de grain au jus de moutarde de Meaux et de sauge, purée de pommes de terre. Steak Angus poêlé (340g), jus de foie gras aux champignons, frites. Pouding chômeur, crème glacée vanille, sirop d'érable au piment d'Espelette, pépites d'érable.
PRIX Midi: (fermé)
Soir: C. 36$ à 70$ T.H. 3 serv. 35$
OUVERTURE: Jeu. à dim. à partir de 17h. Dim. brunch à compter de 10h.
NOTE: Carte des vins, 100 références.
COMMENTAIRE: Jolie maison avec grande terrasse, belle vue sur le lac. Décor moderne mais un petit peu froid. On propose ici une cuisine française avec quelques spécialités québécoises. Une cuisine de fraîcheur qui suit les saisons et les arrivages du marché, avec une belle mise en valeur des produits du terroir. Bonne sélection de vins.

AUBERGE DU VIEUX FOYER
★★★ cont
3167, 1er Rang Doncaster, Val-David
Tél.: 819-322-2686 et 1-800-567-8327
SPÉCIALITÉS CONTINENTALES: Gravlax de saumon, crème sure à l'aneth, salade de concombre. Poitrine de canard du lac Brome, salsa à l'orange. Médaillon de cerf rouge des Appalaches sur pierre volcanique. Carré d'agneau rôti, persillade. Gourmand au fudge et bavaroise au chocolat lacté.
PRIX Midi: (fermé)
Soir: C. 31$ à 62$ T.H. 28$ à 44$

GUIDE DEBEUR 2017

OUVERTURE: 7 jours 17h30 à 20h. Petit déjeuner 8h à 10h.
NOTE: Réserv. requise. Ouvert midi sur réserv. Mar. moules et frites à volonté. Pain, confitures maison. Chef pâtissier sur place. Spa et centre de santé.
COMMENTAIRE: Située à la sortie de Val-David, au milieu des montagnes, cette auberge offre un agréable hébergement. En hiver comme en été, possibilité de pratiquer divers sports sur place. Le chef propriétaire, Jean-Louis Martin, propose une cuisine variée et appétissante. Son brunch du dimanche est toujours très apprécié.

AUX GARÇONS ★★★★ (bistro) fra
1049, rue Valiquette, Sainte-Adèle
Tél.: 450-745-1566
SPÉCIALITÉS FRANÇAISES: Gravlax de saumon façon «Garçons». Foie gras au torchon, armagnac et porto. Filet de morue au beurre nantais. Joue de bœuf, pommes de terre au gras de canard. Mousse aux deux chocolats: toblerone et chocolat noir.
PRIX Midi: (fermé)
Soir: C. 34$ à 67$ T.H. 23$ et +
OUVERTURE: Dim. et mer. 17h30 à 21h30. Ven. et sam. 17h30 à 22h. Fermé lun. et mar.
NOTE: Menu à l'ardoise. Exposition d'artistes régionaux. Ven. et sam., table des Garçons 23$ à 42$.
COMMENTAIRE: Le chef Jean-Marc Jorand a quitté les fourneaux pour s'occuper du service traiteur de l'établissement. Quant au restaurant, il s'agit toujours d'une expérience gustative originale tant dans les présentations que dans les saveurs. Service souriant et compétant. On sait vous expliquer la carte dans le détail. Une excellente adresse à mettre dans vos carnets. Un must à Sainte-Adèle!

LA CHAUMIÈRE DU VILLAGE
★★★★★ fra
15, rue Principale E., Sainte-Agathe-des-Monts
Tél.: 819-326-3174
SPÉCIALITÉS FRANÇAISES: Salade de caille sur lit de pois gourmands, huile de noisette. Risotto aux champignons sauvages. Dorade sauce homardine. Magret de canard rôti sur son gras, sauce à l'orange. Escalope de ris de veau de lait aux pleurotes. Crème brûlée à l'orange.
PRIX Midi: T.H. 18$
Soir: C. 36$ à 60$ T.H. 28$ à 38$
OUVERTURE: Lun. à ven. 11h45 à 14h. Lun. à sam. 17h à 21h. Fermé dim. Téléphoner pour confirmer les horaires.
NOTE: Certifié Terroir et saveurs du Québec. Menu soir 4 serv. Menu dégustation 5 serv. 48$, 6 serv. 49$, 7 serv. 57$. Fromages du Québec. Fondue au fromage en hiver. Plats pour pers. allergiques au lactose, au gluten ou végétariennes. Carte des vins (100 étiquettes). Accès pour handicapés.
COMMENTAIRE: Cuisine française classique, simple mais savoureuse. Des assiettes toujours très bien présentées avec une certaine sobriété, copieuses sans exagération. Le service est impeccable. On voit à tout, jusque dans les moindres détails; le service est discret, très attentionné et professionnel. Le restaurant se trouve dans une très charmante maison ancienne, au cœur de Sainte-Agathe-des-Monts. La terrasse avec son mobilier blanc lui donne un air romantique.

LE BISTRO À CHAMPLAIN
★★★★ fra
Estérel Suites, Spas & Lac
39, bd Fridolin-Simard, Estérel
Tél.: 450-228-2571 et 1 888 Esterel (378-3735)
SPÉCIALITÉS FRANÇAISES: Magret de canard mi-fumé, pommes de terre de l'Île d'Orléans (ou léans) et son beurre nantais. Filet mignon de veau de lait du Québec, ris de veau croustillant, tanin d'épices et sa mœlle. Étagé de mousse au citron sur concassé de griottes, gelée de sangria.
PRIX Midi: (fermé)
Soir: C. 57$ à 74$
OUVERTURE: Jeu. à dim. 17h30 à 21h30. Fermé lun. à mer.
NOTE: Table du chef 4 pers. Menu dégustation 6 serv. 90$/pers. ven. et sam., 150$ avec accord mets et vins. Possibilité de manger dans une cave à vin de plus 4 000 étiquettes. Vue sur le lac Dupuis. 200 suites. Spa et massage.
COMMENTAIRE: Cette salle à manger élégante, qui s'ouvre sur le lac, s'appelait autrefois L'Ultime. On a changé son nom pour celui du Bistro à Champlain. Un restaurant aujourd'hui fermé, fondé par Champlain Charest, grand collectionneur de vins et dont l'hôtel a racheté la cave. Nous avons ici une table gastronomique savoureuse et joliment présentée. Beaucoup d'effort pour nous permettre de faire une belle expérience. Service impeccable.

LE CHEVAL DE JADE ★★★★ fra
688, rue Saint-Jovite, Mont-Tremblant
Tél.: 819-425-5233
SPÉCIALITÉS FRANÇAISES: Salade de chèvre sur croûtons de pain d'épices. Pétoncles poêlés, ananas, piment d'Espelette. Magret de canard, sauce foie gras et truffe. Canard à la rouennaise, galette de pommes de terre, céleri-rave. Truffes au chocolat noir de Tanzanie et cardamome sur pralin croustillant.
PRIX Midi: (fermé)
Soir: C. 47$ à 69$ T.H. 50$ à 60$
OUVERTURE: Mar. à sam. 17h à 22h. Fermé dim. et lun. et de mi-oct. à mi-nov.
NOTE: Caneton des Laurentides à la rouennaise pour deux pers. sur réserv. Bouillabaisse avec demi-homard. Menu découverte 7 serv. pour deux pers. 166$. Mets flambés en salle. Ouvert midi sur réserv. pour 20 pers. minimum. Mets végétariens. Soirée avec les maîtres canardiers mi-avril. Vérifier si ouvert le dim.
COMMENTAIRE: Situé sur la rue principale, à l'entrée de Mont-Tremblant (autrefois Saint-

Jovite), ce restaurant est spécialisé dans les poissons, les fruits de mer et le canard à la presse. Le chef Olivier Tali est un des 14 maîtres canardiers au monde (il a vendu son 2088e canard à la presse en 2016). Sa cuisine, évolutive et attrayante, fait parfois un clin d'œil à la cuisine moléculaire. Il est très attentif à ses présentations. Un chef toujours en recherche et qui reste très ouvert pour améliorer sa cuisine. «Ce qui m'intéresse dans mon travail, c'est le fait de changer de temps en temps ma carte avec de nouveaux mets», dit-il. Il utilise des produits naturels régionaux. Le service, impeccable, est assuré par son épouse Frédérique.

L'EXPRESS GOURMAND ★★★★ fra
31, rue Morin, Sainte-Adèle
Tél.: 450-229-1915
SPÉCIALITÉS FRANÇAISES: Foie gras au torchon, chutney de figues. Gâteau de crabe, salade asiatique. Saumon à l'unilatéral, quinoa, fèves edamame, poivrons rouges, huile d'olive, jus de citron. Épaule de chevreau, purée de flageolets, micro bok choy, navets. Gâteau, petits fruits des champs, glace vanille maison. Sabayon glacé porto, sauce chocolat Valrhona.
PRIX Midi: (fermé)
Soir: C. 34$ à 65$
OUVERTURE: Mer. à dim. à partir de 17h. Fermé en oct., nov., avr. et mai.
NOTE: Cuisson lente, à basse température, comme à l'ancienne. Produits régionaux, majoritairement bio et sans gluten.
COMMENTAIRE: Installé dans une ancienne école de rang le 19e siècle, cette jolie table propose une cuisine française traditionnelle. Le chef propriétaire, Didier Gaildraud, excelle dans les plats savoureux, mijotés lentement. Une belle cuisine créative concoctée avec des produits frais du marché. Belle carte des vins.

ltdg's LA TABLE DES GOURMETS
★★★★ fra
2353, rue de L'église, Val-David
Tél.: 819-322-2353
SPÉCIALITÉS FRANÇAISES: Homard des Îles en carpaccio, pêche, daikon, basilic, soja, granité au fenouil. Flétan Atlantique poêlé, vichyssoise, roquette, radis cru et cuit, meunière de pistache. Agneau ferme Des Petits Cailloux, petits pois, menthe, carottes, oignons nouveaux. Clafoutis abricot, glace, pâte d'amande. Comme un vacherin, meringue, fraise, fenouil, petits pois.
PRIX Midi: F. 16,50$ et T.H. 22$
Soir: C. 37$ à 62$
OUVERTURE: Mar. à dim. 11h30 à 14h et 18h à 21h. Fermé lun. Fermé mar. en hiver et 3 sem. en nov.
NOTE: Menu gourmet 65$, accord des vins 30$.
COMMENTAIRE: On a été déçu par la fermeture de l'excellent restaurant La Porte, sur le boulevard Saint-Laurent à Montréal. Pascale et

Thierry Rouyé avaient éteint les fourneaux de cette belle table. Mais, bonne nouvelle, on retrouve aujourd'hui cette équipe à Val-David, enrichie du fils Maxime qui travaille maintenant avec son père Thierry en cuisine. Pascale s'occupe toujours de la salle à manger. Un beau décor, confortable, qui s'ouvre à l'arrière sur une grande baie vitrée donnant sur les arbres du jardin. Le service est bien fait, un peu lent par moments, surtout lorsqu'il s'agit de régler l'addition. La carte propose des spécialités d'influence française mettant en honneur les produits du terroir québécois. Une cuisine de passion où la présentation a aussi son importance. Magnifique coup d'œil. Et, comme ils se définissent eux-mêmes, ce sont d'abord des «marchands de bonheur».

RECTO VERSO ★★★★ int
814, ch. Pierre-Péladeau, Sainte-Adèle
Tél.: 450-229-9555
SPÉCIALITÉS INTERNATIONALES: Rillettes de porcelet Gaspor, canneberges, tournesol, roquette. Gravlax de saumon Ocean Wise sur gaufre, fausse tzatziki aux fleurs et concombres. Pintade confite, suprême de caille, salade tiède de radicchio au bleu d'Élisabeth. Fondant aux amandes et ananas confits, poudre de beurre d'amandes.
PRIX Midi: (fermé)
Soir: C. 31$ à 68$
OUVERTURE: Mer. à dim. à partir de 17h30. Fermé 25 déc. et 1er janv.
NOTE: Menu dégustation 6 serv. 69$. Service de traiteur.
COMMENTAIRE: Dans un décor de chalet, très cosy, le jeune chef Bruno Léger offre une cuisine originale et savoureuse où les produits locaux sont mis en honneur. Que de bons commentaires pour cette table. Assiette agréable à voir et à déguster. Belle expérience.

RESTAURANT CHEZ MILOT
★★★ cont
958, rue Valiquette, Sainte-Adèle
Tél.: 450-229-2838
SPÉCIALITÉS CONTINENTALES ET ITALIENNES: Poire farcie au bleu. Filet d'épaule de bœuf, sauce forestière. Carré d'agneau complet rôti avec herbes, pommes de terre et légumes. Gâteau pommes et pacanes, sauce sucre à la crème chaude.
PRIX Midi: T.H. 13$ à 22$
Soir: C. 27$ à 52$ T.H. 20$ à 51$
OUVERTURE: Lun. à ven. 11h à 14h. Dim. à jeu. 17h à 21h. Ven. et sam. 17h à 22h.
NOTE: Spécialités de grillades, moules et fruits de mer. Menu à l'ardoise hebdomadaire. Produits frais de saison. Cinq à sept, dim. à jeu. 4 serv. 20$. Foyer l'hiver. Belle terrasse l'été. Brunch fête des Mères, Pâques et fêtes annuelles.
COMMENTAIRE: La force de Chez Milot, c'est la continuité et une constance dans la qualité de l'accueil et de la nourriture. Des assiettes

assez classiques, bien garnies, avec du goût. Il n'y a pas une très grande créativité, mais c'est très satisfaisant. On offre une bonne carte des vins. La clientèle est fidèle. Seul bémol, les tables sont un peu trop serrées et on manque un peu d'espace. Mais il y en a à qui cela plaît. Pour la petite histoire, le restaurant tient son nom de l'ancien propriétaire Robert Milot, aujourd'hui devenu maire de Sainte-Adèle.

MONTÉRÉGIE

AUBERGE DES GALLANT
★★★★★ qué
1171, ch. Saint-Henri, Sainte-Marthe de Vaudreuil
Tél.: 450-459-4241 et 1-800-641-4241
SPÉCIALITÉS QUÉBÉCOISES: Tartare de saumon fumé maison. Côte de wapiti canadien grillée, sauce barbecue maison. Foie gras poêlé du Périgord. Tomahawk de porc Nagano, réduction pommes et bleu. Bavette de bison grillée, sauce au shiitake et poivre vert. Crème brûlée à l'érable.
PRIX Midi: T.H. 25$
Soir: C. 37$ à 64$ T.H. 40$
OUVERTURE: Réserv. conseillée. Lun. à sam. 11h à 21h. Dim. 9h à 14h et 17h à 21h. Petit déjeuner lun. à sam. 7h30 à 10h.
NOTE: Sur réserv. menu gastronomique à l'érable, mars et avril, à la pomme, sept. et oct. Menus saisonniers. Menu accord mets et vin, 120$ soir, sur réserv. Visite du jardin et de la cabane à sucre. Plusieurs forfaits divertissants. Produits de l'érable à l'année. Deux spas extérieurs 10 pers. Animaux les bienvenus, spa pour chien.
COMMENTAIRE: L'Auberge de Linda et Gérard Gallant existe depuis 1972. Elle a été construite dans un boisé de 400 arpents, au centre d'une réserve ornithologique et d'un ravage de chevreuils. En 2012, coup de théâtre: l'auberge a brûlé à 50%. Tel le phénix, elle renaît de ses cendres plus belle et plus spacieuse grâce à l'acharnement de Linda Gallant et à son équipe. Aujourd'hui, l'Auberge des Gallant est un vaste complexe hôtelier et gastronomique, avec, en plus, trois salles de réunion et 42 chambres. La salle à manger habituelle a continué sa vocation, rehaussée de soirées thématiques de dégustation de vins animées par l'excellent sommelier Thomas Le Guilly. Assiette savoureuse et raffinée. Une destination champêtre incontournable!

AUBERGE HANDFIELD ★★★ qué
555, rue Richelieu, Saint-Marc-sur-Richelieu
Tél.: 450-584-2226 et 514-990-0468
SPÉCIALITÉS QUÉBÉCOISES ET FRANÇAISES: Cigare au chou farci de chevreau, purée de courge. Bavette de veau de grain braisée à la normande. Longe de cerf sauce mistelle aux pommes et camerises. Yogourt de bufflonne à l'érable.
PRIX Midi: T.H. 25$ à 45$

Soir: C. 39$ à 78$ T.H. 35$ à 66$
OUVERTURE: Mi-juin à mi-oct. mer. à sam. 11h30 à 14h et 17h à 21h. Dim. 10h à 14h. Petit déjeuner 8h à 11h. Le reste de l'année, communiquer pour confirmer les horaires.
NOTE: Menu soir 4 serv. changeant aux saisons. Menu santé offert au spa. Brunch musical dim. Produits et vins du Québec. Bar-terrasse. Cabane à sucre mars et avril. Été, sur la terrasse, buffet petit déjeuner 8h à 11h, BBQ sam. et dim. soir.
COMMENTAIRE: Très belle maison ancienne à l'ambiance québécoise chic. Plusieurs chambres de l'auberge sont situées au bord du Richelieu. Il y a un bateau-théâtre l'été, une marina, une érablière avec cabane à sucre, des pistes pour ski de fond et vélo, en plus d'une station santé nommée Spa les thermes. Si le menu de la cabane à sucre est typiquement québécois avec ses cretons et ses oreilles de crisse, fèves au lard et soupe aux pois, celui du restaurant s'inspire davantage de la cuisine française.

BISTRO CULINAIRE - LE COUREUR des BOIS
★★★ (bistro) fra
Hôtel Rive-Gauche - Refuge Urbain
1810, rue Richelieu, Belœil
Tél.: 450-467-4477 et 1-888-608-6565
SPÉCIALITÉS FRANÇAISES: Tartares du Coureur: saumon frais, bœuf ou magret de canard. Boudin noir des 3 petits cochons poêlé, oignons perlés sur feuilleté de figues, vinaigrette aux oignons caramélisés. Magret de canard de l'Artisan. Sorbet maison. Macaron à la fraise.
PRIX Midi: F. 21$
Soir: C. 24$ à 75$ T.H. 40$
OUVERTURE: Lun. à sam. 11h à 14h30 et 17h30 à 21h. Dim. 10h30 à 21h30.
NOTE: Nouveau menu aux saisons, de concert avec les producteurs locaux. Menu découverte 85$. Nouvelle table du chef en cuisine, 6-8 pers. Menu dégustation 7 serv. à partir de 129$/pers., accord des vins 179$. Cave à vin, gagnant Wine Spectator 2015, plus de 2 500 étiquettes et 13 000 bouteilles. Soirée dansante 31 déc.
COMMENTAIRE: Le restaurant revampé de l'hôtel Rive-Gauche personnifie la forêt québécoise – photos d'orignaux, troncs d'arbre, raquette – et correspond bien à la cuisine de Jean-François Méthot. Celle-ci respecte les produits de la région qu'il utilise largement, on les retrouve dans chacun de ses plats. Il a travaillé avec Renaud Cyr au Manoir des Érables, aux Trois Tilleuls, au Club Saint-Denis, a donné des ateliers au CFP Jacques Rousseau, puis est devenu chef au Coureur des bois en 2009. On parle ici de «bistronomie»: des mets créatifs et réinventés, concoctés à partir des produits du terroir montérégien et québécois, enrichis d'une très belle cave à vin élaborée par le sommelier Ian Purtell.

BLEU MOUTARDE ★★★ fra
965, rue Richelieu, Belœil
Tél.: 450-464-8839

SPÉCIALITÉS FRANÇAISES ET ITALIEN-
NES: Gnocchis au lapin braisé. Calmars frits,
sauce tartare. Confit de canard. Terrine de
boudin, compotée de pommes flambée au
cognac. Bavette de bœuf à l'échalote et frites
maison. Mignon de bœuf, sauce porto, vieux
cheddar. Crème brûlée. Gâteau au fromage.
PRIX Midi: F. 14$ à 23$
Soir: C. 35$ à 62$ T.H. 22$ à 35$
OUVERTURE: Mar. à ven. 11h30 à 14h. Mar.
à dim. 17h à 22h30. Fermé lun., 24 et 25
déc. Ouvert lun. de fin mai à début sept.
NOTE: Brunch à la fête des Mères et à Pâques.
Carte des vins change régulièrement, 60%
d'importation privée. Quai pour l'amarrage des
bateaux.
COMMENTAIRE: Abrité dans une maison au
bord de la rivière au cœur du Vieux-Belœil,
l'endroit est coquet et convivial. L'été, on peut
profiter de terrasses s'étageant jusque dans le
jardin qui borde les rives du Richelieu. Le chef
propose une cuisine d'inspiration française et
italienne avec des spécialités rappelant celles
que l'on trouve dans les bistros. Nous avons
apprécié le côté simple, net et franc des assiettes, tant dans les saveurs que dans les présentations. Un service convivial, une table honnête qui nous donne le goût de revenir.

ET CAETERA ★★★ cont
80, rue Saint-Mathieu, Belœil
Tél.: 450-281-2211

SPÉCIALITÉS CONTINENTALES ET MÉDI-
TERRANÉENNES: Tartare de saumon. Moules au fromage gorgonzola et poires. Pâtes à
la dijonnaise et effiloché de volaille. Tajine
d'agneau. Paella. Filet d'épaule et crevettes
tempura, sauce au poivre. Beignet de pomme
au caramel chaud, nougatine de pacanes.
PRIX Midi: (fermé)
Soir: C. 32$ à 65$ T.H. 35$
OUVERTURE: Mar. à sam. 17h à 21h30.
Fermé dim. et lun. Fermé 25, 26 déc., 1er et
2 janv.
NOTE: Tous les plats à la carte se transforment
en T.H. pour 8$ de plus. Menu moules, menu
pâtes. Grillades, bavettes, filets mignons.
COMMENTAIRE: Très belle maison magnifiquement aménagée en restaurant. Tout est en
camaïeu de blanc. Ambiance douce et paisible,
l'endroit idéal pour une belle gastronomie.
L'entrée de calamars, bien savoureuse et généreuse, et la délicieuse mousse au chocolat
étaient à la hauteur de nos attentes. Par ailleurs, la cuisine s'annonce méditerranéenne,
mais elle s'apparente plus à une cuisine continentale aux accents méditerranéens. On y retrouve des plats inflencés par plusieurs pays.
Le chef, Philippe Hamelin et son épouse Josée, tombés en amour avec Belœil et la belle
rivière Richelieu, ouvrent un premier restaurant
tout au bord de l'eau, le Jozéphil. Puis une
occasion se présente pour acheter une belle

maison de maître au cœur du village. Un second restaurant vient de naître. À force de recherche, on le nommera etc. ou plutôt de son nom latin Et Cætera.

FOURQUET FOURCHETTE ★★ qué
1887, rue Bourgogne, Chambly
Tél.: 450-447-6370 et 1-888-447-6370
SPÉCIALITÉS QUÉBÉCOISES: Tartare de saumon à la Raftman. Soupe à l'oignon gratinée. Médaillon de wapiti, os à mœlle, fleur d'ail, jus à la bière noire de Chambly. Ballottine de pintade, foie gras poêlé, pleurotes à la fleur d'ail et Fin du Monde. Magret de canard, risotto d'orge aux champignons, sauce au thé des bois. Pouding chômeur à l'érable et à la Maudite.
PRIX Midi: T.H. 14$ à 18$
Soir: C. 30$ à 63$ T.H. 27$ à 43$
OUVERTURE: De sept. à début juin: jeu. à dim. 11h30 à 21h. Début juin au 15 sept: 7 jours 11h30 à 21h. Réserv. suggérée. Fermé 24 et 25 déc.
NOTE: Menu de saison. Carte de vins québécois et français. Carte de bières et de cidres du Québec. Réserv. recommandée les fins de sem. et en période estivale. Animation sur la terrasse en fin de semaine par beau temps. Boutique avec produits du terroir. Musiciens à l'année sam. Stationnement gratuit.
COMMENTAIRE: Cet établissement comporte un magasin, un restaurant avec gril et un étage décoré comme une abbaye qui sert de salle de banquet. Le décor est rustique et solide. Le menu est simple et sans prétention, d'inspiration Nouvelle France. Il propose des recettes traditionnelles québécoises, et même autochtones, cuisinées avec de la bière. Le service et l'animation en salle sont faits par des jeunes en costume d'époque. On y mange dans une belle ambiance. Très belle terrasse face au Richelieu.

HÔTEL-RESTAURANT
CHEZ NOESER ★★★★ fra
236, rue Champlain, Saint-Jean-sur-Richelieu
Tél.: 450-346-0811
SPÉCIALITÉS FRANÇAISES: Feuilleté au homard et pétoncles sauce corail. Foie gras frais au torchon. Aiguillettes d'agneau au basilic frais. Escalope de saumon à l'estragon. Escalope de foie gras poêlée à la saveur du mois. Magret de canard et son foie gras. Carré d'agneau en croûte d'épices. Glace à l'érable maison.
PRIX Midi: (fermé)
Soir: Menu 40$ à 70$ T.H. 40$
OUVERTURE: Jeu. à dim. 17h30 à 21h. Fermé lun. à mer., 25 déc. et 1er janv. Ouvert sur réserv. 20 pers. et plus.
NOTE: Réserv. préférable. Apportez votre vin. Menu dégustation 4 à 7 serv. Menus à thème (pommes, chasse, Noël). Jeu. et dim. T.H. soir 24,95$. Brunch sur réserv. à Pâques, fêtes des Mères et des Pères. Service de traiteur. Accessible aux handicapés.

COMMENTAIRE: Ce restaurant est logé dans une maison ancestrale divisée en plusieurs petites salles. C'est une affaire familiale. Denis Noeser officie dans la cuisine pour nous concocter de succulents petits plats. Ginette, son épouse, s'occupe du service et du bien-être des clients en salle. Un endroit sympathique, romantique, où l'on mange bien et où l'on apporte son vin. L'ajout d'une chambre unique, qui se présente comme une suite luxueuse (avec terrasse, spa et foyer), en fait probablement le plus petit hôtel en Amérique du Nord.

HÔTEL TROIS TILLEULS ★★★★ fra
290, rue Richelieu, Saint-Marc-sur-Richelieu
Tél.: 514-856-7787
SPÉCIALITÉS FRANÇAISES: Saumon fumé maison, mi-cuit à la torche, œuf cuit dur, caviar. Morue d'Islande poêlée, velouté de moules au curry, purée de pommes de terre aux herbes. Côte de bœuf rôtie, sauce estragon et foie gras poêlé. Plateau de pâtisseries.
PRIX Midi: T.H. 25$ à 35$
Soir: C. 52$ à 75$
OUVERTURE: 7 jours 11h30 à 16h et 17h30 à 22h30. Petit déjeuner 7h30 à 10h.
NOTE: Petit déjeuner 18$. Terrasse très agréable.
COMMENTAIRE: La propriété est harmonieusement paysagée. Les élégants bâtiments, construits au bord du Richelieu, reflètent tout le charme de la rivière. Il y a même une chapelle dans le lodge pour les mariages célébrés sur place et un spa Givenchy. Une bonne table, dans un cadre agréable, qui existe depuis 1953. À visiter été comme hiver.

LA CRÊPERIE DU VIEUX-BELŒIL
★★★★★ crê
940, rue Richelieu, Belœil
Tél.: 450-464-1726
SPÉCIALITÉS DE CRÊPERIE: Soupe à l'oignon gratinée. Crêpe au saumon fumé et crème sure. Crêpe aux fruits de mer. Crêpe œuf, jambon et fromage. Crêpe aux champignons et fromage. Crêpe au cheddar fort et pommes. Crêpe banane, caramel, pacanes flambées au rhum. Crêpe fraises, chocolat et crème glacée.
PRIX Midi: C. 7,25$ à 21$
Soir: Idem
OUVERTURE: Hiver: mar. à ven. 11h30 à 14h et 17h à 21h. Sam. 17h à 21h. Dim. 17h à 20h. Été: mar. à ven. 11h30 à 14h et 17h à 21h. Sam. 17h à 21h. Dim. 17h à 21h30. Fermé lun. et fêtes de fin d'année.
NOTE: Les portions sont si généreuses que les clients partagent deux crêpes, une salée et une sucrée. Le prix donné tient compte de cette habitude. Terrasse l'été sur une galerie en bois, abondamment fleurie, avec vue sur le Richelieu. Décor enchanteur.
COMMENTAIRE: La meilleure crêperie au Québec! Dans une ambiance chaleureuse et reposante, on y déguste d'innombrables crêpes

tant au froment qu'au sarrasin. Nous en avons dénombré une cinquantaine de variétés aux garnitures salées et sucrées, dont 9 dites flamboyantes. On aimerait les essayer toutes, mais après une ou deux, il ne reste plus que la gourmandise tant on est rassasié. Très beau décor composé de quatre ravissantes salles, au charme floral, dont une verrière, plus une galerie bordée de fleurs innombrables. Les crêpes sont faites devant vous, dans la salle à manger. Et, cela sent terriblement bon!

L'ANGÉLUC ★★★ fra
480, rue Saint-Denis, Saint-Alexandre
Tél.: 450-346-4393

SPÉCIALITÉS FRANÇAISES: Tartare de bœuf relevé au cognac, huile de truffe. Médaillon de filet de veau, sauce bisque de homard et pétoncles. Caille royale farcie aux pommes et cidre de pomme, demi-glace vin rouge. Gâteau fondant choco-caramel.
PRIX Midi: (fermé)
Soir: T.H. 52,95$ (6 serv.)
OUVERTURE: Jeu. à dim. 18h à minuit. Fermé 22 déc. au 10 janv. et 3 sem. en été.
NOTE: Aucune carte de crédit ni débit n'est accepté. Seulement l'argent comptant, les chèques personnels ou de compagnies sont acceptés.
COMMENTAIRE: Situé au sud de Saint-Jean-sur-Richelieu, L'Angéluc est un restaurant français classique, sans prétention. Installé dans une maison familiale, chaque pièce a été aménagée en salle à manger. Quant à la carte, c'est bon et surtout c'est très copieux. Nous n'avons pu terminer nos desserts tant il y en avait. Par contre, prenez votre temps, car le service est un peu lent. Très aimable et attentif cependant. En fait, on vient ici pour y passer la soirée.

LA RABASTALIÈRE ★★★★[ER] fra
125, rue Rabastalière O., Saint-Bruno
Tél.: 450-461-0173

SPÉCIALITÉS FRANÇAISES: Saumon mi-cuit, lit de courgettes, sauce choron. Tournedos de bœuf sauce poivrade, pommes de terre rattes rôties aux lardons et shiitake. Tartare de bœuf. Chateaubriand grillé/2 pers. Crêpes Suzette.
PRIX Midi: T.H. 23$
Soir: C. 53$ à 87$ T.H. 28$ à 38$
OUVERTURE: Mar. à ven. 11h30 à 15h. Mar. à dim. 17h30 à 22h. Fermé lun. et du 24 au 26 déc.
NOTE: Tartare de bœuf préparé à la table. Menu gastronomique 6 serv. 70$, accord des vins 50$.
COMMENTAIRE: Ouvert depuis 1979. Une table française classique, savoureuse, avec une touche contemporaine. Le décor est confortable, classique lui aussi; le service, compétent et courtois; la carte des vins, très intéressante. Une belle adresse à vingt-cinq minutes de Montréal, l'endroit idéal pour les repas d'affaires. C'est calme et discret.

LE CLAN CAMPBELL ★★ fra
Manoir Rouville-Campbell
125, ch. des Patriotes Sud, Mont-Saint-Hilaire
Tél.: 450-446-6060
SPÉCIALITÉS FRANÇAISES: Saumon à la mode russe chlorophyllé. Jarret d'agneau braisé 72 heures, façon Moghol. Plat de côte de bœuf braisée, glaçage aigre-doux salé. Le fruité floral.
PRIX Midi: F. 15$ à 29$
Soir: C. 32$ à 65$ T.H. 45$ à 49$
OUVERTURE: Lun. à ven. 11h30 à 22h. Sam. 11h à 22h. Fermé dim.
NOTE: Menu midi express, 19$ à 22$. Le resto et le pub ont fusionné, les plats aussi.
COMMENTAIRE: Cette imposante bâtisse au bord de l'eau est toujours aussi belle, cependant la disposition de la salle à manger pourrait être améliorée. Même si la décoration a été refaite, le couloir coupe toujours la vue magnifique sur le jardin et sur l'eau. Il faut reconnaître que la disposition des lieux est assez ingrate. Quant à la cuisine, les assiettes sont bonnes et bien présentées. Service courtois.

LE JOZÉPHIL ★★★★ fra
969, rue Richelieu, Belœil
Tél.: 450-446-9751
SPÉCIALITÉS FRANÇAISES ET MÉDITERRANÉENNES: Gâteau de crabe, mayonnaise au sriracha. Poêlée de pétoncles au beurre safrané. Ris de veau au madère. Rognons de veau à la moutarde. Foie de veau. Filet mignon de bœuf Angus, sauce au fromage bleu. Crème brûlée. Gâteau au fromage marbré au chocolat.
PRIX Midi: T.H. 17$ à 20$
Soir: C. 33$ à 79$ T.H. 32$ à 40$
OUVERTURE: Lun. à ven. 11h30 à 14h. 7 jours 17h à 21h.
COMMENTAIRE: Installé au bord de la rivière Richelieu à Belœil, dans ce qui a été une école vers 1817, ce restaurant offre une vue panoramique imprenable sur la rivière, Otterburn Park et l'autre rive et l'imposant mont Saint-Hilaire. L'été, trois terrasses en palier donnent également sur la rivière. Tables nappées de blanc, décor tranquille et confortable, éclairage douillet. On y sert une excellente cuisine très savoureuse et bien faite, jumelée à une belle carte des vins. Service attentif et chaleureux.

LE SAMUEL ★★★★[ER] fra
291, rue Richelieu, Saint-Jean-sur-Richelieu
Tél.: 450-347-4353
SPÉCIALITÉS FRANÇAISES: Pétoncles poêlés, purée de brocoli, gnocchis, sauce vierge aux raisins de Corinthe. Joue de veau à la bière, tartiflette au fromage d'Iberville. Foie gras poêlé, gâteau aux pacanes, caramel au Whisky. Fondant au caramel, glace à la confiture de lait.
PRIX Midi: F. 16$ à 22$
Soir: C. 36$ à 76$

OUVERTURE: Lun. à ven. 11h30 à 14h. Mar. à dim. 17h à 22h. Fermé lun. soir et 25 déc.
NOTE: Menu dégustation 6 serv. 65$, accord des vins 55$. Choix de fromages du Québec. Verrière climatisée avec vue sur la rivière Richelieu.
COMMENTAIRE: Très beau décor, moderne, confortable et de bon goût s'ouvre par de grandes baies vitrées sur la rivière Richelieu. Tout est en harmonie, un réel plaisir pour les yeux, y compris l'assiette moderne, bien présentée dans l'ensemble. Le service est jeune, très gentil, plein de bonne volonté et a su s'adapter aux aspirations de l'endroit. Le restaurant tend maintenant vers la bistronomie. Il semble que l'établissement ait des difficultés à garder leurs chefs.

LES CHANTERELLES DU RICHELIEU ★★★★ fra
611, ch. des Patriotes, St-Denis-sur-Richelieu
Tél.: 450-787-1167 et 1-877-787-1167
SPÉCIALITÉS FRANÇAISES: Velouté de chanterelles. Saumon fumé du fumoir maison, carpaccio de bison au cheddar vieilli. Pintade du terroir aux chanterelles. Médaillon de veau et fromage de chèvre des Capriotes, jus au thym. Nougat glacé avec fruits confits à l'érable.
PRIX Midi: (fermé)
Soir: C. 44$ à 62$ T.H. 34$ à 50$
OUVERTURE: Mer. à sam. 17h30 à 21h. Dim. 11h à 13h pour le brunch. Fermé dim. soir, lun. et mar. Fermé du 1er janv. au 20 mars. Ouvert pour groupes de 20 pers. minimum en tout temps.
NOTE: Nouveaux menus 3 et 4 serv. chaque semaine. Menu gourmand 6 serv. 67,50$. Grands vins. Ouvert depuis 1996.
COMMENTAIRE: Tenue par Patrick Vesnoc, voilà une charmante maison centenaire, plantée au bord du Richelieu, avec un quai d'amarrage pour les bateaux. Le chef Vesnoc crée des assiettes savoureuses avec son équipe en cuisine. Une table qui met en valeur les produits de la région du Richelieu.

LES ESPACES GOURMANDS ★★★ fra
454, ch. des Patriotes, St-Charles-sur-Richelieu
Tél.: 450-584-3112
SPÉCIALITÉS FRANÇAISES: Risotto forestière au confit de pintade, huile de truffe blanche. Saumon de l'Atlantique fumé par le chef au bois d'érable. Carré d'agneau provençal. Cassoulet. Tiramisu.
PRIX Midi: (fermé)
Soir: C. 36$ à 60$ T.H. 26$ à 45$
OUVERTURE: Jeu. à dim. 17h30 à 21h30. Juin à août, mar. à dim. 17h30 à 21h30. 7 jours. réserv. de groupe 10 pers. et plus. En basse saison, vérifier les horaires.
NOTE: Ont aussi un menu bistro. Tout pintade ou presque, 5 serv. avec bouteille de vin, 145$/2 pers. Vue panoramique sur la rivière Richelieu. Stationnement à l'arrière. Quai pour l'amarrage des bateaux.

COMMENTAIRE: Restaurant niché dans une maison d'habitant, dans laquelle on se sent bien. Une cuisine française classique, familiale, bien faite avec le respect des produits frais. La spécialité de Michel Lesage, chef propriétaire, c'est la pintade. Monsieur et madame ont aussi une boutique de plats cuisinés et un service de traiteur au Mont-Saint-Hilaire.

MISTA ★★★ ita
955, rue Laurier, Beloeil
Tél.: 450-464-5667
SPÉCIALITÉS ITALIENNES: Pavé de saumon de l'Atlantique grillé. Risotto de moules, palourdes et crevettes. Raviolis, ricotta, épinards, confit de canard, jus de veau à la truffe. Osso buco façon romaine, filet de tomate, gremolata, pignons de pin, orecchiette et épinards. Fondant de chocolat.
PRIX Midi: (fermé)
Soir: C. 23$ à 60$ T.H. 20$ à 30$
OUVERTURE: Dim. à mer. 16h30 à 22h. Jeu. à sam. 16h30 à 23h.
NOTE: Foyer ouvert sur quatre côtés au milieu du restaurant. T.H. changeant chaque semaine. Dim. à jeu. menu 5 à 7 à partir de 12$. Pâtes fraîches maison. Bar à vin.
COMMENTAIRE: Un cadre confortable et agréable, une assiette généreuse et très savoureuse, qui pourrait cependant être plus parfumée «à l'italienne». Service très aimable, mais qui manque un poil d'attention. Service de traiteur en plus.

RESTAURANT LYVANO ★★★ fra
4, rue Principale, Frelighsburg
Tél.: 450-298-1119
SPÉCIALITÉS FRANÇAISES: Betterave rouge, pain aux raisins et noisettes, chèvre, pousses de roquette. Tartare de saumon, mangue, oignon rouge. Pétoncles poêlés, ail confit, écrasé de pommes de terre au citron, asperges au bacon. Crème brûlée Coureur des bois du domaine Pinnacle.
PRIX Midi: F. 12$
Soir: C. 43$ à 51$ T.H. 29$ à 41$
OUVERTURE: Mer. à lun. 11h30 à 21h. Hiver: fermé mer. Fermé en nov., 23 au 25 déc., 1er et 2 janv.
NOTE: Vins d'importation privée à 70%. Vins du Québec. Produits locaux. Oct. à début juin, jeu. réduction de 50% sur les vins de 17h30 à 19h.
COMMENTAIRE: Situé au cœur du village de Frelighsburg en bordure de la rivière aux Brochets, le restaurant Lyvano vous offre un menu pâtes et grillades. Terrasse surplombant la rivière coulant vivement entre de grosses roches dans un bruissement de détente. Élisabeth et Sébastien, les chefs propriétaires, proposent un menu gastronomique en soirée et de type bistro le midi. Une cuisine généreuse et savoureuse. Ambiance simple et conviviale. Service un peu lent.

SUCRERIE DE LA MONTAGNE
★★★★ sucrerie
300, ch. Saint-Georges, Rigaud
Tél.: 450-451-5204 ou 450-451-0831
SPÉCIALITÉS BEAUCERONNES ET QUÉBÉCOISES: Soupe aux pois du montagnard. Pain croûté cuit sur feu de bois. Jambon fumé à l'érable. Boulettes de viande. Oreilles de crisse. Tourtière de la beauceronne. Fèves au lard du chantier. Omelette soufflée de la fermière. Pommes de terre pilées à l'ancienne. Crêpes québécoises au sirop d'érable. Tarte au sucre maison.
PRIX Midi: T.H. 35$
Soir: T.H. 45$
OUVERTURE: 7 jours 11h à 19h30 sur réserv. Fermé 24 et 25 déc.
NOTE: Réserv. en tout temps. Épluchette de blé d'Inde. Méchoui. Menu végétarien. Festins du temps des sucres et du temps des fêtes. Tire. Chansonniers, animateurs, balade en carriole pour 40 pers. minimum ayant réservé leur place au restaurant. Activités de consolidation d'équipes de bureau. Hébergement: 4 chalets traditionnels avec foyer. Refuge rustique pour 60 pers. Lieu de mariage extérieur exceptionnel avec un genre de gazebo en forme de canœ dressé.
COMMENTAIRE: Probablement la plus belle cabane à sucre du Québec, dirigée par son sympathique et truculent propriétaire Pierre Faucher et son fils Stefan. On mange dans des salles anciennes et authentiques, grandes cheminées, cuisinières au feu de bois, une cuisine beauceronne savoureuse et généreuse, avec quelques recettes de famille. On peut se régaler d'un canard fumé à l'érable ou de bœuf braisé sur demande et de gibier la fin de semaine. Visites de la cabane à sucre, de la boulangerie (pain frais au feu de bois), de la bouilloire (dégustation de tire). Animation folklorique. Très beau cadre pour les familles, les mariages champêtres et les groupes d'affaires.

Restaurants de Québec

(Québec, Sainte-Foy, Sillery, Beauport, Cap Rouge, Wendake)

Château Frontenac *(Photo d'archives Debeur)*

AVIS

Il arrive que des établissements utilisent les heures habituelles d'ouverture pour recevoir des groupes. Il y en a d'autres aussi qui ferment avant l'heure indiquée s'il n'y a pas de clients. Nous conseillons donc aux lecteurs de toujours vérifier si un restaurant est ouvert, en téléphonant avant de s'y rendre.

AMÉRINDIEN

RESTAURANT LA TRAITE ★★★★
Hôtel-musée Premières Nations
5, pl. de la Rencontre, Wendake
Tél.: 418-847-2222
SPÉCIALITÉS PREMIÈRES NATIONS AMÉRINDIENNES: Carpaccio de cerf, Blackburn 9 mois, marmelade aux cerises de terre biologiques. Terrine de loup marin, chutney à l'argousier, confit d'oigno. Pétoncles canadiens, velouté de crustacés à l'ail des bois. Fruits sauvages au sapin baumier, mini-meringue, pulpe d'argousier.
PRIX Midi: T.H. 16$ à 35$
Soir: F. 51$ à 56$ T.H. 45$ à 55$
OUVERTURE: 7 jours 11h30 à 14h et 17h à 21h30. Petit déjeuner lun. à sam. 7h à 10h30.
NOTE: Le soir, menus des Nations 3 serv. 45$, 4 serv. 55$. Menu découverte 6 serv. 80$ (avec accord vins et mets 140$). Cuisine du terroir du nord, inspiré des Premières Nations. Cercle de vie.
COMMENTAIRE: Martin Gagné est l'un des premiers chefs à Québec à avoir articulé une carte autour du concept de la cuisine boréale. Camerise, asclépiade, brisure de toque et poivre des dunes font partie des condiments qu'il prise autant sur des viandes plus connues (lièvre, canard, cerf, etc.) que d'autres à découvrir comme le phoque. Également, le chef a souci de changer sa carte plusieurs fois par année selon les arrivages de gibiers. Belle salle à manger apaisante décorée sans surenchère avec des références aux Premières Nations. Terrasse bucolique l'été.

ASIATIQUE

AVIS

Nous nous posons des questions quant à cette nouvelle appellation «cuisine boréale». Car ce ne sont pas les produits (ici du Nord du Québec) qui font la cuisine, mais bien la façon dont on les apprête, c'est-à-dire la recette et non pas le produit seul. Sont-ils préparés à la manière française, italienne, québécoise ou asiatique? Nous mettons donc une réserve quant à cette nouvelle appellation.

L'APSARA ★★★
71, rue d'Auteuil, Québec
Tél.: 418-694-0232
SPÉCIALITÉS VIETNAMIENNES, CAMBODGIENNES, THAÏLANDAISES: Salade au homard à la vietnamienne. Crêpe vietnamienne. Pad-thaï aux crevettes ou au poulet. Bœuf Khemara. Poulet Oudong, sauté au gingembre. Khemara kayang (brochette de bœuf à la citronnelle et brochette de poulet). Poulet de Bangkok. Bœuf de Saïgon. Nid jardinier.
PRIX Midi: T.H. 14$ à 18$
Soir: C. 23$ à 34$ T.H. 28$ à 40$
OUVERTURE: Lun. à ven. 11h30 à 14h. 7 jours 17h30 à 23h. Fermé 24 déc.
NOTE: Menu midi changeant tous les jours. Plats végétariens. Assiette Apsara: combinaison de mets du Cambodge, de la Thaïlande et du Vietnam 28$/pers. Plaisir à deux: 5 serv. apéritif et vin 80$/2 pers. Tournée asiatique

incluant 2 bout. de vin 170$/4 pers. Assiette Tridara vin comprise 80$/2 pers. Avril: Menu Nouvel An thaïlandais. Oct.: Menu spécial anniversaire 1 bout. vin comprise 80$/2 pers.
COMMENTAIRE: Service familial, discret et raffiné, à la mode orientale. Excellentes fleurs de Pailin (rouleaux de printemps). Très bon bœuf Khemara. Décor invitant à la joie et à la détente. Situé sur la rue d'Auteuil, l'une des plus belles rues de Québec, face au Parlement.

BORÉAL

CHEZ BOULAY BISTRO BORÉAL
★★★★
Manoir Victoria
1110, rue Saint-Jean, Québec
Tél.: 418-380-8166
SPÉCIALITÉS: Soupe à l'oignon en cappuccino et croûtons d'Hercule de Charlevoix. Cuisses d'oie et de canard confites en parmentier de panais dauphinois à la racine de valériane, croustillant de graines de citrouille au thé du Labrador, jus de viande. Surprise de chocolat et biscuit noisette au cœur fondant de camerise.
PRIX Midi: F. 14$ à 20$
Soir: C. 36$ à 61$
OUVERTURE: Lun. à ven. 11h30 à 22h. Sam. et dim. 10h à 22h.
NOTE: Carte des vins d'importation privée à 90% (33$ à 1500$/bout.), dont 17 blancs et 16 rouges canadiens.
COMMENTAIRE: Arnaud Marchand ne cesse d'étudier le garde-manger nordique. La carte tourne au gré des saisons et chaque visite est prétexte à découvrir un nouveau mets coup de cœur, qu'il soit tiré de la rubrique poisson (avec une prédilection pour les poissons à chair grasse) ou viande (particulièrement les volailles). La joue de bison est l'un des plats vedettes. Salle élégante et un personnel en général empressé et courtois. Brunch distinctif la fin de semaine et très beau rapport qualité-prix les midis. Une table qui combine le courant boréal, une vision actualisée du bistro et la constance à l'assiette.

LÉGENDE par La Tanière
★★★★★ (bistro)
255, rue Saint-Paul, Québec
Tél.: 418-614-2555
SPÉCIALITÉS: Magret de canard poêlé, cuit sous-vide. Suprême de pintade, gnocchis aux herbes, purée de courges. Les mains du pêcheur: plateau de la mer pour 2 pers. Charlotte à la poire. Soufflé glacé à la camerise.
PRIX Midi: (fermé)
Soir: C. 42$ à 52$
OUVERTURE: Dim. à jeu. 17h à 22h. Ven. et sam. 17h à 23h. Fermé 24, 25 déc et du 1er au 7 janv.
NOTE: Concept de partage. Accord de vin sur mesure pour chaque plat. Bar à vin.

COMMENTAIRE: Bien que l'environnement soit celui d'un bistro décontracté, le chef Frédéric Laplante carbure toujours à la même rigueur et s'illustre par la recherche-développement qui caractérise sa valorisation des produits locaux. Avec un talent unique, il préside à l'union improbable du tofu et du wapiti. Au volet Menu au doigt, de magnifiques fruits de mer, coquillages et charcuteries maison à partager.

CHINOIS

CHEZ SOI LA CHINE ★★
27, rue Sainte-Angèle, Québec
Tél.: 418-523-8858
SPÉCIALITÉS: Porc Yu-xiang (vinaigré et épicé). Calmar aux légumes. Canard laqué sauce sha-cha à la flambée. Poulet croustillant à la mode de Sichuan. Gu-laorou (porc pané, sauce aigre-douce). Marmite chinoise (porc, bœuf, crevettes, légumes sautés). Canard sauce aux cinq parfums.
PRIX Midi: (fermé)
Soir: F. 17$ à 48$ F. 22$ à 30$
OUVERTURE: 7 jours 17h30 à 22h.
NOTE: Du canard comme on n'en trouve pas ailleurs!
COMMENTAIRE: Restaurant très sympathique. Une cuisine chinoise typique qui conjugue authenticité des mets et un service familial attentionné, mais un peu long. Outre les chaussons à la vapeur, le canard est l'une des spécialités ainsi que la marmite chinoise, un mijoté de plusieurs viandes et de fruits de mer. À retenir: on y apporte son vin.

CONTINENTAL

CIEL! Bistro-bar ★★★
Hôtel Lœws Le Concorde
1225, cours Général de Montcalm, Québec
Tél.: 418-640-5802
SPÉCIALITÉS: Omble chevalier, céleri-rave, crevettes nordiques, fenouil, basilic. Joue de veau braisée, purée de panais, topinambours et armillaires. Éclair Valrhona du Ciel.
PRIX Midi: F. 17$ à 21$
Soir: C. 33$ à 66$
OUVERTURE: Lun. à jeu. 11h30 à 22h. Ven. 11h30 à 23h. Sam. 9h à 23h. Dim. 9h à 22h.
NOTE: L'un des 7 restaurants tournants au monde. Vue remarquable. Menu bar de 8$ à 22$
COMMENTAIRE: Sous la houlette du Groupe Restos Plaisir, l'ex-Astral s'est remis à «tourner» à plein régime. L'époque du buffet est révolue, place à une cuisine de bistro faite de produits locaux. Tout sauf ampoulée, la cuisine moderne du David Forbes réunit, sans être végétarienne, quantité de légumes et céréales en abondance. Au volet carné, les ris de veau méritent une mention spéciale. Autrement, il y a la vue époustouflante sur Québec vue de haut.

LA BÊTE BAR-STEAKHOUSE ★★★★
170-2875, bd Laurier, Québec
Tél.: 418-266-1717
SPÉCIALITÉS: Bar à huîtres. Gâteau de crabe, coulis de poivrons rouges. Salade de pieuvre et chorizo. Bœuf AAA vieilli à sec 40 à 70 jours. Blackvelvet, signé de Blanchet.
PRIX Midi: T.H. 16$ à 27$
Soir: C. 36$ à 116$ T.H. 38$ à 49$
OUVERTURE: Lun. à ven. 11h30 à 23h. Sam. et dim. 16h à minuit. Fermé 25 déc. et 1er janv.
NOTE: Vivier de homard. Salle de vieillissement, viande vieillie 55 jours. Service de boucherie (commande en ligne ou sur place, livraison possible). 400 étiquettes de vins. Salon privé (20 pers.). Réserv. en ligne sur le site Internet.
COMMENTAIRE: Prime et AAA-Certified Angus beef, La Bête n'offre que du bœuf de qualité supérieure ou vieilli à sec à déguster dans une atmosphère à la fois sophistiquée et décontractée. Un cellier à viande permet de voir les différentes coupes proposées. Le service est avenant; la carte des vins étoffée, le choix d'accompagnements est élaboré avec, notamment, la purée de pommes de terre et cubes de foie gras. Très bon choix d'huîtres sur glace, crevettes à la livre, excellent tartare de saumon et gâteau de crabe digne de mention. Excellentes côtes levées charnues. Un service de boucherie est offert.

LA FENOUILLIÈRE ★★★★
3100, ch. Saint-Louis, Québec
Tél.: 418-653-3886
SPÉCIALITÉS: Tartare de saumon et pétoncles à la fraise Fiset. Saumon en deux temps, sorbet orange safran. Médaillon de cerf des Appalaches, ragoût forestier au vin rouge. Tartelette Biskélia, confiture de framboise, glace Tonka.
PRIX Midi: T.H. 19$ à 28$
Soir: C. 62$ à 77$ T.H. 53$ à 66$
OUVERTURE: 7 jours 11h30 à 14h et 17h30 à 22h. Petit déjeuner de 7h à 11h. Fermé midi 25 déc.
NOTE: Carte suivant les produits de saison. Menu midi changeant tous les jours. Chef pâtissière sur place. Super cellier à température contrôlée. 500 étiquettes de vins. Grand choix de vins au verre. Sélection de plus de 40 portos.
COMMENTAIRE: Salle à manger élégante, claire et confortable, comportant plusieurs divisions. Une belle et fine cuisine classique qui offre des assiettes généreuses et bien présentées. Le service est ponctuel et professionnel. La carte des vins propose un bon choix de grands vins. Excellente sélection de vins au verre. Maison de bonne réputation qui pourrait oser davantage.

LE CHARBON ★★★★
450, rue de la Gare du Palais, Québec
Tél.: 418-522-0133
SPÉCIALITÉS: Pétoncles de mer au chardonnay. Ribsteak et steak de côte vieillis 40 jours à sec. Tartare de filet mignon Sterling Silver. Gâteau au fromage, caramel à la fleur de sel.
PRIX Midi: F. 16$ à 25$
Soir: C. 42$ à 105$ T.H. 38$
OUVERTURE: Lun. à ven. 11h30 à 22h. Sam. 17h à 23h. Dim. 17h à 22h. Fermé 24 déc.
NOTE: Grillades, fruits de mer et homard à l'année. Situé dans la magnifique gare du Palais, plafond à 30 pieds de haut, architecture unique. Certains plats sont gratuits pour les enfants. Vente au détail de coupes de viande certifiée Sterling Silver et condiments assortis. Cuisson au charbon de bois d'érable. Stationnement gratuit durée 2h30.
COMMENTAIRE: Une grilladerie classique, mais d'une constance qui ne se dément pas sur trois points, la qualité des viandes (et des poissons et fruits de mer), les coupes ainsi que les portions généreuses. Le service est précis, la carte des vins bien élaborée. Atmosphère chic, banquettes en cuir. Service de boucherie; un deuxième comptoir dessert le secteur Lebourgneuf.

LE CONTINENTAL ★★★★
26, rue Saint-Louis, Québec
Tél.: 418-694-9995
SPÉCIALITÉS: Langoustines flambées, salade césar. Sole de Douvres meunière. Canard à l'orange flambé. Filet mignon flambé en boîte (petite casserole). Ris de veau aux morilles. Poire au Pernod. Crêpes Suzette.
PRIX Midi: T.H. 15$ à 28$
Soir: C. 54$ à 113$ T.H. 59$
OUVERTURE: Lun. à ven. midi à 22h30. Sam. et dim. 17h30 à 22h30.
NOTE: Entrée d'or (dégustation de 4 mets vedettes). Homard flambé Newburg en saison. 350 étiquettes de vins. Service de voiturier gratuit.
COMMENTAIRE: Le Maxim de Québec. Spécialiste des flambées. Une des grandes tables situées dans la Vieille-Ville. Une véritable institution. L'une des dernières maisons où l'on sert encore le chateaubriand. Une adresse pour revenir aux sources d'une cuisine continentale classique.

MNBAQ RESTAURANT
signé Marie-Chantal Lepage ★★★★
Musée national des beaux-arts du Québec
1, rue Wolfe-Montcalm, Québec
Tél.: 418-644-6780
SPÉCIALITÉS: Foie gras poêlé, Tatin de betteraves jaunes, vinaigrette à l'érable. Joue de bœuf braisée doucement, purée de pommes de terre au wasabi, légumes racines. Pain perdu, compote de fraise.
PRIX Midi: T.H. 22$
Soir: C. 52$ à 66$
OUVERTURE: Dim. à mar. 10h à 18h. Mer. à sam. 11h à 14h et 17h à 22h. Fermé lun. début sept. à fin mai. Fermé 25 déc.

COMMENTAIRE: Le Musée national des beaux-arts du Québec a intégré une nouvelle artiste à ses collections permanentes. La chef Marie-Chantal Lepage y exerce dorénavant sa créativité et sa fougue dans un espace non seulement revampé, mais également ouvert selon l'horaire d'un véritable restaurant. La chef n'a pas fini de surprendre avec ses menus thématiques et surtout une cuisine axée sur les produits de proximité qui l'inspirent. Récemment, la chef a pris également place dans le nouveau pavillon Pierre-Lassonde. Au Tempéra, sa brigade propose une cuisine composée d'entrées et de plats à partager dans un cadre moderne et lumineux.

CORSE

PETITS CREUX & GRANDS CRUS ★★★
Bistrot et cuisine corse
1125, av. Cartier, Québec
Tél.: 581-742-5050
SPÉCIALITÉS: Calmars confits à l'ajaccienne. Carré d'agneau, aubergine fumée et chèvre. Côte de veau caramélisée à l'hydromel, cuite sous-vide. Planche de desserts corses.
PRIX Midi: F. 15$
Soir: C. 44$ à 54$
OUVERTURE: 18 mai au 15 sept. 7 jours 11h30 à 23h. Hiver: 15h à 23h.
NOTE: Le midi, pas d'entrée, seulement plat et dessert.
COMMENTAIRE: Initialement davantage un bar à vin qu'un restaurant, Petits creux & grands crus s'est fait connaître par ses planches à partager garnies de charcuterie et de fromages d'origine ainsi que de fruits de mer. Histoire de partager leurs racines corses, les propriétaires n'ont pas tardé à proposer des plats typiques comme le civet de sanglier, le brocciu maison apprêté et les petits gâteaux à base de farine de châtaigne. Un voyage sur l'île de Beauté. Excellent service conseil pour les vins, la plupart en importation privée.

CRÊPERIE

CRÊPERIE LE BILLIG ★★
481, rue Saint-Jean, Québec
Tél.: 418-524-8341
SPÉCIALITÉS: Cancalaise (pétoncles, fondue de poireaux, beurre blanc au citron). Béarn (galette de sarrasin, canard confit, épinards, fromage de chèvre, confit d'oignons rouges au vin rouge). Ris de veau sautés aux pleurotes, gratin de pommes de terre feuilleté. Salidou (caramel au beurre salé maison, crème Chantilly).
PRIX Midi: T.H. 14$ à 26$
Soir: C. 27$ à 47$
OUVERTURE: Lun. à ven. 11h à 22h. Sam et dim. 10h à 22h. Fermé 25 déc. et 1er janv.
NOTE: Crêpes bretonnes traditionnelles. Plan-

ches charcuterie, fruits de mer, végétarienne 10$. Plats bistro et choix à l'ardoise. 10 vins rouges, 10 vins blancs et 15 cidres français et québécois.
COMMENTAIRE: Une adresse sympathique à petits prix, où les crêpes copieuses sont garnies avec des assemblages originaux d'ingrédients. Également au menu de très bonnes soupes du jour et des plats bien mijotés, dont le cassoulet. Toujours aussi chaleureux, sympa et bon. Une chouette adresse pour goûter le quartier Saint-Jean-Baptiste à partir des tables près des grandes fenêtres.

FRANÇAIS

AUBERGE LOUIS-HÉBERT ★★★★
668, de la Grande-Allée E., Québec
Tél.: 418-525-7812
SPÉCIALITÉS: Foie gras de canard au torchon, brioche rôtie, huile de truffe. Navarin de homard décortiqué, pâtes fraîches, beurre de homard. Pot-au-feu de fruits de mer. Suprême de canard rôti. Carré d'agneau rôti en croûte d'olives et parmesan. Trio de trois chocolats (crème glacée). Gâteau au fromage et sirop d'érable.
PRIX Midi: F. 18$ à 22$
Soir: C. 42$ à 76$ T.H. 30$ à 59$
OUVERTURE: Lun. à ven. 11h30 à 14h30. 7 jours 17h à 23h. Fin juin à mi-oct., 7 jours 11h30 à 23h.
NOTE: T.H. midi changeant chaque jour, le menu aux quatre mois. Petit déjeuner en semaine l'été, 7h à 11h. Brunch fête des Mères et Pâques.
COMMENTAIRE: Une salle arrière au style moderne et épuré sert d'écrin à une cuisine classique dressée de manière plus contemporaine. La prestation générale s'avère plus constante que jamais. Au fil des ans, la cuisine du chef Hervé Toussaint ne perd ni sa grâce ni ce savoir-faire savoureux.

BISTRO B par François Blais ★★★★
1144, av. Cartier, Québec
Tél.: 418-614-5444
SPÉCIALITÉS: Risotto au goût du jour. Contrefilet de bœuf. Ris de veau en croûte de maïs, gnocchi aux chanterelles. Tartare au goût du jour. Crème brûlée du jour.
PRIX Midi: F. 13$ à 22$
Soir: C. 38$ à 65$
OUVERTURE: Lun. à ven. 11h30 à 14h. 7 jours 18h à 23h. Fermé 24, 25 déc., 1er janv. et le midi jours fériés.
NOTE: Cuisine ouverte, 18 places assises au comptoir devant celle-ci. Menu à l'ardoise. Terrasse pour l'apéro.
COMMENTAIRE: François Blais renouvelle son ardoise au quotidien (quelques choix d'entrées et plats bien ciblés) avec les produits de saison. Sa cuisine est goûteuse et inventive sans être inutilement complexe. Réservez au

comptoir pour observer sa brigade à l'œuvre. Le menu du midi se veut une introduction. À signaler le brunch de la fin de semaine ainsi qu'un volet cocktails très inspiré.

BISTRO LA COHUE ★★★
3440, ch. des Quatre-Bourgeois, Sainte-Foy
Tél.: 418-659-1322
SPÉCIALITÉS: Tartare de cerf avec foie gras. Ris de veau, sauce crème Frangelico. Boudin noir à la crème de cognac, pommes sautées et endives. Bagdad café, praliné, ganache au chocolat blanc, montée à la Chantilly, aromatisée de café.
PRIX Midi: T.H. 16$ à 25$
Soir: C. 38$ à 64$ T.H. 35$ à 51$
OUVERTURE: Lun. à ven. 11h30 à 22h. Sam. et dim. 9h30 à 22h. Fermé lun. jours fériés et du 24 déc. au 6 janv.
NOTE: Belle carte des vins. Choix de 25 vins au verre. Musique française. Groupe jazz sept. à juin sam. 18h à 21h30.
COMMENTAIRE: L'accueil chaleureux par les propriétaires de ce sympathique bistro se révèle une valeur ajoutée à une cuisine où les grillades (une mention spéciale pour les sauces) et les ris de veau se distinguent. Notez que la table d'hôte du midi, très étoffée, réserve de nombreuses surprises. Une salle à l'arrière permet les réunions.

CAFÉ DU MONDE ★★★[ER]
84, rue Dalhousie #140, Québec
Tél.: 418-692-4455
SPÉCIALITÉS: Foie à l'anglaise. Pavé de saumon grillé, salsa de mangue et coriandre. Boudin noir aux pommes et cidre de glace. Confit de canard à la sarladaise laqué au porto. Crème brûlée vanille. Riz au lait, crème à l'érable.
PRIX Midi: F. 15,50$ à 22$
Soir: C. 33$ à 57$ T.H. 34$ à 48$
OUVERTURE: Été: Lun. à ven. 11h30 à 23h. Hiver jusqu'à 22h. Sam. et dim. 9h à 23h.
NOTE: Suivant les arrivages, ardoise de poissons servis entiers. Carte des vins hebdomadaire, 60% d'importation privée, 150 étiquettes. Vin au verre et en demi-bouteille. Site exceptionnel, vue sur le fleuve.
COMMENTAIRE: Qui dit Café du Monde, dit plats classiques intouchables comme le boudin, le foie de veau et le confit de canard. Ces classiques s'arrosent d'une grande gamme de vins, du vin de soif aux crus classés. De nombreux festivals bonifient la carte régulière.

L'AFFAIRE EST KETCHUP
★★★ (bistro)
46, rue Saint-Joseph Est, Québec
Tél.: 418-529-9020
SPÉCIALITÉS: Poêlée de champignons sauvages. Pétoncles U10 poêlés, sauce vierge. Ris de veau, crème tartufata. Surlonge de bison de la ferme Takawana, purée de pommes de terre, sauce champignons. Brownie aux noix et au chocolat hyperfondant.
PRIX Midi: (fermé)

Soir: C. 35$ à 51$
OUVERTURE: Mar. à dim. deux services: 18h et 20h30. Fermé lun., 24, 25 et 31 déc, 1er janv. et 24 juin.
NOTE: Réserv. obligatoire. Produits du marché. Menu changeant tous les jours. Carte des vins d'importation privée à 100%, plusieurs vins biologiques. Bières de microbrasseries.
COMMENTAIRE: Spécialiste de la cuisine qui varie tous les jours sur l'ardoise. Une vraie adresse de cuisine du marché qui n'a pas perdu de sa pertinence ni de sa popularité. Les viandes braisées y sont excellentes et le prix des vins au verre est très raisonnable. Un petit bistro chaleureux où il faut impérativement réserver. Si la salle affiche complet, il est possible de réserver à Patente et Machin (82, rue Saint-Joseph Ouest), son «petit frère» ainsi qu'au Kraken Cru (190, rue Saint-Vallier Ouest), le bar à huîtres et dernier-né des associés derrière ces bistros bien implantés dans les quartiers Saint-Roch et Saint-Sauveur.

LA GIROLLE ★★★
1384, ch. Sainte-Foy, Québec
Tél.: 418-527-4141
SPÉCIALITÉS: Poêlée de fruits de mer. Boudin noir maison, caramel d'épices. Magret de canard aux petits fruits. Ris de veau braisés aux champignons sauvages. Crème brûlée aux saveurs variées. Gâteau au fromage.
PRIX Midi: F. 16$ à 26$
Soir: C. 30$ à 61$ F. 18$ à 40$
OUVERTURE: Mar. à ven. 11h30 à 14h. Mar. et mer. 17h30 à 21h. Jeu. à dim. 17h30 à 22h. Fermé lun. Fermé 24, 25, 26 et 31 déc., 1er et 2 janv. et 2 dern. sem. de juil.
NOTE: Carte à l'ardoise variant suivant les produits de saison. Desserts 4$ à 7$. Assiette de fromages du Québec/2 pers. 11,50$.
COMMENTAIRE: Bien que la décoration soit d'une sobriété extrême et le service parfois expéditif le midi, La Girolle constitue une adresse fiable pour déguster une cuisine française classique mais très bien faite, où les sauces sont exquises. L'assiette est très généreuse et toujours brûlante.

LA PLANQUE ★★★★
1027, 3e Avenue, Québec
Tél.: 418-914-8780
SPÉCIALITÉS: Huîtres canadiennes. Foie gras au torchon, compote de cerises et coing, pain brioché. Ris de veau en croûte, gourganes de l'Ontario, poireaux et chou, beurre noisette, citron et câpres. Parfait glacé, chocolat blanc et cardamome.
PRIX Midi: F. 15$ à 19$
Soir: C. 43$ à 56$
OUVERTURE: Mar. à ven. 11h30 à 14h. Mar. à sam. 17h30 à 22h. Fermé sam. midi, dim. et lun. Fermé 24 et 25 déc.
NOTE: Produits frais. Soir, menu gastronomique au comptoir cuisine 50$, accord mets et vins 35$, 6 à 12 pers. max. sur réserv. Salon privé pour 10 pers.

COMMENTAIRE: Le chef Olivier Godbout a quitté Le Cercle pour remplacer Guillaume St-Pierre à La Planque. Un bistro urbain où il propose une cuisine a priori simple, fraîche et tonique orientée sur les saisons. Sa carte tourne régulièrement ainsi que les garnitures toutes plus variées les unes que les autres. Une adresse qui combine qualité dans l'assiette et atmosphère décontractée et actuelle. Plus qu'une adresse tendance, La Planque démontre toujours le même sérieux et un bon niveau de créativité.

LAURIE-RAPHAËL ★★★★★
Restaurant Atelier Boutique
Restaurant de l'année Debeur 2005
117, rue Dalhousie, Vieux-Port, Québec
Tél.: 418-692-4555
SPÉCIALITÉS: Crème d'oursin, salade de couteaux de mer. Pince de homard, morilles et sauce Choron. Porcelet de Beau-Rivage aux saveurs des sous-bois. Soupe de fraises et rhubarbe, huile d'olive et basilic.
PRIX Midi: T.H. 30$ à 50$
Soir: T.H. 95$ à 145$
OUVERTURE: Jeu. et ven. 11h30 à 14h. Mer. à sam. 17h30 à 21h30. Fermé dim., lun. et mar., 24 et 25 déc. et 3 prem. sem. de janv.
NOTE: Menu du soir 8 serv. 95$, accord des vins 55$ à 80$. Menu 13 serv. 145$, accords des vins 80$ à 120$. Menu saisonnier. Vins au verre. Brunch fête des Mères, Pâques. Près du Musée de la civilisation. Stationnement à l'arrière.
COMMENTAIRE: Daniel Vézina et son fils Raphaël forment une équipe d'une très grande complémentarité. Leur complicité teinte positivement la prestation d'une assiette toujours axée sur les saveurs franches, l'innovation et les produits ultra-respectés. À la carte se greffent des événements ponctuels, comme le menu cabane à sucre et le brunch de la chasse, valorisant les plus nobles produits québécois. Le service est toujours aussi prévenant et professionnel sans être guindé. Nouvelle salle et sièges limités pour favoriser une expérience gastronomique optimale. Adjacent à l'établissement de prestige, le comptoir La Serre, dirigé par Raphaël Vézina, offre des jus frais et des repas santé sur le pouce.

LE BISTANGO ★★★★ (bistro)
Hôtel ALT Québec
1200, rue Germain-des-Prés, Sainte-Foy
Tél.: 418-658-8780
SPÉCIALITÉS: Ris de veau, spaetzle, légumes grillés. Risotto au homard, pétoncles poêlés. Onglet de bison, frites de pommes de terre douces, ail, parmesan, gras de canard. Dôme au caramel. Fondant au chocolat.
PRIX Midi: T.H. 16$ à 21$
Soir: C. 34$ à 79$ T.H. 35$ à 45$
OUVERTURE: Lun. à ven. 11h30 à 15h et 17h30 à 23h. Sam. 17h30 à 23h. Dim. 8h à 14h et 17h30 à 22h. Fermé midi jours fériés.

Fermé 24 déc., 24 juin et 1er juil. Petit déjeuner lun. à ven. 7h à 10h.
NOTE: Pâtes et pâtisseries maison. Bon choix de portos de réputation. Cellier réfrigéré 900 bouteilles.
COMMENTAIRE: Un décor contemporain et feutré met en valeur les cuisines respectives des chefs Sylvain Lambert et Annie Veillette qui cosignent une carte classique (tartares, ris de veau, carré d'agneau, etc.) sans être conventionnelle grâce à des garnitures foisonnantes. Service précis et alerte.

LE BISTROT CLOCHER PENCHÉ
★★★★ (bistro)
203, rue Saint-Joseph E., Québec
Tél.: 418-640-0597
SPÉCIALITÉS: Tartare de saumon au pamplemousse et poivre rose. Carré de porcelet de la ferme Turlo sauce à l'érable et cari. Boudin noir. Canaille de bistro en cocotte de terre cuite, servie à la table (2 pers.). Fromage frais maison, faisselle au sirop d'érable.
PRIX Midi: F. 17$ à 20$
Soir: C. 37$ à 52$
OUVERTURE: Mar. à ven. 11h30 à 14h. Sam. et dim. 9h à 14h. Mar. à sam. 17h à 22h. Fermé dim. soir et lundi. Fermé durant les fêtes de fin d'année et les deux prem. sem. de janv.
NOTE: Desserts maison. Belle carte de vins biologiques d'importation privée à 100%, 225 étiquettes. Ouvert sam. et dim. pour le brunch.
COMMENTAIRE: De plus en plus tourné vers la cuisine dite de réconfort, le Clocher penché apporte des notes contemporaines à la blanquette de veau, réinvente la cocotte à partager, tout en mettant les producteurs à l'avant-scène (Ferme Turlo, Ferme Eumatimi). Ce bistro est devenu au fil des ans une institution dans Saint-Roch et la prestation générale ne se dément pas. À noter que de plus en plus de plats végétariens bistronomiques sont inclus au menu du jour. Salé ou sucré, son fromage faisselle mérite la visite. Beau lieu de découvertes viticoles et superbe brunch.

LE BOUCHON DU PIED BLEU

★★★ (bistro)
181, rue Saint-Vallier O., Québec
Tél.: 418-914-3554
SPÉCIALITÉS: Cervelle de Canut. Tablier de sapeur: tripes de bœuf panées à l'anglaise. Quenelle de poisson sauce Nantua. Tripes à la lyonnaise, sauce tomate. Boudin traditionnel, pommes sautées, beurre de pomme. Buffet de desserts maison.
PRIX Midi: T.H. 16$ à 20$
Soir: C. 40$ à 57$ T.H. 45$ à 65$
OUVERTURE: Mer. à ven. 11h30 à 14h30 et 18h à 21h30. Sam. et dim. 10h à 14h. Sam. 18h à 21h30. Fermé lun., mar., 24, 25 déc., 3 sem. en janv. et 24 juin.
NOTE: Cuisine de bouchon lyonnais au Québec. Comptoir de charcuteries. Côtes-du-Rhône et beaujolais d'importation privée.

COMMENTAIRE: Ni plus ni moins qu'une référence à Québec pour déguster des abats selon les règles du bouchon lyonnais. À la carte, des cochonnailles, du foie gras, des tripes, de l'andouillette et un ragoût d'abattis, mais également des poissons et un plat végétarien pour ceux qui les préfèrent. Une table très prodigue, surtout si on opte pour le menu avec le défilé de saladiers, plats, desserts et fromages. Unique! L'établissement Le Renard et la Chouette (125, rue Saint-Vallier Ouest) fait également partie de la famille. Depuis peu, Émile Tremblay dirige la cuisine dans un esprit de continuité avec, en prime, sa spontanéité à l'assiette.

L'ÉCHAUDÉ ★★★★
73, rue Sault-au-Matelot, Québec
Tél.: 418-692-1299
SPÉCIALITÉS: Risotto au homard. Nage de poissons et mollusques au court-bouillon de homard. Tartare de saumon. Boudin noir maison, cubes de pancetta, foie gras. Confit de canard, salade et frites allumettes. Tarte au sucre.
PRIX Midi: T.H. 15$ à 22$
Soir: C. 37$ à 65$ F. 31$ à 47$
OUVERTURE: Lun. à ven. 11h30 à 14h30. Sam. 10h à 14h. Dim. 9h à 14h. 7 jours 17h30 à 22h. Fermé 25 déc.
NOTE: Achats locaux (viande). Carte des vins, 250 étiquettes. 25 choix de vins au verre. Bar.
COMMENTAIRE: Depuis 1984, L'Échaudé maintient le cap sur une cuisine fraîcheur qui concilie la tendance bistro (avec les tartares et grillades) et un volet de cuisine du marché plutôt recherché. Voilà une adresse constante où l'on boit bien dans une atmosphère de grand bistro parisien. Sa salle ne vieillit pas. Une institution. Très agréable terrasse piétonnière en saison.

LE GALOPIN ★★★★
3135, ch. Saint-Louis, Sainte-Foy
Tél.: 418-652-0991
SPÉCIALITÉS: Foie gras poêlé. Tartares (thon, pétoncles, canard fumé, saumon, bœuf). Ris de veau braisés, jus aux lardons et bière rousse. Rôti d'entrecôte façon Rossini, sauce truffe et échalote. Pyramide au chocolat noir.
PRIX Midi: T.H. 18$ à 25$
Soir: C. 57$ à 78$ T.H. 38$ à 58$
OUVERTURE: Lun. à ven. 11h30 à 14h. 7 jours 17h30 à 21h. Petit déjeuner lun. à sam. 7h à 10h, dim. 7h à 9h. Fermé 24, 25, 31 déc. et 1er janv. Fermé midi jours fériés.
NOTE: Bar à tartares. Menu soir 4 serv. Soir «menu plaisir à 2», à partir de 95$/2 pers., bouteille de vin incluse. Forfait pour repas et hébergement.
COMMENTAIRE: Présentation très soignée. Cuisine avec les produits du Québec. L'établissement est doté d'un bar à tartares dont la popularité, la qualité des produits et l'originalité des assemblages ne se démentent pas. Autour de ce bar qui fait office de table froide, les convives assistent à la confection de leur tartare (bœuf, saumon...) en direct. Service professionnel et aimable.

LE MOINE ÉCHANSON ★★★ (bistro)
585, rue Saint-Jean, Québec
Tél.: 418-524-7832
SPÉCIALITÉS: Huîtres fraîches. Carpaccio de loup marin. Os à mœlle, magret de canard, foie de lotte, œufs de mulet. Caillette braisée, légumes racines. Gâteau aux panais et cannelle.
PRIX Midi: F. 10$
Soir: C. 28$ à 39$
OUVERTURE: 7 jours 11h30 à 23h. Fermé 24 au 26 déc. et 1er janv.
NOTE: Brouet commun 8$. Formule midi sandwich et verre de vin 10$. Formule bouchées: 11h à 17h et après 23h. Chaque saison, une région vinicole est à l'honneur dans le verre et dans l'assiette. Carte des vins, natures d'importation privée à 100%. Jeu. 5 à 7, verre de vin ou bière 5$ à 7$, assiette apéro 5$.
COMMENTAIRE: Découvertes viticoles des grands terroirs du monde et cuisines régionales sont ici indissociables. Bien sûr, les cochonnailles occupent un large pan de la carte, mais au fil des ans plus de poissons et de fruits de mer, ainsi que certains mets moins carnés, ont été introduits à l'ardoise saisonnière. Excellent service-conseil sur les vins.

LE QUAI 19 ★★★★
48, rue Saint-Paul, Québec
Tél.: 418-694-4448
SPÉCIALITÉS: Huîtres fraîches des Maritimes, garniture maison. Boudin noir et pétoncles des Îles de la Madeleine, purée de patates douces au miel et aux herbes. Risotto lié au fromage fin d'ici, fleur d'ail et trompettes de la mort, chanterelles du Québec. Crème brûlée au maïs, framboises du Québec, sphère de framboise.
PRIX Midi: F. 15$ à 22$
Soir: C. 44$ à 58$ T.H. 45$
OUVERTURE: 7 jours 11h30 à 14h30 et 17h à 22h.
NOTE: Carte des vins, 90% d'importation privée.
COMMENTAIRE: Le Quai 19 a su rapidement s'imposer dans le secteur du Vieux-Port comme une table locale, courte certes, mais dont l'équilibre dans les propositions (viandes, poissons, pâtes) rallie systématiquement tous les convives. Les présentations sont toujours aussi élégantes et travaillées sans perdre au change une forme de spontanéité. À noter que les entrées s'avèrent particulièrement inspirantes avec les huîtres et les tomates (en saison) traitées avec égard.

LE SAINT-AMOUR ★★★★★
Restaurant de l'année Debeur 2011
48, rue Sainte-Ursule, Québec
Tél.: 418-694-0667
SPÉCIALITÉS: Poêlée chaude de foie gras. Ris de veau et crevettes sauvages, gnocchis à la

truffe. Pigeonneau, cuisse farcie et confite au foie gras, suprêmes rôtis, purée de légumes, jus de presse aux abats, pleurotes biologiques des Appalaches. Distinction de chocolat Valrhona.
PRIX Midi: T.H. 18$ à 33$
Soir: C. 77$ à 103$ T.H. 68$
OUVERTURE: Lun. à ven. 11h30 à 14h. Sam. 17h30 à 22h30. Dim. à ven. 18h à 22h. Fermé les midis sam. et dim. Fermé 24 juin, 1er juil. et entre Noël et jour de l'An.
NOTE: Menu 4 serv. 68$. Menu dégustation 9 serv. 115$, accord des vins possible. Cave à vins, 13 000 bouteilles, 90% d'importation privée. Caviar de la Colombie-Britannique. «Notre Signature», palette gourmande de mignardises: chocolats, verrines, macarons et multiples tentations. Service de traiteur. Voiturier.
COMMENTAIRE: Établissement ouvert depuis 1978, où le foie gras est toujours l'un des produits privilégiés (en terrine, poêlé, etc.) et où les meilleurs produits (cerf de Boileau, pigeonneau Turlo, etc.) sont traités avec déférence. Dans ce restaurant de haut calibre, un service extrêmement courtois contribue à l'expérience. Des chefs étrangers viennent ponctuellement présenter leurs spécialités à l'invitation de Jean-Luc Boulay dont la réputation n'est plus à faire. De plus en plus, le chef introduit des produits tirés de la forêt boréale à ses menus. Carte des vins d'exception.

LES FRÈRES DE LA CÔTE
★★★ (bistro)
1129, rue Saint-Jean, Québec
Tél.: 418-692-5445
SPÉCIALITÉS: Pissaladière. Tartare de saumon. Foie gras de canard, brioche grillée, gelée de Fariquet. Croûtons de chèvre chaud. Bouillabaisse. Bavette de cheval, frites et salade. Foie de veau à la paysanne. Verrine tarte à la lime des Keys.
PRIX Midi: F. 12$ à 19$
Soir: C. 32$ à 54$ T.H. 28$
OUVERTURE: Lun. à ven. 11h30 à 22h. Sam. et dim. 10h30 à 22h.
NOTE: Moules-frites à volonté tous les jours, sauf juil. et août. Pizzas pâte mince authentique. Cellier vitré en salle. Très belle carte des vins d'importation privée à 20%.
COMMENTAIRE: Un rendez-vous dans le Vieux-Québec pour un repas gourmand dans le sens de l'abondance et de la générosité. On y sert toujours une cuisine de type bistro au sens littéral (parfois conventionnelle), mais qui fait mouche comme le gigot d'agneau. Un lieu animé et une équipe en salle très sympa. Le fait de déménager n'a pas altéré l'âme de ce bistro. Au contraire, l'adresse gagne en modernité. De quoi séduire une nouvelle clientèle.

LES SALES GOSSES ★★★★ (bistro)
620, rue Saint-Joseph E., Québec
Tél.: 418-522-5501

SPÉCIALITÉS: Tartare de saumon ou de bœuf, frites et salade. Ris de veau, sauce au foie gras. Glaces et sorbets maison.
PRIX Midi: C. 22$ à 34$
Soir: C. 43$ à 53$
OUVERTURE: Lun. à ven. 11h30 à 14h30. Mar. et mer. 18h à 21h30. Jeu. à sam. 18h à 22h30. Fermé dim. et lun. soir.
NOTE: Menu dégustation «à l'aveugle» 6 serv. 60$, accord des vins 30$. Portes accordéons s'ouvrant sur la rue l'été. Cave à vin 90% d'importation privée.
COMMENTAIRE: Les Sales Gosses conjuguent bistronomie et terroir au travers d'une carte qui tourne et valorise les produits de saison et les artisans locaux. On y trouve un bon choix de vins à prix doux, et la cuisine témoigne d'un souci d'amener plus loin le concept de bistro. Le service est décontracté, et après un peu plus d'un an d'activité l'adresse s'impose en véritable bistro de quartier, très prisé le midi.

PANACHE ★★★★[ER]
Auberge Saint-Antoine
10, rue Saint-Antoine, Québec
Tél.: 418-692-1022
SPÉCIALITÉS: Navet du Québec, curry, fromage de chèvre. Pétoncles rôtis, chou-rave, roses sauvages. Cerf en 2 façons, artichauts, pois des Dunes. Millefeuille au caramel.
PRIX Midi: T.H. 20$ à 32$
Soir: C. 68$ à 103$
OUVERTURE: Lun. à ven. midi à 14h. 7 jours 18h à 22h.
NOTE: Situé dans un ancien entrepôt maritime sous un plafond cathédrale. Menu signature 9 serv. 125$, accord vins 95$ ou 130$. Brunch jour de l'An, Noël, Pâques et fête des Mères. Très beau cellier, choix de 700 étiquettes et plus de 12 000 bouteilles. Auberge Saint-Antoine avec exposition d'artefacts. Quatre établissements saisonniers: Panache mobile à l'Île d'Orléans et à Québec, Café de la promenade au Quai des Cageux et Panache du parc dans le Bois-de-Coulonge à Sillery.
COMMENTAIRE: Au moment de mettre sous presse, nous apprenons que le chef des cuisines, Louis Pacquelin, quitte pour Shanghai. Il est remplacé temporairement par son sous-chef, le Québécois Julien Ouellet. Voici une table qui allie élégance, savoir-faire et terroir québécois. Les plats témoignent d'un grand raffinement sans pour autant négliger l'élément épicurien (portions plus généreuses, classiques revisités, etc.). Service très courtois. Cadre patrimonial d'exception alliant confort et modernisme. Salle à manger fraîchement rénovée.» À suivre...

PARIS GRILL ★★★[ER] (bistro)
Complexe Jules-Dallaire
2820, bd Laurier, Québec
Tél.: 418-658-4415
SPÉCIALITÉS: Saumon en cubes fumé maison, purée d'avocats. Grands crus de tartare

(12 sortes). Grillades. Côtes levées de Paris Grill. Trio de crème brûlée.

PRIX Midi: F. 14$ à 28$

Soir: C. 27$ à 72$ T.H. 32$ à 41$

OUVERTURE: Dim. à mar. 11h à 22h. Mer. à sam. 11h à 23h. Petit déjeuner lun. à ven. 7h à 11h, brunch sam. et dim. 8h à 14h. Fermé 24 déc. au soir et 25 déc.

NOTE: Spécialités tartares et grillades. Carte des vins 80 à 90% d'importation privée. Stationnement souterrain gratuit.

COMMENTAIRE: Une belle brasserie à l'ambiance parisienne où, avec quelques plats mijotés, les steaks frites et les tartares ont la vedette. Retenez la vaste sélection de vins au verre, le service professionnel et décontracté ainsi qu'une carte réjouissante de desserts.

RESTAURANT CHAMPLAIN ★★★★
Fairmont le Château Frontenac
1, rue des Carrières, Québec
Tél.: 418-692-3861

SPÉCIALITÉS: Escalope de foie gras de Marieville. Pétoncles des Îles de la Madeleine. Morue d'Islande rôtie sur la peau. Longe d'agneau du Québec en croûte de pistaches. Patte de pieuvre confite et grillée aux agrumes. Filet de bœuf Île-du-Prince-Édouard, aligot de pommes de terre. Barre de crème brûlée pralinée.

PRIX Midi: (fermé)

Soir: C. 59$ à 89$

OUVERTURE: Mar. à dim. 18h à 22h. Fermé lun. sauf en été.

NOTE: Plusieurs formules de table d'hôte à Champlain, certaines mettent à l'honneur des accords avec les vins. Expérience Modat: menu à l'aveugle, selon les arrivages du jour, 5 serv. 99$, accords des vins 70$. Cellier à fromages du Québec dans le Restaurant Champlain. Carte des vins, plus de 400 étiquettes. Verrière couverte.

COMMENTAIRE: Le chef Stéphane Modat (anciennement de L'Utopie) a pris la charge de la cuisine du Champlain. D'origine française, le jeune chef préconise une cuisine sophistiquée qui allie produits locaux, tradition française et une conception moderne de la gastronomie québécoise. À Champlain, Modat a trouvé un espace pour exprimer sa créativité et sa compréhension des produits. Il sert une cuisine à la fois réfléchie et sensuelle. Quant au bistro évolutif, Le Sam, on y avance une carte plus légère dans un cadre moins formel avec son agréable bar à cocktails. Autre destination au sein de l'établissement, le bar 1608 combine une grande sélection de vins au verre, des assiettes de fromages et de charcuteries québécoises.

RESTAURANT INITIALE ★★★★★
54, rue Saint-Pierre, Québec
Tél.: 418-694-1818

SPÉCIALITÉS: Crème de petits pois frais du Québec, jambon blanc maison, morilles du Québec. Saumon Sockeye mi-cuit à l'oignon

fumé, oignon nouveau, mousse de ciboulette, radis, pommes nouvelles et capucines. Cuisse de canard confite, poitrine rôtie, sauce cerises, navet glacé. Tiges de rhubarbe compressées à la fraise.

PRIX Midi: T.H. 25$ à 33$

Soir: C. 105$ à 113$ T.H. 95$

OUVERTURE: Mar. à ven. 11h30 à 13h30. Mar. à sam. 17h30 à 21h. Fermé dim., lun. et 3 sem. en hiver.

NOTE: Menu dégustation 8 serv. 149$, avec vins au verre si désiré + 119$.

COMMENTAIRE: Malgré la présence de grands chefs dans la région, Yvan Lebrun conserve un statut à part, celui d'orfèvre en cuisine. C'est probablement l'un des meilleurs chefs au Québec. Sa table en est une de prestige, de la mise en bouche jusqu'au dessert. De l'art à l'assiette, et ce, toujours au service des produits les plus frais, rares et fins qui soient. Le service est d'une discrétion et d'un raffinement supérieurs. La salle est dirigée avec doigté et prévenance par Rolande Leclerc. L'atmosphère est relativement formelle.

RESTAURANT LE GRAFFITI
★★★★[ER]
1191, av. Cartier, Québec
Tél.: 418-529-4949

SPÉCIALITÉS: Feuilleté crevettes et pétoncles, beurre blanc aux épinards. Ris de veau, pommes et calvados. Escalope de veau, cheveux d'ange et légumes. Risotto de fruits de mer, crevettes, pétoncles géants, moules et palourdes. Trilogie de canard (fondant de foie de canard, cuisse confite et magret fumé). Tarte aux pommes, sauce à l'érable.

PRIX Midi: T.H. 16$ à 27$

Soir: C. 40$ à 72$ T.H. 38$ à 44$

OUVERTURE: Lun. à ven. 11h30 à 14h30. Dim. à jeu. 17h à 23h. Ven. et sam. 17h à 23h30. Dim. 10h à 15h. Fermé midi le sam. ainsi que les 31 déc. et 1er janv. Fermé 25 déc., 24 juin, 1er juil. et jours fériés.

NOTE: Restaurant ouvert sur la rue, belle verrière, vue sur la rue Cartier. Pâtisseries maison. Cave à vin 4 500 bouteilles, carte de vins 450 choix. Gagnant du Wine Spectator depuis 1990.

COMMENTAIRE: L'un des doyens de l'avenue Cartier, Le Graffiti demeure un classique, non dépourvu d'une volonté d'actualiser, sans la changer radicalement, sa cuisine intemporelle. Cave de réputation. Service courtois. Salons privés très intimes. Verrière toujours très convoitée par la clientèle. Décor moderne dans la salle à manger. Brunch à l'assiette de grande qualité le dimanche.

RESTAURANT SIMPLE SNACK SYMPATHIQUE ★★★ (bistro)
71, rue Saint-Paul, Québec
Tél.: 418-692-1991

SPÉCIALITÉS: Écrasé de boudin maison, pommes de terre à la moutarde, chutney de pom-

mes vertes. Tartare de saumon au sésame, avocat. Cuisse de canard confite, risotto au jus de betterave, fromage de chèvre, huile de noisette. Pot de fromage, espuma de caramel, crumble.
PRIX Midi: F. 15$ à 23$
Soir: C. 30$ à 53$
OUVERTURE: Lun. à ven. 11h30 à 22h30. Sam. et dim. midi à 22h30 en saison estivale. Hiver (nov. à mai) même horaire sauf sam. et dim. 17h à 22h30.
NOTE: Très grand choix de vins d'importation privée (85%), large sélection de vins au verre. Aucune réserv. sur la terrasse.
COMMENTAIRE: Petite table du Toast!, SSS offre une version simplifiée de la gastronomie du premier avec des tartares bien relevés et des grillades de bœuf Angus AAA. Bel endroit pour bien manger en famille ou entre amis.

RESTAURANT TOAST! ★★★★★
Hôtel Le Priori
17, rue Sault-au-Matelot, Québec
Tél.: 418-692-1334
SPÉCIALITÉS: Filet de poisson et pétoncles saisis au beurre noisette, céleri-rave à la truffe. Foie gras Canard Goulu au torchon, confit, roulé en poudre de jus de canard à la cardamome, poudre pistache et cèpe, gelée de Chicoutai, sirop au romarin, brioche maison. Chocophile Valhrona: bleuets du Québec mi-séchés, ganache lisse au chocolat au lait, crémeux Valhrona blanc, yaourt et caramel de bleuets translucide.
PRIX Midi: (fermé)
Soir: C. 59$ à 87$
OUVERTURE: Dim. à jeu. 18h à 22h30. Ven. et sam. 18h à 23h.
NOTE: Carte des vins avec de grandes appellations. 60% d'importation privée.
COMMENTAIRE: Toast! ne perd ni de sa pertinence ni de ces éclats d'ingéniosité dans l'assiette. À sa carte, des plats et des entrées qui tournent mais qui ont pour point commun d'avoir bâti la réputation de la maison au fil des ans. Crostini aux champignons frais (avec mozzarella di bufala), bloc de bison rôti du Québec, tarte aux champignons et poireau façon rösti de pomme de terre à l'ail noir... que de grands produits (dont bien sûr le foie gras du Canard Goulu) stimulent le chef Christian Lemelin. Excellent service très attentionné. Très belle terrasse chauffée et couverte dans une romantique cour intérieure.

GREC

LE MEZZÉ ★★★
299, rue Saint-Paul, Québec
Tél.: 418-692-5005
SPÉCIALITÉS: Calmars farcis aux poivrons de Florina et fromage manouri. Pieuvre grillée, lit d'oignons rouges, réduction de balsamique. Moussaka, gratin d'aubergines à l'agneau. Gâteau au fromage feta et trilogie de figues.
PRIX Midi: F. 14$ à 20$
Soir: C. 24$ à 52$
OUVERTURE: 1er oct. au 1er juin, ouvert soir seul. Sam., dim. et mar. 17h à 22h. Mer. à ven. 11h à 22h. Fermé lun., 24, 25, 31 déc., 1er janv et 3 prem. sem. de janv.
NOTE: Réserv. conseillée. Repas à emporter. Arrivage régulier de poissons frais. Fromages importés de Grèce. Carte des vins 100% d'importation privée. Alcools exclusivement grecs.
COMMENTAIRE: Le Mezzé sert de l'authentique cuisine grecque familiale avec plusieurs produits (côtelettes d'agneau, pieuvre, crevettes, etc.) vendus au poids. Tout est préparé à la minute comme dans les restaurants de bord de mer. Les calmars farcis sont extrêmement bien faits. En salle, les propriétaires sont très avenants et savent bien conseiller les clients. Jolie terrasse.

INTERNATIONAL ET MÉTISSÉ

AVIATIC - Resto - Cabaret ★★★★
450, rue de la Gare du Palais, Québec
Tél.: 418-522-3555
SPÉCIALITÉS: Crevettes à la noix de coco. Pieuvre grillée, steak de porcelet, tomates de serre et espuma de bocconcini. Noisette de cerf rôti à la mélasse et bourbon, duxelles de champignons nobles, épinards, polenta frite. Gâteau truffé au chocolat.
PRIX Midi: F. 17$ à 24$
Soir: C. 46$ à 70$ T.H. 42$
OUVERTURE: Lun. à jeu. 11h30 à 22h. Ven. 11h30 à 23h. Sam. 17h à 23h. Dim. 17h à 22h. Fermé Noël, midi jours fériés, lundi de Pâques et Action de grâces.
NOTE: Situé dans le Vieux-Port de Québec. Nouvelle ambiance. Soirées musicales mar. à dim., parfois avec piano à queue. Menu du soir pour deux, avec le vin 120$ (prix variable selon le menu).
COMMENTAIRE: En se dotant d'un volet cabaret, l'Aviatic ne délaisse pas sa mission première: offrir une cuisine actuelle alliant fraîcheur, produits locaux et bien des élans de créativité. S'éloignant de la veine asiatique, l'effort se ressent davantage dans les garnitures végétales, toujours d'une élégante simplicité, et les alliances aussi audacieuses que la pieuvre et le flanc de porc. Resto apprécié par une clientèle BCBG. Très bel endroit pour l'apéritif. Carte des vins étoffée.

LE 47e PARALLÈLE ★★★[ER]
333, rue Saint-Amable, Québec
Tél.: 418-692-4747
SPÉCIALITÉS: Foie gras poêlé sur pain brioché, ketchup aux fruits maison. Tartare de saumon et crevettes nordiques, pesto de coriandre, pistaches, piment jalapenos. Crème brûlée maison à la pêche et fruits à coque, crumble miel, biscuit financier.

PRIX Midi: C. 13$ à 18$
Soir: C. 38$ à 71$
OUVERTURE: Mar. à ven. 11h30 à 14h et
17h à 21h30. Sam. et dim 17h à 22h. Fermé
lundi, 24 et 25 déc.
NOTE: Menu gastronomique 70$, accord mets
et vins 25$ en plus. Service de traiteur. Ouvert
depuis 1996.
COMMENTAIRE: Le 47e Parallèle fait face au
Grand Théâtre, sa salle est design et moderne,
sa terrasse très belle. Maintenant plus éclec-
tique que mondialiste, il tire davantage son
épingle du jeu. Moins éparpillée, plus cohéren-
te, la carte s'articule autour de produits nobles
tels que le flétan et la pintade. Ce sont les
garnitures, par exemple les dattes et les épices
avec la volaille, qui soulignent les influences des
cuisines d'ailleurs. Très bons tartares.

LE CENDRILLON ★★★★
1039, 3e Avenue, Québec
Tél.: 418-914-9838
SPÉCIALITÉS: 1/4 de homard de Gaspésie,
ravioli maison, poêlée de morille. Jambon de
bajoue. Ris de veau poêlés, polenta frite, sauté
de champignons, chorizo maison, sauge et
sauce Albufera. Porchetta maison poêlée, sauce suprême au vin blanc, mouillette.
PRIX Midi: (fermé)
Soir: C. 21$ à 39$
OUVERTURE: Mar. à dim. 16h à minuit. Fermé lun. et du 25 au 29 déc.
NOTE: Buffet à huîtres, charcuteries maison.
Sashimis de poisson d'arrivage. Carte des vins
du Québec et du Canada.
COMMENTAIRE: En plus des plateaux à
partager, Le Cendrillon mise sur la formule
entrées chaudes et froides travaillées à la manière d'un plat avec un foisonnement de garnitures. La porchetta maison en duo avec un
fromage du Québec ainsi que le risotto à la
moelle et aux crevettes de roche s'illustrent
comme des incontournables de la jeune adresse, où il fait bon commander deux ou trois de
ces petits plats de pur bonheur. Carte de cocktails allumée et décor brut et chaleureux très
rassembleur.

LE COSMOS CAFÉ ★★
575, Grande-Allée E., Québec
Tél.: 418-640-0606
SPÉCIALITÉS: Salade asiatique, crevettes tigrées, poulet mariné frit, rouleaux impériaux,
noix de cajou, légumes d'inspiration asiatique
et vinaigrette thaïlandaise. Tartare de saumon
ou de bœuf. Duo de filet mignon AAA et de
côtes levées. Cuisse de canard confite. Burger
Highland, cheddar mi-fort, bacon, oignons
frits, champignons sautés. Crémeux de trois
chocolats belges.
PRIX Midi: F. 12$ à 18$
Soir: C. 25$ à 52$
OUVERTURE: Dim. à jeu. 11h à 22h. Ven. et
sam. 11h à minuit. Petit déjeuner 7 jours, 7h
à 14h la sem. et 8h à 15h la fin de sem. Fermé
25 déc. et 1er janv.

COMMENTAIRE: Le Cosmos accueille une
clientèle qui aime les atmosphères branchées.
La carte est diversifiée (grillades d'inspiration
asiatique, pâtes, burgers, pizzas, sandwichs,
etc.) et les petits déjeuners sont l'une des forces
de ce resto-bar tendance. Au Cosmos de Québec, Sainte-Foy et Lévis s'est joint récemment
un Cosmos dans le secteur Lebourgneuf. Avec
son décor ludique, ce dernier obtient la faveur
des enfants.

LE MONASTÈRE DES AUGUSTINES
★★★
77, rue des Remparts, Québec
Tél.: 418-694-1639
SPÉCIALITÉS: Joue de bœuf braisée, sauce
canneberge et oignons doux, purée de carottes, légumes rôtis. Suprême de poulet grillé au
cari, épinards, edamames, carottes, vinaigrette
coco-lime. Truite saumonée laquée à l'érable
et tamarin, salade croquante de kale, chou
rouge et fèves germées. Chili végétarien au
tofu, courge spaghetti aux herbes, verdurette
et graines de tournesol.
PRIX Midi: T.H. 21$
Soir: T.H. 29$
OUVERTURE: 7 jours midi à 14h et 18h à
20h30. Petit déjeuner 7h à 9h30.
NOTE: Produits locaux et saisonniers. Petit déjeuner en silence. Tisanes historiques des plantes des Augustines.
COMMENTAIRE: Le restaurant du monastère
élève la cuisine végétarienne, crue ou non, à
un niveau gastronomique. En plus des légumes
biologiques et des pousses cultivées sur place,
la carte qui évolue au rythme des saisons et des
arrivages locaux s'additionne de quelques viandes triées sur le volet et de poissons, tous apprêtés avec inspiration et créativité. À noter la
sélection de vins québécois et de tisanes et
infusions concoctées à partir de recettes ances-
trales des Augustines.

MONTEGO RESTO CLUB ★★★
1460, rue Maguire, Sillery
Tél.: 418-688-7991
SPÉCIALITÉS: Tataki de thon, vinaigrette aux
5 épices, mangue fraîche, wasabi et mayonnai-
se japonaise. Côte de veau de lait Charlevoix,
tapenade d'olives noires calamata et romarin,
risotto forestier. Beignets maison, coulis de
caramel à l'érable.
PRIX Midi: T.H. 15$ à 31$
Soir: C. 34$ à 74$ T.H. 35$ à 50$
OUVERTURE: Lun. à ven. 11h30 à 14h30.
Lun. et mar. 17h à 22h. Mer. à sam. 17h à
23h. Dim. 9h30 à 14h30 et 17h à 22h.
Fermé sam. midi., 25 déc. et 1er juil.
NOTE: Musiciens mer. à sam. soir dès 19h.
DJ, jeu. à sam. 21h à 1h du mat. Cave à vin
2 000 bouteilles. On peut réserver le chef pour
un menu sur mesure, à partir de 47$, 25 à 80
pers., et aussi le salon à l'étage avec le chef qui
cuisine devant nous.
COMMENTAIRE: Un restaurant qui obtient
toujours la cote parmi ceux qui recherchent

une atmosphère festive et un menu varié. Plusieurs dégustations sous forme de déclinaisons (saumon, bœuf, etc.), les assiettes sont copieuses et colorées. Les pâtes sont préparées en demi-portions et le veau y est très bien apprêté. Salons intimes pour les groupes.

ITALIEN

BELLO RISTORANTE ★★★
73, rue Saint-Louis, Québec
Tél.: 418-694-0030
SPÉCIALITÉS: Antipasto. Pizza au four à bois. Risotto à la bajoue de veau braisée. Tagliatelles à l'encre de seiche et aux fruits de mer, bisque au pastis. Pizza dessert à la pomme caramélisée au calvados.
PRIX Midi: F. 16$ à 20$
Soir: C. 38$ à 91$
OUVERTURE: 7 jours 11h30 à 23h30. Fermé 24 et 25 déc.
NOTE: Ardoise du chef le soir. 15 choix de risottos. Carte des vins, 70% d'importation privée, 100 étiquettes. Magnifique verrière, très belle vue sur l'église. Salon privé (16 pers.). Service de voiturier gratuit.
COMMENTAIRE: Il Bello rajeunit le secteur de la rue Saint-Louis avec une restauration italienne à la mode sans que ce ne le soit au détriment de la qualité. Les pâtes très variées et gourmandes comme le spaghetti au canard et foie gras au torchon sont servies en deux formats. La carte de risottos est l'un des éléments forts du menu en raison de l'originalité des combinaisons d'ingrédients, dont le trio morue poêlée, pois verts et mascarpone. Belle terrasse à l'arrière. Personnel courtois.

CICCIO CAFÉ ★★★
875, rue Claire-Fontaine, Québec
Tél.: 418-525-6161
SPÉCIALITÉS: Tartares de truite fumée, de bœuf, de saumon. Filet de saumon mariné au saké, grillé à la japonaise. Escalope de veau, champignons, pancetta. Tortellini au gorgonzola et pesto de tomates séchées. Osso buco. Tiramisu au café. Crème brûlée à l'orange.
PRIX Midi: T.H. 14$ à 23$
Soir: C. 24$ à 47$ T.H. 27$ à 39$
OUVERTURE: Mar. à ven. 11h30 à 14h. Mar. à dim. 17h à 22h. Fermé lun., 24 et 25 déc.
NOTE: Musique d'ambiance et téléviseurs.
COMMENTAIRE: Excellentes pâtes et veau de lait. Très populaire pour dîner avant ou après le spectacle. Service attentionné. Décor moderne agréable, murs de pierres, miroirs, grandes baies vitrées. Un restaurant qui pratique toujours une politique de prix abordables au grand plaisir d'une clientèle fidèle.

♥ RISTORANTE IL MATTO ★★★
850, av. Myrand, Sainte-Foy
Tél.: 418-527-9444
SPÉCIALITÉS: Agnelotti farcis avec veau et épinards, sauce à la crème, prosciutto, champignons, pesto. Salade Rucola, prosciutto et copeaux de parmesan. Papardelles aux champignons sauvages à l'huile de truffe. Cannoli à la sicilienne. Bomba (beignet frit au chocolat). Tiramisu.
PRIX Midi: F. 14$ à 19$
Soir: C. 36$ à 57$
OUVERTURE: Lun. à ven. 11h30 à 15h. Lun. à mer. et dim. 17h30 à 22h30. Jeu. à sam. 17h à minuit. Fermé 24 déc. et 1er janv.
COMMENTAIRE: Une adresse à la mode très conviviale. La carte est courte, mais recèle des recettes familiales réconfortantes, dont les aubergines parmigiana et d'excellentes pâtes aux champignons. Un très bon rapport qualité-prix. Il Matto dans le Vieux-Port propose un cadre BCBG et design au cœur de l'Hôtel 71.

RISTORANTE IL TEATRO ★★★
(Le resto du Capitole)
972, rue Saint-Jean, Québec
Tél.: 418-694-9996
SPÉCIALITÉS: Pétoncles rôtis tièdes, sauce miel et moutarde, tomates, basilic. Raviolis farcis de canard, sauce beurre et parmesan. Côte de veau grillée, sauce à la crème de cèpes, gratinée de fromage brie. Tendre de veau aux poires, gorgonzola, noix de pin, gratin dauphinois, légumes, ail confit. Tarte aux fruits des bois, crème pâtissière.
PRIX Midi: T.H. 17$ à 21$
Soir: C. 42$ à 69$ T.H. 36$ à 55$
OUVERTURE: 7 jours 11h à minuit. Petit déjeuner lun. à ven. 7h à 11h, sam. et dim. 7h à 13h.
NOTE: Assiette de fromages 15$. Assiette 7$ à 16$ au déjeuner. 24 choix de pâtes. Pâtes sans gluten. Menu santé, midi 17$. Salle de spectacle. Service de voiturier gratuit en tout temps.
COMMENTAIRE: Une belle table pour déguster les pâtes et les risottos. Grande sélection d'entrées authentiquement italiennes, ainsi qu'un très bon carpaccio. Superbe terrasse avec vue sur la place d'Youville, où il faut réserver. En plus de la grande sélection de pâtes et de veau (dont l'escalope alla milanese), on y trouve des tartares sans fioritures inutiles et des planches à partager à l'apéro.

RISTORANTE MICHELANGELO ★★★★
3111, ch. Saint-Louis, Saint-Foy
Tél.: 418-651-6262
SPÉCIALITÉS: Antipasto. Carpaccio de bœuf. Bisque de crabe de Havre-Saint-Pierre. Foie gras poêlé, lentilles, pain brioché. Saisie de ris de veau au porto, risotto florentine. Glaces maison. Mi-cuit au chocolat.
PRIX Midi: T.H. 19$ à 30$
Soir: C. 33$ à 66$ T.H. 32$ à 45$
OUVERTURE: Lun. à ven. midi à 14h30. Lun. à sam. 17h30 à 21h30. Fermé dim. et 24 déc.
NOTE: Pâtes maison. Souper dans la cave. Beau choix de vins italiens. Visite de la cave à vin et de ses grands crus, 30 000 bouteilles.

Terrasse pour l'apéritif. Salon privé (8 à 25 pers.).
COMMENTAIRE: Une belle cuisine italienne très classique, notamment de succulentes pâtes fraîches. Décor design et service stylé, salons privés luxueux, très beaux celliers dans plusieurs salons. Nombreux espaces pour les réceptions intimes.

SAVINI ★★★
680, Grande-Allée E., Québec
Tél.: 418-647-4747
SPÉCIALITÉS: Fondue de parmesan. Tartare de saumon. Risotto aux fruits de mer. Fettucine au canard confit. Carré d'agneau, risotto aux champignons. Lasagne à la chair de saucisse. Tiramisu. Tarte au citron.
PRIX Midi: T.H. 16$ à 20$
Soir: C. 36$ à 73$ T.H. 38$
OUVERTURE: 7 jours 11h30 à minuit. Fermé 24 et 25 déc.
NOTE: Pâtes fraîches maison. Table du chef dans le cellier. Petit menu jeu. à sam. 23h30 à 1h du mat. Service de valet. DJ 7 jours à partir de 21h. Acrobate ven. et sam. 22h à 23h. 5 à 7 animés. Plus de 50 vins au verre, 600 vins différents. Prix d'excellence Wine Spectator.
COMMENTAIRE: Une adresse à la mode qui ne néglige pas sa carte composée de classiques de la cuisine italienne (pizzas, veau, pâtes) correctement exécutés et arrosés d'une sélection appréciable de vins au verre. Atmosphère très festive.

JAPONAIS

ENZO SUSHI ★★★
150, bd René-Lévesque E., Québec
Tél.: 418-649-1688
SPÉCIALITÉS: Mignon Bifu (6 oz AAA, réduction sauce porto). Bar noir chilien poêlé en cuisson lente. Oyshi (galette de riz frit tempura). Ryu (thon grillé, saumon tempura, patates douces). Geisha (sushis makis). Bouquet Enzo (sashimis). Dessert Enzo (crème glacée frite tempura).
PRIX Midi: F. 13$ à 20$
Soir: C. 27$ à 54$ F. 30$ à 40$
OUVERTURE: Lun. à ven. 11h à 14h. Lun. à jeu. 17h à 22h. Ven. et sam. 17h à 23h. Dim. 17h à 22h. Fermé jours fériés.
NOTE: Menu dégustation 2 pers. 4 serv. 65$, 5 serv. 80$. Grande sélection de vins, plus de 50% d'importation privée.
COMMENTAIRE: Un restaurant au décor zen et épuré. Nous vous conseillons d'opter pour les spécialités du chef qui n'apparaissent pas à la carte, parmi lesquelles plusieurs makis nappés de sauce ou en chaud-froid. À noter que les présentations sont visuellement très soignées et appétissantes. Les plats chauds sont à la hauteur des sushis. Une adresse idéale pour s'initier aux bouchées nippones. Les puristes préféreront le minimalisme des sashimis.

LE MÉTROPOLITAIN ★★★★
1188, av. Cartier, Québec
Tél.: 418-649-1096
SPÉCIALITÉS: Sushis. Tartares de thon, de pétoncles et de saumon. Sauté de fruits de mer Teppanyaki. Dumplings au porc, crevettes et légumes tempura. Saumon à la moutarde. Filet mignon Angus AAA sur plat chaud. Gâteau royal (frit dans tempura, farci de sorbet aux fruits des champs).
PRIX Midi: F. 15$ à 25$
Soir: C. 30$ à 67$ T.H. 35$ à 42$
OUVERTURE: Dim. à mer. 11h30 à 14h30 et 16h30 à 22h. Jeu. à sam. 11h30 à 14h30 et 16h30 à 22h30. Fermé 25 déc. et 1er janv.
NOTE: Décor suivant les règles du feng-shui. Love boat à partager, spécialités du chef. Carte de vins et sakés 80% d'importation privée.
COMMENTAIRE: Une référence en matière de sushis pour la grande fraîcheur des poissons, l'inventivité et la présentation soignée. Atmosphère zen. Plusieurs plats chauds à la carte. On peut aussi passer une commande à emporter chez soi.

RESTAURANT HOSAKA-YA ★★★
491, 3e Avenue (Limoilou), Québec
Tél.: 418-529-9993
SPÉCIALITÉS: Sushis. Tsumami à la japonaise. Ailes de caille marinées. Kara age (poulet frit mariné à la japonaise). Œufs de caille à la sauce soya (uzura tamago). Végé-dong: légumes de saison variés, tofu mariné. Crème glacée maison (sauce soya, wasabi, etc.).
PRIX Midi: T.H. 15$ à 17,50$
Soir: C. 18$ à 48$
OUVERTURE: Mar. à ven. 11h30 à 14h. Mar. à dim. 16h30 à 21h. Fermé lun., 24, 25, 31 déc. et 1er janv.
NOTE: Cuisine familiale japonaise. Boîtes à bento le midi. Tsumami: petites bouchées japonaises, style tapas. Menu à l'ardoise changeant chaque mois. Sushi bar, ardoise sushis maison. 3 sakés, 3 vins, 1 cidre.
COMMENTAIRE: Voilà l'unique taverne japonaise à Québec. À l'adresse de Limoilou sont servis des tsumamis, ces «tapas» nippons, ainsi que d'excellents tartares, dont celui au thon blanc, et une variété enviable de sushis. Un autre restaurant, le Hosaka-Ya Ramen a ouvert au 75, rue Saint-Joseph. Dans Saint-Roch, les nouilles repas remplacent les sushis. C'est copieux et authentique. Dans les deux cas, l'accueil est charmant et le service efficace.

MEXICAIN

SEÑOR SOMBRERO ★★★
732, av. Royale, Beauport
Tél.: 418-666-5555
SPÉCIALITÉS MEXICAINES: Tacos pastor (porc mariné avec ananas). Tacos de Cochinita (Maya). Mini taquitos (rouleaux). Enchiladas (tortillas de maïs roulées avec poitrine de poulet, sauce fromage, coriandre, oignon, crème

sure, fromage gratiné). Churros. Bunuelo (crêpe croustillante, caramel, cannelle, vanille).
PRIX Midi: T.H. 10$ à 15$
Soir: C. 27$ à 42$ T.H. 32$
OUVERTURE: Mar. à ven. 11h à 14h. Dim., mar. à jeu. 17h à 21h. Ven. et sam. 17h à 22h. Été: sam. midi à 23h. Fermé lun. et du 23 déc. au 1er janv.
NOTE: Assiette dégustation Señor Sombrero 18$. Assiette Taco loco 17$ à 20$. Plats inspirés d'une région mexicaine différente chaque fois. Service traiteur et épicerie avec produits mexicains. Service au comptoir et livraison. Bière mexicaine ou vin avec T.H. du soir. Mezcal. Carte de tequila. Internet sans fil. Musiciens fin de semaine 18h à 21h.
COMMENTAIRE: Typiquement mexicain dans une maison ancestrale rénovée que pilote toujours le chef propriétaire Hugo Rosas. Plat en vedette chaque jour. Le ceviche de crevettes vif et frais est à retenir particulièrement. Copieux, pas cher et savoureux.

QUÉBÉCOIS

AVIS

Une cuisine ne se définit pas seulement par l'utilisation des produits régionaux ni par la nationalité des gens qui la font. C'est avant tout la façon dont on travaille les produits (dans les recettes) et la manière dont on les mange. Et ce sont uniquement ces deux points qui sont culturellement défendables. Selon nous, la cuisine québécoise doit tirer ses sources dans les recettes de nos grands-mères, des recettes qu'on ne trouve plus aujourd'hui que dans les familles et les cabanes à sucre. Il n'y a que les grands chefs qui sont capables d'élever cette tradition culinaire actuellement encore rustique, voire folklorique selon certains, au niveau de la grande et fine cuisine.

AUX ANCIENS CANADIENS ★★★
34, rue Saint-Louis, Québec
Tél.: 418-692-1627
SPÉCIALITÉS: Rillettes de caribou et bison, confit de carottes. Coureur des bois, tourtière du Lac-Saint-Jean au gibier, mijoté de bison et faisan. Assiette québécoise (tourtière, ragoût de boulettes, grillades de lard salé, fèves au lard). Aiguillettes de canard grillées, réduction à l'érable. Trois mignons (filet de cerf, wapiti, bison), sauce poivre rose. Tarte au sirop d'érable. Gâteau fromage et pommes caramélisées.
PRIX Midi: T.H. 20$ à 68$
Soir: C. 49$ à 96$ T.H. 49$
OUVERTURE: 7 jours midi à 21h. Fermé le midi 25 déc. et 1er janv.
NOTE: Verre de vin ou bière compris dans T.H. du midi et soir. À l'entrée, il y a 6 tabourets pour manger ou prendre un verre. Prix d'excellence Wine Spectator 2011, 2012 et 2014. Ouvert depuis 1966.
COMMENTAIRE: La plus vieille maison d'époque de la province, la Maison Jacquet 1675. Décor d'autrefois assuré: murs épais, beaux lambrissages, placards encastrés dans les murs. Un des derniers restaurants où l'on peut savourer une cuisine québécoise traditionnelle. Offre également sur sa carte une fine cuisine française. Un peu cher mais portions généreuses.

LA BÛCHE ★★
49, rue Saint-Louis, Québec
Tél.: 418-694-7272
SPÉCIALITÉS: Pâté chinois. Jambon à la bière. Tourtière. Ailes de lapin. Pouding chômeur.
PRIX Midi: T.H. 16$ à 20$
Soir: C. 33$ à 62$
OUVERTURE: 7 jours 8h à 23h.
NOTE: Réservation préférable. Valet de stationnement gratuit.
COMMENTAIRE: La Bûche, véritable cabane à sucre urbaine, met au menu (toute l'année) les classiques d'une cuisine familiale du temps des sucres, apprêtée avec authenticité et une touche d'originalité. Exquise tarte au sucre et des marinades maison façon «grand-maman». Une adresse tout indiquée pour célébrer notre patrimoine culinaire en groupe.

SUISSE

LA GROLLA ★★★
815, Côte d'Abraham, Québec
Tél.: 418-529-8107
SPÉCIALITÉS: Raclette au fromage. Tartiflette, pommes de terre avec fromage et bacon. Fondue bourguignonne. Fondue chinoise et fruits de mer. Raclette valaisanne. Pierrade de fruits de mer ou de filet mignon AAA flambé au cognac. Café flambé La Grolla. Fondue dessert (chocolat et érable).
PRIX Midi: (fermé)
Soir: C. 38$ à 68$ T.H. 33$ à 42$
OUVERTURE: 7 jours 16h30 à 21h30.
NOTE: Grand choix de fondues au fromage et pains de boulangerie artisanale. Foyer. Ambiance suisse. Réserv. recommandée.
COMMENTAIRE: De très bonnes fondues au fromage. L'ambiance et le décor rustique font

penser à un petit chalet des Alpes suisses. Petit et intime avec foyer pour se chauffer en hiver.

RESTAURANTS DE LA RÉGION DE QUÉBEC

ARCHIBALD ★★ cont
Microbrasserie et restaurant
1021, bd du Lac, Lac Beauport
Tél.: 418-841-2224 et 1-877-841-2224
SPÉCIALITÉS CONTINENTALES: Saumon fumé de notre fumoir. Trio de bruschettas gratinées. Tartare aux deux saumons. Burger Archibald, bœuf Highland, bacon, cheddar, laitue, tomates, sauce Archibald. Steak frites. Crème glacée frite.
PRIX Midi: T.H. 12$ à 17$
Soir: C. 31$ à 57$ F. 12$ à 27$
OUVERTURE: Lun. à ven. 11h30 à 23h. Sam. et dim. 11h à minuit. Fermé 24, 25 déc. et 1er janv.
NOTE: 11 bières brassées sur place. Bières saisonnières. Ouverture prolongée selon l'achalandage (sans cuisine).
COMMENTAIRE: Située dans un très beau chalet en bois rond, la microbrasserie de Lac-Beauport brasse sur place une variété de bières. Son menu se compose de grillades et de plats revisités à la mode asiatique. Bel endroit pour l'après-ski ou l'heure du digestif. L'une des belles terrasses de Québec. Second restaurant au 1240, autoroute Duplessis, à Sainte-Foy. À ceux-ci se joignent les Archibald à Trois-Rivières et Montréal.

AUBERGE BAKER ★★★ int
8790, av. Royal, Château Richer
Tél.: 418-824-4478 et 1-866-824-4478
SPÉCIALITÉS INTERNATIONALES ET QUÉBÉCOISES: Trio québécois (boudin noir, pâté à la viande, ragoût de boulettes de porc). Cuisse d'oie confite, façon Wellington. Tarte au sucre de Mme Baker.
PRIX Midi: F. 14,95$ T.H. 20$ à 24$
Soir: C. 37$ à 67$ T.H. 49$ à 59$
OUVERTURE: 7 jours 11h à 14h et 17h à 21h. Dim. brunch 10h30 à 14h. Nov., ouvert jeu. à dim. seulement.
NOTE: Fumoir maison. Menu dégustation 9 serv. 145$/2 pers. incluant un verre de porto/pers.
COMMENTAIRE: Le chef fait une cuisine québécoise traditionnelle et une cuisine plus créative. Bien située sur la côte de Beaupré, cette auberge est établie depuis 1930 dans une belle maison de ferme datant de 1840. Elle abrite sept chambres, dont cinq d'époque bien restaurées, meublées d'antiquités, et deux modernes (studio et chalet).

AUBERGE DES GLACIS ★★★★ fra
46, route de la Tortue, Saint-Eugène-de-L'Islet
Tél.: 418-247-7486 et 1-877-245-2247
SPÉCIALITÉS FRANÇAISES: Matelote à l'esturgeon de la Côte-du-Sud. Agneau braisé de Saint-Jean-Port-Joli. Escalope de foie gras poêlée, sauce au Chocolats Favoris. Quenelles lyonnaises (volaille, veau ou brochet). Crème brûlée au thé Kusmi.
PRIX Midi: (fermé)
Soir: T.H. 54$ à 89$
OUVERTURE: 7 soirs 18h à 23h sur réserv. Ouvert midi sur réserv.
NOTE: Réserv. fortement conseillée. On doit passer sa commande avant 20h. Auberge de 16 chambres, dont 2 suites, dans un ancien moulin à farine. Bâtisse ancestrale. À 50 minutes de la ville de Québec. Accessible aux personnes à mobilité réduite. Fait affaire avec 55 à 70 producteurs locaux pour concocter la table gourmande. Gagnant de 3 grands prix de tourisme en 2016.
COMMENTAIRE: Une table sise dans le décor enchanteur de Saint-Eugène-de-L'Islet où coule la rivière Tortue. Le chef Olivier Raffestin s'illustre encore et toujours avec ses quenelles confectionnées selon la tradition lyonnaise. Inspiré par l'environnement agroalimentaire de la région de Chaudière-Appalaches, il apporte un soin jaloux à des produits locaux au meilleur de leur saison pour les mettre en valeur. La provenance de chaque produit et le nom du fournisseur sont indiqués sur la carte. Bel assortiment de thés Kusmi.

LA GOÉLICHE ★★★★ int
Auberge La Goéliche
22, rue du Quai, Sainte-Pétronille, Île d'Orléans
Tél.: 418-828-2248 et 1-888-511-2248
SPÉCIALITÉS INTERNATIONALES: Gravlax de saumon de l'Atlantique à l'aneth et vodka Kamouraska. Ballotine de poulet de la ferme d'Orléans, salade d'orge, fromage de Charlevoix. Cuisse de canard confite, duxelles de champignons, foie gras en croûte. Crème brûlée à la véritable vanille.
PRIX Midi: F. 15$ à 26$
Soir: C. 47$ à 64$ T.H. 45$ à 55$
OUVERTURE: 7 jours 11h30 à 15h et 17h30 à 20h30. Petit déjeuner lun. à sam. 8h à 10h30, dim. 8h à 11h.
NOTE: Menu-terrasse carte du midi 10$ à 16$. Menu collation, tapas froids 6,25$ à 15$. Verrière ouverte sur l'extérieur.
COMMENTAIRE: Le chef William Fortin, qui a travaillé au fameux restaurant Le Patriarche (★★★★★), donne à son tour une nouvelle impulsion et un souffle plus français à La Goéliche. Le jeune chef a changé la carte pour y introduire une cuisine du vieux continent avec quelques accents méditerranéens. Une cuisine de fraîcheur et de gourmandise. Superbe vue sur Québec. Plusieurs petites salles donnent sur le fleuve et offrent une belle vue maritime. L'établissement est doté d'une terrasse au bord de l'eau.

La Goéliche *(Photo d'archives Debeur)*

AVIS

Il arrive que des établissements utilisent les heures habituelles d'ouverture pour recevoir des groupes. Il y en a d'autres aussi qui ferment avant l'heure indiquée s'il n'y a pas de clients. Nous conseillons donc aux lecteurs de toujours vérifier si un restaurant est ouvert, en téléphonant, avant de s'y rendre.

CHICOUTIMI

LE LÉGENDAIRE ★★★★ cont
Hôtel Le Montagnais
1080, bd Talbot, Chicoutimi
Tél.: 418-543-6120 et 1-800-463-9160
SPÉCIALITÉS CONTINENTALES: Fondue de brie, parmesan, salade printanière. Saumon fumé façon carpaccio. Assiette du matelot (pétoncles, moules, filet de truite, crevettes). Brochette de filet mignon sur riz Nouveau Monde. Millefeuille caramel suprême.
PRIX Midi: T.H. 10$ à 23$
Soir: C. 29$ à 61$ T.H. 13$ à 50$
OUVERTURE: Lun. à ven. 11h à 14h. Sam. et dim. 11h30 à 14h. Lun. à sam. 17h à 22h. Dim 17h à 21h. Petit déjeuner lun. à ven. 6h à 11h, sam. 7h à midi et dim. 7h à 14h.
NOTE: Cave à vin, grande sélection d'importations privées italiennes. Verrière avec une très belle vue sur les Monts-Valin. Bar ferme à minuit. Hôtel et centre de congrès. Différents festivals durant l'année.
COMMENTAIRE: Établissement spécialisé dans la cuisson au gril, les fruits de mer et les pâtes. Belles assiettes servies de façon professionnelle dans un décor classique et confortable. Service courtois et convivial.

RÉGION DE CHICOUTIMI
(Saguenay - Lac-Saint-Jean)

AUBERGE VILLA PACHON RESTAURANT ★★★★ fra
1904, rue Perron, Jonquière
Tél.: 418-542-3568 et 1-888-922-3568

SPÉCIALITÉS FRANÇAISES: Pavé de flétan poêlé sur lit d'asperges vertes. Saumon fumé à l'auberge, servi chaud, beurre blanc au vinaigre d'érable. Steak tartare, frites à la graisse d'oie. Magret de canard au vinaigre de framboise et moutarde de Meaux. Cassoulet.
PRIX Midi: (fermé)
Soir: T.H. 52$ à 85$
OUVERTURE: Mar. à sam. 18h à 21h. Ouvert dim. et lun. sur réserv. de groupes.
NOTE: Menu saisonnier. Ouvert midi sur réserv. pour clients en réunion à l'auberge. Auberge de 4 chambres et 1 suite. Terrasse couverte et fleurie, au bord de la Rivière-aux-Sables, pour l'apéritif et le digestif.
COMMENTAIRE: Une auberge de charme qui vaut le détour, ne serait-ce que pour le superbe cassoulet confectionné avec passion par le chef proprio, Daniel Pachon, maître cassoulet. Tout est fait maison, même les charcuteries. Le cassoulet est une spécialité culinaire du sud-ouest de la France (haricots lingots, porc ou agneau, saucisse de Toulouse, confit de canard, oignon, ail, tomate, bouquet garni) qu'il faut manger au moins une fois dans sa vie.

RESTAURANT TENDANCE
★★★ cont
Delta Saguenay
2675, bd du Royaume, Jonquière
Tél.: 418-548-3124
SPÉCIALITÉS CONTINENTALES: Calmars frits, mayonnaise maison épicée. Trottoir aux escargots. Filet de truite rôtie façon boréale et amalgame de la Sagamie. Plaisir des champs, mousse fromage cheddar Perron et framboises. Amour du chocolat et son fondant.
PRIX Midi: T.H. 14$ à 19$
Soir: C. 24$ à 50$ T.H. 22$ à 33$
OUVERTURE: 7 jours 11h à 14h et 17h à 22h. Petit déjeuner 6h30 à 10h30.
NOTE: Cuisine sans gluten, végétarienne et boréale. T.H. lun. à sam. midi. Mezzanine. Centre de congrès.
COMMENTAIRE: Dans un décor moderne, on y fait une cuisine régionale et internationale qui respecte le côté santé. Une cuisine de fraîcheur avec quelques plats santé intéressants.

GRANBY

ATTELIER ARCHIBALD ★★★ cont
Restaurant de cuisine ouvrière
150, rue Saint-Jacques, Granby
Tél.: 450-991-3336
SPÉCIALITÉS CONTINENTALES et FRANÇAISES: Tartares de bœuf et de saumon. Calmars frits, sauce aigre-douce au chili, poivrons, échalotes, arachides, mayo au wasabi, graines de sésame. Jarret d'agneau braisé 12 heures, ragoût d'orzo à la provençale. Crème brûlée à la lavande.
PRIX Midi: F. 14$ à 24$
Soir: C. 23$ à 59$ T.H. 25$ à 40$

OUVERTURE: Lun. 11h à 15h. Mar. à jeu. 11h à 21h. Ven. 11h à 22h. Sam. 17h à 22h. Dim. 17h à 21h. Fermé lun. fériés.

NOTE: Forfait jeu. à sam. soir. Carte des vins d'environ 60 étiquettes, 90% d'importation privée. Section lounge pour les 4 à 7.

COMMENTAIRE: Un décor simple et convivial composé d'une grande salle commune, d'un coin bar, d'une grande terrasse couverte et de coins sympas très cosy, comme un espace relax avec pouf pour prendre un verre ou un recoin plus haut de gamme très design. La cuisine est ouverte sur la salle à manger. On propose une assiette généreuse, simple, savoureuse et gentiment présentée, souvent de façon originale. Service agréable et convivial.

LA CLOSERIE DES LILAS ★★★ cont
21, rue Court, Granby
Tél.: 450-375-3597

SPÉCIALITÉS CONTINENTALES: Cœurs de Saint-Jacques: assiette de pétoncles. Saucisses de gibier. Filet mignon, fromage bleu, sauce forestière. Bavette aux échalotes au porto. Fondues (chinoise, fruits de mer, suisse, italienne, fromage, viande sauvage). Fondue au chocolat noir et à l'érable.

PRIX Midi: (fermé)
Soir: C. 34$ à 67$ T.H. 33$ à 49$

OUVERTURE: Été: Jeu. 17h à 22h30. Toute l'année: ven. et sam. 17h à 23h. Fermé dim. à mer. Fermé 1 sem. en mars, prem. sem. de juil., temps des fêtes et jours fériés.

NOTE: Réserv. préférable en tout temps. Viandes sauvages à l'automne. Terrasse l'été. Air conditionné. Lun. à mer. ouvert sur réserv. pour 12 pers et +. 2 résidences de tourisme.

COMMENTAIRE: Établi depuis 1981 dans une maison centenaire, ce restaurant-bistro «apportez votre vin» offre en spécialités des fondues excellentes et des brochettes avec quelques mets français. Côté bistro, ce sont les moules et les saucisses qui tiennent la vedette. Décor plaisant dans l'ensemble, ambiance familiale, service compétent, très gentil et souriant.

LA MAISON CHEZ NOUS
★★★★ cont
847, rue Mountain, Granby
Tél.: 450-372-2991

SPÉCIALITÉS CONTINENTALES AVEC LES PRODUITS DU QUÉBEC: Calmars farcis à la mousse de veau. Tartare de cerf des Appalaches, cacao, chips de topinambours. Canard fumé, gelée d'érable au brandy. Cuisses de grenouille. Lapin de Stanstead aux épinards, tomates confites sur feuilleté.

PRIX Midi: (fermé)
Soir: T.H. 44$ à 55$

OUVERTURE: Mer. à dim. 17h à 22h. Fermé lun. et mar., 24 au 26 déc. Ouvert midi sur réserv. (15 pers.)

NOTE: Apportez votre vin. Nouveau menu 5 serv. aux quatre mois. Réserv. sur internet. Décor champêtre. Réservation préférable.

COMMENTAIRE: Petite maison à l'extérieur de la ville, sur une légère hauteur, en pleine campagne. Décor champêtre, douillet et romantique de maison familiale, avec boiseries et papier peint. Cuisine régionale estrienne évolutive. Assiette excellente et joliment présentée. Service aimable et courtois. Ambiance très agréable. Une des bonnes adresses de la région. Vaut le détour.

LA PETITE MARMITE ★★★ sui
77, rue Drummond, Granby
Tél.: 450-378-9617

SPÉCIALITÉS SUISSES ET FRANÇAISES: Escargots à l'italienne, beurre et champignons. Scampi à la marmite. Bavette de veau sauce poivre noir et sirop d'érable. Émincé de veau zurichoise. Soufflé glacé au Grand Marnier. Crème brûlée.

PRIX Midi: T.H. 28,50$
Soir: C. 32$ à 74$ T.H. 38$ à 43$

OUVERTURE: Mer. à ven. 11h30 à 14h. Mer. à sam. 17h à 22h. Dim. 17h à 21h. Fermé lun. et mar. Fermé 24, 25 déc., 1er janv. et 24 juin.

NOTE: Le soir, menu 4 serv. 42,50$. Cave à vin d'environ 800 bouteilles. Bœuf vieilli 52 jours: entrecôte, T-bone. Différentes fondues.

COMMENTAIRE: Une institution à Granby. Le chef propriétaire, Erwin Bœgli, a ouvert ce restaurant de cuisine suisse en 1976. Ses plats vedettes sont, sans conteste, l'entrecôte Café de Paris servie sur réchaud, l'émincé de veau zurichoise et, en dessert, le soufflé glacé au Grand Marnier ou les gratins de petits fruits frais.

LA ROTONDE ★★★[ER] fra
Hôtel Castel et spa confort
901, rue Principale, Granby
Tél.: 450-378-9071

SPÉCIALITÉS FRANÇAISES: Fromage El Niño de la Fromagerie des Cantons, chemisé de canard fumé du lac Brome, concassé de tomates. Poitrine de canard du Lac Brome, aromatisée au Ras el-hanout et à l'orange. Mignon de veau du Québec mariné à la bière 35 Farnham Ale. Crème brûlée au foie gras.

PRIX Midi: T.H. 8$ à 15$
Soir: C. 32$ à 55$ T.H. 30$ à 45$

OUVERTURE: 7 jours 11h à 13h sur réserv., 15 pers. min. (sauf juil. et août). 7 jours 17h30 à 22h. Fermé 24, 25 et 31 déc.

NOTE: Menu 4 serv. 49$ avec bouteille de vin. Chefs créateurs travaillant avec des producteurs locaux. Menu du terroir régional. Varie selon les saisons avec plus de 30 produits de la région. Vins d'importation privée.

COMMENTAIRE: Fine cuisine française classique avec une grande utilisation des produits du terroir avoisinant. Pertinent: la carte fait mention du nom des fournisseurs: ferme, fromagerie, érablière, hydromellerie, vignoble, etc.

RÉGION DE GRANBY

LES QUATRE CANARDS ★★★ fra
Château Bromont
90, rue Stanstead, Bromont
Tél.: 450-534-3433 et 1-800-304-3433
SPÉCIALITÉS FRANÇAISES: Tartare de truite des Bobines et saumon fumé. Effiloché de lapin confit, pommes et oignons caramélisés. Rôti de canard du lac Brome, glacé au gingembre et nectar de fleurs. Fondant aux pommes et caramel.
PRIX Midi: T.H. 25$
Soir: C. 36$ à 77$ T.H. 49$
OUVERTURE: 7 jours 11h à 14h et 17h30 à 21h. Petit déjeuner, lun. à sam. 6h30 à 11h. Dim. 7h à 10h.
NOTE: Établissement membre de la Route de l'érable. Carte des vins. Terrasse panoramique ouverte 11h30 à 23h en été (heures des cuisines prolongées si nécessaire.). Pianiste sam. soir.
COMMENTAIRE: Salle de restaurant assez sympathique pour un hôtel, située non loin des pistes de ski. Très belle terrasse avec une magnifique vue sur la vallée et les montagnes. La cuisine semble se stabiliser. Assiette généreuse et savoureuse.

GATINEAU - OTTAWA

AVIS
Pour les clients des restaurants d'Ottawa: Une loi provinciale de l'Ontario autorise les consommateurs à apporter leur bouteille de vin dans tous les restaurants, même ceux qui ont leur propre carte des vins. Les restaurants peuvent cependant exiger un droit de bouchon, sans limite de prix. Les frais de débouchonnage sont élevés et, à vrai dire, notre évaluateur n'a jamais vu quelqu'un le faire à Ottawa. La fourchette des prix: 5$ à 12$ en général, quelquefois jusqu'à 25$.

ABSINTHE ★★★ fra

1208, rue Wellington O., Ottawa
Tél.: 613-761-1138
SPÉCIALITÉS FRANÇAISES: Carpaccio de thon jaune. Trio de saumon en tartare, rillettes, gravlax. Flétan rôti au romarin, velouté aux fines herbes, ragoût de tomates séchées et artichauts, poivrons rôtis. Croustade de pêches au miel, glace à la cerise rôtie et kirsch.
PRIX Midi: T.H. 20$
Soir: C. 43$ à 57$ F. 42$ à 54$
OUVERTURE: Lun. à ven. 11h à 14h. Dim. à jeu. 17h30 à 22h. Ven et sam. 17h30 à 23h. Fermé jours fériés, du 24 au 26 déc.
NOTE: Menu changeant plusieurs fois la semaine. Droit de bouchon 25$/bout. Fondues classiques le lun. soir, de sept. à mars.

COMMENTAIRE: Le plus français des chefs anglophones d'Ottawa, Patrick Garland, s'illustre de plus en plus parmi ses pairs. Il a remporté la finale Ottawa-Gatineau du concours Des chefs en or! (Gold Medal Plates) en 2015, un joli fleuron à sa toque. Sa cuisine reflète son intérêt pour la France: steak-frites et canard sont de ses plats fétiches. Une belle grande salle à manger sur une rue Wellington à la mode. Une valeur sûre, à prix d'ami.

ARÔME Grillades et fruits de mer ★★★★ cont
Casino du Lac-Leamy
3, bd du Casino, Gatineau
Tél.: 819-790-6410
SPÉCIALITÉS CONTINENTALES: Tartare de bœuf aux oignons confits, œuf au plat parfumé à la truffe, croustilles de pommes de terre. Pavé de saumon grillé, pattes de crabe en tempura, queue de homard rôtie, moules, pétoncles et crevettes vapeur, parfumés à l'ail et au gingembre, légumes, riz, mayonnaise épicée. Filet de bœuf de Kobe grillé, purée de Yukon gold à l'ail rôti. Trio de crème brûlée.
PRIX Midi: T.H. 20$ à 22$
Soir: C. 46$ à 95$ T.H. 39$ à 59$
OUVERTURE: 7 jours, 11h à 17h et 17h à 22h. Petit déjeuner 6h30 à 11h.
NOTE: Réserv. conseillée. Barbecue brésilien, ven. et sam. 17h, 39,95$. L'expérience Kobe: filet 115g 50$ et 230g 85$. Petit déjeuner 21$. Buffet dessert en soirée 13$. Sélection de vins au verre.
COMMENTAIRE: À l'entrée, le frigo à vieillissement d'énormes pièces de bœuf (jusqu'à 70 jours!) signale bien que nous sommes ici au paradis des carnivores. La formule grilladerie de l'hôtel complète celle du restaurant Le Baccara, plus haut de gamme et plus diversifié. La terrasse de l'Arôme a obtenu une reconnaissance nationale en 2016... mais la salle à manger, remise à neuf récemment, n'a rien à lui envier. Classique et douillet sans être vieux jeu. Soyez à l'affût des promotions pour économiser un peu.

ATELIER ★★★★★ fra

540, rue Rochester, Ottawa
Tél.: 613-321-3537
SPÉCIALITÉS FRANÇAISES: Soupe aux amandes, salade de crabe, raisins congelés, piments coréens. Entrecôte de bœuf Rochester, pouding au pain et crème sure à la truffe, oignons rouges marinés, navet, purée et chips de patates douces. Ladybug: purée de fraises gelée à l'azote liquide, meringue au basilic, baies assorties, crumble de Corn Pop.
PRIX Midi: (fermé)
Soir: Menu 110$
OUVERTURE: Mar. à sam. 17h30 à 22h (2 serv.). Fermé dim., lun., à Pâques, 1 sem. en déc. et jours fériés.
NOTE: Menu dégustation 12 serv. 110$, avec accord des vins 75$. Cuisine moléculaire. Ca-

pacité 22 pers., sur réserv. Plats changeants. Vainqueur du Gold Medal Plates en 2015.
COMMENTAIRE: Le chef propriétaire Marc Lépine pousse toujours sa quête vers une cuisine hypermoderne, d'inspiration moléculaire: pensez feu El Bulli, en Catalogne, ou Alinea, à Chicago. En prime, c'est bien moins cher à Ottawa, même à environ 100$ par personne. L'expérience Atelier vaut la découverte, même si ce n'est pas pour tous les jours. Petite salle à manger intimiste, longs repas d'une douzaine de couverts (plusieurs limités à une ou deux bouchées). À accompagner de la palette de vins, si possible (on peut la partager à deux).

BECKTA ★★★★★ int
150, rue Elgin, Ottawa
Tél.: 613-238-7063
SPÉCIALITÉS INTERNATIONALES: Fraises fraîches, oseille, rhubarbe, fromage feta de lait de brebis saumuré à la mélisse, graines de sésame grillées, bourgeons de marguerite saumurés, concombre frais. Purée de pommes de terre fumées, champignons eryngii, laitue fanée, huile de truffe, sablé amandes et cacao, sauce soubise à l'ail sauvage. Biscuit graham, caramel de pin blanc, ganache au chocolat noir, meringue italienne fumée, gelato au chocolat.
PRIX Midi: F. 10$ à 22$
Soir: T.H. 68$
OUVERTURE: Lun. à ven. 11h30 à 14h. 7 jours 17h30 à 22h. Fermé temps des Fêtes et jours fériés.
NOTE: Menu changeant aux saisons. Menu 5 serv. 95$, palette de vins 50$. Assiette de fromages 13$. Importante carte des vins, cocktails maison. On peut apporter son vin dim. et lun., droit de bouchon 20$/bout.
COMMENTAIRE: Le restaurateur Stephen Beckta est l'une des personnalités culinaires majeures de la capitale et il a fait preuve d'audace en déménageant sa grande table (il possède aussi Gezellig et Play) dans une majestueuse maison patrimoniale de la rue Elgin. La cuisine du chef Michael Moffatt n'a rien perdu de son lustre... au contraire, il a plus de place pour exprimer son talent avec un bar, une belle salle à manger et des salons privés qui attirent le gratin politique d'Ottawa.

BISTRO L'ALAMBIC ★★★ (bistro) fra
307, bd Saint-Joseph, Gatineau
Tél.: 819-205-5755
SPÉCIALITÉS FRANÇAISES: Sandwich Bifana (portugais). Salade romaine grillée. Arancini farci de fromage en grains, sauce tomate fumée. Tartare de saumon. Onglet de bœuf grillé. Crème brûlée maison.
PRIX Midi: F. 10$ à 18$
Soir: C. 25$ à 56$
OUVERTURE: Mar. à ven. 11h30 à 14h. Mar à sam. 17h à 22h. Fermé dim. et lun.
NOTE: Décor chaleureux. Spécialités portugaises. Vins d'importation privée à 100%.
COMMENTAIRE: Le bistro L'Alambic est l'une des rares lueurs de la scène gastronomi-

que en Outaouais, ralentie par la fermeture de presque toutes ses grandes tables depuis 10 ans. Le chef Raphaël Secours et le propriétaire David Gomes travaillent fort pour offrir des plats modernes aux saveurs nettes et délicieuses, à partir de beaux ingrédients, régionaux si possible.

BLACK CAT BISTRO ★★★★ int
428, rue Preston, Ottawa
Tél.: 613-569-9998
SPÉCIALITÉS INTERNATIONALES: Thon de la Nouvelle-Écosse à la niçoise, haricots, pois, carottes, câpres frits. Gnocchis faits maison, champignons, sauce crémeuse, vin blanc. Tarte aux pois de senteur et fraises rôties. Crème brûlée au Grand Marnier.
PRIX Midi: (fermé)
Soir: C. 40$ à 56$
OUVERTURE: Mar. à jeu. 17h30 à 21h30. Ven. et sam. 17h30 à 22h. Fermé dim. et lun. Fermé 25 déc., 1er janv. et jours fériés.
NOTE: Menu suivant les arrivages. Droit de bouchon 25$/bout. Carte des vins, surtout français. Mar. et mer. soir: menu choix du chef 25$. Stationnement gratuit à l'arrière. Accessible aux pers. à mobilité réduite. Réserv. à opentable.com.
COMMENTAIRE: Les chefs se suivent dans les cuisines du Black Cat, le restaurant a même déménagé, mais le propriétaire Richard Uhrquart est toujours autour pour s'assurer que la qualité soit au max. Sur une rue Preston surtout connue pour sa cuisine italienne, le Black Cat persiste à offrir une cuisine française de genre bistro. Une des belles valeurs sûres de la région.

BROTHERS BEER BISTRO ★★★ int
366, rue Dalhousie, Ottawa
Tél.: 613-695-6300
SPÉCIALITÉS INTERNATIONALES: Gnocchis façon parisienne, choux de Bruxelles, betteraves rouges avec grana padano. Saumon de l'Atlantique poêlé, mousse de bacon, purée de persil, falafel aux lentilles rouges, morille, légumes de saison. Profiteroles aux fraises, crème pâtissière, chantilly, garniture au chocolat.
PRIX Midi: F. 14$
Soir: C. 36$ à 49$
OUVERTURE: Lun. à ven. midi à 15h. Sam. et dim. 11h30 à 15h. Dim. à mer. 17h30 à 22h. Jeu. à sam. 17h30 à 23h. Fermé jours fériés sauf 1er juil.
NOTE: Midi, assiette charcuteries et fromages 17$. Plats sans gluten. Carte de vins ontariens et européens. Plus de 80 sortes de bières. Bar mer. à sam. jusqu'à 1h30 du matin.
COMMENTAIRE: Comme ailleurs, les brasseries artisanales pullulent depuis cinq ou six ans à Ottawa. Mais les brasseurs offrent une cuisine peu imaginative, souvent lourde. Brothers Beer Bistro ne brasse pas mais se concentre sur une offre culinaire rehaussée, toujours avec des accents de houblon dans ses plats. Des dizaines de bières sont offertes, dont plusieurs

locales. À deux pas du marché By, mais passe trop souvent inaperçu. À découvrir.

COCONUT LAGOON ★★★ ind
853, bd Saint-Laurent, Ottawa
Tél.: 613-742-4444
SPÉCIALITÉS INDIENNES: Assortiment de légumes samosa, chutney à la menthe. Homard au marsala. Curry au poulet, au saumon ou aux crevettes. Agneau au curcuma. Poulet au beurre. Bœuf à la sauce crémeuse, noix de coco et curry.
PRIX Midi: Buffet 16$
Soir: C. 30$ à 45$
OUVERTURE: 7 jours 11h30 à 14h. Dim à jeu. 17h à 21h. Ven. et sam. 17h à 21h30. Fermé jours fériés.
NOTE: Buffet du midi: lun. à ven. 16$, sam. et dim. 18$. Menu changeant tous les jours. Carte des vins.
COMMENTAIRE: Dans un coin d'Ottawa sans attrait, voisin d'un M. Muffler, le chef Joe Thottungal incarne la montée des cuisines ethniques faites avec soin et authenticité. Le local ne paie pas de mine, mais les plats valent le détour. On découvre ici une cuisine indienne différente, celle du sud, de Kerala, forte en poissons et en légumes. Végétariens et végétaliens s'y amusent. Une solide clientèle francophone, réputée pour son ouverture aux aventures culinaires.

DAS LOKAL ★★★ can

190, rue Dalhousie, Ottawa
Tél.: 613-695-1688
SPÉCIALITÉS CANADIENNES: Soupe du marché, ingrédients de saison. Schnitzel. Omble de l'Atlantique poêlé, gaufres, crème fraîche à l'aneth, pomme, salade de fenouil. Goulash de bœuf. Qark sahne (gâteau au fromage allemand).
PRIX Midi: F. 9$ à 16$
Soir: C. 36$ à 59$
OUVERTURE: Mar. à ven. 11h30 à 14h. Mar. à sam. 17h à 22h. Dim. 11h à 14h. Fermé lun.
NOTE: Stationnement gratuit. Vins 50% de réduction le mar.
COMMENTAIRE: Dans la modeste basse-ville d'Ottawa, le comptoir de Poulet frit Kentucky a cédé sa place à une cuisine plus santé. Le local a été totalement redessiné par la proprio Frédérique Tsai-Klassen avec de faux airs scandinaves, mais le bois et le sympathique piano créent une ambiance bien spéciale. La cuisine sort des plats particulièrement beaux, équilibrés, goûteux. Das Lokal est devenu plus qu'un resto de quartier, et c'est tant mieux.

EIGHTEEN ★★★★ fra
18, rue York, Ottawa
Tél.: 613-244-1188
SPÉCIALITÉS FRANÇAISES: Foie gras du Québec, garnitures saisonnières. Morue noire, brodo dashi, sake, truffes. Carré d'agneau, galette de polenta, purée à l'ail printanier, cippolini rôti. Gâteau au fromage de chèvre.

PRIX Midi: (fermé)
Soir: C. 58$ à 88$
OUVERTURE: Lun. à mer. 17h à 22h30. Jeu. à sam. 17h à 23h. Fermé 1er juil., 25 déc. et 1er janv.
NOTE: Menu dégustation 5 serv. 95$. Carte des vins 225 étiquettes.
COMMENTAIRE: Depuis le départ de Matthew Carmichael, il y a cinq ans, plusieurs chefs sont passés dans les cuisines du restaurant Eighteen, mais grâce à l'attention de la propriétaire Caroline Gosselin, l'offre culinaire demeure stable. C'est toujours l'une des belles salles à manger de la capitale, et les cocktails attirent une clientèle branchée à cette belle adresse du marché By.

EL CAMINO ★★★★ int
Tacos, Tequilas, Rawbar
380, rue Elgin, Ottawa
Tél.: 613-422-2800
SPÉCIALITÉS INTERNATIONALES: Tacos au poisson croustillant. Roulé de poitrine de porc braisée, caramel chili-lime, salade de mangue verte, jeune noix de coco, arachides rôties. Churros au caramel salé.
PRIX Midi: C. 18$ à 35$
Soir: Idem
OUVERTURE: Mar. à ven. midi à 14h30. Mar. à dim. 17h30 à 2h du mat. Fermé lun.
NOTE: Plats à emporter. Cocktails maison. Carte des vins, téquilas et bières.
COMMENTAIRE: Lorsque le chef Matthew Carmichael a repris les cuisines de Sidedoor, il y a cinq ans, il a introduit les tacos haut de gamme dans la capitale. Peu après, il a fondé le premier de trois restaurants et apporté ses recettes de tacos avec lui. Pas de réservations dans ce resto de demi-sous-sol: soyez prêts à attendre. Mais la nourriture et un long menu de cocktails en ont fait un chouchou de la capitale.

ERLING'S VARIETY ★★★★ can
225, av. Strathcona, Ottawa
Tél.: 613-231-8484
SPÉCIALITÉS CANADIENNES: Bœuf braisé, pommes allumettes croustillantes, roquette, truffe, aïoli, crostini. Petite pieuvre poêlée, chorizo, sauce tomate, pois chiches. Gâteau au fromage maison.
PRIX Midi: C. 26$ à 43$
Soir: Idem
OUVERTURE: Mar. à ven. 11h à 14h. Mar. à sam. 17h à 22h30. Dim. 17h à 21h. Fermé lun.
NOTE: Carte des vins et des bières. Menu sans gluten et végétarien.
COMMENTAIRE: Ouvert il y a deux ans, le très bizarrement nommé Erling's Variety (ça n'a pourtant rien d'un dépanneur) ose en embauchant l'une des jeunes étoiles autodidactes en cuisine, Danny Mongeon. Ses assiettes sont toujours belles et colorées, sans rien sacrifier aux saveurs bâties sur un mariage de classiques et de nouveautés. Une cuisine ouverte sur la

salle, et une salle ouverte sur la rue grâce à de larges vitres pleine hauteur, qui font comme un refuge.

FAIROUZ ★★★★ lib
343, rue Somerset O., Ottawa
Tél.: 613-422-7700
SPÉCIALITÉS LIBANAISES: Tartare d'agneau, harissa fumé, craquelin de boulghour. Canard berbère épicé, mousse de safran béarnaise, jambon perse, champignons grillés. Gelée d'ibiscus, ekmek (pain turc), sauce à l'eau de rose, fève de cacao.
PRIX Midi: C. 29$ à 47$
Soir: C. 40$ à 60$
OUVERTURE: Mar. à ven. 11h30 à 13h30. Mar. à jeu. 17h à 22h30. Ven. et sam. 17h30 à 23h.
NOTE: Ouvert en 2016. Pain pita maison frais. Fines herbes de producteurs locaux.
COMMENTAIRE: Dans le même local où son père a tenu un restaurant du même nom, le Dr Hussein Rahal lui fait honneur, d'une certaine manière, en rappelant sa mémoire. Mais la cuisine y est bien plus haut de gamme, dans un écrin totalement redécoré aux accents moyen-orientaux. Ç'est Walid El-Tawel qui dirige la cuisine, un Émirati formé au Canada. Les aliments vous seront familiers, comme le houmous, mais leur facture est irréprochable, et la présentation, originale.

FAUNA ★★★ can
425, rue Bank, Ottawa
Tél.: 613-563-2862
SPÉCIALITÉS CANADIENNES: Tartare de thon, échalote, gingembre, sésame, œuf de caille, chili. Canard, pain de maïs, champignons, tomates, jalapeno, prune, gingembre. Cake au chocolat et huile d'olive, cerises et noisettes, meringue, caramel salé.
PRIX Midi: F. 14$ à 18$
Soir: C. 34$ à 95$
OUVERTURE: Lun. à ven. 11h30 à 14h. Dim. à mer. 17h30 à 22h. Jeu. à sam. 17h30 à minuit.
NOTE: Menu 5 serv. 75$, accord mets et vins 30$. Produits locaux autant que possible. Menus de saison. Cocktails maison, vins et champagnes.
COMMENTAIRE: On attendait tant l'ouverture de Fauna (problèmes de rénovations, de bail) que l'impatience a trop gonflé les attentes. Cela dit, Fauna témoigne de la vivacité culinaire qui a cours à Ottawa. Dans sa cuisine ouverte, un peu bruyante, le chef propriétaire Jon Svazas intègre des aliments de partout (pensez kimchi, feta, tapenade) dans des plats goûteux et modernes, aux accents internationaux. Menu de petites assiettes de dégustation à 15$ ou moins.

FRASER CAFÉ ★★★★ int
7, rue Springfield, Ottawa
Tél.: 613-749-1444

SPÉCIALITÉS INTERNATIONALES: Plateau de charcuteries et fromages. Homard poché, légumes tempura, pesto de carotte et noix, mayonnaise au citron. Tarte fraises et rhubarbe, crème glacée vanille, sucre d'érable.
PRIX Midi: C. 18$ à 28$
Soir: C. 42$ à 60$
OUVERTURE: Lun. à ven. 11h30 à 14h. Lun. à dim. 17h30 à 22h. Sam. et dim. brunch 10h à 14h. Fermé 24, 25 déc. et jours fériés.
NOTE: Menu saisonnier. Carte des vins. Droit de bouchon 25$/bout.
COMMENTAIRE: Cela fera bientôt 10 ans que les frères Ross et Simon Fraser font équipe dans leur resto qui a grandi avec le succès. Les prix ont suivi la demande. Mais c'est maintenant devenu une valeur sûre avec des plats qui ne surprennent pas (thon, canard, steak, joue de porc), mais qui ne sont pas moins satisfaisants. Réservations suggérées parce que dans ce très populaire restaurant de quartier, on joue des coudes avec les millionnaires de Rockcliffe Park.

GIOVANNI'S ★★★★ ita
362, rue Preston, Ottawa
Tél.: 613-234-3156
SPÉCIALITÉS ITALIENNES: Linguine aux fruits de mer. Paupiettes de veau, farcies au prosciutto et fromage bocconcini, sauce au poivre. Raviolis au homard, sauce rosée. Profiteroles au chocolat.
PRIX Midi: F. 18$ à 22$
Soir: C. 44$ à 110$
OUVERTURE: Lun. à jeu. 11h à 22h. Ven. 11h à 23h. Sam. 17h à 23h. Dim. 17h à 22h. Fermé 25 déc. et 1er janv.
NOTE: Spécialités du chef à l'ardoise le soir. Deux poissons frais tous les jours. Table de six dans le cellier. Carte des vins, bouteilles de 35$ à 4 000$. Ouvert depuis 1983.
COMMENTAIRE: Pas de nappes à carreaux ici, ni de vieilles bouteilles de chianti avec la chandelle dans le goulot. On va plutôt chez Giovanni's pour impressionner une nouvelle conquête, ou de vieux amis. De l'accueil jusqu'au dernier service, le personnel d'expérience jouera le jeu. Évidemment, cela a un prix, même pour des pâtes. Mais le long menu propose bien plus et tous trouveront de quoi les satisfaire.

LE BACCARA ★★★★★[ER] fra
Restaurant de l'année Debeur 2009
Casino du Lac-Leamy
1, bd du Casino, Ottawa
Tél.: 819-772-6210
SPÉCIALITÉS FRANÇAISES: Tartare de bison de la ferme Takwânaw, truffe, fromage de brebis de la fromagerie Les Folies Bergères, œuf de caille tempura. Longe d'agneau du Québec, cromesqui au chorizo et au fromage manchebello, dariole à la courgette et poivrons grillés, figues confites, caramel de vin rouge aux épices, jus d'agneau. Mœlleux au chocolat grand cru du terroir.

PRIX Midi: (fermé)
Soir: C. 73$ à 91$
OUVERTURE: Mer. à dim. 17h30 à 23h. Fermé lun. et mar.
NOTE: Menu préspectacle avant 18h, 3 serv. 49$. Menu dégustation du chef 5 serv. 95$, menu gastronomique 8 serv. 120$. Choix de 700 références de vin dans le cellier parmi 13 000 bouteilles. Ouvert lun. et mar. soir pour 25 pers. et plus, sur réserv.
COMMENTAIRE: Année de changements au Baccara avec l'absence prolongée du chef Pierre Lortie et le départ du pâtissier Benjamin Oddo parti rejoindre l'équipe de Joël Robuchon au Casino de Montréal. La transition s'est faite en douceur et l'intérim n'en a pas souffert, car le chef des cuisines, Denis Girard, veille au grain. Par bonheur, l'équipe en salle demeure la meilleure de toute la région, attentionnée sans être intimidante.

LE CELLIER ★★★ fra
49, rue Saint-Jacques, Gatineau
Tél.: 819-205-4200
SPÉCIALITÉS FRANÇAISES: Salade de fruits de mer. Pétoncles, croustillant de chorizo, purée de maïs. Carpaccio de wapiti. Lapin braisé, pâtes fraîches, poêlée de champignons. Terrine de chocolat et pistaches.
PRIX Midi: T.H. 20$ à 25$
Soir: C. 38$ à 64$
OUVERTURE: Lun. 10h à 15h. Mar. et mer. 11h à 22h. Jeu. à ven. 11h à 23h. Sam. 17h à 22h. Fermé dim.
NOTE: Cinq à sept, F. 20$/pers. avec un verre de vin ou de bière. Plateaux à partager. Huîtres fraîches en tout temps. Prix spéciaux mer. et jeu.
COMMENTAIRE: Enfin, le Cellier semble relancé pour de bon, après être passé dans les mains de plusieurs propriétaires. Le chef Martin Parker met l'accent sur la cuisine française... et quelques écarts comme le lapin cacciatore, les crevettes à la thaïe et les tartelettes pasteis de natas au dessert. De généreuses portions, des plats parfois lourds, mais il arrive que ce soit exactement ce qu'on cherche. Petite terrasse urbaine.

LES VILAINS GARÇONS
★★★ (bistro) int
39A, rue Laval, Gatineau
Tél.: 819-205-5855
SPÉCIALITÉS INTERNATIONALES: Foie gras et pieuvre. Acras à la crème épicée. Tartares de cheval, cerf, agneau, saumon, etc. Canard laqué, poires asiatiques, mangue. Queue de castor.
PRIX Midi: F. 11$ à 17$
Soir: C. 34$ à 46$
OUVERTURE: Lun. à ven. 11h30 à 22h. Sam. 17h à 22h. Dim. 10h à 22h. Fermé 25 déc. et 1er janv.
NOTE: Menu à l'ardoise. Pintxos et plats du jour. Plateau de fruits de mer 30$. Carte des vins d'importation privée variant chaque semaine, 40 à 50 étiquettes. Belle carte de bières, Molson et microbrasseries du Québec.
COMMENTAIRE: Ça aurait pu s'appeler aussi Les bons copains, tellement le chef Romain Riva et son acolyte Cyril Lauer ont réussi à former une solide équipe qui a donné une nouvelle vie à un local sympathique de la très occupée rue Laval. On préférera le menu sur l'ardoise, des bouchées (pintxos) à la manière des tapas du Pays basque, mais à la manière d'ici. Une clientèle assez jeune qui y va pour prendre un verre... qu'on accompagne vite de quelques délicieuses bouchées.

NAVARRA ★★★★ mex
93, rue Murray, Ottawa
Tél.: 613-241-5500
SPÉCIALITÉS MEXICAINES ET ESPAGNOLES: Salade de crabe, avocat, mangue séchée, pamplemousse, sésame, vanille. Chimichurri aux champignons biologiques, oignons frits, fromage pecorino, coriandre et herbes fraîches. Tartare de bœuf, jambon serrano, sauce gribiche, crostini. Cuisse d'agneau braisée, sauce aux hibiscus. Gâteau au cœur fondant.
PRIX Midi: F. 17$ à 22$
Soir: C. 30$ à 42$
OUVERTURE: Mar. à ven. midi à 13h30. 7 jours 17h30 à 22h.
NOTE: Réserv. conseillée. Concept de plats à partager. Petites assiettes lun. 17$. Carte des vins.
COMMENTAIRE: Au cœur de la rue Murray, rebaptisée «Gastro Alley» par les foodies d'Ottawa, Navarra ne manque pas d'audace, à l'image de son chef talentueux (et beau), René Rodriguez. S'est valu des accolades répétées dès son ouverture en 2008. La cuisine ouverte sort des miracles pour sa taille: on mangera au bar pour admirer le ballet des cuistots. Les plats sont modernes, aux accents mexicains, basques ou espagnols. Pas donné, et des portions modestes. Ouvert sept soirs, de rares midis.

NORTH & NAVY ★★★★ ita
226, rue Nepean, Ottawa
Tél.: 613-232-6289
SPÉCIALITÉS ITALIENNES: Pieuvre et pommes de terre. Saumon du Pacifique avec salade de grains anciens. Caille glacée au miel, artichaut et polenta. Bifteak à la florentine. Foie à la vénitienne aux oignons. Tortelleti et lapin du Québec. Tiramisu. Tarte à la rhubarbe et petits fruits.
PRIX Midi: F. 14$ à 36$
Soir: C. 37$ à 56$
OUVERTURE: Lun. à ven. 11h à 14h. Lun. à sam. 17h à 22h. Fermé dim.
NOTE: Réserv. conseillée. Huîtres fraîches en saison. Carte des vins d'importation privée à 90%.
COMMENTAIRE: Les propriétaires, Chris Schlesak en salle et le chef Adam Vettorel, voient une similitude entre le climat du nord de l'Italie et celui de l'est de l'Ontario. Venise en moins... Le resto est vite devenu un coup de

cœur pour les foodies du coin qui apprécient la cuisine du nord, axée sur le riz plutôt que les pâtes, absentes du menu. Service enthousiaste, belle gamme de vins.

PERSPECTIVES RESTAURANT
★★★★ int
Hôtel Brookstreet
525, ch. Legget, Ottawa
Tél.: 613-271-3555 1-888-826-2220
SPÉCIALITÉS INTERNATIONALES: Pétoncles poêlés, courges rôties, champignons, purée de céleri-rave très fine, racine de taro, bacon. Bœuf vieilli AAA (5oz ou 8oz), fondant de pommes de terre, tomates fumées, champignons. Côtelette de porc Nagano, choux de Bruxelles, bacon, purée de panais et pommes, réduction érable et malt. Gâteau chocolat au cœur fondant.
PRIX Midi: C. 31$ à 49$
Soir: C. 34$ à 69$ T.H. 39$
OUVERTURE: Lun. à ven. 11h30 à 14h. Lun. à sam. 17h30 à 21h. Dim. 9h30 à 14h. Fermé sam. midi. Fermé dim.
NOTE: Réserv. conseillée. Menu enfants. «Apportez votre vin» lun. à mer., droit de bouchon 10$/bout. Menu mensuel. Liste de vins interactive iPad. Musique live chaque soir. Accès pour handicapés.
COMMENTAIRE: L'exubérant chef Michael Blackie avait inauguré les cuisines du Brookstreet, et son lieutenant, Clifford Lyness, ne partage pas son talent ni son imagination que le fortuné propriétaire Terry Matthews pouvait encourager. La cuisine tourne rondement cependant, autour de produits locaux. Chef japonais spécialisé en sushis sur place. Hors des sentiers battus, dans l'ouest d'Ottawa, au cœur du secteur de la haute technologie.

PLAY FOOD & WINE ★★★ fra
1, rue York, Ottawa
Tél.: 613-667-9207
SPÉCIALITÉS FRANÇAISES: Plateau de charcuteries. Asperges grillées, parmesan, légumes verts de la région, prosciutto, citron. Steak d'onglet, champignons, frites. Gâteau au chocolat, pistaches et orange. Crème brûlée maison.
PRIX Midi: F. 22$
Soir: C. 25$ à 40$
OUVERTURE: Lun. à ven. midi à 14h. Lun. 17h30 à 22h. Mar. et mer. 17h30 à 23h. Jeu. et ven. 17h30 à minuit. Sam. midi à minuit. Dim. midi à 22h. Fermé 24, 25 déc. et jours fériés.
NOTE: Midi deux plats 22$/pers. Droit de bouchon 15$/bout. Événements privés et cocktails. Carte des vins.
COMMENTAIRE: Le plus modeste établissement du restaurateur Stephen Beckta, Play, est situé à deux pas du marché By. Mais sa clientèle est formée de locaux habitués à des plats de dégustation qu'ils savourent sous le regard curieux des passants qui écorniflent par les larges fenêtres. Décor dénudé qui a des airs de cafétéria d'étudiants, le bruit en plus (!). Salle à manger sur deux étages; en haut, c'est plus privé. En bas, on préférera manger au bar.

RESTAURANT SIGNATURES
★★★★ (bistro) fra
453, av. Laurier E., Ottawa
Tél.: 613-236-2499
SPÉCIALITÉS FRANÇAISES: Escargots au pastis et tomates, crème de persil, croustillant de pain à l'ail rôti au thym. Longe de cerf, compote de figues au porto et fraises, cavatelli à la crème d'olive, chanterelles, mini betteraves Chioggia. Canard, carottes glacées au miel et romarin, compote aux deux abricots, gâteau de semoule de blé, sauce à la noisette.
PRIX Midi: T.H. 34$
Soir: T.H. 68$
OUVERTURE: Mar. à ven. 11h30 à 13h30. Mar. à sam. 17h30 à 21h30. Fermé dim., lun. et sam. midi. Réserv. recommandée.
NOTE: Menu dégustation 5 serv. 88$, 8 serv. 98$. Création du chef, menu végétarien sur demande, prix suivant ce qu'il a en cuisine. Grande carte des vins et cocktails.
COMMENTAIRE: Dans l'impressionnante maison patrimoniale qui accueillait autrefois l'exclusif club privé University Club, l'école de cuisine Cordon Bleu s'est installée, tout comme son restaurant Signatures. Au départ, les plans d'une grande table étaient ambitieux. Depuis cinq ans, cela a fait place à la modestie. Le chef Yannick Anton tente de naviguer dans ce flou administratif et livre mieux que les attentes. Autrement dit, c'est devenu aujourd'hui un bon rapport qualité-prix.

SOIF
Bar à vin de Véronique Rivest
★★ (bistro) fra
88, rue Montcalm, Gatineau
Tél.: 819-600-7643
SPÉCIALITÉS FRANÇAISES: Planche de charcuteries et fromages. Truite de notre fumoir, crème fraîche, boutons de marguerite marinés. Tartare de bison. Boudin noir maison, pommes, purée de topinambour. Tarte chocolat et caramel salé, noisettes.
PRIX Midi: C. 20$ à 27$
Soir: Idem
OUVERTURE: Lun. à jeu. 11h30 à 22h. Ven. 11h30 à 23h. Sam. 16h à 23h. Dim. 16h à 22h.
NOTE: Équipe de sommeliers sur le plancher. Une vingtaine de vins au verre. Véronique Rivest, deuxième dauphine au Concours du meilleur sommelier du monde en 2013, meilleur sommelier des Amériques en 2012, meilleur sommelier du Canada en 2006 et 2012.
COMMENTAIRE: La très primée et très chaleureuse propriétaire Véronique Rivest n'a plus besoin de présentation dans le milieu du vin et des foodies. On aimerait qu'elle soit toujours là pour nous faire partager sa passion. La carte des vins explore la qualité dans toutes les direc-

tions. On y va davantage pour boire que pour manger, et la nourriture n'est là que comme support aux vins, c'est clairement énoncé.

STERLING ★★★ cont
835, rue Jacques-Cartier, Gatineau
Tél.: 819-568-8788
SPÉCIALITÉS CONTINENTALES: Foie gras poêlé, pomme caramélisée, chutney de bleuets, crumble à l'amande. Filet de saumon poêlé, béarnaise, risotto de champignons, asperges. Filet mignon grillé au bois d'érable, sauce deux poivres. Marquise au chocolat grand cru, coulis de fruits rouges.
PRIX Midi: T.H. 29,95$
Soir: C. 43$ à 103$ T.H. 65$
OUVERTURE: Lun. à ven. 11h à 23h. Sam. 17h à 23h. Dim. 17h à 22h. Fermé 24, 25 déc. et 1er janv.
NOTE: Maison fin du XIXe siècle. Menu saisonnier. Boucherie. Viande qualité Sterling Silver, vieillie sur place, 21-40 jours. Deux celliers à vins de 10 000 bouteilles, 250 étiquettes de vins et d'importation privée. Musiciens ven. et sam. 19h.
COMMENTAIRE: Les clients du Sterling sont dirigés à l'étage, mais c'est au rez-de-chaussée que tout se passe. Une salle de vieillissement, la plaque de cuisson et le grillardin qui maîtrise l'art de préparer des viandes à la cuisson exacte. Les «steakhouses» sont nombreux à Ottawa, mais Sterling est seul de son calibre à Gatineau. La terrasse donne sur la rivière des Outaouais; quand les travaux de réfection de la rue Jacques-Cartier seront terminés, ce sera unique!

SUPPLY & DEMAND ★★★★ int
1335, rue Wellington O., Ottawa
Tél.: 613-680-2949
SPÉCIALITÉS INTERNATIONALES: Asperges grillées, sauce hollandaise, romarin et citron. Thon albacore cru, citron, huile de truffe, riz soufflé. Poitrine et escalope de porc, risotto de blé aux herbes, asperges grillées. Eton mess: meringue à la crème fouettée, rhubarbe et baies.
PRIX Midi: (fermé)
Soir: C. 30$ à 59$
OUVERTURE: Dim. 17h à 21h30. Mar. à sam. 17h à 22h. Fermé lun. et jours fériés.
NOTE: Réserv. recommandée. Saucisses faites sur place. Pâtes fraîches du jour.
COMMENTAIRE: Avant que les foodies d'Ottawa ne craquent pour North & Navy, Supply & Demand était la coqueluche du coin. C'en est pas moins appétissant aujourd'hui: le jeune chef propriétaire Steve Wall n'a rien perdu de son talent pour offrir une cuisine italienne moderne dans un lieu bruyant, avec une cuisine ouverte. Le pain maison: on en redemande.

THE WELLINGTON GASTROPUB ★★★★ int
1325, rue Wellington O., Ottawa
Tél.: 613-729-1315

SPÉCIALITÉS INTERNATIONALES: Bœuf AAA grillé sous-vide, écrasé de légumes. Magret de canard mulard rôti, bacon, poireaux et carottes, vinaigrette au kimchi. Pierogies au cheddar et pommes de terre, salade pommes-fenouil, crème d'oignons verts.
PRIX Midi: C. 26$ à 39$
Soir: C. 38$ à 58$
OUVERTURE: Lun. à ven. 11h30 à 14h. Lun. à mer. 17h30 à 21h30. Jeu. à sam. 17h30 à 22h. Fermé dim., jours fériés, du 24 au 30 déc. et 31 déc. au soir.
NOTE: Demi-litre de crème glacée à emporter 9$. Poss. d'apporter son vin lun., droit de bouchon 25$/bout. Menu terrasse la semaine, 14h à 16h30. Premier mardi de chaque mois, record club, écoute de disques vinyle. Réserv. White Room pour événements.
COMMENTAIRE: Lancée en Angleterre, la formule «gastropub» (bistronomie, disent certains) marie un assortiment de bières d'exception et une cuisine recherchée. Cela va bien au-delà des fish & chips des pubs traditionnels. Le Wellington fut le premier du genre à Ottawa il y a 10 ans et la formule fonctionne toujours. Des plats goûteux, une ambiance décontractée qui vire presque au lounge en fin de soirée.

THE WHALESBONE OYSTER HOUSE ★★★ cont
430, rue Bank, Ottawa
Tél.: 613-231-8569
SPÉCIALITÉS CONTINENTALES: Roulé de homard sur brioche, beurre, frites, aïoli. Fish and chips de morue du Pacifique. Tarte à la crème vanillée. Churros au chocolat.
PRIX Midi: C. 36$ à 61$
Soir: C. 49$ à 71$
OUVERTURE: Lun. à ven. 11h30 à 14h30. Dim. à mer. 17h à 22h. Jeu. à sam. 17h à 23h. Fermé jours fériés.
NOTE: Réserv. recommandée. Petit buffet d'huîtres. Menu variant tous les jours.
COMMENTAIRE: D'abord buffet d'huîtres, le Whalesbone en est devenu le spécialiste à Ottawa et tous les autres restos s'y approvisionnent. Pour l'originalité et la variété, cela demeure l'incontournable. Petite salle à manger funky avec du mobilier peu confortable, juste pour faire différent. La qualité du resto dépend beaucoup du talent du chef qui a souvent changé. En 2016, on a ouvert un second Whalesbone, plus grand mais pas très loin, sur la rue Elgin. À visiter.

TOWN ★★★ int
296, rue Elgin, Ottawa
Tél.: 613-695-8696
SPÉCIALITÉS INTERNATIONALES: Asperges grillées et homard. Terrine de pieuvre grillée. Boulettes de viande farcies à la ricotta et au parmesan, polenta et sauce tomate. Panna cotta au babeurre, pomme pochée au caramel, crumble de cheddar et pacanes.
PRIX Midi: C. 29$ à 35$
Soir: C. 39$ à 57$

OUVERTURE: Mer. à ven. 11h30 à 14h. Lun. à jeu. 17h à 22h. Ven. et sam. 17h à 23h. Dim. 17h à 22h. Fermé 1re sem. de janv.

NOTE: Ricotta maison. Importante carte des vins.

COMMENTAIRE: L'étroite façade rappelle les maisons d'Amsterdam. On peut facilement passer tout droit sans l'apercevoir. Une fois à l'intérieur, l'impression de petitesse s'évapore: c'est tout en longueur. On ne peut en dire autant du menu: le travail du chef propriétaire Marc Doiron est solide et goûteux, mais on a vite fait le tour de la carte. Les habitués ne s'en plaignent pas.

VITTORIA TRATTORIA ★★★ ita
35, rue William, Ottawa
Tél.: 613-789-8959

SPÉCIALITÉS ITALIENNES: Pizza quatre saisons (artichauts, olives noires, tomates séchées et prosciutto). Pâtes pescatore. Tortellini au gorgonzola. Carré d'agneau en croûte au sumac. Poulet parmigiana. Veau au marsala. Crème brûlée au chocolat blanc.

PRIX Midi: C. 31$ à 61$
Soir: C. 34$ à 70$

OUVERTURE: Lun. à ven. 11h à 22h. Sam. et dim. 10h à 23h. Brunch sam. et dim. Fermé 24 et 25 déc.

NOTE: Antipasti et desserts maison. Très grande variété de vins du monde entier. Droit de bouchon 25$/bout. Cocktails maison. Ouvert depuis 1991.

COMMENTAIRE: Rien de spécial pour le 25e anniversaire de Vittoria Trattoria autre que... encore plus de vins, car la cave s'illustre au plan national tellement elle est généreuse. Probablement mieux garnie que celle du Casino du Lac-Leamy. Au cœur du marché By, Vittoria Trattoria présente un menu italien traditionnel qui ne déçoit pas. Manger dans la cave à vins est une expérience à vivre!

WILFRID'S RESTAURANT
★★★★ can
Fairmont
1, rue Rideau, Ottawa
Tél.: 613-241-1414

SPÉCIALITÉS CANADIENNES: Gaspacho aux tomates de la ferme Juniper. Carpacio de bison, pecorino, roquette. Truite arc-en-ciel poêlée, polenta au fromage de chèvre, asperges grillées. Crème brûlée chocolat blanc et framboises.

PRIX Midi: C. 43$ à 62$
Soir: C. 45$ à 77$

OUVERTURE: Lun. à sam. 11h30 à 14h et 17h30 à 22h. Petit déjeuner lun. à ven. 6h30 à 11h, sam. 7h à 11h, dim. 7h à 10h30.

NOTE: Réserv. recommandée. L'été, menu dégustation 3 serv. 65$, accords des vins 31$. Menu enfants. Menu différent sur la terrasse et menu saisonnier. Terrasse ouverte en été.

COMMENTAIRE: L'illustre Château Laurier n'a pas les ambitions culinaires de son cousin, le Château Frontenac. Son restaurant Wilfrid's est douillet et très classique: le dîneur n'y fait pas de découvertes, mais il n'est que rarement déçu. Bien situé en bordure des écluses du canal Rideau, voisin du Parlement du Canada. Vaut au moins une visite.

RÉGION DE GATINEAU - OTTAWA

LES FOUGÈRES ★★★ fra
783, route 105, Chelsea
Tél.: 819-827-8942

SPÉCIALITÉS FRANÇAISES: Cari maison. Confit de canard mulard, pommes de terre rôties, fromage de chèvre, poire pochée, épinards, compote de Lingonne. La Bouche du Saint-Laurent (pétoncles, crevettes, ravioli de morue, moules). Trio à l'érable, tarte au sirop d'érable, profiteroles à l'érable et glace à l'érable.

PRIX Midi: C. 46$ à 67$
Soir: Idem T.H. 54$

OUVERTURE: Mer. à ven. midi à 21h. Sam. et dim. 10h à 21h. Fermé lun. et mar., 1er juil., fête du Travail, Action de grâces, 24 au 26 déc. et 1er janv.

NOTE: Menu soir 4 serv. Menu végétarien midi et soir. Menu dégustation 8 serv. 89$, accord vins 35$. Assiette de fromages québécois. Plats cuisinés à emporter, produits en vente dans plusieurs épiceries au Québec. Nombreux prix pour la cave à vin.

COMMENTAIRE: Après deux décennies, Charles Part et sa compagne Jennifer Warren ont joué le tout pour le tout: la salle à manger a été chamboulée et dans son rajeunissement, le blanc et la lumière dominent. Le chef Part n'a pas ménagé le menu non plus, tourné vers les plats de dégustation. Mais le canard confit, le plat signature de cette maison dans les sousbois, a survécu. Ouf.

L'ORÉE DU BOIS ★★★★ fra
15, ch. Kingsmere, Chelsea
Tél.: 819-827-0332

SPÉCIALITÉS FRANÇAISES AVEC PRODUITS DE LA RÉGION: Canard dans tous ses états (rillettes, fondant au foie gras, terrine, gésier). Pétoncles sauce à la coriandre. Filet d'agneau au romarin. Médaillon de cerf mariné à la lie de vin. Terrine aux trois chocolats, sauce à l'orange et gingembre. Nougat glacé au pralin d'érable.

PRIX Midi: (fermé)
Soir: C. 42$ à 74$ T.H. 49$

OUVERTURE: Mar. à dim. 17h30 à 22h. Ouvert midi sur réserv. de groupes, conférences et réunions d'affaires. Fermé lun., 23 au 26 déc. et 10 jours à partir du 2 janv.

NOTE: Réserv. nécessaire. Table d'hôte régionale 49$. Menu pour végétariens et personnes allergiques. Menu enfants. Brunch à thème mensuel. Produits maison et chocolat. Fumoir à poisson. Très belle carte de vins, 80% de sa propre agence d'importation.

COMMENTAIRE: Dans une vieille propriété toute en boiseries, sous les arbres matures, Guy Blain avait créé son restaurant. Son fidèle lieutenant Jean-Claude Chartrand l'a repris et, depuis cinq ans, l'a redynamisé, sans oublier les classiques de la maison. Son prix national des Créatifs de l'érable en 2015 en fait foi. Par bonheur, les prix sont toujours raisonnables et l'accueil est resté chaleureux.

SHERBROOKE

DA LEONARDO ★★★ ita
4664, bd Bourque, Sherbrooke
Tél.: 819-564-0666
SPÉCIALITÉS ITALIENNES: Calmars frits. Linguini aux crevettes, sauce tomate, crème, cognac, bisque de homard. Suprême de poulet aux crevettes, sauce Rosario. Tartufo à l'italienne. Tiramisu maison.
PRIX Midi: F. 11$ à 19$
Soir: C. 25$ à 56$ F. 28$ à 38$
OUVERTURE: Lun. à sam. 11h à 14h. Lun. à mer. 17h à 21h. Jeu. à sam. 17h à 22h. Fermé dim., 24, 25 déc. et 1er janv.
NOTE: Grande variété de risottos. Pâtes fraîches maison, 20 sauces différentes. Huîtres et fettucini au homard en saison. Très bon choix de vins italiens. Menu enfant 9,50$. Cafés flambés.
COMMENTAIRE: Restaurant typiquement italien, d'ambiance familiale, ouvert depuis 1984, par le chef Giampietro et Christiane, son épouse. La famille prend la suite avec Bruno et Marcello Mecatti. La cuisine est toujours aussi bonne.

LA TABLE DU CHEF ★★★★ fra
11, rue Victoria, Sherbrooke
Tél.: 819-562-2258
SPÉCIALITÉS FRANÇAISES: Foie gras de canard poêlé, compote de pêches à l'anis, gâteau au miel de Waterloo. Cuisse de lapin farcie à la viande fumée, gratin de patates sucrées. Filet de bœuf Angus poêlé, épinards au parmesan, jus de veau aux échalotes. Fondant de chocolat Guanaja, glace aux framboises.
PRIX Midi: F. 15$ à 22$
Soir: F. 35$ à 49$
OUVERTURE: Lun. à ven. 11h30 à 14h. Mar. à sam. 17h30 à 21h. Fermé sam. midi, dim., 25 déc. et 1er janv.
NOTE: Menu dégustation 5 serv. 63$. Menu aux saisons. Desserts 8$ à 11$. Service de traiteur.
COMMENTAIRE: Le chef propriétaire a été le dernier chef de l'Auberge Hatley, avant l'incendie. Alain Labrie et son épouse ont installé leur restaurant dans un ancien presbytère, sur une petite colline dominant la vallée de Sherbrooke. Ils y servent une très belle cuisine française, revisitée à leur façon. Les mets sont fins, élégants et inventifs.

LE BACCHUS ★★★ fra
2765, rue King O., Sherbrooke
Tél.: 819-823-3338
SPÉCIALITÉS FRANÇAISES: Mariage de pétoncles et crevettes, coulis de crustacés. Magret de canard en aiguillettes aux baies rouges. Ris de veau, sauce à la crème sure. Médaillon de jeune cerf au porto et romarin. Camembert au four, amandes et péché mignon. Crème brûlée à la vanille fraîche.
PRIX Midi: T.H. 15$ à 26$
Soir: C. 39$ à 45$ T.H. 33$ à 39$
OUVERTURE: Mar. à ven. 11h à 14h. Mar. à dim. 17h à 22h. Fermé lun., le midi de juil. à mi-août et 25 déc.
NOTE: Menu découverte 7 serv. 45$. On peut créer sa table d'hôte en ajoutant 12$ à un plat principal offert sur la carte. Ouvert lun. 25 pers. et plus.
COMMENTAIRE: Un restaurant où l'on se sent bien. On y apporte son vin ou sa bière et sa bonne humeur pour y déguster une cuisine très agréable et gentiment servie. Quelques recettes italiennes se glissent dans les menus. Décor chaleureux et sans prétention, tout comme l'assiette d'ailleurs.

LE BOUCHON ★★★★ (bistro) fra
107, rue Frontenac, Sherbrooke
Tél.: 819-566-0876
SPÉCIALITÉS FRANÇAISES: Carpaccio d'omble chevalier, mayo citron confit, œuf de caille mariné. Tartare de bœuf du Bouchon et frites maison. Bavette de bœuf grillée, sauce au bleu et échalotes, frites maison. Cuisse de canard confite, légumes. Fondant au chocolat noir, sorbet aux fruits de la passion.
PRIX Midi: F. 14$ à 25$
Soir: C. 37$ à 59$ T.H. 38$ à 48$
OUVERTURE: Lun. à ven. 11h30 à 14h30. Lun. à sam. 17h30 à 22h. Fermé dim., jours fériés et du 21 déc. au 7 janv.
NOTE: Cave à vin 100 références. Belle sélection de vins au verre.
COMMENTAIRE: Une cuisine bistro française de qualité dans un décor évolutif, servie avec professionnalisme. L'un des copropriétaires, Stéphane Fournier, le chef Martin Fortier et la sommelière copropriétaire Maude Lambert s'entendent pour faire de cet excellent bistro l'une des bonnes tables de Sherbrooke. Un incontournable où la passion et la rigueur nous assurent une belle aventure gastronomique.

LE CHOU DE BRUXELLES
★★★★ bel
1461, rue Galt O., Sherbrooke
Tél.: 819-564-1848
SPÉCIALITÉS BELGES: Carpaccio de saumon. Moules (au bleu de l'Abbaye, zeebruggeoise, crabe, pesto, etc.). Waterzoï. Rognons de veau «Sambre et Meuse». Filet mignon de bœuf brabançon, sauce échalote française déglacée au porto. Ris de veau archiduc. Gaufre de Belgique.

PRIX Midi: (fermé)
Soir: C. 24$ à 44$ T.H. 29$
OUVERTURE: Dim., mar. et mer. 17h à 21h. Jeu. à sam. 17h à 22h. Fermé lun., 24, 25 déc. et 20 jours en juil. Réserv. préférable.
NOTE: Apportez votre vin et votre bière. Saumon fumé maison. Menu gastronomique 7 serv. soir 38$. Menu à emporter sur Internet.
COMMENTAIRE: Une adresse stable, toujours égale à elle-même. Une des rares adresses servant des mets typiquement belges. En cuisine, un duo qui fonctionne toujours. Le chef Frank Baron y prépare toujours des plats savoureux, sous la supervision de la chef propriétaire Dominique Homans.

RESTAURANT AUGUSTE
★★★ (bistro) fra
82, Wellington Nord, Sherbrooke
Tél.: 819-565-9559
SPÉCIALITÉS FRANÇAISES ET QUÉBÉCOISES: Ravioles de patates douces, amandes au beurre et sauge. Risotto aux champignons, épinards, parmesan, huile de truffe blanche. Foie de veau de lait poêlé, grelots fondants au bacon et fèves vertes. Boudin noir croustillant, pommes purée, chou rouge aigre-doux. Pouding chômeur à l'érable, glace Coaticook.
PRIX Midi: T.H. 18$ à 30$
Soir: C. 33$ à 58$ T.H. 25$ à 45$
OUVERTURE: Lun. à ven. 11h30 à 14h30. Sam. et dim. 10h30 à 14h30. Dim. à mer. 17h à 22h. Jeu. à sam. 17h à 23h. Fermé 24, 25 déc., 1er et 2 janv.
NOTE: Pêche responsable. Service de traiteur.
COMMENTAIRE: Le chef Danny Saint-Pierre qui a fait la renommée québécoise de l'établissement, se consacre aujourd'hui exclusivement à sa carrière à Montréal. Il a été remplacé par Julien Hamont qui a fait ses classes en France, notamment chez Rostang à Paris. Décor bistro, un peu en longueur, murs jaunes ornés de grands tableaux noirs, grosse armoire pour les vins. Grand comptoir avec cuisine ouverte. À la fois très moderne et très chaleureux avec beaucoup de bois. Nappe de papier sur les tables. On propose ici une cuisine française avec quelques accents québécois. Service aimable.

RESTAURANT DA TONI ★★★★ ita
15, rue Belvédère N., Sherbrooke
Tél.: 819-346-8441
SPÉCIALITÉS ITALIENNES ET FRANÇAISES: Bisque de homard. Thon poêlé à l'extra vierge, citron et fleur de sel. Escalope de veau de grain à la parmigiana. Escalope de veau lombarde, citron et champignons, linguine aux fines herbes. Filet mignon de bœuf AAA de l'Alberta. Crème brûlée. Torta de la nona.
PRIX Midi: F. 13$ à 25$
Soir: C. 28$ à 66$ T.H. 25$ à 50$
OUVERTURE: Lun. à ven. 11h30 à 14h. Dim. à mer. 17h à 21h. Jeu. à sam. 17h à 22h. Fermé midi lun. fériés.
NOTE: Ouvert depuis 1969. Mise en valeur des produits du terroir. Desserts maison. 100 sortes de vin, beaucoup d'importation privée, carte d'or 2009. Stationnement gratuit.
COMMENTAIRE: C'est l'un des plus anciens restaurants de Sherbrooke. Fondé par Toni Danella en 1969, déménagé sur Belvédère dans l'édifice d'une fabrique de laine et de flanelle en 1987. Repris par un nouveau propriétaire en 2007, Da Toni a conservé la même philosophie. Le service attentionné fait qu'on s'y sent bien. L'excellent sommelier Patrice Tinguy connaît son travail et apporte un plus à l'établissement. Superbe filet mignon. Un endroit où l'on va aussi pour se montrer.

RESTAURANT LE SULTAN ★★★ lib
205, rue Dufferin, Sherbrooke
Tél.: 819-821-9156
SPÉCIALITÉS LIBANAISES: Falafel. Hommos (pois chiche et beurre de sésame). Moutabel (purée d'aubergines). Kibbe (bœuf avec blé concassé). Merguez (saucisses marocaines épicées). Chiche taouk. Brochettes (filet mignon, agneau, crevettes ou kafta). Baklava.
PRIX Midi: F. 11$ à 13$
Soir: C. 26$ à 49$ T.H. 23$ à 28$
OUVERTURE: Lun. à ven. 11h à 14h. Lun. à sam. 17h à 21h. Fermé dim. et 25, 26, 31 déc., 1er janv, 24 juin et 1er juil.
NOTE: Apportez votre vin ou votre bière. Le prix du midi inclut la soupe, le plat principal et le café. Toutes les grillades sont faites au feu de bois.
COMMENTAIRE: Toujours une valeur sûre à Sherbrooke. Le chef est accueillant et passionné de cuisine libanaise. Ses plats font le bonheur de ses clients. L'ambiance détendue est rehaussée par de la musique orientale et du baladi, la salle à manger est agréable, l'assiette est très bonne, voire excellente, et le service est sympathique. Toutes les odeurs, les couleurs et la musique du Moyen-Orient sont à leur maximum vendredi et samedi soir. En cas d'hésitation, choisissez les tables d'hôte déjà composées pour goûter un peu à tout.

RÉGION DE SHERBROOKE
(Cantons-de-l'Est)

LE HATLEY ★★★★★ qué
Manoir Hovey
575, rue Hovey, North-Hatley
Tél.: 819-842-2421 et 1-800-661-2421
SPÉCIALITÉS QUÉBÉCOISES REVISITÉES: Foie gras au torchon à la rose sauvage, renouée, pain au méliot, églantier et fleurs du printemps. Flétan rôti sur l'hysope, fumet crémeux à la ciboulette à l'ail, pois sucré, mélisse, riz sauvage, mertensie maritime. Strudel au chocolat noir Nyangbo, cerises, yaourt glacé au sorbier.
PRIX Midi: C. 35$ à 53$
Soir: T.H. 75$
OUVERTURE: Hiver: 7 jours midi à 14h et 18h à 21h. Été: 7 jours midi à 16h et 18h à 21h30.

GUIDE DEBEUR 2017

NOTE: Menu découverte 7 serv. 100$, 170$ avec les vins. Carte de thés et tisanes. Environ 1 000 étiquettes de vin. Brunch 50$ à l'Action de grâce, Noël, nouvel An, Pâques, fête des Mères. Auberge de 37 chambres sur le lac.
COMMENTAIRE: Une très belle cuisine contemporaine québécoise revisitée mettant en valeur les produits régionaux. Un excellent chef soutenu par de bons sommeliers. Un très bel établissement au bord de l'eau. Manoir ancestral construit sur le modèle de Mount Vernon, résidence de George Washington, niché dans un nid de verdure, offrant une vue magnifique sur le lac Massawippi.

LE RIVERAIN ★★★★★ int
Hôtel Ripplecove sur le lac
700, Ripplecove, Ayer's Cliff
Tél.: 819-838-4296 et 1-800-668-4296
SPÉCIALITÉS INTERNATIONALES: Saumon fumé Ripplecove, roulade de chèvre aux poivrons doux et câpres, mi-cuit à l'orange, caramel d'agrumes au piment d'Espelette. Ris de veau capucine, purée de patates douces, muscade, lie de vin à l'émulsion de beurre, citron aux câpres. Décadence bavaroise au chocolat blanc, crème prise, framboises balsamiques, glace au basilic.
PRIX Midi: C. 35$ à 51$
Soir: C. 61$ à 80$ T.H. 65$
OUVERTURE: Mi-mai à mi-oct.: 7 jours midi à 14h et 18h à 21h30. Petit déjeuner 7h30 à 10h. Sur réserv. le reste du temps.
NOTE: Saumon fumé maison. Variété de fromages des Cantons-de-l'Est. Menu saisonnier. Menu découverte 7 serv. 88$, avec vins 65$ de plus. Réserv. préférable. Carte des vins 500 étiquettes, 5 000 bouteilles. Prix du Wine Spectator 2001 à 2014. Carte d'or 2007 à 2011. Pianiste classique sam. soir.
COMMENTAIRE: Construite en 1945, l'auberge est située dans un décor enchanteur au bord du lac Massawippi. Un très bel endroit qui ne cesse de s'améliorer. La salle à manger est de toute beauté. L'assiette est savoureuse et très bien présentée, souvent originale. Un vrai plaisir pour les yeux tout autant que pour le palais. Service stylé et professionnel. Une adresse qui vaut largement le détour.

LES JARDINS ★★★ cont
Manoir des Sables
90, av. des Jardins, Orford
Tél.: 819-847-4747
SPÉCIALITÉS CONTINENTALES: Poitrine de canard du lac Brome rôtie sur la peau, pommes de terre. Jarret d'agneau braisé, poêlée de légumes racines, gratin de patates douces. Raviolis de lapin de Stanstead au gingembre, jus de volaille à la citronnelle et coriandre.
PRIX Midi: C. 8$ à 32$
Soir: C. 25$ à 54$ T.H. 33$ à 44$
OUVERTURE: 7 jours midi à 14h et 17h30 à 21h30. Petit déjeuner lun. à sam. 7h à 10h30 et dim. 7h à 11h. Ouvert 24, 25, et 31 déc. sur réserv.

NOTE: Brunch à Pâques et à la fête des Mères. 140 chambres, 27 suites haut de gamme. Centre de santé. Golf, spa nordique, piscines intérieure et extérieure.
COMMENTAIRE: Salle à manger du Manoir des Sables avec vue panoramique sur le Mont-Orford. Deux bars: Grilladerie L'Albatros (grillades et repas légers) avec vue sur le golf et le Mont-Orford et le Pub pour un apéro à la fin de la journée. Tout près du lac Memphrémagog.

LES SOMMETS ★★★ cont
Hôtel Chéribourg
2603, ch. du Parc, Orford
Tél.: 819-843-3308 et 1-800-567-6132
SPÉCIALITÉS CONTINENTALES: Pavé de saumon rôti à l'érable et épices tandoori. Côtes levées de porc, sauce barbecue au bourbon. Macreuse grillée, sauce à la bière rousse. Magret de canard rôti, légumes de saison poêlés, sauce au Sortilège. Pouding chômeur à l'érable.
PRIX Midi: C. 12$ à 20$
Soir: C. 28$ à 56$ T.H. 31$
OUVERTURE: 7 jours 11h30 à 17h et 17h30 à 22h. Petit déjeuner 7h à 11h.
NOTE: Menu saisonnier. Carte des vins 60 étiquettes. Aire de jeux pour enfants (cinéma maison, jeux vidéo, jeux gonflables), spa extérieur, terrains de tennis. Petite ferme à l'extérieur, l'été.
COMMENTAIRE: Situé près du parc du Mont-Orford et de la Rivière-aux-Cerises. Diplômé de l'ITHQ, Jérôme Turgeon joint l'équipe en 2010 et prend les commandes de la cuisine en 2012. Il propose une assiette continentale élaborée avec les produits de sa région.

LE TEMPS DES CERISES ★★★ int
79, rue du Carmel, Danville
Tél.: 819-839-2818 1-800-839-2818
SPÉCIALITÉS INTERNATIONALES: Agneau de Danville rôti. Foie gras au Coureur des bois. Saumon sauvage mariné. Moules en casserole à la belge. Mousse d'esturgeon fumé au chèvre de La Maison Grise. Téton d'enfer: cône crémeux aux chocolats noir et blanc. Crème brûlée au miel.
PRIX Midi: T.H. 14$ à 22$
Soir: C. 24$ à 53$ T.H. 24$ à 40$
OUVERTURE: Mar. à ven. 11h30 à 13h30. Mar. à sam. 17h30 à 21h. Ouvert dim. 17h30 à 20h en juil. et août. Fermé lun. Fermé dim. de sept. à juin., mar. et mer. de fév. à mai. Fermé 24, 25 déc. et du 1er au 25 janv.
NOTE: Menu dégustation 7 serv. 50$. Brunch à Pâques et à la fête des Mères. Situé dans une ancienne église protestante avec de nombreux vitraux. Accessible aux handicapés.
COMMENTAIRE: Manger dans ce restaurant est vraiment unique, car il est installé dans une ancienne église presbytérienne depuis 1987. Les propriétaires ont su garder la magie des lieux. Le plancher de bois, la simplicité du mo-

bilier, la sculpture aérienne de métal, la charpente du toit et les vitraux en font un endroit très spécial. De toute beauté le soir. Cuisine avec les produits de la région. On y donne des cours de cuisine et leurs produits maison, confitures et marinades Les délices de Martine, sont vendus dans les épiceries.

PLAISIR GOURMAND ★★★★ fra
2225, route 143, Hatley
Tél.: 819-838-1061
SPÉCIALITÉS FRANÇAISES: Pétoncles, fenouil, concombre, sauce yuzu, échalotes, roquette sauvage. Carré de marcassin, purée de pommes de terre aux lardons fumés. Mi-cuit au chocolat Barry, crème brûlée au thé de Bleu lavande, glace maison aux épices.
PRIX Midi: (fermé)
Soir: Menu 52$ à 65$
OUVERTURE: 15 oct. au 15 juin: jeu. à sam. 18h à 23h. 15 juin au 15 oct.: mer. à sam. 18h à 23h.
NOTE: Menu terroir québécois 4 serv. 52$. Menu dégustation table du chef 6 serv. 65$. Menu thématique selon les produits de saison. 50% des légumes, fines herbes et pousses sont produits sur place. Carte des vins d'importation privée à partir de 30$, 165 étiquettes. Service de traiteur, produits faits maison à emporter sur commande.
COMMENTAIRE: Mérite le détour pour la qualité d'une cuisine qui surprend agréablement. Restaurant installé dans une maison privée, il s'en dégage un charme champêtre désuet des années 1860. On se croirait chez un particulier à la campagne. La cuisine pourrait se résumer à trois mots: beauté, saveur, simplicité. Un chef qui aime les plats bien assaisonnés et une épouse, chef pâtissière, qui travaille avec délice!

TROIS-RIVIÈRES

AU FOUR À BOIS ★★ ita
329, rue Laviolette, Trois-Rivières
Tél.: 819-373-3686
SPÉCIALITÉS ITALIENNES: Risotto aux fruits de mer. Pâtes fraîches à la carbonara. Pizza minceur. Carré de porc sur la braise. Blanquette de veau. Brochettes et filet mignon cuits à la braise de bois. Tiramisu maison.
PRIX Midi: T.H. 15$
Soir: C. 17$ à 43$
OUVERTURE: Lun. à ven. 11h30 à 14h. Sam. 11h à 14h. Mar. à jeu. 17h à 21h. Ven. à dim. 17h à 22h. Fermé dim. midi, lun. soir, 25 déc. et 1er janv.
NOTE: Ouvert depuis 1982. Pizzas cuites au four à bois. Mets mijotés au menu. Verrière. Véranda 4 saisons.
COMMENTAIRE: Une belle ambiance de four à bois, dans une maison ancestrale de 1877. Le four à bois est l'élément principal de ce restaurant, il captive l'attention, répand la

bonne odeur des mets qui cuisent et celle du bois qui se consume. On y cuit pratiquement tous les plats. Les pizzas sont excellentes. Belle terrasse couverte l'été.

LE CASTEL DES PRÉS
★★★★[ER] (bistro) cont
5800, bd Gene H. Kruger, Trois-Rivières
Tél.: 819-375-4921
SPÉCIALITÉS CONTINENTALES: Tartare de saumon frais. Trilogie de saumon. Feuilleté de rognons de veau et boudin noir. Pavé de veau Manhattan. Carré d'agneau rôti à la moutarde. Ris de veau façon Claude. Bavette de bœuf à l'échalote. Mœlleux au chocolat noir.
PRIX Midi: F. 14$ à 17$
Soir: C. 34$ à 62$ F. 19$ à 36$
OUVERTURE: Lun. 11h à 21h. Mar. à ven. 11h à 22h. Sam. 16h30 à 22h. Fermé dim. et jours fériés. Fermé 24 et 25 déc.
NOTE: Fumoir maison pour le saumon. Brunch à Pâques, fête des Mères, jour de l'An. Établi depuis 1954.
COMMENTAIRE: Un établissement décontracté, à l'ambiance animée et chaleureuse, différente selon les petites salles. Le menu affiche toujours les plats les plus populaires, ceux qui ont fait leur succès. Le cellier à vin comprend plus de 250 produits, ainsi qu'un choix de vins et de portos servis au verre. Dominic Lapointe, chef propriétaire du service de traiteur «À la fine pointe», s'est associé à l'entreprise.

LE ROUGE VIN ★★★ cont
Hôtel des Gouverneurs
975, rue Hart, Trois-Rivières
Tél.: 819-376-7774
SPÉCIALITÉS CONTINENTALES: Tartare de bœuf Angus façon brésilienne, quartiers de pommes de terre, mayo à l'ail rôti. Médaillons de filet de porc, fromage de chèvre, confit d'oignon, sauce demi-glace. Magret de canard poêlé au caramel d'agrumes, sauce porto vieilli et figues noires. Crème brûlée de saison.
PRIX Midi: Buffet 16,95$
Soir: C. 39$ à 70$ T.H. 35$ à 57$
OUVERTURE: 7 jours 11h30 à 14h et 17h30 à 22h. Petit déjeuner 7 jours 7h à 10h30.
NOTE: Buffet midi, lun. à ven. Buffet fruits de mer ven. et sam. 17h30 à 22h. Ven. à dim. soir pianiste. Brunch dim.
COMMENTAIRE: La salle à manger a été revampée. La cuisine est très bonne et copieuse. Excellent choix de vins au verre. Service très gentil, qui veut bien faire. Depuis notre dernière visite, nous avons constaté une amélioration dans la décoration et dans l'assiette. À surveiller.

RÉGION DE TROIS-RIVIÈRES
(Centre-du-Québec - Mauricie)

AUBERGE GODEFROY ★★★ fra
17575, bd Bécancour, Bécancour
Tél.: 819-233-2200 et 1-800-361-1620

SPÉCIALITÉS FRANÇAISES: Tartare de truite, micro-pousses, huile de ciboulette. Magret de canard poêlé, croustillant à la fleur de sel, canneberges caramélisées, sauce porto et érable. Coupe de porc rôti, pommes du Québec, sauce au cidre de glace. Entremets au lait d'amande, compotée de fraises à l'amaretto.
PRIX Midi: T.H. 26,75$
Soir: C. 38$ à 86$ T.H. 41$
OUVERTURE: 7 jours 11h à 14h30. Dim. à jeu. 17h30 à 21h. Ven. et sam. 18h à 22h. Petit déjeuner 7h à 10h.
NOTE: Menu dégustation 7 serv. 71$, avec vins 32$. Buffet lun. à ven. midi, 23,50$. Cave à vin, plus de 420 étiquettes étrangères et québécoises. Espace aqua-détente adjacent à la terrasse. Soirée dansante à la Saint-Sylvestre. Tapas à saveurs du terroir québécois. Brunch thématique temps des sucres dim. 11h30 à 14h (l'unique cabane du cap Diamant).
COMMENTAIRE: Le chef cuisine avec les produits de la région. Sa carte cuisine française a une connotation québécoise teintée de cuisine internationale. L'auberge est située en plein centre du Québec, et les régions avoisinantes regorgent d'activités de toutes sortes.

L'AUBERGE DU LAC ST-PIERRE ★★★★ fra
10 911, rue Notre-Dame O., Pointe-du-Lac, Trois-Rivières
Tél.: 819-377-5971 et 1-888-377-5971
SPÉCIALITÉS FRANÇAISES: Poêlée de foie gras de canard, poire confite et laque à l'anis, pain à la pistache. Filet de porc Nagano, mayo olives noires, marmelade de tomates cerises et basilic. Crème brûlée à la vanille de Madagascar.
PRIX Midi: T.H. 25$ à 29$
Soir: C. 41$ à 76$ T.H. 45$ à 60$
OUVERTURE: 7 jours 11h30 à 14h et 18h à 20h30. L'été, petit menu-terrasse 11h30 à 21h. Petit déjeuner 7h30 à 10h30.
NOTE: Réserv. préférable. Menu-terrasse 11$ à 17$. Les plats de la T.H. du soir peuvent être choisis séparément. Brunch du jour de l'An. Hôtel de 30 chambres. Deux spas, massages.
COMMENTAIRE: Pour profiter de la vue panoramique sur le lac Saint-Pierre, la salle à manger rénovée en 2015 est nichée dans un grand espace vitré. Une belle assiette, travaillée avec les produits de la région, bien servie. Auberge construite en 1988 au bord du fleuve Saint-Laurent.

LE BALUCHON Éco-villégiature ★★★ fra
3550, ch. des Trembles, Saint-Paulin
Tél.: 819-268-2555
SPÉCIALITÉS FRANÇAISES: Carpaccio de cerf. Sanglier braisé, carottes rôties, beurre noisette, gnocchis, Gré des Champs et jus de cuisson à la sarriette. Cerf rouge, betteraves, poivre long, topinambours rôtis, échalotes confites, rösti et sauce corsée au poivre des dunes. Verrine de citron, sorbet à la framboise.

PRIX Midi: (fermé)
Soir: C. 50$ à 75$ T.H. 49$
OUVERTURE: 7 jours 17h30 à 21h. Petit déjeuner 7h à 10h45.
NOTE: Plus de 10 choix de menus 4 serv. 59$. Menu gastronomique 7 serv. 89$. Soirées avec animation les 24 et 31 déc. Piscines intérieure et extérieure. Cabane à sucre. Spas nordiques.
COMMENTAIRE: Dirigé par toute une famille, le site comporte également une auberge. Certains plats sont préparés en salle. La cuisine est de facture française avec des plats de cuisine continentale aussi. Un écocafé Au bout du monde avec cuisine du terroir québécois, épicerie avec dégustations est annexé à l'auberge.

MANOIR BÉCANCOURT ★★★★ fra
3255, av. Nicolas-Perrot, Bécancour
Tél.: 819-294-9068 et 1-877-994-9068
SPÉCIALITÉS CONTINENTALES ET ITALIENNES: Assiette de fruits de mer. Carpaccio de filet mignon. Pétoncles poêlés avec bacon et fraises. Risotto fait minute. Filet mignon AAA vieilli. Effiloché de lapin, sauce parmesan, citron et basilic. Chateaubriand flambé. Fondant au chocolat maison.
PRIX Midi: (fermé)
Soir: C. 35$ à 83$ T.H. 22$ à 75$
OUVERTURE: Mer. à sam. 17h30 à 21h. Fermé dim. à mar. et 2 sem. au temps des fêtes.
NOTE: Jardin. Lounge. Menu gastronomique 6 serv. 85$. Brunch fête des Mères, Pâques et sur réserv. 35 pers. minimum 28$, dim. 10h30 à 14h. 9 chambres avec Internet haute vitesse sans fil. Spa sur place.
COMMENTAIRE: La talentueuse jeune chef Sophie Bourassa propose une cuisine française avec une influence italienne, préparée avec des produits frais du Québec. Les pâtes sont faites maison, les raviolis aussi. La spécialité: le chateaubriand de 16 onces pour deux, flambé à table, sauce béarnaise, frites et légumes.

Vous pouvez facilement identifier les établissements recommandés par le guide **Debeur** grâce à cet autocollant millésimé.

Restaurants des autres régions

Bas-Saint-Laurent, Charlevoix, Gaspésie

AVIS

Il arrive que des établissements utilisent les heures habituelles d'ouverture pour recevoir des groupes. Il y en a d'autres aussi qui ferment avant l'heure indiquée s'il n'y a pas de clients. Nous conseillons donc aux lecteurs de toujours vérifier si un restaurant est ouvert, en téléphonant avant de s'y rendre. D'autre part, les établissements en région ont la plupart du temps une vocation saisonnière. Cela explique la difficulté qu'ils ont à garder leurs chefs d'une saison à l'autre.

BAS-SAINT-LAURENT

AUBERGE DU MANGE GRENOUILLE ★★★★ fra
148, rue de Sainte-Cécile-du-Bic, Rimouski
Tél.: 418-736-5656
SPÉCIALITÉS FRANÇAISES: Crevettes de Sept-Îles, bouillon de crustacés, shiitake, baies de goji. Filet de cerf, mangue, jus au Myrica rubra. Tartelette aux agrumes et fraises, meringue cannelle, glace fromage, huile d'olive et pastis.
PRIX Midi: C. 18$ à 34$
Soir: C. 61$ à 69$ T.H. 42$ à 50$
OUVERTURE: 7 jours 17h30 à 21h. 24 juin à la fête du Travail 11h30 à 13h15. Ouvert sur réserv. 12 pers. et plus. Fermé 25 déc. et 1er janv.
NOTE: Menus saisonniers. Chef pâtissier sur place. Menu dégustation 5 serv. 65$, accord mets et vins 110$. Bar et cave à vin. Terrasse pour l'apéro et tapas. Auberge 22 chambres. Connexion haute vitesse sans fil. Jacuzzi au jardin. Parc du Bic et golf à proximité. Accordéoniste ven. soir l'été. Forfait théâtre Des gens d'en bas et spectacles à La Buvette.
COMMENTAIRE: Après quelques séjours dans des restaurants quatre étoiles, Richard Duchesneau reprend la direction des fourneaux. Une belle assiette succulente et bien présentée, qui met en valeur les produits du terroir du Bic. Maison de charme au décor théâtral, voire exubérant, très chargé et original, qui est nichée dans un vieux magasin général centenaire réhabilité. Vue magnifique sur les îles du Bic. Pour la petite histoire, l'établissement tient son nom de «frog eaters», un surnom que les Anglais donnaient aux Français parce que ces derniers mangeaient des cuisses de grenouille.

L'Auberge du mange grenouille voudrait donc dire «l'auberge du Français».

LE FAUBOURG ★★[ER] cont
280, de Gaspé O., rte 132, Saint-Jean-Port-Joli
Tél.: 418-598-6455 et 1-800-463-7045
SPÉCIALITÉS CONTINENTALES: Esturgeon du fleuve fumé maison, oignons confits. Jarret d'agneau, pâtes au pesto et légumes. Crème brûlée du Faubourg.
PRIX Midi: (fermé)
Soir: T.H. 32$ à 49$
OUVERTURE: Dim. à jeu. 17h à 21h. Ven. et sam. 17h à 22h. Petit déjeuner 7h à 10h. Fermé du 12 oct. au 1er mai.
NOTE: Réserv. souhaitable. Petit déjeuner buffet 24 juin à fin août. Brunch fête des Mères et semaine des vacances de la construction. Piscine extérieure. Centre de santé «Parfum de mer» sur le même site.
COMMENTAIRE: La cuisine est dirigée par la nouvelle chef Claire Gagné. La table est assez bonne dans l'ensemble. Sur le menu et sur la carte des vins, on accorde une large place aux produits du Québec. Dans le restaurant sont exposées les sculptures sur bois des artistes de la région. Ce complexe hôtelier est situé sur la route panoramique du bord du fleuve. Il offre une vue magnifique sur le Saint-Laurent.

CHARLEVOIX

AUBERGE DES 3 CANARDS ★★★★ fra
115, Côte Bellevue, La Malbaie (Pointe-au-Pic)
Tél.: 418-665-3761 et 1-800-461-3761
SPÉCIALITÉS FRANÇAISES: Médaillon de veau aux brisures de noisettes, vin muscat. Poêlée de foie gras de la ferme Basque, compote de pomme et rhubarbe, croquant de pistache. Noix de ris de veau croustillantes flambées au calvados, gnocchi au parmesan, prosciutto et huile de truffe. Baluchon de Fleurmier de Charlevoix flambé au Sortilège.
PRIX Midi: (fermé)
Soir: C. 48$ à 82$ T.H. 54$ (5 serv.)
OUVERTURE: 7 jours 17h30 à 21h30. Ouvert midi sur réserv. 10 pers. et plus. Petit déjeuner 7h à 11h. Fermé 24 et 25 déc.
NOTE: Grandes terrasses pour l'apéritif. Menu végétarien. Petit déjeuner buffet 17$, 7 jours, mai à nov. Auberge de 48 chambres, dont 8 de luxe. Un chalet 6 pers.
COMMENTAIRE: On sert ici une belle cuisine maison qui met en valeur les produits frais ré-

gionaux. Renommée pour sa table depuis plus de 50 ans, l'auberge domine le fleuve qui offre des paysages grandioses. Par beau temps, on peut prendre l'apéritif et le digestif sur les terrasses et profiter de la vue sur les jardins immenses. Massothérapie et piscine extérieure chauffée.

AUBERGE DES FALAISES
★★★★ cont
250, ch. des Falaises, La Malbaie (Pointe-au-Pic)
Tél.: 418-665-3731 et 1-800-386-3731
SPÉCIALITÉS CONTINENTALES: Duo de foie gras en terrine et au torchon, gelée Dame Prune. Goujonnette d'omble de fontaine de M. Benoît sur lit d'épinards. Veau saveur Orloff, champignons, prosciutto, parmesan. Filet mignon de bœuf Angus, réduction à la Vache folle, pommes de terre persillées. Tartelette au fromage de chèvre et banane.
PRIX Midi: (fermé)
Soir: C. 48$ à 75$ T.H. 55$
OUVERTURE: 7 jours 18h à 21h. Fermé de nov. à avril.
NOTE: Menu 5 serv. Petite terrasse boisée, vue sur le fleuve, couverte de toile de tente, pour prendre une boisson. Forfaits sur demande pour événement. Petit déjeuner 7 jours, 8h à 10h30. Brunchs jours fériés.
COMMENTAIRE: Un décor hors du temps et calme. On prend le temps de déguster une cuisine excellente avec des assiettes bien garnies. On utilise les produits du terroir dans chaque plat. Spécialité de la maison, la Farandole de produits de notre fumoir. Depuis la salle à manger, on a une vue spectaculaire sur le fleuve.

AUBERGE DES PEUPLIERS
★★★★[ER] fra
381, rue Saint-Raphaël,
La Malbaie (Cap-à-L'Aigle)
Tél.: 418-665-4423 et 1-888-282-3743
SPÉCIALITÉS FRANÇAISES: Terrine de canard, mousse de foie de volaille. Foie gras poêlé de la ferme Basque, purée de fraises du Québec. Parmentier d'agneau, ratatouille, purée de parmesan. Magret de canard, lentilles Beluga. Décadent au chocolat.
PRIX Midi: (fermé)
Soir: C. 44$ à 77$ T.H. 54$
OUVERTURE: 7 jours 18h à 21h. 7 jours petit déjeuner 7h30 à 10h. Fermé nov. et 24 déc.
NOTE: À la carte, on compose son menu soi-même. Menu saisonnier 3 serv. 36$, 4 serv. 54$. Brunch 21$ fête des Mères, Pâques, sur réserv. Terrasse avec vue sur les jardins de l'auberge. Activités hivernales. Spa, sauna, table de ping-pong et billard. Membre Terroir et saveurs du Québec.
COMMENTAIRE: Une véranda de style terrasse accueille les clients pour l'apéritif. Les chambres de l'auberge, dont certaines sont situées dans les combles, sont confortables et très bien décorées. Terrasse avec vue sur le fleuve. L'une des plus anciennes auberges de la région. Cuisine soignée et service attentionné.

LE SAINT-PUB, MicroBrasserie
★★ (bistro) cont
2, rue Racine, Baie-Saint-Paul
Tél.: 418-240-2332
SPÉCIALITÉS CONTINENTALES: Salade 7e ciel au fromage charlevoisien. Crème d'oignons gratinée à la bière. Poulet fumé, sauce barbecue, mariné à la bière. Côtes levées cuites dans la bière maison, sauce barbecue fumée. Pouding chômeur à la bière Dominus Vobiscum double.
PRIX Midi: F. 14$ à 16$
Soir: C. 32$ à 37$ T.H. 25$ à 38$
OUVERTURE: Hiver: 7 jours 11h30 à 21h. Été: 7 jours 11h30 à 22h. Fermé 24, 25 déc. et 1er janv.
NOTE: Fumoir maison. Bières brassées sur place.
COMMENTAIRE: L'endroit est très sympathique. Une cuisine bistro, un accueil enjoué, une bonne ambiance, une couleur spéciale. Menu utilisant les produits de la région charlevoisienne. Un excellent choix de plus de 15 bonnes bières brassées sur place, utilisées aussi dans les recettes des plats.

LES LABOURS ★★★★ fra
Le Germain Charlevoix
50, rue de la Ferme, Baie-Saint-Paul
Tél.: 418-240-4123
SPÉCIALITÉS FRANÇAISES: Foie gras de la ferme Basque de Charlevoix. Omble marin rôti. Macreuse de bœuf. Foie de veau poêlé. Magret de canard (ferme Basque) endives, sirop de bouleau et sureau. Pièce d'agneau de Charlevoix et légumes de saison.
PRIX Midi: (fermé)
Soir: C. 45$ à 67$ T.H. 49$
OUVERTURE: 7 jours 17h30 à 22h. Petit déjeuner lun. à ven. 7h à 10h30.
NOTE: Cuisine ouverte, table du chef. Bistro Le Bercail ouvert l'été pour le lunch et le souper, spécialités pizzas et snacks.
COMMENTAIRE: Avec un menu appelé à évoluer au rythme des saisons, celui du restaurant Les Labours met en vitrine les producteurs de Charlevoix. Plusieurs plats partagés y figurent et les légumes occupent une part non négligeable de l'assiette. Atmosphère urbaine BCBG et détendue. Brunch gourmand avec pains et charcuteries de la région.

RESTAURANT LE CHARLEVOIX
★★★★★ fra
Fairmont Le Manoir Richelieu
181, rue Richelieu, La Malbaie
Tél.: 418-665-3703
SPÉCIALITÉS FRANÇAISES: Pétoncles fumés, asperges blanches, beurre blanc à la truffe, shimeji mariné. Homard poché au beurre, crème de maïs épicée, bisque à la vanille. Financier à la pistache, brûlée de fromage de chèvre, glace à l'avocat.
PRIX Midi: (fermé)
Soir: C. 61$ à 112$

OUVERTURE: Eté, 7 jours 18h à 21h. Hors saison, oct. à avr. ouvert sam. seulement, 7 jours en période de fort achalandage (temps des fêtes, relâche, etc.)
NOTE: Réserv. suggérée. Produits locaux. Menu découverte 4 serv. 91$, 5 serv. 112$, avec accord des vins 145$ à 188$. Carte des vins primée de plus de 500 sélections. Plats végétariens haut de gamme. Service du café au guéridon. Gala des Grands Chefs, événement culinaire, une fin de semaine pour les amoureux de la gastronomie entièrement dédiée à la cuisine du terroir charlevoisien.
COMMENTAIRE: Une très belle cuisine française traditionnelle, présentée avec une touche moderne, mettant en valeur les produits frais de la région. Bon service de salle et de sommellerie. La salle à manger, aux larges baies vitrées, qui marie l'ancien et le moderne, a une vue exceptionnelle sur le majestueux fleuve Saint-Laurent. Situé à côté du Casino de Charlevoix. Centre d'affaires, spa et plusieurs piscines.

GASPÉSIE

AUBERGE LA COULÉE DOUCE
★ **cont**
21, rue Boudreau, Causapscal
Tél.: 418-756-5270 et 1-888-756-5270
SPÉCIALITÉS CONTINENTALES: Soupe de poisson et fruits de mer tomatée, pernod. Assiette fiesta (crevettes grises, langoustine à l'ail, pétoncles citronnés). Têtes de violon à l'ail. Mignon de bœuf, échalotes, bacon, fromage, légumes grillés. Gâteau au fromage, coulis de fraises maison.
PRIX Midi: T.H. 16$
Soir: C. 26$ à 47$ T.H. 25$ à 30$
OUVERTURE: 7 jours 11h30 à 14h et 17h30 à 21h30. Petit déjeuner 6h à 10h.
NOTE: Entrées à partager. Menu enfants. 4 tables bistro à la terrasse. Brunch et menu végétarien sur demande. 7 chambres et 5 chalets. Air conditionné. Internet sans fil.
COMMENTAIRE: Une table sans prétention, plutôt familiale, avec des mets à base de poissons et de fruits de mer. Le saumon est la vedette de la région. Une charmante petite auberge juchée sur la colline de Causapscal, à la jonction des rivières Matapédia et Causapscal. Tout y est vieux, délicat et chaleureux, comme autrefois.

AUBERGE LE COIN DU BANC
★★[ER] qué
315, route 132, Coin-du-Banc, Percé
Tél.: 418-645-2907
SPÉCIALITÉS GASPÉSIENNES: Morue à la gaspésienne ou meunière. Rillettes de truite et de crevettes. Langues de morue intrigue. Omelette aux crevettes. Fruits de mer gratinés. Truite au pesto. Saumon poché, sauce hollandaise. Gâteau au fromage et petits fruits.

PRIX Midi: T.H. 20$ à 47$
Soir: C. 26$ à 60$ T.H. idem midi
OUVERTURE: 7 jours 13h à 22h en été. Fermé d'oct. à juin. Petit déjeuner à 8h à midi.
NOTE: Homard de Gaspésie, crevettes de Matane. Auberge, 5 chalets, 11 chambres.
COMMENTAIRE: Charmante petite maison de pêcheur centenaire, plantée dans le sable, au bord de la mer. Cuisine familiale. Décor hétéroclite (une multitude d'objets partout), on s'y sent bien. Une halte à ne pas manquer, en toute simplicité. Changement de chef. À surveiller.

LA MAISON DU PÊCHEUR
★★★ **cont**
155, route 132, Percé
Tél.: 418-782-5331
SPÉCIALITÉS CONTINENTALES: Homard frais. Crème d'oursin. Tartare de saumon frais aux algues de mer. Pizza aux fruits de mer cuite au four à bois. Pizza à la morue séchée. Escalopes de homard au parfum d'érable et d'océan. Langues de morue au beurre d'oursin.
PRIX Midi: T.H. 38$ à 50$
Soir: C. 26$ à 76$ T.H. 38$ à 50$
OUVERTURE: Été 7 jours 11h30 à 14h30. Juil. et août 17h30 à 21h30. Fermé fin oct. à fin mai.
NOTE: Menu 5 serv. Produits du terroir. Période estivale, menu bistro à l'étage, au Café de l'Atlantique de 7h30 à 23h. Carte des vins, 80 étiquettes, 40% d'importation privée.
COMMENTAIRE: Le restaurant est situé directement sur un quai. On mange dans un décor intérieur de pêche, en écoutant le ressac des vagues. Une des places pour déguster les fruits de mer, des crustacés et du homard frais conservés en vivier sous-marin près du rocher Percé. Un bon choix de pizzas cuites au four à bois d'érable, avec des garnitures de produits de la mer de toutes sortes. Très belle vue sur le rocher Percé, la jetée et la plage.

LA MARÉE CHANTE ★★★ cont
Hôtel-Motel Le Gaspésiana
460, route de la Mer, Sainte-Flavie
Tél.: 418-775-7233 et 1-800-404-8233
SPÉCIALITÉS CONTINENTALES ET GASPÉSIENNES: Linguini des grandes marées. Filet de morue rôti meunière. Homard thermidor. Darne de flétan meunière. Tartine de crème avec sucre d'érable.
PRIX Midi: T.H. 13$ à 19$
Soir: C. 22$ à 63$
OUVERTURE: 7 jours 11h30 à 22h. Petit déjeuner 7h à 11h30.
NOTE: Brunch dim. Forfait pour la Saint-Valentin. Centre de santé.
COMMENTAIRE: Cuisine faite avec les produits de la région, avec une large part pour les poissons et les fruits de mer. Situé en bordure du Saint-Laurent depuis plus de 50 ans. Motel confortable, très belle vue panoramique sur l'océan.

LA NORMANDIE ★★★★ fra
Hôtel La Normandie
221, Route 132 O., Percé
Tél.: 418-782-2112 et 1-800-463-0820
SPÉCIALITÉS FRANÇAISES: Duo de crevettes et pétoncles à l'émulsion de gingembre ou beurre d'agrumes. Feuilleté de homard au champagne. Wellington de pétoncles au fromage de chèvre, beurre blanc au basilic. Manchon de porc grillé, sauce au cidre. Gâteau Gadix (chocolat et noisettes).
PRIX Midi: (fermé)
Soir: C. 32$ à 72$ T.H. 24$ à 58$
OUVERTURE: Début juin au 8 oct.: 7 jours 18h à 20h30. Petit déjeuner 7 jours 7h30 à 10h.
NOTE: Déjeuner buffet 15,50$. Bar ouvert 17h à 23h. 45 chambres.
COMMENTAIRE: Une vue imprenable sur le rocher Percé, l'île Bonaventure et le golfe du Saint-Laurent. La salle à manger surplombe la mer. Décor élégant et sans surcharge, sièges confortables, ambiance feutrée, belles présentations dans les assiettes, cuisine à la hauteur de l'ensemble. Service attentionné. Un bel endroit pour la détente au bord de l'eau.

LA SEIGNEURIE ★★★ cont
Hostellerie Baie Bleue
482, bd Perron, Carleton-sur-Mer
Tél.: 418-364-3355 et 1-800-463-9099
SPÉCIALITÉS CONTINENTALES: Foie gras poêlé, purée de fraises au vin rouge, sur gaufre. Gravlax de truite de Raymer à la betterave, tartare de légumes. Gnocchis aux crevettes nordiques, sauce fromage de chèvre. Profiteroles sauce au beurre d'érable de l'Érablière Escuminac.
PRIX Midi: (fermé)
Soir: C. 35$ à 77$ T.H. 34$ à 52$
OUVERTURE: 7 jours 18h à 21h. Ouvert midi seulement sur réserv. de groupe plus de 30 pers. et du 14 oct. au 24 juin. Petit déjeuner lun. à sam. 7h à 11h, dim. 7h à midi.
NOTE: Homard l'été. Dim. brunch et menu à la carte au petit déjeuner. Menu enfants, moins de 12 ans, 13,95$. Soirées thématiques ponctuelles, artistes locaux. Carte des vins avec 470 étiquettes, environ 2000 bouteilles.
COMMENTAIRE: On cuisine ici tous les produits frais de la Gaspésie. Un des rares établissements ouverts à l'année. Situé au bord de la Baie des Chaleurs, le restaurant offre une vue magnifique sur la baie, une des plus belles au monde. Souper spectacle fréquent, centre des congrès de la Gaspésie, club de golf. Au Pub Saint-Joseph, écrans géants, chansonniers et spectacles.

LE GÎTE DU MONT-ALBERT
★★★★ cont
2001, route du Parc, Sainte-Anne-des-Monts
Tél.: 418-763-2288 et 1-866-727-2427
SPÉCIALITÉS CONTINENTALES: Carpaccio de bœuf Wagyu, mayo maison parfumée à la truffe noire et balsamique, boutons de marguerites ferme Paquet et Fils, pignons grillés. Ravioles de homard à l'encre de seiche, crémeuse au pastis et tomates soleil, sauce vierge de moules, crevettes de Matane et bourgots. Bison façon Rossini. Biscuit choco, fruits de la passion.
PRIX Midi: C. 28$ à 39$
Soir: C. 37$ à 66$ T.H. 36$ et 46$
OUVERTURE: 7 jours 11h à 21h30. Petit déjeuner 7h à 9h30. Fermé du 16 oct. au 25 déc. et du 1er avr. au 7 juin.
NOTE: Menu saisonnier 3 et 4 serv. Carte des vins. En été, menu barbecue 16h à 20h, sur la terrasse. Terrasse avec vue sur les jardins de l'auberge. Activités hivernales.
COMMENTAIRE: Service familial dans un décor enchanteur. L'assiette est bonne, on dénote une recherche dans la composition des plats, mais malheureusement leurs présentations sont assez inégales entre les plats principaux et les desserts. Ces derniers sont plus étudiés. On constate cependant un effort dans la qualité de la cuisine en général, mais pourrait faire encore mieux. Établissement perdu dans la montagne, au milieu du parc de la Gaspésie, vue sur le Mont-Albert. Un site incroyablement beau!

LE MARIN D'EAU DOUCE ★★ fra
215, route du Quai, Carleton
Tél.: 418-364-7602
SPÉCIALITÉS FRANÇAISES AVEC INFLUENCES MÉDITERRANÉENNES: Harengs marinés, pommes acidulées. Merguez de l'Atlas à la marocaine. Morue locale sauce au curry. Lapin à la moutarde. Pétoncles sur lit de lentilles safranées. Ris de veau braisés aux champignons sauvages. Tarte Tatin. Fondant au chocolat.
PRIX Midi: T.H. 20$
Soir: C. 30$ à 47$ T.H. 30$ à 40$
OUVERTURE: Ouvert à l'année, 7 jours, midi à 14h et 17h à 22h.
NOTE: Menu soir 4 serv. Nouvelle T.H. chaque jour. Cave à vin (200 étiquettes). Soirées thématiques marocaines de l'automne au printemps. Menu gibier à l'automne. Arrivage de poissons frais 2 à 3 fois/sem.
COMMENTAIRE: Une table sympathique, tenue par un chef d'origine maghrébine et son fils. Le père fait une cuisine française méditerranéenne avec les produits de la Gaspésie, tandis que le fils s'occupe de la salle et du service du vin. Ils sont installés dans une vieille maison construite en 1820, située sur le bord de la Baie des Chaleurs. Une adresse qui mérite le détour. Nous recommandons surtout les produits de la mer qui sont excellents et bien traités.

INDEX DES RESTAURANTS

P. Germain

INDEX ALPHABÉTIQUE

Restaurants - Index alphabétique

Restaurants qui offrent des brunchs - Index

Restaurants qui offrent des brunchs - Index

Restaurants où l'on peut apporter son vin - Index

MONTRÉAL

AFRICAIN

GRACIA AFRIKA ★★★ 15
À l'arrière du resto, 42 pers.

ALGÉRIEN

LES RITES BERBÈRES ★★ 15
2 terrasses à l'arrière, dans un jardin, couvertes de végétation, 65 pers.

ARGENTIN

**L'ATELIER D'ARGENTINE
★★★** 16
Sur la rue et en intérieur, fleurie et ombragée, 50 pers.

ASIATIQUE

MISO ★★★[ER] 16
Sur les rues Sainte-Catherine et Atwater, semi-privée, avec arbres, 40 pers.

CAJUN

LA LOUISIANE ★★ 17
Ouverte sur la rue, fleurie, 30 pers.

CHINOIS

**L'ORCHIDÉE DE CHINE
★★★★★** 18
Privée, au 2e étage, 9 tables, vue sur la rue Peel, 26 pers.
MR. MA ★★★★ 18
Vue sur la rue Mansfield, fleurie, arbustes, parasols, 30 pers.

CONTINENTAL

**CHEZ MA GROSSE TRUIE
CHÉRIE ★★★** 19
Une terrasse privée sous chapiteau, 30 pers. Une terrasse arrière, intime, design, 50 pers.
LA CHAMPAGNERIE ★★★ 21
Pignon sur rue, en face du marché Bonsecours, 17 pers.
L'APPARTEMENT ★★★ 21
Sur le coin, moitié ouverte avec chauffage, 30 pers.
L'Ô ★★★ 22
Sur le devant, sur la rue, fleurie, plantes grimpantes, avec parasols, bar complet, sofas, 60 pers.
MAESTRO S.V.P. ★★★ 22
Sur le bd Saint-Laurent, 3 tables, 6 pers.
QUEUE DE CHEVAL et HOMARD FURIEUX ★★★[ER] 22
Sur la rue, fleurie, 20 pers.
RIB'N REEF ★★★ 23
Sur le toit, couverte aux 3/4, bar, nappes blanches. Ouverte midi et soir. Jusqu'à 50 pers.

CORÉEN

LA MAISON DE SÉOUL ★★★ 23
Sur le trottoir, 4 tables, 8 pers.
RESTAURANT 5000 ANS ★★★ 24
À l'avant, sur le trottoir, 15 pers.
SAMCHA ★★[ER] 24
Sur la rue, verrière extérieure, 12 pers.

ESPAGNOL

PINTXO ★★★ 24
Sur l'avenue Mont-Royal, ombragée par une toiture, 18 pers.
TAPAS,24 ★★★★ 24
Sur le trottoir, 50 pers.

FRANÇAIS

**ALEXANDRE ET FILS
★★★★ (bistro)** 25
Sur le trottoir de la rue Peel, style brasserie parisienne, 30 pers.
**BISTRO CHEZ ROGER
★★★ (bistro)** 27
Sur la rue Beaubien, 26 pers.
**BISTRO L'AROMATE
★★★[ER] (bistro)** 27
Sur le bd de Maisonneuve, urbaine, 2 sections lounge avec divans, élégante et confortable, parasols, 40 pers.
BORIS BISTRO ★★★ (bistro) 27
Dans une cour intérieure, urbaine, latérale, sur deux niveaux, ombragée par des arbres, avec un mur historique, plus de 140 pers.
CHAMBRE À PART ★★★★ 28
Petite terrasse sur la rue Saint-Denis, ombragée, fleurie, 40 pers.
CHEZ LÉVÊQUE ★★★★ (bistro) 28
Plateforme clôturée, aménagée sur Laurier avec auvent et parasols, sections couverte et non couverte, 60 pers.
CHEZ SOPHIE ★★★★ (bistro) 29
Petite terrasse ombragée à l'arrière du restaurant, 16 pers.
EUROPEA ★★★★★[ER] 29
Petite terrasse sur la rue, à l'entrée du restaurant, 24 pers.
**H4C PLACE ST-HENRI
★★★★ (bistro)** 30
En avant du restaurant, sur la place publique de Saint-Henri, ceinturée de jardinières et banquettes en îlot de végétation, 35 pers.
HAMBAR ★★★★ (bistro) 30
Terrasse modulaire angle d'Youville et McGill, bar extérieur, tables avec parasols, jardin d'herbes, jusqu'à 40 pers.
LA COUPOLE ★★★★ (bistro) 30
Terrasse fleurie, mur lumineux, 50 pers.
LA GARGOTE ★★ 31
Deux terrasses juxtaposées, une sur la place d'Youville, en bois, à l'ombre des arbres, 30 pers. Une autre en façade, 15 pers.
LALOUX ★★★[ER] (bistro) 31
Couverte, sur la rue des Pins, avec treillis, fleurie, tables avec nappes, 16 pers.
LA SOCIÉTÉ ★★★ (bistro) 32
Sur la rue, fleurie, clôturée, parasols, 20 pers.
**L'AUBERGE SAINT-GABRIEL
★★★★[ER]** 33
Sur la rue Saint-Gabriel, mi-couverte par un auvent, fleurie, protégée par des murs en pierre, avec des meubles en teck, 60 pers.
L'AUTRE SAISON ★★ 33
Sur la rue, parasols, 26 pers.
LE MARGAUX ★★★★ (bistro) 33
Sur le trottoir, terrasse en bois sous un auvent, intime, éclairée, fleurie, 12 pers.
LEMÉAC ★★★[ER] (bistro) 33
Sur la rue Durocher, avec beaucoup d'arbres, intime, recouverte d'un auvent, chauffée à l'année, 50 pers.

L'ENTRECÔTE ST-JEAN
★★★ (bistro) 35
Ombragée, fleurie, sur la rue, 20 pers.
**LE POIS PENCHÉ
★★★ (bistro)** 35
Sur le bd de Maisonneuve, de style parisien, tables en bois, abritée par des arbres et auvents, 70 pers.
**LE RENDEZ-VOUS DU THÉ
★★** 35
Sur la rue, avec un auvent, tapis, tables nappées, 7 pers.
**LES CONS SERVENT
★★★ (bistro)** 35
Sur la rue, avec parasols, 12 pers.
LE VALOIS ★★[ER] 36
Sur la place Valois, couverte, 120 pers.
MAISON BOULUD ★★★★★ 36
Deux terrasses, l'une dans le jardin intérieur du Ritz, à l'arrière, mare à canards, 40 pers, l'autre sur la rue Sherbrooke, 130 pers.
PÉGASE ★★ 37
À l'arrière du restaurant, 10 pers.
RENOIR ★★★★ 38
Très belle terrasse ouverte, sur le côté, avec parasols, éloignée de la rue, 20 pers., aussi une partie couverte, 35 pers.
**RESTAURANT CHRISTOPHE
★★★** 38
Sur la rue, clôturée, baie vitrée, 15 pers.
RESTAURANT PLEIN SUD ★★ 38
En bois, sur l'avenue Mont-Royal, ombragée, 20 pers.
TOQUÉ ! ★★★★★ 39
Sur la rue, devant le restaurant, ombragée, vue sur le parc, 20 pers.

GREC

FAROS ★★★ 40
Surélevée, sur la rue, pergola fleurie, verdure abondante, 12 pers.
IKANOS ★★★★ 40
Sur le trottoir, rue Mcgill, ombragée et clôturée, 25 pers.
RODOS ★★ 40
Sur un balcon, abondamment fleurie, genre méditerranéen, jusqu'à 15 pers.

HAÏTIEN

**CASSEROLE KRÉOLE
Traiteur, plats à emporter, lunch sur place ★★★** 41
Petite, fleurie, sur le trottoir, 6 pers.

INDONÉSIEN

NONYA ★★★★ 41
Sur la rue Waverly, en bois, banquettes rembourrées, avec auvent, 25 à 30 pers.

INTERNATIONAL ET MÉTISSÉ

ACCORDS ★★★★ 41
Sous le porche d'entrée, végétation, murs de pierres et de briques, 80 pers.
**BRASSERIE LES ENFANTS
TERRIBLES ★★★ (bistro)** 42
Sur le bord de l'eau, adossée à un parc, en partie couverte, 140 pers.
**BRASSERIE LES ENFANTS
TERRIBLES ★★★ (bistro)** 42
Sur le coin, fleurie, avec auvent et banquettes, 120 pers.

GUIDE DEBEUR 2017

LE TIRE-BOUCHON
★★★ (bistro) méd 68
Fleurie, auvent rétractable, jusqu'à 40 pers.

L'INCRÉDULE ★★★[ER] fra 68
2 terrasses fleuries, l'une surélevée à l'avant sur la rue, 20 pers., l'autre à l'arrière, à l'ombre des arbres, 30 pers.

L'OLIVETO ★★★★ méd 69
Terrasse-jardin, fleurie, 45 pers.

LOU NISSART ★★★ fra 69
Jardin-terrasse provençal dans cour arrière, avec arbres et parasols, 80 pers.

MESSINA ★★★ ita 69
À l'avant du restaurant, côté rue, avec auvent, parasols, arbustes, 80 pers. Balcon 8 tables de 2 pers.

MOGHEL TANDOORI ★★★ ind 69
Petite terrasse sur le trottoir, face au parc.

NIJI ★★★★★ jap 69
Intime, belle, couverte, sur la rue, pots de fleurs, 40 pers.

NOVELLO ★★★ (bistro) ita 70
Protégée par un auvent, fleurie, vue sur une grande pièce d'eau, musique d'ambiance, 80 pers.

OLIVIER LE RESTAURANT
★★★★ fra 70
Terrasse paysagée à l'arrière, entourée d'une haie, 40 pers.

PARRA ET CAETERA
★★★ (bistro) fra 70
2 terrasses, à l'avant sur la rue Saint-Charles, 30 pers., à l'arrière, chauffée, fleurie, couverte d'une verrière, 25 pers.

PASTA E VINO ★★ ita 70
En façade, fleurs, arbres, grand gazebo, musique d'ambiance, 32 pers.

PIZZERIA SOFIA
L'amore della pizza ★★★ ita 71
Terrasse en toiture, au 2e étage, 125 pers.

PRIMI PIATTI ★★★★ ita 71
Sur le côté du restaurant, avec parasols, 22 pers.

RESTAURANT BAZZ ★★★★ int 71
À l'arrière du restaurant, cour intérieure, dans le jardin, grand parasol, 40 pers.

RESTAURANT CHEZ JULIEN
★★★ (bistro) fra 71
Vue sur la rue, en face de l'église du Vieux-La Prairie, protégée avec auvent, 32 pers.

TRATTORIA LA TERRAZZA
★★★ ita 72
Chauffée, clôturée, couverte avec auvent, 60 pers.

VESTIBULE signé L'Aurochs
★★★★ (bistro) int 72
Couverte, section lounge avec sofas, 90 pers.

RIVE NORD

L'AROMATE RESTO-BAR
★★★ (bistro) int 73
Style lounge du sud avec canapés, isolée par des jardinières, abritée par des toiles triangulaires et des parasols, 6 bananiers, bar extérieur, 75 pers.

LA VIEILLE HISTOIRE ★★★ fra 73
Sur le côté, dans la cour arrière, fleurie, 22 pers. Ouverte à l'année.

LE FOLICHON ★★ fra 73
Aménagée sur le côté, vue sur ruelle du Vieux-Terrebonne, couverte et chauffée, 55 pers.

LE MITOYEN ★★★★★ fra 73
Vue sur une place publique, fleurie, avec fontaine, dans un petit jardin, 16 pers.

L'IMPRESSIONNISTE ★★★ fra 74
À l'avant du restaurant, sur le trottoir, ombragée, nappes en tissu, couverte, 30 pers.

RESTAURANT AMATO
★★★★ ita 74
Terrasse-jardin couverte, fleurie, gazebo, fontaine, section fumeurs séparée, 25 pers.

TOMO ★★★ jap 74
À l'avant du restaurant, semi-couverte, avec jardin de fleurs, atmosphère zen, 50 pers.

RÉGION DE MONTRÉAL

LANAUDIÈRE

LE LAPIN QUI TOUSSE
★★★ (bistro) lint 74
Sous un auvent, éclairée par des lampions le soir, 16 pers.

TENUTA Restaurant-Bar
★★★★ ita 75
Fleurie avec parasols, côté lounge avec divans, 20 pers.

TRATTORIA GUSTO ★★★ ita 75
Sur la rue, 62 pers.

LAURENTIDES

ADÈLE BISTRO ★★★★ fra 75
Grande terrasse qui donne sur le lac, 15 pers.

AUBERGE DU VIEUX FOYER
★★★ cont 75
Terrasse champêtre avec jeu d'échecs géant, 20 pers.

AUX GARÇONS
★★★★ (bistro) fra 76
À l'avant et sur le côté, lounge, petit jardin d'eau, 30 pers.

LA CHAUMIÈRE DU VILLAGE
★★★★★ fra 76
Sur côté du restaurant, solarium, corps de hibou sculpté dans un arbre, 16 pers. Terrasse à l'avant, sur le trottoir, fleurie, 20 pers.

LE BISTRO À CHAMPLAIN
★★★★ fra 76
Sur le bord du lac, parasols, 35 pers.

LE CHEVAL DE JADE
★★★★ fra 76
Sur la rue Saint-Jovite, couverte, fleurie, 45 pers.

L'EXPRESS GOURMAND
★★★★ fra 77
Sur le côté, fleurie et ombragée, 12 pers.

**ltdg's LA TABLE DES
GOURMETS** ★★★★ fra 77
Sur la rue, ombragée par des arbres, 35 pers.

RECTO VERSO ★★★★ int 77
Entre la forêt et les jardins, dans la verdure, 35 pers.

RESTAURANT CHEZ MILOT
★★★ cont 77
Grande terrasse à l'avant, couverte et chauffée, 60 pers.

MONTÉRÉGIE

AUBERGE DES GALLANT
★★★★★ qué 78
À l'orée des bois, adjacente à la salle à manger, vue sur le lac et la piscine, avec parasols, 30 pers.

AUBERGE HANDFIELD
★★★ qué 78
Ombragée par des arbres, sur la rivière Richelieu et la piscine, 80 pers.

**BISTRO CULINAIRE -
LE COUREUR des BOIS**
★★★ (bistro) fra 78
Semi-couverte, ambiance bistro, vue sur la rivière Richelieu, 30 pers.

BLEU MOUTARDE ★★★ fra 79
À l'arrière, sur le bord de l'eau, quai aménagé, jardin, sofas, 80 pers.

ET CAETERA ★★★ cont 79
Sur le côté du restaurant, terrasse urbaine avec arbres et parasols, vue sur le Mont Saint-Hilaire, 50 pers.

FOURQUET FOURCHETTE
★★ qué 80
Terrasse spacieuse aménagée sur le jardin, vue sur le bassin de Chambly, 150 pers. 2e terrasse surplombant l'eau, 50 pers.

**HÔTEL-RESTAURANT
CHEZ NOESER** ★★★★ fra 80
2 terrasses romantiques, à la chandelle, dont une est couverte par une tonnelle, climatisée, et l'autre dans le jardin, 50 et 60 pers.

HÔTEL TROIS TILLEULS
★★★★ fra 80
Adjacente au restaurant, style bistro, parasols géants, surplombant la rivière, 60 pers.

**LA CRÊPERIE DU
VIEUX-BELOEIL** ★★★★★ crê 80
Avec vue sur la rivière Richelieu, belle galerie à balustres en bois peint, abondamment fleurie, 40 pers.

LA RABASTALIÈRE
★★★★[ER] fra 81
Fleurie, chauffée avec chapiteau, donnant sur le jardin, 80 pers.

LE CLAN CAMPBELL ★★ fra 82
À l'ombre des arbres, vue sur les jardins, belle terrasse non couverte, jusqu'à 70 pers.

LE JOZÉPHIL ★★★★ fra 82
3 terrasses en paliers, vue sur la rivière Richelieu et le Mont Saint-Hilaire, 70 pers.

LE SAMUEL ★★★★★[ER] fra 82
Vue sur la rivière Richelieu, couverte en partie, très élégante, sofas, petit foyer central, 25 pers.

**LES CHANTERELLES
DU RICHELIEU** ★★★★ fra 82
Belle vue panoramique sur la rivière Richelieu, au calme, gloriette dans le jardin, ombragée par des arbres centenaires, 25 pers.

LES ESPACES GOURMANDS
★★★ fra 82
Sur le côté, vue sur la rivière Richelieu, avec auvent et moustiquaires, 26 pers.

MISTA ★★★ ita 83
Très grande terrasse en pavé uni, paysagée, parasols, entourée d'arbres, avec estrade pour musiciens, 150 pers.
RESTAURANT LYVANO ★★★ cont 83
Sur le bord de la rivière Brochet. Une en bois, fleurie, 35 pers. L'autre en pavé uni, fleurie, 30 pers.
SUCRERIE DE LA MONTAGNE ★★★★ suc 83
En plein bois, fleurie, ombragée par de grands érables, 25 pers.

QUÉBEC

AMÉRINDIEN

RESTAURANT LA TRAITE ★★★★ 84
Entourée d'arbres, au bord de la rivière Saint-Charles, foyer extérieur, 60 pers.

BORÉAL

CHEZ BOULAY BISTRO BORÉAL ★★★★ 85
En été, 17h30 à 23h, sur le trottoir de la rue Saint-Jean qui est piétonne le soir, ombragée, 24 pers.
LÉGENDE par La Tanière ★★★★ (bistro) 85
Sur la rue, fleurie, 60 pers.

CONTINENTAL

LA BÊTE BAR-STEAKHOUSE ★★★★ 86
Fleurie, avec jardin de ville, 75 pers.
LE CHARBON ★★★★ 86
Délimitée par des arbustes et une clôture, sofas, ambiance urbaine, 40 pers. Cour intérieure, fleurie, cèdre rouge, gazebo, 90 pers.
MNBAQ RESTAURANT signé Marie-Chantal Lepage ★★★★ 86
Vue sur les plaines d'Abraham et le fleuve, au calme, grande terrasse derrière le musée, 80 pers.

CORSE

PETITS CREUX & GRANDS CRUS ★★★ 87
Sur le trottoir, côté façade, 50 pers.

CRÊPERIE

CRÊPERIE LE BILLIG ★★ 87
Plateforme en bois, décorée de plantes, 8 pers.

FRANÇAIS

AUBERGE LOUIS-HÉBERT ★★★★ 87
Autour d'un arbre, chauffée, fleurie, sur la rue, abritée d'un auvent, 85 pers.
BISTRO B par François Blais ★★★★ 87
Sur la rue, 13 pers.
BISTRO LA COHUE ★★★ 88
Terrasse en brique avec parasols et fleurs, à l'avant du restaurant, 41 pers.
CAFÉ DU MONDE ★★★[ER] 88
Vue sur le fleuve, 2e étage. Véranda avec fenêtres coulissantes, 50 pers.

LA PLANQUE ★★★★ 88
Face à la rue, devant le restaurant, structure en bois et métal, 14 pers.
LAURIE-RAPHAËL
Restaurant Atelier Boutique ★★★★ 89
Sur la rue, semi-couverte, fleurie et bien aménagée, éclairée de bleu le soir, 24 pers.
LE BISTANGO ★★★★ (bistro) 89
À l'avant, couverte, terrasse-jardin paysagée, bien aménagée, parasols, décor européen, 40 pers.
L'ÉCHAUDÉ ★★★★ 90
Sur rue piétonnière, fleurie, avec tables et auvent, chauffée au besoin, 44 pers.
LE MOINE ÉCHANSON ★★★ (bistro) 90
Plateaux de table posés sur des barriques, sur le trottoir, vue sur la rue Saint-Jean, fleurie, 10 pers.
LE QUAI 19 ★★★★ 90
Sur la rue, vue sur fontaine, en partie chauffée, bar, 48 pers.
LE SAINT-AMOUR ★★★★★ 90
Terrasse intérieure, jardin quatre saisons, protégée par une verrière climatisée, 65 pers.
LES FRÈRES DE LA CÔTE ★★★ (bistro) 91
Sur la rue, fleurie, auvent, soir et fin de semaine seulement, 18 pers.
PANACHE ★★★★★[ER] 91
À l'étage, vue sur le fleuve, décorée de fleurs en pots, 20 pers.
PARIS GRILL ★★★[ER] (bistro) 91
Sur le trottoir du bd Laurier, fleurie, presque fermée, ombragée, chauffée, 80 pers.
RESTAURANT LE GRAFFITI ★★★★[ER] 92
Sur le trottoir de la rue Cartier, 2 terrasses fleuries, 28 pers.
RESTAURANT SIMPLE SNACK SYMPATHIQUE ★★★ bistro 92
Dans un vieux quartier, semi-couverte avec auvent et parasols, sur le trottoir, 26 pers.
RESTAURANT TOAST! ★★★★★ 93
Couverte et chauffée si nécessaire, cour intérieure de l'hôtel, très belle, à ciel ouvert, 75 pers.

GREC

LE MEZZÉ ★★★ 93
Face à la gare du Palais, fleurie, 25 pers.

INTERNATIONAL ET MÉTISSÉ

AVIATIC - Resto - Cabaret ★★★★ 93
Dans la gare, en face du parc, semi-couverte et fleurie, 100 pers.
LE 47e PARALLÈLE ★★★[ER] 93
À l'avant, sur la rue Saint-Amable, très espacée, 80 pers.
LE CENDRILLON ★★★★ 94
Sur le devant, couverte, 25 pers.
LE COSMOS CAFÉ ★★ 94
Sur le trottoir, chauffée, parasols, jardinières, banquettes, 100 pers.
MONTEGO RESTO CLUB ★★★ 94
2 terrasses sur la rue, couvertes, fleuries et chauffées au besoin, 90 pers.

ITALIEN

BELLO RISTORANTE ★★★ 95
Verrière ouverte, semi-couverte, fleurie, 60 pers.
RISTORANTE IL MATTO ★★★ 95
Dans un jardin, très chic, avec auvent, chauffée, 70 pers.
RISTORANTE IL TEATRO ★★★ 95
Sur le trottoir, vue sur la place d'Youville, superbe terrasse de style européen, très fleurie, parasols, 110 pers.
RISTORANTE MICHELANGELO ★★★★ 95
Vue sur le pont Pierre-Laporte, avec jardin fleuri à l'arrière, 36 pers. Balcon, 22 pers.
SAVINI ★★★ 96
Chauffée ou climatisée (brume), banquettes et meubles confortables, éclairage coloré Del, auvent, 180 pers.

JAPONAIS

ENZO SUSHI ★★★ 96
Sur le trottoir, fleurie, parasols, 30 pers.

MEXICAIN

SEÑOR SOMBRERO ★★★ 96
Clôturée avec des arbustes, fleurie, parasols, 30 pers.

QUÉBÉCOIS

LA BÛCHE ★★ 97
Dans la cour arrière, côté jardin, 50 pers.

RÉGION DE QUÉBEC

ARCHIBALD ★★ cont 98
Sur le coin devant le resto, paysagée, avec auvent, chauffée, 160 pers.
AUBERGE BAKER ★★★ int 98
À l'avant, vue sur l'av. Royal, avec parasols, 20 pers. À l'arrière, terrasse-bar surélevée, couverte, vue sur le fleuve, 50 pers.
AUBERGE DES GLACIS ★★★★ fra 98
Tout autour de la rivière Tortue, vue sur le jardin, 25 pers.
LA GOÉLICHE ★★★★ int 98
Parasols, au bord du fleuve, 24 pers. Verrière, vue sur le fleuve, 35 pers. Terrasse entre deux ponts, durant les beaux jours d'été, 56 pers.

AILLEURS DANS LA PROVINCE

CHICOUTIMI

LE LÉGENDAIRE ★★★★ cont 99
Verrière, côté nord, vue panoramique sur les monts Valin, 36 pers.

GUIDE DEBEUR 2017

debeur.com

Le site convivial
et gourmand des Québécois

- Un site interactif gratuit enrichi chaque jour par une équipe de journalistes et autres passionnés de la gourmandise qui n'ont pas peur de dire ce qu'ils pensent.

- Des articles consistants sur des sujets d'actualité

- Une liste de restaurants et de boutiques visités dans l'anonymat

- Des produits et des vins dégustés par des professionnels

- Des recettes simples et gourmandes

- Des portraits de chef inspirants

- Un lieu du web pour exprimer vos opinions et partagez vos trouvailles

- Un soutien en ligne pour les lecteurs de l'édition papier

Les
BOUTIQUES

boulangeries, pâtisseries, chocolateries, boucheries, fromageries, épiceries fines, accessoires de cuisine, traiteurs, cours de cuisine, marchés publics, salons de thé et cafés, etc.

Pâtisseries diverses de La Palette Gourmande *(Photo d'archives Debeur)*

UNE SAQ
À PORTÉE DE MAIN
24 H / 7 JOURS

—

3 ÉTAPES FACILES

 1

 2

 3

TÉLÉCHARGEZ
L'APPLICATION MOBILE

ACHETEZ
EN SCANNANT
LES CODES BARRES

RÉCUPÉREZ
VOS ACHATS DANS
VOTRE SUCCURSALE

La modération a bien
meilleur goût.

Éduc'alcool

18+

PRENEZ GOÛT
À NOS **CONSEILS**

SAQ

Juraflore - Fromageries Arnaud - Av. de la Gare - 39800 Poligny - Franc

ACCESSOIRES

ARTHUR QUENTIN
3960, rue Saint-Denis, Mtl | 514-843-7513
Tout pour l'art de la table, vaisselle de Limoges, verrerie, coutellerie, accessoires de cuisine, objets décoratifs, linge de maison. Bagagerie. Magasinage sur Internet.

À TABLE TOUT LE MONDE
361, rue Saint-Paul O., Mtl | 514-750-0311
Une boutique dédiée aux arts de la table dans le monde. Objets fonctionnels, matériaux nobles, lignes contemporaines, designers inspirés s'y retrouvent. Porcelaines Bousquet et céramique Goyer Bonneau du Québec, coutellerie du Portugal, verres Sugahara du Japon, etc.

BOUTIQUE 1101
1101, av. Laurier, Mtl | 514-279-7999
Spécialisé en accessoires de la table, articles cadeaux et objets design, d'importation européenne (Bodum, Nespresso, Chilewich, Guzzini, Lekue, Alessi, Kate Spade et autres marques renommées).

DANTE
6851, Saint-Dominique, Mtl | 514-271-2057
Un grand choix d'articles de cuisine importé d'Italie. La quincaillerie Dante, c'est l'endroit idéal où acheter un machine à faire les pâtes. Elena Venditelli y fait régulièrement des démonstrations très populaires de pâtes fraîches. Bien que l'on accorde une large place à la cuisine, on y trouve de tout, machines à café, vaisselle, couteaux, machines à tomates, etc. Ouvert depuis 1956. Devant le succès remporté auprès de sa clientèle, elle a ouvert une école de cuisine appelée Mezza Luna.

DESPRÉS LAPORTE
994, bd Curé-Labelle, Chomedey, Laval
450-682-7676
Aussi en région:
185, de La Burlington, Sherbrooke | 819-566-2620
44, rue Saint-Jude Sud, Granby | 450-777-4644
Boutique d'accessoires de la table, articles de cuisine, de pâtisserie et de sommellerie. Très beau choix de matériel, d'équipement professionnel et résidentiel. Nombreuses marques de qualité et haut de gamme. Conception de caves à vin pour particuliers et professionnels. Aussi, une adresse à Rimouski.

DOYON CUISINE
Quartier DIX30
8505, bd du Quartier, Brossard | 450-462-5555
436, rue Saint-Pierre, Drummondville
819-477-6255
2600, rue Saint-Denis, Trois-Rivières
819-376-2600
Boutique d'art culinaire vendant un grand choix d'accessoires de cuisine, articles de décoration de table et d'accessoires pour amateurs de vin. Machines à café. Barbecues. Beau matériel de professionnels accessible à tous. Vend les meilleures marques dans tous les domaines. À surveiller, il y a toujours des nouveautés. Enfin, les amateurs de vin y trouveront certainement leur bonheur: verres Riedel, seaux à champagne, aérateurs, bouchons, becs verseurs, pompes à vin, carafes, limonadiers, tire-bouchons, refroidisseurs à bouteille. Casiers modulaires pour faire sa cave soi-même. Plan d'aménagement de cave.

ESPACE RICARDO
Accessoires - bistro - chocolaterie
310, rue d'Arran, Saint-Lambert | 450-465-4500
Produits et articles de la marque Ricardo pour la cuisine. Pièces de grande qualité (couteaux, batteries de cuisine, verres à vin, etc.) testées et sélectionnées par Ricardo lui-même et son équipe. Des idées de cadeaux amusants, utiles, pratiques ou des gadgets de qualité. La décoration intérieure et extérieure de l'Espace Ricardo, claire et assez conviviale, crée une atmosphère agréable où il fait bon circuler. La chef Kareen Grondin dirige la chocolaterie Mama Choka qui se trouve à l'intérieur de l'espace. Chocolat, caramel, barbe à papa à l'érable et aux noix. Ne pas manquer d'essayer le Café Ricardo.

FRANCE DÉCOR CANADA
290, bd Henri-Bourassa O., Mtl
514-331-5028 et 1-800-463-8782
Matériel de pâtisserie gros et détail. Pour les professionnels et les amateurs. Moules (pour gâteaux ou chocolats, en silicone, etc.), boîtes d'emballage (pour cupcakes, gâteaux et chocolats), douilles, poches à pâtisserie, colorants alimentaires, verrines, décorations de gâteaux, fleurs en pastillage, fondant à gâteau, chocolat. On y trouve tout ce que l'on veut et beaucoup plus.

LE CREUSET
2121, rue Crescent, Mtl | 514-284-0330
3035, bd le Carrefour Laval, Laval
450-682-9591
Plus besoin d'aller au Carrefour Laval pour dénicher les dernières cocottes et autres indispensables de la cuisine puisque Le Creuset vient d'ouvrir une boutique en plein centre-ville. Vous y trouverez une belle sélection des produits de la célèbre marque française.

LES IMPORTATIONS EDIKA
10 118, bd Saint-Laurent, Mtl | 514-374-0683
Les Importations EDIKA est une société d'importation-distribution basée à Mtl depuis 1990. En tant que spécialiste du café et distributeur des meilleures marques sur le marché, EDIKA se positionne comme la référence dans le domaine des machines à espresso de qualité supérieure allant de moyen à haut de gamme. EDIKA, par le biais de ses marques Jura, Lelit et Conti, offre une vaste gamme de machines à espresso tant pour le résidentiel que pour le commercial. Autre adresse à Québec.

LES TOUILLEURS
152, av. Laurier O., Mtl | 514-278-0008
Très beau magasin spécialisé en outils de cuisine qui vend des accessoires de table de qualité. Offre aussi «Ateliers des chefs» qui sont des cours de cuisine donnés trois fois par semaine.

MOSTI MONDIALE
6865, rte 132, Sainte-Catherine | 450-638-6380
Depuis 1989, vend tous les éléments nécessaires à la fabrication de vins maison. Aussi vinaigre balsamique. Salle d'exposition. En gros seulement.

PAVILLON CHRISTOFLE
Ogilvy's
1307, rue Ste-Catherine O., Mtl | 514-987-1242
La plus grande maison d'orfèvrerie au monde. Coutellerie et argenterie en métal argenté et argent massif, cristal et porcelaine. Existe depuis 1830, orfèvre du roi Louis-Philippe et de l'empereur Napoléon III. Travaille avec des designers de renom.

VIN ET PASSION
110, Promenades du Centropolis, Laval
450-781-8467
Promenades Saint-Bruno
321, bd des Promenades,
Saint-Bruno-de-Montarville | 450-653-2120
Spécialisé en celliers de diverses tailles, verres, carafes et autres accessoires destinés au service du vin. Offre aussi des cours de dégustation. Conception de caves à vin sur mesure.

VINUM DESIGN
1480, rue City Councillors, Mtl | 514-985-3200
Très grand choix de verres, de carafes, tire-bouchons, guides, couteaux Laguiole véritables et autres, sabres. Celliers, supports à bouteilles et climatiseurs pour caves à vin. Cadeaux d'entreprise et de mariage, articles de la table, machines à café. Dépositaire de grandes marques. Consultation et aménagement de caves à vin. Fournisseur pour restaurants et hôtels.

BOUCHERIES CHARCUTERIES

ADÉLARD BÉLANGER ET FILS
Marché Atwater
138, av. Atwater, Mtl | 514-935-2439
Cette boucherie, gérée par deux cousins, des petits-enfants d'Adélard, propose entre autres: veau de lait, agneau écologique, bœuf de qualité et écologique, saucisses maison, produits du Canard Goulu incluant magrets et foies gras de canard de Barbarie. Toutes sortes de viandes marinées maison.

ATLANTIQUE
5060, ch. Côte-des-Neiges, Mtl | 514-731-4764
Entreprise familiale. Boucherie, charcuterie,

épicerie fine, fromagerie, boulangerie, poissonnerie, service de traiteur. Saumon fumé, saucisses et saucissons maison. Importations d'Europe (poissons, chocolats, confitures). Bières provenant d'Allemagne, de Hollande, du Danemark, de Suède et de France. Département de pains importés d'Allemagne.

BOUCHERIE CLAUDE ET HENRI
Marché Atwater
138, av. Atwater, Mtl | 514-933-0386
Agneau frais du Québec, veau primeur. Choix de saucisses (merguez, Toulouse, italienne, etc.). Gibier (cerf, sanglier, bison, caille, pintade, faisan, lièvre). Bœuf de qualité. Foie gras de choix. Spécialiste des brochettes et des marinades. Produits provenant des meilleures fermes du Québec. Service de restauration. Viande vieillie 28 jours, carcasse entière.

BOUCHERIE GRINDER
1654, rue Notre-Dame O., Mtl | 514-903-0763
Située dans une ancienne maison haute de plafond, une boucherie qui sort de l'ordinaire, vaste, bien éclairée, avec une chambre froide en verre laquelle sont accrochés des quartiers de viande Wagyu (Québec), 1855 Black Angus (E.U.) et Angus Triple A (Alberta - Canada) en train de vieillir à sec. Spécialiste de la viande vieillie chouchoutée par un maître boucher. Viande traditionnelle également. Mets préparés.

BOUCHERIE PRINCE NOIR
Marché Jean-Talon
7070, rue Henri-Julien, Mtl | 514-906-1110
Spécialisé en gibier et produits du Québec (lapin, pintade, canard, cerf, bison, pigeonneau, etc.). Volaille de grain. Viande de bœuf, de cheval (sous-vide). Viandes bio, sans hormones, ni antibiotiques (poulet, agneau, bœuf et, en saison, canard, pintade et dinde). Plats cuisinés.

BOULANGERIE PREMIÈRE MOISSON
Voir section BOULANGERIES

CHARCUTERIE VIANDAL
550, rue de l'Église, Verdun | 514-766-9906
Boucherie de première qualité, excellent étal de charcuterie. Fermé le dimanche.

LA BERNOISE
3988, Saint-Charles, Pierrefonds | 514-620-6914
Fabricant de charcuterie fine (viande des Grisons, bacon, saucisses en tous genres, jambon fumé naturel). Aliments importés et fromages.

LA MAISON DU RÔTI
Boucherie - épicerie fine - fromagerie
1969, av. Mont-Royal E., Mtl | 514-521-2448
Un très grand choix de saucisses, terrines, volailles fines (perdrix, faisan, pintade, caille), gibier, bœuf, agneau, veau, porc et charcuteries maison. Beaucoup de choix aussi dans la section épicerie fine. On y trouvera foie gras, salaisons, plats cuisinés à emporter, produits fins et du terroir, cafés équitables et thés, ainsi qu'une grande sélection de fromages artisanaux du Québec et d'importation.

LA P'TITE CHARCUTERIE
Boucherie - charcuterie - traiteur
7615, ch. de Chambly, Saint-Hubert
450-656-9070
Bons produits naturels, sans conservateurs et sans produits chimiques. Terrines, viandes froides, saucisses, boudins, viandes marinées faits maison. Plats cuisinés (tourtière du Lac Saint-Jean, etc.). Côté traiteur, il s'agit d'une cuisine maison, tout est cuit sur place. Buffet chaud-froid. Présentation sur miroir. Livraison et prêt à emporter. 5 à 7, réunions professionnelles, baptêmes, etc. Quelques tables pour petit déjeuner et déjeuner. Fermé dimanche et lundi.

LA QUEUE DE COCHON
Boucherie - charcuterie - traiteur
6400, rue Saint-Hubert, Mtl | 514-527-2252
Depuis 1994, le propriétaire Benoît Tétard, originaire de Vendée en France, confectionne une remarquable charcuterie artisanale. Bon choix de terrines, boudins, andouillettes, saucissons à l'ail, foie gras, confit de canard, pâtés et saucisses. Épicerie fine. Saumon fumé sur place. Grand choix de plats cuisinés prêts à emporter (gibier, poisson et porc) suivant les saisons. Mets congelés. Traiteur jusqu'à 100 pers.

LE BUCAREST
4670, bd Décarie, Mtl | 514-481-4732
Produits importés de Roumanie et d'autres pays d'Europe de l'Est. Mets roumains préparés sur place. Charcuterie. Pâtisseries roumaines.

LE MAÎTRE GOURMET
1520, av. Laurier E., Mtl | 514-524-2044
Cette boucherie fine offre des viandes biologiques, des viandes sauvages, des coupes fraîches. Aussi une panoplie de volailles, de l'agneau de la Gaspésie nourri aux algues, de l'onglet de bœuf mariné, de la saucisse de veau, du saumon irlandais bio. C'est aussi une petite boutique écolo de quartier qui vend des produits d'épicerie fine biologiques et équitables, un excellent gâteau aux carottes, quelques fruits et légumes. On y propose également un service traiteur avec des plats cuisinés maison prêts à emporter. Fonds de volaille, veau, agneau, bœuf, préparés sur place.

LE MARCHAND DU BOURG
1661, rue Beaubien E., Mtl | 514-439-3373
Un duo de bouchers, père et fils, pas tout à fait comme les autres! Ils se spécialisent dans la vente de viande de bœuf Black Angus vieillie. Seulement la côte de bœuf, le contre-filet, le filet mignon et la bavette. Ils font vieillir la côte de bœuf de 40 à 730 jours, dans une pièce à atmosphère et à température contrôlées. La déco du magasin surprend, elle aussi, c'est plein d'antiquités. Un vrai musée! Fermé lundi et mardi.

MARCHÉ DE LA VILLETTE
Boucherie - fromagerie - bistro
Quartier des Arts
324, rue Saint-Paul O., VIEUX-Mtl | 514-807-8084
Entreprise familiale de longue date. Savoureux pâtés et terrines maison, spécialiste des confits. Cassoulet et choucroute garnie. Comptoir de fromages du terroir et importés, rosette de Lyon. Une grande section bistro où on peut manger des cochonailles et des plats canailles, dans une ambiance animée de café-bistro parisien.

SOS BOUCHER
Marché Atwater
138, av. Atwater, Mtl | 514-933-0297
Production artisanale de charcuterie. Variété de saucisses maison aux légumes, de terrines maison, de coupes européennes, de marinades. Travail personnalisé et unique.

SPÉCIALITÉS SLOVENIA
Boucherie - charcuterie
3653, bd Saint-Laurent, Mtl | 514-842-3558
Boucherie-charcuterie ouverte depuis 1970. Viandes fraîches, poulets de grain, volailles, charcuteries variées, saucisses, jambonneaux, choucroute, épicerie fine. Agneau frais du Bas-du-Fleuve. Comptoir chauffant. Smoked meat à emporter.

BOULANGERIES

BOULANGERIE DE FROMENT ET DE SÈVE
2355, rue Beaubien E., Mtl | 514-722-4301
Boulangerie utilisant une méthode artisanale pour fabriquer ses pains, à partir de farine non blanchie, non traitée ou biologique. Variété de viennoiseries et de pâtisseries sans graisses végétales ni saindoux. Biscuiterie artisanale. Épicerie fine. Fromages et charcuteries. Produits maison. Section bistro sympa avec terrasse.

BOULANGERIE DU MARCHÉ DE LONGUEUIL

Marché public de Longueuil
4200, ch. de la Savane, Longueuil
450-656-5151 et 450-447-9981
Succursale de Le Garde-Manger de François de Chambly, voir à cette inscription.

BOULANGERIE PREMIÈRE MOISSON

Boulangerie - pâtisserie - charcuterie - salon de thé
Marché Atwater
3025, rue Saint-Ambroise, Mtl | 514-932-0328
Gare centrale
895, de La Gauchetière O. , Mtl | 514-393-1247
1271, rue Bernard, Outremont | 514-270-2559
Plateau Mont-Royal
860, av. Mont-Royal E., Mtl | 514-523-2751
Rosemont
3001, rue Masson, Mtl | 514-374-7010
Notre-Dame-de-Grâce
5500, rue Monkland, Mtl Ndg | 514-484-5500
Marché Maisonneuve
4445, rue Ontario E., Mtl | 514-259-5929
Marché Jean-Talon
7075, rue Casgrain, Mtl | 514-270-3701
Côte-des-Neiges
5199, ch. Côte-des-Neiges, Mtl | 514-731-3322
2479, ch. de Chambly, Longueuil | 450-468-4406
350, Lawrence, Greenfield Park | 450-766-0863
Quartier DIX30
7200, bd du Quartier, Brossard | 450-676-7500
3565, Saint-Charles, Kirkland | 514-426-0024
Marché de l'Ouest
11678, bd de Salaberry O., Dollard-des-Orneaux
514-685-0380
189, Harwood, Vaudreuil-Dorion | 450-455-2827
Marché gourmand Centropolis
2888, av. du Cosmodôme, Laval | 450-682-1800
2021, ch. Gascon, Terrebonne | 450-964-9333
790, Montée Saint-Sulpice, L'Assomption
450-589-2906
Métro Marquis
150, rue Louvain, Repentigny | 450-585-3022
Redpath Libary
3459, rue McTavish, Mtl | 514-398-6834
New Residence Hall
333, rue Prince-Arthur O., Mtl | 514-398-3397

BOULANGERIE PREMIÈRE MOISSON EXPRESS

1297, ch. Canora, Mont-Royal | 514-739-9998
790, montée Masson, Mascouche | 450-474-2911
L'entreprise familiale se distingue par son approche respectueuse des grandes traditions. Les propriétaires prennent soin de renouveler la décoration des magasins afin de créer une ambiance chaleureuse. À découvrir, les nouveautés saisonnières sur le site premiere moisson.com. Quelque 50 variétés de pains frais préparés sur place, chaque jour. Des créations qui suivent les saisons. Un vrai délice! Pain de fabrication artisanale, française, biologique et divers ingrédients santé. Aussi un coin bistro. Véritable paradis gourmand avec ses gâteaux alléchants, ses pâtisseries et ses tartes délicieuses, fins chocolats artisanaux et autres délices faits avec les meilleurs ingrédients. On y trouve également un rayon charcuterie fine maison

(sauf dans les boutiques express) créée par un maître charcutier. Spécialités de canard, variétés gourmandes de plats prêts à emporter et autres produits artisanaux sains conçus dans les règles de l'art culinaire. Dans les boulangeries express, la sélection des produits peut différer de celle des succursales ordinaires, mais le choix est suffisant.

BOUTIQUES AU PAIN DORÉ

115, av. Atwater, Mtl | 514-989-8898
1415, rue Peel, Mtl | 514-843-3151
1145, av. Laurier O., Mtl | 514-276-0947
5214, ch. Côte-des-Neiges, Mtl | 514-342-8995
3075, rue de Rouen, Mtl | 514-528-8877
Marché Jean-Talon
228, place du Marché-Nord, Mtl | 514-276-1215
1, place Ville-Marie, Mtl | 514-903-2919
1650, bd de l'Avenir, Laval | 450-682-6733
2130, bd. des Laurentides, Laval | 579-631-3130
Plusieurs variétés de vrais pains français artisanaux et de viennoiseries cuits sur place tous les jours. Pâtisseries du boulanger, sandwichs, salades et cafés spécialisés. On peut consommer sur place. Service de traiteur.

L'AMOUR DU PAIN

Boulangerie - pâtisserie - salon de thé
393, rue Samuel-de-Champlain, Boucherville
450-655-6611
Plus de 40 sortes de pains et de viennoiseries fabriqués à la main chaque jour par d'excellents boulangers. Meilleur artisan boulanger du Québec en 2014 et 2015. Exceptionnelle fougasse aux olives. L'un des bons croissants au beurre au Québec. Viennoiseries à emporter, préparées et surgelées sur place. Beaucoup d'imagination dans les créations de spécialités accordées avec les saisons et sans cesse renouvelées. Belle présentation des pâtisseries, couleurs chatoyantes. Crumbles en verrine, millefeuilles, feuilletés caramélisés, tartelettes. Enfin une section bistro où l'on peut venir déjeuner et dîner en toute simplicité. Pizzas, paninis garnis, quiches, soupes et comptoir de fromages québécois et d'importation. Cafés équitables. Ouvert dès 6h du matin.

LE FROMENTIER

1375, av. Laurier E., Mtl | 514-527-3327
Grand choix de pains traditionnels. Pains au levain et à la levure. Pains artisanaux. Pains sans gluten. Viennoiseries maison. Étal de charcuteries de La Queue de cochon. Fromages frais, aussi sandwicherie. La présence du four à pain donne une ambiance très chaleureuse au magasin.

LE GARDE-MANGER DE FRANÇOIS

Boulangerie - pâtisserie - traiteur
2403, av. Bourgogne, Chambly | 450-447-9991
Grande variété de pains (noix, olives, multigrain, rustique, à la bière, etc.) en miche ou en baguette, faits par un boulanger de métier, très doué; ils se marient bien aux produits du terroir offerts sur place. Brioches, croissants, chocola-

tines, danoises ou viennoiseries moins classiques comme le croissant fourré de crème pâtissière. Tout est bon, surtout le croissant aux amandes! Toujours un pur délice! Combiné à une petite section de produits du terroir québécois, le service de traiteur du chef François Pellerin offre de délicieux plats cuisinés, faits maison, prêts à emporter, dont l'originalité séduit. Sélection de charcuterie maison, produits fumés, très bons produits du canard (foie gras, version au torchon, magret, cuisses de canard mulard, terrine, confits, rillettes, etc.). On peut manger sur place des sandwichs et autres préparations maison. Une adresse qui vaut réellement le détour, à recommander!

LE PAIN DANS LES VOILES
357, de Castelnau E., Mtl | 514-278-1515
Trois ans après l'ouverture de la boulangerie d'origine (250, Saint-Georges, Mont-Saint-Hilaire, 450-281-0779), Martin Falardeau et François Tardif se classent 2e dans la catégorie «Meilleure baguette», au Mondial du pain, en France! Martin recherche les meilleures farines, les meilleures techniques jusqu'à obtenir une mie grasse et un pain alvéolé. Ses pains sont délicieux et très bien faits, du vrai pain, citons le «Pain du peuple» une belle miche qui se conserve plusieurs jours. Dans les deux magasins, on vend aussi de la viennoiserie, des créations sucrées, des pizzas et des sandwichs.

PAINS ET SAVEURS
Boulangerie - pâtisserie - salon de thé - traiteur
2130, de Boucherville, Saint-Bruno | 450-441-4155
2000, Victoria, Greenfield Park | 450-486-1717
5959, Cousineau, Saint-Hubert | 450-890-3441
Leur pain est très bon, avec sa mie souple et sa croûte croustillante. Les pains artisanaux (au levain, bio, de campagne, intégral...) sortent de l'ordinaire. Les croissants sont parmi les meilleurs que nous ayons goûtés, le feuilletage au pur beurre est une réussite. Un bel assortiment de pâtisseries classiques et revisitées, aussi d'excellentes viennoiseries et des macarons. Ici, on suit les saisons et les fêtes de l'année pour faire des créations thématiques, comme un merveilleux gâteau aux pommes et au sucre d'érable. On y vend aussi des cafés spéciaux. Espace bistro et beau comptoir de prêt-à-manger, avec des produits frais du jour, à l'emballage soigné. Menu simple et plats santé, pour manger sur place ou emporter. Dégustation de toutes les gourmandises confectionnées par la maison. Belle ambiance, très beau magasin, bien fourni, décoration réussie. On peut aussi commander une boîte à lunch ou un service traiteur pour les fêtes de famille, lunchs d'affaires, cocktails dînatoires, grands événements. Service professionnel complet.

PÂTISSERIE Ô GÂTERIES
Pâtisserie - boulangerie - traiteur - bistro
364, rue Saint-Charles O., Vieux-Longueuil | 450-674-8400

Pâtisseries, chocolats, petits fours, macarons faits maison. Plusieurs variétés de pain artisanal, viennoiserie, un peu d'épicerie fine. Salon de thé, thé en feuilles et café en vrac. Service traiteur de mets froids pour toutes occasions. Déjeuners, menu du jour, menu bistro et gâteaux servis sur place dans l'espace bistro et sur la terrasse en été. La maison a aussi un comptoir au niveau métro du Complexe Desjardins, à Mtl, proposant soupes, sandwichs et pâtisseries.

CHEF À DOMICILE
3700, rue Martinique, Longueuil | 450-678-6353
Ancien propriétaire du restaurant «Le Paradis des amis» (★★★★ Debeur), le chef Louissaint propose une gastronomie franco-antillaise colorée et savoureuse. Il termine souvent ses soirées en faisant danser les invités, qui sont réunis pour des anniversaires, des mariages ou autres événements.

CHEF MAISON
438-872-9500
Ancien chef du restaurant L'Express, Roger Hang Hong possède sa propre entreprise de chef à la maison. Il prépare des mets frais ou congelés et livre gratuitement chez vous dans la Vallée du Richelieu. Pour toute autre destination, appeler.

GOURMEYEUR
514-754-3850
Chef personnel qui fait une cuisine française gastronomique. Tout est préparé au domicile du client: dîner ou souper. Choisissez le menu, il fait le marché et s'occupe de tout, même du vin. Cocktails dînatoires. Service dans tout le Québec. Traiteur haut de gamme.

CHOCOBEL
374, rue de Castelneau E., Mtl | 514-276-9875
Belle sélection de chocolats maison. Tarte au chocolat, brownies à la fleur de sel, chocolat chaud maison. Chocolats sans sucre. Chocolats au fromage de chèvre, bleu ou parmesan. Thé chaï du chocolatier. Noix, liqueurs, gelées de fruits, grains de café et de cacao intégrés dans leurs créations. Crème molle trempée dans leur chocolat en saison estivale. Offrent aussi des ateliers d'initiation à la chocolaterie, individuel ou à deux.

CHOCOLAT BELGE HEYEZ PÈRE ET FILS
16, Rabastalière E., Saint-Bruno | 450-653-5616
Très bon chocolatier (de père en fils). Plus de 75 sortes de petits chocolats fabriqués avec beaucoup de finesse. Hubert Heyez ne semble

pas avoir de limite dans ses créations, il réalise de magnifiques sculptures en chocolat. Magasin impeccable, une réjouissance pour l'œil et la gourmandise. Fabrication, montage et moulage pour chaque événement de l'année. Chocolats sans sucre. Sculptures en chocolat pour mariage, événements d'entreprise. Ateliers pour enfants, sur réservation. Distribution.

CHOCOLAT BELGE LÉONIDAS
605, de Maisonneuve O., Mtl | 514-849-2620
Les Halles de la Gare centrale
895, de La Gauchetière O., Mtl | 514-393-1505
5111, av. du Parc, Mtl | 514-278-2150
Centre commerce mondial
383, rue Saint-Jacques, Mtl | 514-279-6365
Chocolats belges à la crème fraîche, pralines et ganaches, truffes, liqueurs, importés par avion de Belgique. Boutiques cadeaux. Crèmes glacées maison. Bonbons aux noix, spéculoos, nougats, calissons, pâtes de fruits. Confiserie. Panini, sandwich, café à l'avenue du Parc.

CHOCOLATERIE LA CABOSSE D'OR
Chocolaterie - pâtisserie - glacier -
salon de thé
973, Ozias-Leduc, Otterburn Park | 450-464-6937
La grande maison de la famille Crowin, en bordure d'un boisé, ressemble à un château de légende. À l'intérieur, une multitude de délicieux chocolats travaillés avec beaucoup de finesse. Grande boutique cadeau, visite de la fabrique, du petit musée du chocolat et histoire du chocolat sur réservation de groupe. Pâtisseries fraîches, croquants et gâteaux (même pour les mariages). Grosses portions délicieuses, de quoi satisfaire les plus gourmands. Au bar laitier, quelque 25 saveurs de glaces fabriquées sur place selon une méthode ancienne, 6 sorbets, 18 crèmes glacées, 6 crèmes molles trempées dans du chocolat aux parfums des plus gourmands. Un très grand salon de thé, confortable. Vingt variétés de thés, cafés traditionnels (moka, cappucino, espresso), trois sortes de chocolats chauds. Grande terrasse ombragée et minigolf thématique sur le chocolat.

CHOCOLATS ANDRÉE
5328, av. du Parc, Mtl | 514-279-5923
Commerce établi en 1940 et déjà trois générations de chocolatiers. Fabrication sur place. Chocolats faits à la main sans agents de conservation, selon des recettes traditionnelles. Service de livraison.

CHOCOLATS GENEVIÈVE GRANDBOIS
5524, rue Saint-Patrick, #211, Mtl | 514-270-4508
162, rue Saint-Viateur O., Mtl | 514-394-1000
Marché Atwater
138, av. Atwater, Mtl | 514-933-1331
Chocolats artisanaux confectionnés à Montréal par Geneviève Grandbois. Dynamique et perfectionniste, elle est en quête constante du bon

et du beau. On peut y déguster des chocolats, des tablettes, du caramel, des pâtisseries et des glaces maison.

CHOCOLATS PRIVILÈGE
Marché Jean-Talon
7070, rue Henri-Julien, Mtl | 514-276-7070
Marché Atwater
138, av. Atwater, Mtl | 514-419-9248
Marché public 440
3535, aut. Laval O., Laval | 450-682-3666
Variété de chocolats pour cuisiner à la maison. Pâtisseries chocolatées. Chocolaterie artisanale utilisant des produits naturels de qualité. Truffes, ganaches, pralinés, tablettes, etc. Moulages pour toutes occasions. Chocolats personnalisés (logo d'entreprise, mariage, etc.). Glaces et sorbets.

CHOCOLATS SUISSES
411, ch. Grande-Côte, Rosemère | 450-621-8440
Chocolaterie artisanale de tradition suisse, chocolats fins. Fier chocolatier d'origine suisse qui maîtrise son métier. Travail impeccable, savoir-faire indéniable, présentation soignée. Articles cadeaux avec du chocolat incorporé à l'intérieur. Chocolats en vrac.

COMPTOIR DE BRUXELLES
333, Harwood, Vaudreuil-Dorion | 450-218-7773
Jean Wulleman, torréfacteur originaire de Belgique, ouvre sa boutique lorsqu'il s'établit au Québec et s'associe avec son fils, chocolatier-pâtissier. On peut les observer fabriquer les chocolats fins, les pralines personnalisées, les pâtisseries, les viennoiseries, de véritables bijoux. Jean Wulleman s'occupe de la torréfaction des cafés haut de gamme vendus sur place. Bar à cafés et à chocolats chauds.

DIVINE CHOCOLATIER
2158, rue Crescent, Mtl
514-282-0829 et 1-877-282-0829
Boutique sympathique, connue pour ses fameuses truffes en chocolat, beaucoup d'arômes dont chai mafala et cayenne. Chocolat sensuel. Produits avec fruits (fraises, bleuets). Truffes aromatisées au cachemire. Huile de massage hypoallergène au chocolat par Pierre Zwierzynski. Comptoir à café et chocolats. De nouvelles saveurs tous les mois. Crème glacée, gâteaux au fromage et macarons maison. Chocolats sans lactose, sans gluten, biologiques.

GOURMET PRIVILÈGE
Chocolaterie - pâtisserie
1001, rue Fleury E., Mtl | 514-385-6335
3614, bd Saint-Charles, Kirkland | 514-694-2261
Chocolaterie artisanale utilisant des produits naturels de qualité. Chocolats personnalisés (logo d'entreprise, mariage, etc.). Moulages pour toutes occasions. Glaces et sorbets. Pâtisseries, gâteaux pour toutes occasions. Aussi, boulangerie, lunch, sandwichs. Beau magasin offrant une multitude de bons produits.

LA MAISON CAKAO
5090, rue Fabre, Mtl | 514-598-2462
Chocolats artisanaux très fins confectionnés à la main, sur place, avec des ingrédients frais. Produits du chocolat et de ses dérivés. Glaces et sorbets maison. Pots de caramel et confitures. Tarte au chocolat noir. Brownies décadents. Il faut goûter son gâteau aux fruits confits maison à Noël et ses poires et cardamome au sirop. Moulages spéciaux. Une chocolatière passionnée toujours à la recherche de nouveaux mariages, de nouveaux parfums.

L'ARTISAN CHOCOLATIER
450-707-3003
Fabricant et distributeur de chocolats fins desservant plusieurs établissements. Chocolaterie virtuelle via le site lartisanchocolatier.com. Un choix irrésistible de plus de 90 variétés de chocolats fins haut de gamme, confectionnés avec des ingrédients de première qualité, par une chef chocolatière passionnée depuis plus de vingt ans. Multitude de figurines et de moulages selon les occasions.

LES CHOCOLATS DE CHLOÉ
546, rue Duluth E., Mtl | 514-849-5550
Une petite boutique à la façade orange. Chloé, un petit bout de femme sympathique, vous accueille au milieu des bonbons de chocolat fourrés de ganache parfumée, différentes tablettes de chocolat, gingembre confit, les confitures de sa maman et autres délices. On recommande les brownies chocolat, pacanes et fleur de sel, chargés en chocolat, mais délicieusement décadents.

LES CHOCOLATS FAVORIS
Chocolaterie - glacier
Complexe Desjardins
150, rue Sainte-Catherine O., Mtl | 438-387-3381
7750, Cousineau, Saint-Hubert | 450-676-0739
1005, Lionel-Daunais, Boucherville
450-906-3996
Quartier DIX30
9580, bd Leduc, Brossard | 579-723-1875
Chocolaterie artisanale et boutique cadeau ouverte à l'année. Grande variété de chocolats fins, moulages, chocolats sans sucre, paniers cadeaux, confiseries d'importation, produits du terroir québécois et fondues au chocolat. C'est aussi une destination pour quiconque raffole de la crème glacée molle enrobée de chocolat véritable. On fait tremper sa crème glacée dans un chocolat fondu offert en 12 saveurs. Sorbets, yaourts glacés et glaces artisanales.

LESCURIER
TRADITION GOURMANDE
Chocolatier - pâtissier
1333, av. Van Horne, Outremont | 514-273-8281
Très beau magasin. Chocolats fabriqués sur place aux parfums variés (café, fruits exotique, etc.). Pour toutes occasions: Halloween, fête des Mères, Pâques. Chocolats importés de Tanzanie, de Madagascar et du Vénézuéla. Gâteaux pour toutes occasions, chocolats, pains et brioches maison, fromages et charcuteries. Une quinzaine de sortes de quiches. Service de livraison.

MARLAIN CHOCOLATIER
21, rue Cartier, Pointe-Claire | 514-694-9259
Vingt-six sortes de truffes et chocolats fourrés, confiseries, torréfaction de café, pâtisseries, macarons, confitures, sauces piquantes et produits diététiques. Fabrique ses propres tablettes de chocolat à partir de fèves importées par ses soins. Mets préparés congelés.

PECCADILLE
629, rue Adoncour, Longueuil | 450-646-5604
Anciennement «Chocolaterie à la truffe», a changé de nom et pris une nouvelle direction en 2016. Boutique artisanale en pleine expansion. Un petit paradis avec de savoureux chocolats confectionnés à la main, à haute teneur en cacao, des gâteaux savoureux et des glaces et sorbets maison. Cafés spécialisés. À visiter sans faute.

SUITE 88
1225, bd de Maisonneuve O., Mtl | 514-284-3488
Chocolats vendus à l'unité, en vrac ou en boîte. Truffes, mosaïques, dômes (demi-sphères fourrées de ganache), shooters (chocolats avec alcool liquide). Glaces italiennes (gelato), gaufres, brownies, gâteaux vendus à la part et chocolats chauds à l'ancienne ou aromatisés, à emporter ou à savourer sur place dans une ambiance lounge.

CONFISERIE

LA CURE GOURMANDE
Place Montréal Trust, niveau Métro
1500, av. McGill, Mtl | 514-700-1058
D'origine française, véritable lieu de tentation pour les gourmands, ce magasin de confiserie est le premier à s'implanter au Québec. Un monde de couleurs chatoyantes avec beaucoup de diversité qui offre: biscuits artisanaux salés et sucrés, Berlandises (bonbons à la pulpe de fruits), olives au chocolat, nougats, caramels, calissons, sucettes, madeleines et cakes (spécialités pâtissières tendres et m œlleuses), etc. Boîtes décorées et patinées à l'ancienne pour conserver les biscuits.

COURS

ATELIERS & SAVEURS
444, Saint-François Xavier, Mtl | 514-849-2866
Une approche nouvelle, plus ludique, d'enseigner la cuisine, l'art des cocktails et la dégustation des vins. Ateliers grand public ou en groupes. Environnement convivial. Menus, horaires et tarifs au www.ateliersetsaveurs.com.

CHEF EN VOUS
1751, rue Richardson, Mtl | 514-303-9801
Activités culinaires «Briser la glace et apprendre à découvrir l'autre en cuisinant!». Cours de cuisine, service de chef à domicile.

ÉCOLE DE CUISINE MEZZA LUNA
57, rue Dante, Mtl | 514-272-5299
Cours de cuisine traditionnelle italienne. C'est en voyant l'intérêt de ses clients pour ses démonstrations sur l'art de fabriquer des pâtes fraîches qu'Elena Venditelli a décidé d'ouvrir son école de cuisine. Son but était de donner l'envie de cuisiner aux Mtlais. Les cours sont donnés par Elena et certains par des chefs renommés de Montréal, dont son fils Stefano Faita. On peut aussi acheter des accessoires de cuisine chez Dante, son autre magasin, où elle fait aussi des démonstrations de fabrication de pâtes fraîches.

L'ACADÉMIE DU CHOCOLAT
Centre de formation Montréal
4850, rue Molson, Mtl | 1-855-619-8676
Une superbe école toute neuve solidement équipée où l'on donne des cours de formation autant pour les professionnels que pour le grand public, sous l'égide de Chocolat Barry Callebaut. On y trouve un amphithéâtre pour les démonstrations et les conférences, une salle de cours, une salle d'éveil sensoriel, des espaces événements, une pâtisserie. Des professeurs de haut niveau y enseignent l'art du chocolat, celui de la pâtisserie en relation avec le chocolat, et aussi des cours d'harmonie du chocolat avec le vin, etc. On y rencontre des Meilleurs ouvriers de France, mais également François Chartier créateur d'harmonie, par exemple. Un petit bijou à la gloire du chocolat.

LA GUILDE CULINAIRE
École de cuisine - accessoires - traiteur
6381, bd Saint-Laurent, Mtl | 514-750-6050
Le chef Jonathan Garnier et ses chefs invités donnent des cours de cuisine sur mesure; cuisine moléculaire, activités d'entreprises, cours privés, ateliers de préparation pour ceux qui n'ont pas le temps de cuisiner. Une boutique vend tous les ustensiles de cuisine avec de grandes marques. Espace bien organisé, convivial, de jolis objets cadeaux, utilitaires et produits d'épicerie fine. Aussi un service traiteur et boîtes à lunch pour le public, les entreprises, les événements de grande envergure (100 pers. et plus). Formule axée sur une cuisine savoureuse et conviviale, utilisant les produits du terroir.

L'ATELIER D'APPRENTISSAGE DU CHOCOLAT
726, Saint-Georges, Saint-Jérôme | 450-565-3773
Depuis la création de leur école en 2002, Julie Beauchamp et Eddy Rosine partagent leur passion pour le véritable chocolat belge en offrant des cours de chocolatier à tous les

amateurs de chocolat. Cours tout public, professionnel ou non, à l'année sauf l'été, mi-juin à mi-sept. À partir de 6 ans. Journées portes ouvertes au mois d'août. Cours individuel sur demande. On peut y acheter du matériel et produits de base pour le chocolat, ustensiles, commandes sur demande. En tout temps, appeler avant de se présenter, si on a besoin de produits ou de matériel.

SAVORI
Cours sur les vins, bières et spiritueux
1178, rue Bishop, Mtl | 1-855-781-2344

Jessica Harnois et son équipe de spécialistes en sommellerie ont pour mission de faire découvrir le monde du vin, des bières et des spiritueux. Douze thèmes sur le sujet permettent de s'initier au langage, aux méthodes de dégustation, d'approfondir ses connaissances et d'expérimenter par la dégustation de produits. Aussi, cours privés bilingues partout au Québec, animation personnalisée à domicile ou en entreprise, vins et fromages, etc.

ÉPICERIES FINES

AUX SAVEURS DES SÉVELIN
Épicerie fine - boucherie -
charcuterie - boissons
1575, bd Jacques-Cartier E., Longueuil
450-448-3918

Produits d'épicerie du Québec et d'importation en quantité. Étalage de fruits et légumes frais. Près de 50 sortes d'huiles et de vinaigres. Sirops, tartes maison, confitures et bonbons. Dépositaire des pâtisseries de l'Arlequin, des brownies Juliette & chocolat, des bouchées de chocolat du chocolatier Raffin.
Rayon boucherie doté d'un savoir-faire à l'ancienne, en lien direct avec les producteurs locaux. Viandes du Québec sans hormones de croissance. Spécialités françaises maison: saucisson à l'ail, andouille de Vire, rillettes de lapin. Charcuteries d'importation (jambon de Bayonne) et du terroir (saucisson Fou du cochon, de Kamouraska). Plats cuisinés sur place (cinq à six par semaine) à emporter.
Rayon bières issues de 25 microbrasseries exclusivement québécoises, plus d'une centaine de bières différentes classées par région. Nombreux cidres également.

AVRIL SUPERMARCHÉ SANTÉ
1185, ch. du Tremblay, Longueuil | 450-448-5515
Quartier DIX30
8600, bd Leduc, Brossard | 450-443-4127
11, rue Évangéline, Granby | 450-375-6446

Grande variété de fruits et légumes certifiés biologiques. Produits équitables, écologiques et locaux. Viandes biologiques sans additifs chimiques. Grande section de produits sans gluten. Suppléments alimentaires et vitamines. Comptoir Crudessence et Avril café avec possibilité de manger sur place. Également un magasin au 2385, rue Principale O., Magog.

CHEZ LOUIS FRUITS ET LÉGUMES
Marché Jean-Talon
222, pl. du Marché-du-Nord, Mtl | 514-277-4670

Grand choix de légumes, de fruits, de champignons du Québec et importés. Asperges blanches, crosnes et espèces exotiques recherchées. Ail de Provence. Roquette d'Italie tout au long de l'année. Laitues de M. Daigneault et autres légumes fins. Spécialisé en mangues (4 ou 5 sortes). Melons charentais.

CHEZ NINO
Marché Jean-Talon
192, pl. du Marché-du-Nord, Mtl | 514-277-8902

Marché de légumes réputé pour son choix diversifié. Minilégumes, fruits exotiques, haricots extra-fins, grande variété de champignons (cèpes, chanterelles, champignons sauvages), melons et fruits importés. Truffes fraîches d'octobre à février. Produits du Québec en saison.

ÉPICERIE CORÉENNE
ET JAPONAISE
6151, rue Sherbrooke O., Mtl | 514-487-1672

Véritable coffre aux trésors. Un mur de congélateurs bourrés de dumplings, de nouilles, de poissons et de viandes, des frigos pleins de marinades et de kimchis maison. Accessoires pour les sushis.

GARIÉPY ET FILS FINS GOURMETS
3240, rue Dandurand, Mtl | 514-722-7398

Épicerie fine, fromagerie, boulangerie, pâtisserie, fruits et légumes, charcuterie, boucherie, plats cuisinés et buffets.

GOURMET LAURIER
1042, Laurier O., Outremont | 514-274-5601

Épicerie fine d'importation européenne où on trouve de tout, comme autrefois, même des produits de notre enfance comme du Banania, de la chicorée, des cachous, des biscuits BN, des galettes Saint-Michel. Une grande quantité de produits importés, conserves, huiles d'olive, vinaigres, moutardes, biscuits, caviars, foie gras, etc. Mais aussi du café, des fromages et des charcuteries. Articles ménagers et cafetières.

LA GRANDE EUROPE
141C, de Mortagne, Boucherville | 450-641-1900

Charcuterie artisanale maison, boulangerie, pâtisseries italiennes, pâtes fraîches, salades diverses, tous les plaisirs de l'Italie en un seul endroit. Une très belle épicerie avec un très grand choix de produits importés rangés avec soin. Belle atmosphère. Service de traiteur 10 à 500 pers., buffet. Tout est italien! Ouvert depuis 1997.

LATINA
185, Saint-Viateur O., Mtl | 514-273-6561
LATINA GOLDEN SQUARE MILE
1434, Sherbrooke O., Mtl | 514-507-6561

Produits locaux et internationaux. Aliments fins, plusieurs sortes d'huiles d'olive et de vinaigres balsamiques, sauces fortes, bières de microbrasseries, cafés de micro-torréfaction. Fruits et légumes, boucherie, charcuterie, poissonnerie, fromagerie et plats cuisinés. La section boucherie offre de la viande de bœuf vieillie à sec et celle des fromages un large éventail de qualité. Grand choix de plats cuisinés, frais ou surgelés. Soupes, viandes, poissons et crustacés, tourtières, pâtés et quiches, sauces pour les pâtes. Livraison. Vaisselle prêtée sur demande. Composition de plateaux de dégustation, de menus sur mesure et de paniers cadeaux.

LE CARTET RESTO
BOUTIQUE ALIMENTAIRE
106, rue McGill, Mtl | 514-871-8887
Épicerie fine, au décor très urbain, avec un bon choix de produits importés. Gamme assez complète d'huiles d'olive, d'eaux minérales et de chocolats. Belle sélection de plats cuisinés à emporter. Menu pour manger sur place sur de longues tables, genre monastère. Brunch la fin de semaine et petit déjeuner en semaine.

LE FOUVRAC
Épicerie fine - Salon de thé
1404-A, rue Fleury E., Mtl | 514-381-8871
«Hâtons-nous de succomber à la tentation avant qu'elle ne s'éloigne» formule d'Épicure, nous dit le propriétaire Marc Doré. Dans son sympathique capharnaüm, vous trouverez une bonne sélection d'huiles d'olive, de vinaigres, de cafés, de confitures, de tisanes, de thés, de chocolats, de pâtes italiennes. Une foule d'odeurs, de formes, de couleurs vous sollicitent de toute part.
Tous les accessoires pour le thé. Collection de théières en fonte, porcelaine et terre cuite. Grand choix de thés, de tisanes et de cafetières. Porcelaine, Bibol, chocolats Gendron. À cette adresse, on sert des gaufres liégeoises, du café et du thé Betjeman et Barton dont ils sont le distributeur exclusif. Terrasse en été.

LE MARCHÉ DES SAVEURS DU QUÉBEC
Épicerie fine - fromagerie - boissons
Marché Jean-Talon
280, pl. du Marché-du-Nord,
Mtl | 514-271-3811
Épicerie fine réunissant des produits du terroir québécois. Service de plateaux de fromages et charcuteries. Comptoir de fromages entièrement consacré aux fromages artisanaux du Québec, environ 150 sortes, dégustation possible. Sélection de produits laitiers et autres. Charcuterie à base de gibier, plats cuisinés. Grand choix de vins, cidres, bières de microbrasseries, hydromels et boissons artisanales du Québec. Paniers cadeaux personnalisés.

LES 5 SAISONS
Épicerie fine - boucherie - poissonnerie - fromagerie
1280, av. Greene, Mtl | 514-931-0249
1180, rue Bernard O., Outremont | 514-276-1244
Épicerie épicurienne haut de gamme axée sur le service à la clientèle avec un vaste choix de produits. Parmi les produits fins, sélection intéressante d'huiles d'olive, de vinaigres balsamiques, de moutardes fines, de craquelins fins, de sauces et de pâtes fraîches italiennes. Champignonnière, laitues hydroponiques, légumes fins, fruits exotiques, produits du Québec en saison. Au rayon boucherie: bœuf Black Angus AAA vieilli 30 jours, foie gras de canard frais de grandes marques (Rougié, Delpeyrat, Labeyrie), magret de canard de Barbarie, agneau du Québec, gibier, volaille de grain et bio, variété de saucisses fraîches naturelles et jambon à l'os Les Cochonnailles. Au rayon poissonnerie: caviar frais DaVinci et Osciètre, saumon biologique d'Écosse, saumon fumé (style Balik), filets de poisson d'Islande, fruits de mer gros format. Bonne variété de fromages de chèvre fermiers et fromages au lait cru dans le comptoir des fromages, beaucoup de produits du Québec. Plateaux pour dégustation de vins et de fromages. Au rayon boulangerie-pâtisserie: choix de pains artisanaux et biologiques, macarons, gâteaux et tartes faits des meilleurs ingrédients. Boutique de chocolats fins Godiva en magasin (à Westmount seulement). Aussi un service de traiteur.

LES DOUCEURS DU MARCHÉ
Marché Atwater
138, av. Atwater, #150, Mtl | 514-939-3902
Une véritable caverne d'Ali Baba où les senteurs apportent un vent d'aventure. Plus de 250 sortes d'huiles d'olive importées, grand choix de vinaigres, cafés, thés, épices indiennes et louisianaises, produits chinois, confitures, chocolat, pâtes et sauces, biscuits, biscottes, sirop d'érable. Grande sélection d'aliments sans gluten. Nouvelle section, produits de mixologie (cocktails), sirops et amers. De quoi satisfaire les plus difficiles.

MARCHÉ ADONIS
2425, Curé-Labelle, Laval | 450-978-2333
7250, des Roseraies, Anjou | 514-493-6667
2001, rue Sauvé O., Mtl | 514-382-8606
3100, Thiemens, Saint-Laurent | 514-904-6789
2173, Ste-Catherine O., Mtl | 514-933-4747
4601, bd des Sources, Dollard-des-Ormeaux 514-685-5050
Griffintown
225, rue Peel, Mtl | 514-905-6499
Quartier DIX30
8880, bd Leduc, Brossard | 450-656-9595
Les marchés Adonis sont des entreprises fort appréciées qui vous transportent dans un voyage olfactif, gustatif et auditif au Moyen-Orient et dans la Méditerranée de vos rêves. Odeurs, saveurs, couleurs, saveurs exotiques. Marché détaillant.

OLIVE ET OLIVES
428-B, Victoria, Saint-Lambert | 450-923-2424
Marché gourmand Centropolis
2888, av. du Cosmodôme, Laval | 450-687-8222
Marché Jean-Talon
7070, rue Henri-Julien, Mtl | 514-271-0001
8262, bd Pie IX, Mtl | 514-381-4020
Spécialisé en huiles d'olive extra-vierge d'Espagne, de France, de Grèce, d'Italie, de Tunisie, d'Afrique du Sud, des États-Unis, d'Argentine et du Portugal. Huiles d'appellation d'origine contrôlée. Superbe variété d'olives. Dégustation sur place. Ateliers d'huiles d'olive. Aussi, un magasin à Mirabel, chemin Notre-Dame.

PASTA CASARECCIA
5849, rue Sherbrooke O., Mtl | 514-483-1588
Ce magasin offre un comptoir de produits maison et de produits fins importés d'Italie jumelé avec un restaurant-trattoria. Grand choix de pâtes, sauces, charcuteries et fromages.

PROVISIONS MIYAMOTO
382, rue Victoria, Westmount | 514-481-1952
Produits japonais, chinois et coréens. Œufs de poissons, algues, accessoires pour la cuisine japonaise. Sushis préparés sur place. Cours de confection de sushis et de cuisine japonaise. Livres sur les sushis.

RICHMOND MARCHÉ ITALIEN
333, rue Richmond, Mtl | 514-508-8749
Épicerie, bistro et traiteur à l'italienne, décoration moderne dans un local style entrepôt. Beaucoup d'espace mais aussi un grande diversité de produits fins d'importation privée en provenance d'Italie et du Québec. Une sélection d'huiles d'olive, de fromages bien choisis, une excellente charcuterie italienne, des pâtes diverses et du fromage, du café, du chocolat, des ustensiles ainsi que des mets préparés à emporter ou à manger sur place dans la partie bistro, tout ce qu'il faut pour être heureux. Une section bistro 100 places. Beaucoup d'espace, décoration au design moderne.

TAU
4238, rue Saint-Denis, Mtl | 514-843-4420

7373, Langelier, Saint-Léonard | 514-787-0077
3216, Saint-Martin O., Laval | 450-978-5533
6845, bd Taschereau, Brossard | 450-443-9922
Aliments naturels de choix. Fruits et légumes biologiques. Nourriture empaquetée et en vrac. Boulangerie. Suppléments et vitamines. Boucherie bio et bar à jus à Laval.

FABRIQUE DE PÂTES

HISTOIRE DE PÂTES
458, Victoria, Saint-Lambert | 450-671-5200
Excellente petite fabrique de pâtes fraîches faites maison. Plats cuisinés à manger sur place ou à emporter; 20 sortes de sauces maison et antipasti. Lundi à vendredi service des repas de 11h30 à 13h30. Et pas après! Fermé dimanche.

FROMAGERS MARCHANDS

AVIS
Il y a une différence entre un fromager marchand qui vend des fromages et un fromager artisan, ou fermier, qui fabrique des fromages. Cependant, les deux peuvent faire l'affinage ou le vieillissement.

FROMAGERIE DU MARCHÉ ATWATER
Marché Atwater
134, av. Atwater, Mtl | 514-932-4653
FROMAGERIE ATWATER DE LACHINE
Marché de Lachine
1865, rue Notre-Dame, LACHINE | 514-634-7774
FROMAGERIE ATWATER DE SAINT-JACQUES
Marché Saint-Jacques
1125, rue Ontario E., Mtl | 514-527-8219
Fromager marchand qui connaît bien son métier, Gilles Jourdenais propose plus de 800 sortes de fromages importés et locaux, dont des fromages fermiers au lait cru. Affinage et distribution de fromages fins québécois et im-

portés. Assiettes de viandes froides et de fromages pour toutes occasions. Produits fins et charcuterie. Importante section de bières québécoises. Les fromageries de Lachine et de Saint-Jacques lui appartiennent aussi; on y offre 300 fromages, dont une grande sélection de fromages québécois. Il y a aussi un étal à la Ferme Guyon.

FROMAGERIE DES NATIONS
Marché public 440
3535, aut. Laval O., Laval | 450-682-5538
Quartier DIX30
7200, du Quartier, Brossard | 450-443-4344
Marché gourmand
2888, du Cosmodôme, Laval | 450-681-5726
Marché public de Longueuil
4200, de la Savane, Longueuil | 450-462-4666
Halles d'Anjou
7500, des Galeries d'Anjou, Anjou | 514-356-2102
Installées depuis près de 30 ans, ces fromageries offrent un très bon choix d'environ 800 variétés de fromages. Charcuterie et épicerie fine, elles proposent d'excellents prosciuttos, des épices, des huiles et des vinaigres variés, des sels, des poivres, des tisanes et des thés de diverses provenances. Le bistro-boutique de Granby offre des menus dégustation: fromages et charcuteries, fondues au fromage, raclette.

FROMAGERIE HAMEL
622, Notre-Dame, REPENTIGNY | 450-654-3578
975, rue Fleury E., Mtl | 514-383-1500
Marché Jean-Talon
220, rue Jean-Talon E., Mtl | 514-272-1161
2117, Mont-Royal E., Mtl | 514-521-3333
9196, Sherbrooke E., Mtl | 514-355-6657
Marché Atwater
138, rue Atwater, Mtl | 514-932-5532
Vaste sélection de fromages locaux et importés. Affineur avec une cave d'affinage agréée. Gamme de fromages Le Pic, exclusive à la maison. Dégustations vins et fromages sur demande. Vente et location de girolles et de fours à raclette. Recommandation de vins et de bières assortis aux fromages. Plateaux et boîtes de fromage pour particuliers et entreprises. Grossiste. Maison sérieuse qui existe depuis 1961.

FROMAGERIE MARCHÉ VILLAGE
Fromagerie - épicerie fine
Marché Village
7800, Taschereau, Brossard | 450-671-7961
Grand choix de fromages importés de France et d'Italie. Bon choix de fromages fermiers du Québec. Fromages en portions et à la coupe. Marie Martella, la propriétaire, est une vraie passionnée des fromages du monde. Elle n'a aucun préjugé, elle les goûte tous et se renseigne pour mieux conseiller ses clients. Bonne sélection d'huiles d'olive du monde, vaste choix de pâtes alimentaires italiennes de qualité, vinaigres haut de gamme et plusieurs produits d'épicerie fine. Olives niçoises, marocaines et grecques. Charcuteries européennes et importées. Panettone, nougat et marrons glacés (Pâques et Noël). Un très bon jambon cuit à la

coupe et du fromage frais râpé. Ouvert depuis 1982.

LA BAIE DES FROMAGES
1715, rue Jean-Talon E., Mtl | 514-727-8850
Fromagerie, charcuterie, épicerie fine, sandwicherie, ouverte depuis 1973. Véritable paradis des produits italiens importés directement. Un très grand choix de fromages d'Italie, de merveilleuses charcuteries, d'huiles d'olive, de vinaigres, de légumes marinés, de mets préparés sur place. Une vaste gamme de pâtes spécialisées exceptionnelles. On se croirait en Italie du Sud.

LA FOUMAGERIE
4906, Sherbrooke O., Westmount | 514-482-4100
Depuis 1995, la Foumagerie nous offre son service de fromagerie et son comptoir-lunch. Épicerie fine, fromages, casse-croûtes, soupes et salades, cafés, paniers cadeaux, service de traiteur. Un lieu bien sympathique où on est assuré de satisfaire sa faim.

L'ÉCHOPPE DES FROMAGES
12, rue Aberdeen, Saint-Lambert | 450-672-9701
Propose un bon choix de 300 variétés de fromages, dont plusieurs au lait cru. Fromages fermiers et québécois. Affineur de métier. Pain artisanal et épicerie fine. Importations (huiles, pâtes et truffes). Service de dégustation, vins et fromages sur place, le midi et à domicile. Cours et conférence sur le fromage. Ouvert depuis 1990.

MAÎTRE CORBEAU
5101, rue Chambord, Mtl | 514-528-3293
Bonne variété de fromages québécois et d'importation. Épicerie fine, produits laitiers, bio, bières et cidres du Québec. Produits biologiques de Charlevoix, gamme de produits Saum'mom.

QUI LAIT CRU!?! FROMAGERIE
Marché Jean-Talon
7070, rue Henri-Julien, Mtl | 514-272-0300
Variété de 300 fromages différents, importés et sélectionnés dans l'année. Plusieurs fromages du terroir. Section d'épicerie fine. Cantine mettant en vedette le fromage.

YANNICK FROMAGERIE
1218, av. Bernard O., Outremont | 514-279-9376
Marché de l'Ouest
11690, rue de Salaberry, Dollard-des-Ormeaux
514-421-9944
357, rue Parent, Saint-Jérôme | 450-436-8469
Un très beau choix allant de 150 à 350 fromages fins québécois et importés, au lait cru et pasteurisé. Établie depuis 1975, à Saint-Jérôme d'abord. Yannick Achim est un fromager marchand qui connaît très bien son domaine. Épicerie fine, majoritairement d'importation privée. Service traiteur pour plateaux de fromages. Location d'équipements liés au fromage. Soirées dégustation à Saint-Jérôme.

YANNICK FROMAGERIE - LES ÉTALS

Les Étals
140, Bélanger, Saint-Jérôme | 450-432-1213 #5
Groupement de spécialistes en alimentation, poissonnerie, boulangerie, fromagerie, boucherie, maraîcher. Ressemble à un marché avec plusieurs commerçants dans lesquels on retrouve Yannick Fromagerie et ses excellents produits.

GLACIERS

CHOCOLATERIE LA CABOSSE D'OR
Voir section CHOCOLATERIE

CRÈME GLACÉE HUDSON

10, rue Sunrise, HUDSON | 514-497-9742
Une crème glacée du Québec sucrée au sirop d'érable. Son créateur Jean-Pierre Martel, membre des créatifs de l'érable, emploie des produits québécois, crème, lait frais et sirop d'érable. Elle est 100 % naturelle, sans gluten, sans additif. Fine, onctueuse, avec un bon goût de lait frais.

ESSENCE MAÎTRE GLACIER

9835, rue Saint-Urbain, Mtl | 514-388-2828
Crèmes glacées et sorbets sortant de l'ordinaire créés par Jean-Marc Guillot et Alexis Dionne. De beaux fruits frais, du vrai lait, de la vraie crème, un savoir-faire tirant ses racines d'un apprentissage des plus sévères et le professionnalisme d'une discipline de fer. Jean-Marc Guillot, champion du monde glacier de la pâtisserie à Lyon en 1993, Meilleur Ouvrier de France glacier, compagnon du tour de France en 1997. Leurs crèmes glacées et sorbets sont excessivement onctueux, délicats, élégants, très riches en goût. Enfin du vrai! 10 sorbets, 7 crèmes glacées sans conservateur, sans colorant, juste des produits naturels, des fruits, des végétaux et du sirop.

HARTLEY Glaces & Chocolats

670, Victoria, Saint-Lambert | 450-671-9671
Plus de 50 sortes de glaces et de sorbets aux saveurs inusitées: cardamome, lavande, thé rouge aux agrumes d'Italie à fleur d'oranger, poivre du Sichuan, etc. Cinquante sortes de chocolats fabriqués sur place. Terrasse l'été.

LE GLACIER BILBOQUET

4864, Sherbrooke O., Westmount | 514-278-4217
1311, av. Bernard O., Outremont | 514-276-0414
1600, av. Laurier E., Mtl | 514-439-6501
Quartier DIX30
9190, bd Leduc, Brossard | 579-720-7330
309C, Lakeshore, Pointe-Claire | 514-505-0680
Un incontournable qui propose plus de 50 saveurs de crèmes glacées et de sorbets qui sont de véritables péchés glacés. Macarons fourrés de crème glacée. Gâteau à la crème glacée, sandwichs à Westmount et Pointe-Claire. Tar-

tes et biscuits faits maison à Outremont (magasin fermé en hiver).

MARCHÉS DE QUARTIER DE MONTRÉAL

Tout le monde connaît les trois grands marchés publics de Montréal. Mais voici également quelques petits marchés de quartier qui vous enchanteront certainement.

Marché Jean-Brillant
Angle Jean-Brillant et Côte-des-Neiges
(Métro Côte-des-Neiges)
514-937-7754

Marché Mont-Royal
Angle Mont-Royal et Berri

Marché Papineau
Angle Cartier et Sainte-Catherine

Marché place Jacques-Cartier
Sur Notre-Dame, entre Saint-Vincent et Gosford

Marché solidaire Frontenac
Angle Frontenac et Ontario E.

Marché Square Phillips
Angle Sainte-Catherine et Union (face à la Baie)

Marché Square Saint-Louis
Carré Saint-Louis et Saint-Denis

Marché Square Victoria
Entre Viger et Saint-Antoine,
côté ouest de McGill

MARCHÉ FERMIER

FERME GUYON

1001, Patrick-Farrar, Chambly | 450-658-1010
Marché fermier, ferme pédagogique et destination agrotouristique. Vente d'aliments du terroir, fruits et légumes, fromages et produits laitiers, boulangerie et pâtisseries, charcuteries, coin-repas, etc. Il y a aussi une pépinière, des plantes maraîchères et une papillonnière. Produire en serre, cultiver en champ, faire participer les fermiers situés à moins de 100 km, voilà ce qui est à l'origine de la plus grande partie de ce qu'on vend sur place.

MARCHÉS PUBLICS DE MONTRÉAL

Marchés publics urbains avec des étals de producteurs ou de marchands en plein air, mais aussi avec des commerces à l'intérieur. Produits locaux et du terroir de belle qualité. Magasins à recommander. Le service est très souvent agréable et les produits sont toujours d'une grande fraîcheur.

MARCHÉ ATWATER
138, av. Atwater, Mtl | 514-937-7754

MARCHÉ JEAN-TALON
7070, av. Henri-Julien, Mtl | 514-937-7754

MARCHÉ MAISONNEUVE
4445, rue Ontario E., Mtl | 514-937-7754

MARCHÉS PUBLICS RIVE-SUD DE MONTRÉAL

MARCHÉ DES JARDINIERS
1200, de Saint-Jean, La Prairie | 514-387-8319
Un vaste marché public où l'on trouve des fruits et des légumes frais, des fines herbes et des herbes aromatiques, une boucherie, une boulangerie, une charcuterie, une crémerie, une fromagerie, une poissonnerie, une saucisserie et un bistro, ainsi qu'une vaste gamme de plantes annuelles et vivaces.

MARCHÉ PUBLIC DE Chambly
Parc de la commune
1999, av. Bourgogne, Chambly | 450-346-3389
On y trouve de vrais producteurs et transformateurs, qui apportent là leur production de la semaine. Des produits sans pesticides, ni engrais chimiques, ni exhausteurs de goût, ni colorants et encore moins de conservateurs, non, rien de tout cela. Ce sont des produits de qualité, authentiques, bio, frais et savoureux. Et, lorsqu'il n'y en a plus, bien c'est tout simple, il faut revenir le samedi d'après. L'hiver, ce petit marché traverse la rue dans un local abrité.

MARCHÉ PUBLIC DE LONGUEUIL
4 200, de la Savane, Longueuil | 450-463-7100
Marché où sont réunis producteurs, distributeurs et transformateurs agroalimentaires. Une multitude de produits frais: fruits, légumes, fromages, saucisses, foies gras, pâtisseries, confitures, miels, etc. Des gens qui, pour la plupart, peuvent répondre aux questions sur les produits que nous achetons. Aussi ateliers culinaires, démonstrations d'horticulture et autres activités sur place. D'importantes rénovations l'ont transformé en une galerie marchande moderne, fonctionnelle et permanente.

PÂTISSERIES

BOULANGERIE PREMIÈRE MOISSON
Voir section BOULANGERIES

CHOCOLATERIE LA CABOSSE D'OR
Voir section CHOCOLATERIE

EUROPEA ESPACE BOUTIQUE
Pâtissier - traiteur
33, rue Notre-Dame O., Mtl | 514-844-1572
Tout est confectionné au restaurant Europea. Boîte de petit déjeuner (café, jus, mini-viennoiseries, salade de fruits frais). Sélection de pâtisseries. Macarons en 16 saveurs et desserts succulents. À emporter, se faire livrer ou à grignoter sur place. Lunch rapide le midi. Une dizaine de places assises. Propose également: plateau repas à composer soi-même, boîte à lunch gourmande. Pour tout événement (5 à 7, réunions, etc.), miniatures salées et sucrées.

FOUS DESSERTS
809, av. Laurier E., Mtl | 514-273-9335
Gâteaux de création de tradition française, faits à partir de sucre de canne et de farine biologique. Un des meilleurs croissants en ville. Gâteaux de mariage. Bonbons, chocolats maison, sablés sans gluten. Utilise uniquement le chocolat Valrhona. Aussi crème glacée, sorbet et gelato maison. Thé japonais et autres. On peut déguster sur place.

LA GASCOGNE
Pâtisserie - chocolaterie -
salon de thé - traiteur
4825, Sherbrooke O., Westmount | 514-932-3511
237, av. Laurier O., Mtl | 514-490-0235
268, rue Jean-Talon E., Mtl | 438-387-6444
Les Colonnades
940, Saint-Jean, Pointe-Claire | 514-697-2622
1950, bd Marcel Laurin, Mtl | 514-331-0550
Marché public 440
3535, Autoroute Laval O., Laval | 450-781-3700
212, Curé-Labelle, Rosemère | 579-630-6444
Produits de haute qualité et méthodes artisanales. Parmi les entremets: charlotte aux framboises, croquant au chocolat, key lime pie. Produits de boulangerie, pains artisanaux façonnés à la main, longue et lente fermentation. Viennoiseries pur beurre faites à la main (bostock, brioche provençale, cannelé), madeleine au gianduja. Grande variété de chocolats faits maison, truffes, marrons glacés, mendiants et rochers suisses. Gâteaux de mariage sur commande. Choix de glaces, sorbets et entremets glacés maison. Plats frais ou congelés pour emporter (lapin aux pistaches, terrine de chevreuil, rillettes d'oie maison). Également un service traiteur.

L'ANGE GOURMAND
825, ch. de Saint-Jean, La Prairie | 450-984-2643
Pâtisserie artisanale où chacun met la main à la pâte. Elle prépare la pâtisserie et la viennoiserie et lui s'occupe de la confection des plats à emporter. Offre aussi un service de cuisinier à domicile. Café, chocolat, macaron, confiture. Nous vous recommandons les croissants.

LE PALTOQUET
1464, rue Van Horne, Outremont | 514-271-4229
Produits faits maison. Croissants au beurre et aux amandes, brioches et chocolatines, chaus-

sons aux pommes, tartes au citron et autres pâtisseries. Traiteur pour buffet froid. Pâtisserie-café-restaurant, on peut se restaurer sur place le midi. Gâteaux à emporter.

MAISON CHRISTIAN FAURE
355, Place Royale, Mtl | 514-508-6452
Très belles et délicieuses pâtisseries françaises. Comptoir de «snacking chic» le midi. Boutique de cadeaux gourmands. À la tête de l'équipe, le chef pâtissier Christian Faure, meilleur ouvrier de France. Également une école de pâtisserie française haut de gamme pour amateurs sérieux et professionnels. Cours pour enfants. A repris le Café Grévin, Centre Eaton.

MARIUS ET FANNY
PÂTISSERIE PROVENÇALE
Pâtisserie - boulangerie - chocolaterie - traiteur
3119, rue Victoria, Lachine | 514-844-0841
4439, rue Saint-Denis, Mtl | 514-844-0841
239, bd Samson, Sainte-Dorothée, Laval
450-689-0655
Tout est fait maison avec des produits fins de qualité. Pâtisseries d'inspiration provençale, tarte tropézienne (pâte fine de brioche, crème légère au lait de fleur d'oranger), tarte au citron de Menton et une douzaine de saveurs de macarons. Confitures maison aux fruits. Pain maison, pain Marius (farine de seigle et levain au miel), viennoiseries pur beurre. La grande spécialité: des chocolats fins de qualité, fabriqués sur place, travaillés de façon artisanale. Cafés gourmands, thés et smoothies frais. Plats à emporter. Terrasse aux trois adresses. Réceptions amicales ou professionnelles réunissant jusqu'à 500 personnes.

NAVARINO CAFÉ
5563, av. du Parc, Mtl | 514-279-7725
Cette boutique de spécialités grecques vient de s'offrir un nouveau décor. Elle vend toujours des viennoiseries, des pâtisseries, du café, des sandwichs, des salades et des plats cuisinés grecs.

PAINS ET SAVEURS
Voir section BOULANGERIES

PÂTISSERIE CHOCOLATERIE
LAURENT PAGÈS
1436, bd Curé Labelle, Blainville | 450-434-8149
Laurent Pagès, chef propriétaire, joue sur les couleurs, les textures et le goût avec dextérité. Il fait partie des meilleurs pâtissiers de la région, que nous aimerions avoir à Montréal. Une simple boutique, mais ne vous y trompez pas, vous y trouverez des gâteaux délicieux, d'une grande élégance, aux décors enchanteurs et une excellente viennoiserie.

PÂTISSERIE DE SAVOIE
566, bd Adolphe-Chapleau, Bois-des-Fillions
450-621-4110

Pâtisseries françaises. Chocolats fins. Viennoiseries. Aussi vente en gros. Fromages d'importation. Charcuterie.

PÂTISSERIE MERCIER
200, rue Jarry E., Mtl | 514-387-1741
Très belle boutique, beaux produits. Pâtisseries classiques et modernes, entremets, chocolats. Trente sortes de chocolats maison. Spécialisé dans les gâteaux de mariage. Moulages pour occasions spéciales, sur commande. Ouvert depuis 1956.

PÂTISSERIE RHUBARBE
5091, de Lanaudière, Mtl | 514-903-3395
Parmi l'une des meilleures pâtissières de Montréal. Gâteaux à l'européenne au gré des saisons, à la présentation élégante, de très belle qualité. Produits saisonniers et locaux. Pâtisseries fraîches, éclair pistache-cerise, gâteau fromage-rhubarbe, tarte aux fraises, gâteau chocolat-caramel à la fleur de sel, tarte au citron, millefeuille vanille-caramel.

PÂTISSERIE ROLLAND
Pâtisserie - chocolaterie - glacier - traiteur
170, Saint-Charles O., Longueuil | 450-674-4450
504, rue Albanel, Boucherville | 450-655-3821
Entreprise familiale fondée en 1940. Une multitude de sortes de gâteaux raffinés, présentation créative, personnalisés. Un très beau choix de chocolats présentés comme des bijoux, créations de Christophe Morel. Un chocolatier de haut calibre, meilleur au Canada et 4e au «World Chocolate Master», à Paris, en 2005. Glaces et sorbets maison fabriqués avec de vrais fruits. Goût unique et véritable. Service traiteur de 10 à 1 000 pers., pour toutes les occasions. Commander 48 heures à l'avance. Aussi comptoirs dans Université de Sherbrooke, 150, place Charles-Lemoyne à Longueuil, et av. Jules-Choquet à Sainte-Julie.

POINT G
1266, rue Mont-Royal E., Mtl | 514-750-7515
Boutique 100% artisanale. Le propriétaire est un excellent chef pâtissier. Desserts haut de gamme, gourmandises et crèmes glacées. On y trouve, entre autres, 25 parfums de macarons. Aussi, événements d'entreprises, fêtes, mariages.

POISSONNERIES

LA MER
1840, bd René-Lévesque E., Mtl | 514-522-3003
À la fois grossiste, distributeur et traiteur, La Mer existe depuis 1968. Elle offre des poissons des quatre coins du monde, des fruits de mer, et respecte la pêche durable. Ouverte tous les jours, on peut y acheter 40 sortes de poissons et de nombreux produits maison. En plus d'offrir un choix complet de produits de la mer, cette poissonnerie propose des produits d'im-

portation privée (huiles d'olive, vinaigres balsamiques, tomates séchées, artichauts, confitures biologiques, etc.), des produits locaux et du terroir.

LE POISSON VOLANT
584, ch. Saint-Jean, La Prairie | 450-444-8821
Petite poissonnerie avec un bon choix de poissons frais et de fruits de mer en provenance des Îles de la Madeleine et d'importation privée. Saumon mariné fumé. Produits maison. Sushis préparés sur place. Très exigeants dans la sélection du poisson.

ODESSA POISSONNIER
4900, rue Molson #100, Mtl | 514-908-1000
7500, des Galeries d'Anjou, Anjou | 514-355-4734
2888, av. du Cosmodôme, Laval | 450-681-3399
Quartier DIX30
7200, bd du Quartier, Brossard | 450-656-9599
145, bd Saint-Joseph, Saint-Jean-sur-Richelieu
450-349-5330
338, bd Laurier, Beloeil | 450-446-2000
6950, Marie-Victorin, Sorel-Tracy | 450-743-0644
Un immense choix de fruits de mer, de poissons frais et surgelés et une grande variété de plats cuisinés. On peut même faire cuire son homard sur place. Odessa est la plus grande chaîne de poissonnerie au Québec, ses produits sont toujours frais.

POISSONNERIE FALERO
5726-A, av. du Parc, Mtl | 514-274-5541
Créée en 1959, c'est l'une des plus anciennes poissonneries et sans doute une des meilleures aujourd'hui. Vendent plus de 900 kg de poissons et de fruits de mer par semaine. Crabe des neiges, homard des Îles, huîtres, burgot, espadon, pieuvre, saumon, thon, mérou, poissons entiers, etc. Épicerie fine au 1er étage. Livraison à domicile.

POISSONNERIE RENÉ MARCHAND
1138, av. Victoria, Saint-Lambert | 450-672-1231
Entreprise familiale de vente au détail, en affaires depuis 1969. Produits de qualité. Choix de poissons exotiques et de fruits de mer. Belle variété de produits fumés. Produits maison prêts à emporter. Beaucoup de plats cuisinés. Aussi, succursale à Sainte-Catherine, rte 132.

SAUM-MOM
4378, av. Papineau, Mtl | 514-564-3024
Saumon équitable, saumon frais, saumon fumé, gravlax, tartare, tartinade de saumon fumé et autres. Depuis 1992, cette maison ne vend que des produits à base de saumon riches en oméga-3, un savoureux produit du terroir québécois.

SALONS DE THÉ ET CAFÉS

AU FESTIN DE BABETTE
4085, rue Saint-Denis, Mtl | 514-849-0214

Grande variété de thés servis à la tasse. Crèmes glacées molles maison. Crêpes bretonnes. Cafés italiens. Chocolats chauds et grands crus de chocolats. Salades, sandwichs. Brunch 7/7.

AUX DEUX MARIE
4329, rue Saint-Denis, Mtl | 514-844-7246
Maison de torréfaction établie depuis 1994. La bonne odeur de leurs mélanges exclusifs vous accueille dès l'entrée. Plus de 70 cafés de 30 pays différents, de quoi satisfaire les amateurs. Café-boutique, viennoiseries, salades exotiques, sandwichs express, crêpes salées et sucrées, desserts et carte de cafés.

BOULANGERIE PREMIÈRE MOISSON
Voir section BOULANGERIES

BRÛLERIE Saint-DENIS
3967, rue Saint-Denis, Mtl | 514-286-9158
1389, av. Laurier E., Mtl | 514-508-9159
3039, rue Masson, Mtl | 514-750-6259
226, rue Brien, REPENTIGNY | 450-704-2288
Maison de torréfaction, installée depuis 1985, qui importe ses propres grains de café. 97 sortes de cafés, dont 28 mélanges maison, de 25 régions différentes. Accessoires pour le café et le thé. Choix de cafés équitables. Plusieurs points de vente (cafés et bistros), vérifier à ces numéros pour avoir leurs adresses.

CAFÉ CENTRE D'ART
538, Marie-Victorin, Boucherville | 450-449-8300
Produits de boulangerie frais, cafés, produits artisanaux et repas complets.

CAMELLIA SINENSIS
351, rue Emery, Mtl | 514-286-4002
Marché Jean-Talon
7010, rue Casgrain, Mtl | 514-271-4002
Thés en vrac (vert, noir, blanc, jaune, wulong, pu-erh) d'importation privée (Chine, Japon, Taïwan, Inde, Sri Lanka, Vietnam). Très belle boutique avec thés en vrac et accessoires pour le thé. Livres sur le thé. Salon de thé. École de thé. Dégustations et conférences. Distribution.

CHOCOLATERIE LA CABOSSE D'OR
Voir section CHOCOLATERIE

ÉPICES DE CRU
Marché Jean-Talon
7070, rue Henri-Julien, C-6, Mtl | 514-273-1118
Boutique d'épices, de thés et de céramiques tenue par la famille De Vienne. 200 thés dont le très apprécié chaï route de la soie ainsi que la marque maison «thé de cru». Thés froids et chauds. Au-delà de 400 épices uniques et mélanges. Céramiques Arik de Vienne

KUSMI
3875, rue Saint-Denis, Mtl | 514-840-5445
Boutique et bar à thé. Sélection complète des thés Kusmi, dont 80 en exclusivité, à emporter

ou à déguster sur place. Vendus en feuilles dans les fameuses boîtes colorées Kusmi, en vrac ou en sachet mousseline. Gamme complète de la ligne de thé entièrement biologique: Iov Organique (30 variétés). Sélection d'accessoires autour du thé.

LES BRÛLERIES FARO
Marché gourmand Centropolis
2888, av. du Cosmodôme, Laval | 450-973-9992
Ont une très grande variété de café vert. Cafés gourmets, biologiques et équitables, fraîchement torréfiés selon une méthode personnelle. Produits complémentaires, cafetières. Une adresse aussi à Sherbrooke. Visiter le site web pour plus d'info.

LES THÉS DAVIDsTEA
Carrefour Laval
3035, bd Le Carrefour, Laval | 450-681-0776
Centre Fairview
6801, Autoroute Transcanadienne, Pointe-Claire
514-697-3331
4859, rue Sherbrooke O., Mtl | 514-489-0404
1207, av. Mont-Royal E., Mtl | 514-527-1117
Centre Eaton
705, Sainte-Catherine O., Mtl | 514-284-6060
Un milieu accueillant, une boutique moderne, spacieuse et colorée. Plus de 150 sortes de thés, dont des mélanges exclusifs, des collections saisonnières de série limitée, des thés classiques traditionnels et des infusions exotiques provenant des quatre coins du globe. Sans oublier une vaste collection de thés et infusions biologiques en Amérique du Nord. Une gamme novatrice, ludique d'accessoires pour le thé de conception maison, des cuillères aux infuseurs, en passant par les services à thé et les tasses de voyage.

MAISON DE THÉ CHA NOIR
4611, rue Wellington, Verdun | 514-769-1242
Fondée en 2003. Maison de thé offrant une sélection de plus de 100 sortes de thés et de tisanes, 80 modèles de théières, bouilloires électroniques, paniers d'accessoires. Bouchées chinoises, assiettes repas, carte de douceurs craquantes parfumées aux épices ou aux fleurs. Ateliers et dégustations de thés.

PAINS ET SAVEURS
Voir section BOULANGERIES

TOI, MOI ET CAFÉ
244, av. Laurier O., Mtl | 514-279-9599
2695, rue Notre-Dame O., Mtl | 514-788-9599
220, bd Labelle, Rosemère | 450-433-9599
Un simple bistro avec une jolie terrasse en bois (sauf à Notre-Dame) qui cache un des meilleurs importateurs et torréfacteurs de café en ville. Cafés équitables et bio. Table d'hôte midi et soir. Permis d'alcool. On peut y manger du canard, du gibier et du poisson. Desserts maison.

UN AMOUR DES THÉS
1224, av. Bernard O., Mtl | 514-279-2999
Plus de 250 variétés de thés, thés verts, thés noirs, wulong, thés blancs, thés rouges, thés parfumés, mélanges maison. Près de 200 modèles de théières et le nécessaire pour préparer le thé. Les thés sont aussi en vente dans les épiceries fines. Importations privées depuis 2002. Vente en ligne.

TRAITEURS

AGNUS DEI TRAITEUR
1260, rue Mill, Mtl | 514-866-2323 et 514-223-7311
Un des meilleurs traiteurs de Montréal. Cocktails dînatoires, buffets thématiques, repas à l'assiette, soirées privées, mariages et événements d'envergure. Créateur de concepts culinaires. Traiteur très créatif, gagnant de prix internationaux. Signé Agnus Dei et François Chartier.

AUBERGE SUR LA ROUTE
430, rue Saint Gabriel, Vieux-Mtl | 514-954-1041
Traiteur pour les entreprises ou les événements. Grande variété de services (boîtes à lunch, cocktails, banquets réunissant jusqu'à 2 000 pers.). Démonstrations culinaires (1 000 bouchées préparées le plus rapidement possible, etc.).

AVEC PLAISIRS
1260, rue Mill #200, Mtl | 514-272-1511
670, rue Jean-Neveu, Longueuil | 450-766-1711
Traiteur pour événements au bureau ou à la maison. Commande pour le lunch le jour même avant midi. Gamme de repas servis froids ou chauds. Déjeuners, repas individuels (plateaux, salades-repas, bentos et sacs à lunch), pauses-café, buffets froids et chauds, cocktails, 5 à 7, repas d'affaires. Livraison rapide et garantie région grand Montréal, Laval et Longueuil. Comptoir ou livraison.

BLEU CARAMEL
4517, rue de La Roche, Mtl | 514-526-0005
Service de traiteur pour occasions spéciales, événements culturels, réceptions, petits groupes. Spécialités: mets japonais, coréens et sushis. Fais aussi office de petit restaurant.

BOULANGERIE PREMIÈRE MOISSON
Voir section BOULANGERIES

CASSEROLE KRÉOLE
4800, rue de Charleroi, Mtl
514-508-4844 et 514-800-2540
Deux chefs haïtiens Hans Chavannes et Kenny Pelissier, sympathiques et accueillants, une serveuse au sourire magique. Des études faites au Québec, mais une cuisine des Antilles qui leur collent à la peau. Leur inspiration vient de la

cuisine des femmes de la famille. 8 tables, boutique ouverte jusqu'à 17h, mardi au vendredi. Un décor frais et simple fait de couleurs vives. Produits en vente: sauce Pikliz, marinade pour la viande, sirop à la cannelle, purée de piments, huiles aromatisées, le tout fait maison. Traiteur, plats à emporter et lunch sur place. Pour le lunch sur place, commander 24h d'avance.

DANSEREAU TRAITEUR
243, av. Dunbar, Mtl | 514-735-6107
Variété de menus pour tous genres de réceptions et d'événements spéciaux. Menus à thème.

GOURMEYEUR BOUTIQUE TRAITEUR
Marché public 440
3535, aut. 440 O., Laval | 450-681-5528
C'est une cuisine du monde réinventée, des produits frais retravaillés, des recettes audacieuses qui associent l'élégance à la modernité. Boutique-traiteur. Plats préparés sur place à déguster ou à emporter. En face, Gourmeyeur café-bistro.

LA PALETTE GOURMANDE
par Alain Pignard
Traiteur - pâtisserie - épicerie fine - salon de thé
1486, rue Sherbrooke O., Mtl | 514-750-1492
Service de traiteur, pâtisserie, épicerie fine en ligne. Alain Pignard, ancien chef du fameux Reine Elizabeth, fort de son expérience dans les événements d'envergure, et Liliana de Kerorguen créent un nouveau service traiteur en trois volets. Avec le «prêt à cuisiner», on reçoit tous les ingrédients d'un plat et la marche à suivre; avec le «prêt à célébrer», on commande un repas ultragastronomique du chef Pignard pour le manger chez soi; avec le «prêt à déguster», on n'a qu'à réchauffer des plats haut de gamme tout préparés. Il y a aussi un service traiteur pour événements, de quoi époustoufler la galerie. Les pâtisseries sont de petits bijoux

sucrés réalisés par le chef Christian Campos, élu pâtissier régional en 2015 et 2016. Au salon de thé, on boit des thés Camelia Sinensis avec des macarons ou les merveilleuses pâtisseries du chef Campos. Sacs de thé en vente: ceux de la maison Mariage à Paris, et les Thés de La Pagode.

LE COMPTOIR ESPACE GOURMAND
1052, rue Lionel-Daunais, Boucherville
450-645-1414
Plats à emporter. Plats congelés. Toutes les pièces de viandes transformées sont vendues crues ou prêtes à cuire. Terrines, pâtés, saucisses, boudins, foie gras, confits, bouillon de volaille, fond de veau et de gibier. Beaucoup de produits sont bio. Une petite partie d'épicerie fine. On peut manger sur place à l'heure du lunch, 16 à 30 pers. Terrasse en été. Vins d'importation privée à emporter.

LES FOLIES DE SOPHIE
39, rue Saint-Hubert, Laval | 450-629-4591
Entreprise familiale en affaires depuis 1987. Buffets en tous genres. Buffet d'entreprise 10 pers. ou plus. Déjeuner, cocktail, événement, location d'équipement. Service à la table.

PAINS ET SAVEURS
Voir section BOULANGERIES

ROBERT ALEXIS TRAITEUR
3693, rue Wellington, VERDUN | 514-521-0816
Service de traiteur avant-gardiste pour réceptions, réunions de travail, fêtes familiales, événements thématiques et soirées de gala. Lunchs corporatifs, cocktails, cocktails dînatoires.

VINCENT LAFLEUR TRAITEUR
200, av. Bernard O., Mtl | 514-272-9060
Fine cuisine du marché, création culinaire. Spécialisé dans les événements d'entreprises haut de gamme de grande envergure. Cocktail dînatoire aussi offert.

ACCESSOIRES

BOUTIQUE JURA
Quartier Limoilou
568, 3ᵉ Avenue, Québec | 418-649-7858
Seule et unique boutique Jura à Québec. La marque suisse Jura est reconnue pour ses machines à café automatiques haut de gamme. Élégantes, performantes, ergonomiques, d'un design épuré, elles garantissent une «expérience café» parfaite. Service d'après-vente pour particuliers et professionnels.

DESPRÉS LAPORTE
474, 2ᵉ Rue E., Local B, Rimouski
418-724-7712 et 1 866 724-7712
Boutique d'accessoires de la table, d'articles de cuisine, de pâtisserie et de sommellerie. Très beau choix, intéressant et complet, d'équipement professionnel et résidentiel. Nombreuses marques de qualité et haut de gamme. Conception de caves à vin pour particuliers et professionnels.

DOYON CUISINE
525, rue du Marais, Québec | 418-681-6366
Boutique d'art culinaire vendant un grand choix d'accessoires de cuisine, articles de décoration de table et d'accessoires pour amateurs de vin. Machines à café. Un très beau matériel de professionnels accessible à tous. Vend les meilleures marques. Verres Riedel, seaux à champagne, aérateurs, bouchons, becs verseurs, pompes à vin, carafes, limonadiers, tire-bouchons, refroidisseurs à bouteille. Casiers modulaires pour faire sa cave soi-même. Plans d'aménagement de caves. Aussi, un magasin à Rimouski.

LA FOLLE FOURCHETTE
986, 3ᵉ Avenue, Québec | 581-742-0767
Depuis un peu plus de 3 ans, le secteur Limoilou bénéficie d'une quincaillerie de cuisine où chacun des ustensiles et outils indispensables a été choisi avec soin. Pas de gadgets inutiles, que des essentiels testés par les deux propriétaires qui sont de bon conseil. Section école de cuisine, cours enfant et adulte (techniques de base et cuisine du monde).

LE CREUSET
Place Sainte-Foy
2450, bd Laurier, Sainte-Foy | 418-651-2667
Seul magasin dans la région de Québec entièrement dédié aux articles Le Creuset. Grand choix de casseroles, de cocottes, de plats à rôtir et d'accessoires pour la préparation, la cuisson et la présentation des mets. Déclinaison en plusieurs couleurs.

LUCIE CÔTÉ CUISINE
680, Saint-Joseph E., Québec | 418-948-4098
Une adresse incontournable pour la quincaillerie de cuisine de haute qualité. Que de grandes marques reconnues et éprouvées ainsi que des conseils d'achat et d'utilisation avisés. Aiguisage de couteaux à la pierre. Section de produits fins de cuisine (huiles, vinaigres, etc.). Livres de cuisine choisis. Spécialisé en cuisson à induction et couteaux japonais d'importation privée. Achats sur internet.

VINUM GRAPPA
355, rue Marais, Québec
418-650-1919 et 1-877-305-1919
Un grand choix de verres, carafes, tire-bouchons, livres, couteaux Laguiole véritables, et autres. Celliers, supports à bouteilles et climatiseurs pour caves à vin. Cadeaux d'entreprise et de mariage, articles de la table. Machines à café. Conception et aménagement de caves à vin.

ZONE
999, av. Cartier, Québec | 418-522-7373
De l'art de la table (vaisselle, couverts) aux gadgets à petits prix, Zone offre le nec plus ultra à prix abordables. À noter la sélection intéressante d'ustensiles de cuisine pratiques. Éléments de décoration et autres accessoires pour la maison.

BOUCHERIES CHARCUTERIES

BOUCHERIE AUX 3 POIVRES
4577, Guillaume-Couture, Lévis | 418-835-5525
Boucherie complète (gibier, volailles, etc.), mais aussi, un vrai boucher. Viande vieillie de bœuf wagyu (style Kobe). Plats cuisinés. Aussi boulangerie, épicerie fine (grande variété de fromages québécois, pâtes fraîches maison), pâtisserie, poissonnerie (gravlax, tartares, saucisses de saumon) et saucisserie (53 sortes de saucisses maison, dont 5 sans gluten). Boudin blanc et boudin noir maison. Service de traiteur, boîte à lunch, cocktail dînatoire.

BOUCHERIE MARCEL LABRIE
1191, av. Cartier, Québec | 418-523-2022
Une grande boucherie où l'on trouve du gibier, des viandes du Québec et de l'Ouest canadien de première qualité. Un excellent jambon maison, ainsi qu'un assortiment de saucisses préparées sur place. Fonds de volaille, de gibier et de veau nature. Brochettes, cretons, pâtés et mets préparés.

DÉLECTA PLAISIR COCHON
2500, rue Beaurevoir, Québec | 581-450-9696
5751, rue J-B Michaud, Lévis | 581-450-9696
Une boucherie qui se distingue par la variété des viandes en comptoir, des coupes et surtout un service de conseil, de sorte que la clientèle connaisse la provenance et les types de cuisson appropriés pour l'agneau, le gibier, le bœuf et les volailles. Charcuteries et mets préparés sur place à emporter.

DESORMEAUX PRÉS ET MARÉES
4835, de la Promenade-des-Sœurs, Cap Rouge
418-654-9034 et 1-866-666-9034
Boucherie de quartier qui fournit également ses clients en poissons et fruits de mer. Impressionnante sélection de viandes pour fondue. Saucisserie, charcuterie, produits d'épicerie fine, fromages et plats à emporter. Gibier à plume et à poil. Mets cuisinés sur place. Excellent service. Sur demande, on cuit les pièces de viande comme le rosbif. 30 à 40 saucisses faites maison. Offre une variété de produits sans gluten et des pâtisseries.

FERME EUMATIMI
241, Saint-Joseph E., Québec | 418-524-4907
Minuscule boucherie offrant de belles coupes de bœuf Angus AAAA, élevé sans hormones et sans antibiotiques. Mention spéciale pour la macreuse, la diversité des pièces, les coupes de porc, etc. Viande de producteurs d'agneaux, de porcs et de volailles. Charcuterie de producteurs sans agents de conservation, sans nitrites (pintade, lapin, caille, faisan).

FERME ORLÉANS
7344, ch. Royal, Saint-Laurent, Île d'Orléans
418-828-2686
Ferme ouverte en 1973, pour les volailles. Gibier à plume élevé sans antibiotiques, sans facteurs de croissance, poulet de grain, lapin, caille, perdrix, pintade, faisan, canard, coquelet, oie, dinde de grain, lièvre sauvage, etc. Abattoir de volaille avec inspection provinciale. Comptoir de vente.

LE PIED BLEU
179, rue Saint-Vallier O., Québec | 418-914-3554
Le Pied bleu est médaillé d'or et d'argent au concours international de la Confrérie des chevaliers du Goûte-Boudin de Mortagne-au-Perche en Normandie 2015, mention spéciale du jury 2014. Bar à charcuterie de charcuterie cuite. Son boudin mérite les honneurs ainsi que ses charcuteries 100% artisanales. Ils transforment le cochon de la tête aux pattes.

PAPILLOTE ET COMPAGNIE, LA BOUCHERIE
Les Halles de Sainte-Foy
2500, ch. des Quatre-Bourgeois, Québec
418-659-4248
Cette boucherie favorise les producteurs locaux. Bœuf Highland, veau, agneau, gibier (faisan, caille, pintade), lapin, volaille de grain du Québec. Viande marinée et viande à fondue chinoise. Un bon choix de sauces, de fonds et de saucisses maison, ainsi que des pizzas.

Pour une info conviviale et gourmande allez sur
www.debeur.com

BOULANGERIES

ARTISAN BOULANGER BORDERON ET FILS
Halles du petit Quartier
1191, av. Cartier, Québec | 418-521-5757
925, av. Newton, #117, Québec | 418-877-1818
Connu pour sa grande variété de pains au levain et de viennoiseries. Pâtisseries. Fournisseur de nombreux restaurants. Aussi, au Marché public de Lévis.

AU PALET D'OR
1325, rte de l'Église, Sainte-Foy | 418-692-2488
Baguette française au levain, assortiment de pains spéciaux, viennoiseries pur beurre. Pâtisseries européennes: millefeuilles, éclairs, opéras, mousses et large choix de gâteaux secs et de sablés. Aussi cafés, chocolats chauds maison, cappuccinos et expressos. Bon éventail de chocolats maison présentés dans des boîtes. Dégustation de différents sandwichs composés avec les pains faits sur place, et de pâtisseries vendues en magasin. Saucissons, terrines, fromages, plats préparés. Service de traiteur. Salon de thé. Terrasse.

BOULANGERIE CHEZ OLI
826, av. Myrand, Québec | 418-527-5627
Grande sélection de pains – baguette parfaite – et de viennoiseries, des torsades et des sandwichs gourmets qui sont préparés sur place. Quiches, pâtés. Tout est fait maison. Notez que les pains aux fruits et aux noix sont généreux en matières premières.

BOULANGERIE CULINA
2510, ch. Sainte-Foy, Québec | 418-653-9894
Artisan boulanger depuis 1971. De bons pains de fabrication artisanale, de la viennoiserie, des fromages au lait cru québécois et des sandwichs. Propose également des produits maison traditionnels européens et orientaux.

BOULANGERIE PAUL
1646, ch. Saint-Louis, Sillery | 418-684-0200
1388, ch. Sainte-Foy, Québec | 514-742-7285
Pains sans gras, sans sucre. Utilise du blé du Québec cultivé en agriculture raisonnée. Baguette Banette, fougasses, viennoiseries, brioches maison. Tartelettes aux fruits frais. Fermé le lundi et dimanche après-midi.

BOULANGERIE PREMIÈRE MOISSON
Boulangerie - pâtisserie - charcuterie - salon de thé
625, bd Lebourgneuf, Québec | 418-623-9161
Entreprise familiale qui se distingue par son approche respectueuse des grandes traditions. Quelque 50 variétés de pains frais préparés sur place, chaque jour. Des créations saisonnières. Un véritable délice! Décoration chaude avec beaucoup d'ambiance mettant en valeur d'ex-

cellents produits. Pain de fabrication artisanale, française, biologique et divers ingrédients santé.

CAFÉ-BOULANGERIE PAILLARD
1097, rue Saint-Jean, Québec | 418-692-1221
5401, bd des Galeries, Québec | 418-622-1221
Une des seules boulangeries à l'intérieur des vieux murs de Québec. Tout est fait maison: pains, viennoiseries, bon choix de pâtisseries dont les macarons, «gelato» et sorbets. Chocolats fins. Sélection de sandwichs chauds et froids, salades et soupes. Deux autres adresses en banlieue, à Neuchâtel et à Cap-Rouge.

LA BOÎTE À PAIN
289, Saint-Joseph E., Québec | 418-647-3666
396, 3e Avenue, Québec | 418-977-7571
Pains façonnés de façon artisanale, sandwichs gastronomiques, viennoiseries (croissants, chocolatines, brioches). Pains de fantaisie (ail et lardons, chocolat et bleuets). Pizzas cuites au feu de bois et salades gourmets. Pâtisseries fines. Cafés équitables, espressos, vins. Places assises et terrasse. Également une adresse au 2836, ch. Sainte-Foy.

LA BOULE MICHE
1483, ch. Sainte-Foy, Québec | 418-688-7538
Boulangerie reconnue pour ses pains biologiques, certifiés Québec Vrai, ses pâtisseries et ses mets préparés à base de produits de première qualité. Pains au levain faits sur place, sandwichs et salades. Pâtisseries avec de la farine et du sucre non raffinés biologiques. Section de fruits, légumes et produits laitiers bios.

L'ARTISAN ET LA PORTEUSE DE PAIN
1070, av. Cartier, Québec | 418-523-7066
Petite boulangerie artisanale. Toute la boulangerie est confectionnée sans gras et sans sucre. Un bon choix de pains très variés.

LE PAINGRÜEL
375, rue Saint-Jean, Québec | 418-522-7246
Boulangerie créative, authentique, pratiquant la panification naturelle et manuelle. Utilisation de farine certifiée biologique et essentiellement produite au Québec. Pain à très faible teneur de gluten. Créations uniques, la tradition rejoint l'actuel.

PICARDIE DÉLICES ET BOULANGERIE
1029, av. Cartier, Québec | 418-522-8889
1292, av. Maguire, Sillery | 418-687-9420
Pains et farines biologiques. Plusieurs variétés de pains et de viennoiseries (dont des croissants au beurre), pâtisseries françaises classiques (framboisier, opéra, trois chocolats, royal, tarte au citron ou au chocolat, tarte normande...). Bistro-café, sandwichs, plats préparés et salades de saison. Saucissons, jambons, pâtés, terrines et rillettes, confits de canard, magrets

et blocs de foie gras. Bonne variété de fromages français et québécois. Produits d'épicerie provenant d'Europe, comme les huiles d'olive, vinaigres et pâtes. Service traiteur (plats maison, buffets, canapés, boîtes à lunch) équipé pour tous genres de réceptions, réunissant jusqu'à 1000 personnes.

ARNOLD CHOCOLAT
1190-A, av. Cartier, Québec | 418-522-6053
3333, rue du Carrefour, Beauport | 418-661-7995
Chocolats fins de confection artisanale, créations d'une chocolatière gourmande. Ganaches, fondants, fourrés, truffes et pralinés. Dépositaire des glaces de chez Tutto Gelato en été. Section de confiserie. Atelier ouvert pour les fêtes d'enfants.

EDDY LAURENT CHOCOLATIER BELGE
1276, av. Maguire, Québec | 418-682-3005
Chocolats de qualité fabriqués à la main, de façon artisanale, suivant la pure tradition belge. Chocolat fait à partir du grué (de la fève à la tablette). Aucun agent de conservation. Grands crus de chocolat en provenance de quatre pays. Gourmandises. Atelier de chocolat. Boutique d'accessoires-cadeaux et art de la table (Alessi, Ritzenoff, Laguiole).

ÉRICO CHOCOLATERIE PÂTISSERIE
Chocolaterie - pâtisserie - glacier
634, rue Saint-Jean, Québec | 418-524-2122
Chocolatier de quartier qui offre des chocolats fins, mais aussi un très bon gâteau au chocolat, des glaces, des biscuits, des brownies, des cupcakes et une dizaine de mélanges à chocolat chaud. Une soixantaine de variétés de chocolats en alternance (chocolat à la bière Fin du monde ou à la pomme confite au cidre). Moulages et impression sur chocolat. Un musée du chocolat où l'on peut voir s'affairer les chocolatiers en cuisine. Fabrication artisanale européenne, pâtisseries françaises. Outre une sélection de glaces chocolatées, Érico concocte 69 glaces et sorbets aux parfums exotiques: chaï Bombay, thé et dattes, hibiscus, bière stout, fraise basilic, yogourt à l'argousier.

LES CHOCOLATS FAVORIS
Chocolaterie - glacier
9030, bd L'Ormière, Québec | 418-476-1647
32, av. Bégin, Lévis | 418-833-2287
1810, route des Rivières, Lévis | 418-836-1765
8320, 1re Avenue, Charlesbourg | 418-627-2288
1480, Provancher, Cap-Rouge | 418-653-2414
65, René-Lévesque O., Lévis | 418-653-2414
Chocolaterie artisanale et boutique cadeau ouverte à l'année. Grande variété de chocolats fins, moulages, chocolats sans sucre, paniers cadeaux, confiseries d'importation, produits du terroir québécois et fondue au chocolat. Une

destination pour quiconque raffole de la crème glacée molle enrobée de chocolat véritable offert ici en 12 saveurs. Sorbets, yogourts glacés et glaces artisanales dans cette glacerie de style européen ouverte du printemps à la fin d'octobre. Il y a aussi une terrasse extérieure.

CONFISERIE

LES CONFISERIES PINOCHE
1048, av. Cartier, Québec | 418-648-8460
Caverne d'Ali Baba des sucreries aux couleurs attrayantes. Bonbons d'importation, jelly belly, jujubes, réglisses assortis, sucettes de sucre filé et chocolats fins. Idées-cadeaux, ballons et peluches. Café de torréfaction artisanale.

COURS

ATELIERS & SAVEURS
830, Saint-Joseph E., Québec | 418-380-8167
Une approche nouvelle, plus ludique, d'enseigner la cuisine, l'art des cocktails et la dégustation des vins. Ateliers grand public ou en groupes. Environnement convivial. Menus, horaires et tarifs au www.ateliersetsaveurs.com. Situé dans le Nouvo Saint-Roch.

ÉPICERIES FINES

AVRIL SUPERMARCHÉ SANTÉ
1033, rue des Rocailles, Québec | 418-425-0255
1218, rue de la Concorde, Lévis | 418-903-5454
Grande variété de fruits et légumes certifiés biologiques. Produits équitables, écologiques et locaux. Viandes biologiques sans additifs chimiques. Grande section de produits sans gluten. Suppléments alimentaires et vitamines. Comptoir Crudessence et Avril café avec possibilité de manger sur place.

CRAC ALIMENTS SAINS
690, rue Saint-Jean, Québec | 418-647-6881
Produits naturels et aliments sains certifiés biologiques, mets cuisinés. Section d'épices, de fines herbes et de thés. Choix de céréales, de noix et de légumineuses. Fruits et légumes. Vitamines et suppléments.

ÉPICERIE EUROPÉENNE
560, rue Saint-Jean, Québec | 418-529-4847
Produits européens. Belle sélection de charcuteries (jambon de Parme d'Italie, serrano d'Espagne). Grand choix d'huiles d'olive, très importante section de fromages de grande qualité et beaucoup de produits importés. Variété de pâtes. Cafetières à espresso. Biscuits.

ÉPICERIE J.A. MOISAN
Épicerie fine - fromagerie
699, rue Saint-Jean, Québec | 418-522-0685
Une grande variété de produits d'épicerie servis dans l'ambiance d'autrefois. Produits du terroir québécois et d'importation. Grand choix de fromages, de charcuteries et de chocolats. Quelque 200 sortes de fromages, à la coupe et à l'unité, québécois ou européens, à pâte molle ou ferme, de chèvre, de brebis ou de vache. Plats cuisinés à emporter, aire de dégustation sur place. Paniers-cadeaux. Bières de microbrasserie. Variété d'épices. Thés Kusmi et cafés. Ouvert 7/7.

ÉPICERIE LAO-INDOCHINE
538, av. des Oblats, Québec | 418-524-3955
Grand choix de produits pour cuisiner des mets asiatiques. Mets thaïlandais à emporter. Petite salle de dégustation.

LA CORNE D'ABONDANCE
Épicerie fine - traiteur
1988, rue Notre-Dame, L'Ancienne-Lorette
418-872-7987
Une centaine de fromages importés et de fabrication québécoise. Boucherie, boulangerie, charcuterie et épicerie fine. Fruits et légumes frais. Service de traiteur jusqu'à 1 000 pers. Vaste gamme de produits biologiques. Tartare de saumon. Tartare de bœuf. Bouchées chaudes et froides. Repas santé. Service de livraison.

LA MONTAGNE DORÉE
652, rue Saint-Ignace, Québec | 418-649-7575
Grand choix de produits pour cuisiner des mets asiatiques. Excellents rouleaux impériaux et de printemps.

LA RÉSERVE ÉPICERIE FINE
994, 3e Avenue, Québec | 418-914-5061
Une belle sélection d'huiles d'olive et de vinaigres balsamiques. Du prêt-à-manger, des fromages, des charcuteries ainsi que des conserves et une grande sélection de pâtes sèches constituent le garde-manger de La Réserve.

LA ROUTE DES INDES
Marché du Vieux-Port
160, Quai Saint-André, Québec
418-692-2517 #241
Produits fins exotiques, biologiques et équitables des 5 continents. Toutes les épices du monde. Gousses de vanille. Tisanes fraîches et 300 sortes de thé en feuilles. Théières. 100 sortes de plantes à infusion. 40 sortes de riz et de fèves. Noix, sels, poivres. Comptoir d'huiles et vinaigres en vrac. Desserts glacés.

LE CANARD GOULU
1281, av. Maguire, Québec | 418-687-5116
811, route Jean-Gauvin, Cap-Rouge
418-871-9339
524, Bois Joly O., Saint-Appolinaire
418-881-2729
Producteur artisanal de canard de Barbarie: foie gras, rillettes, pâtés aromatisés, cuisses

confites, gamme complète des produits de canard. Des mets préparés tels que cassoulet et sauce à spaghetti en vente dans une boutique épicerie-concept. Menu tout canard où le gibier à plume a la vedette, sur la rue Maguire, sur réserv. 10 à 35 pers.

LE COMPTOIR DU TERROIR
Marché du Vieux-Port
160, quai Saint-André, Québec
418-692-2517 #292
Boutique regroupant les meilleurs produits du terroir québécois, cidres, vins, alcools, confitures et confits, terrines et foie gras, caviars. Variété de miels, de vinaigres, de vinaigrettes et de produits fins de l'érable. Choix de tisanes. Héberge des entreprises spécialisées dans la transformation vinicole.

MARCHÉ EXOTIQUE LA FIESTA
101, Saint-Joseph E., Québec | 418-522-4675
Épicerie fine. Produits pour cuisiner les spécialités d'Amérique latine.

MORENA PRÊT À MANGER
1038, av. Cartier, Québec | 418-529-3668
Grandes huiles et fameux vinaigres. Pâtes fraîches et sèches, fines et farcies. Café, thé, tartinades de premier choix, épices et produits du terroir québécois. Spécialités méditerranéennes. Plats préparés à emporter. Spécialité: le prêt-à-manger. Paniers et cadeaux gourmands. Service de traiteur (cocktails, buffets, boîtes à lunch). Bistro ouvert 7/7.

FABRIQUES DE PÂTES

ET PÂTACI ET PÂTAÇA
Halles du Petit Quartier
1191, av. Cartier, Québec | 418-641-0791
Une fabrique de pâtes fraîches à l'italienne avec, aussi, des pâtes sèches ou farcies. Grande sélection d'huiles d'olive et de vinaigres balsamiques. À découvrir, les pestos et la fondue parmesan maison.

PAPILLOTE ET COMPAGNIE
42, bd René-Lévesque O., Québec
418-529-8999
Les Halles de Sainte-Foy
2500, ch. des Quatre-Bourgeois, Québec
418-651-8284
Une grande variété de pâtes fraîches et de pâtes farcies comme on les fabrique en Italie avec des œufs frais et de la semoule de blé durum. Ici, aucun additif ni agent de conservation. Une vingtaine de sauces maison et de nombreux plats à emporter, entre autres des lasagnes et cannellonis, des pizzas maison, des mets cuisinés sous vide. Produits de la marque Canard Goulu, du canard gavé de façon artisanale.

FROMAGERS MARCHANDS

AVIS
Il y a une différence entre un fromager marchand qui vend des fromages et un fromager artisan, ou fermier, qui fabrique des fromages. Cependant, les deux peuvent faire l'affinage ou le vieillissement.

AUX PETITS DÉLICES
1191, av. Cartier, Québec | 418-522-5154
Les Halles de Sainte-Foy
2500, ch. des Quatre-Bourgeois, Sainte-Foy
418-651-5315
Un très grand choix de fromages (350 variétés), charcuteries, importations européennes, produits maison (terrines, pâtés de foie).

LA FROMAGÈRE DU MARCHÉ
Marché du Vieux-Port
160, Quai Saint-André, Québec
418-692-2517 #238
Fromager de père en fille. Au coeur du marché du Vieux-Port, cette fromagerie propose entre 100 et 150 sortes de fromages issus du terroir québécois. Grand choix de fromages vendus à pleine maturité et coupés selon la demande.

YANNICK FROMAGERIE
901, 3e Avenue, Québec | 418-614-2002
Spacieuse fromagerie, au beau design, avec un très bon choix d'environ 150 fromages fins québécois et importés, au lait cru et pasteurisé. Location d'équipement lié au fromage. Épicerie fine, majoritairement d'importation privée. Soirée de dégustation vins/fromages en hiver.

GLACIER

TUTTO GELATO
716, rue Saint-Jean, Québec | 418-522-0896
Glaces artisanales italiennes, sorbets et desserts glacés. Espresso importé d'Italie. Biscotti maison. Sandwich fourré à la crème glacée. Ouverture saisonnière: fin mars à mi-octobre.

MARCHÉ PUBLIC

MARCHÉ DU VIEUX-PORT
Vieux-Port de Québec
160, quai Saint-André, Québec | 418-692-2517
Situé en plein coeur du quartier portuaire, on y trouve toute l'année des produits frais et transformés de qualité, directement des producteurs locaux (produits du terroir québécois à l'honneur). Marché de Noël fin nov. à fin déc.

PÂTISSERIES

BOULANGERIE PÂTISSERIE LE CROQUEMBOUCHE
225, Saint-Joseph E., Québec | 418-523-9009
Le chef propriétaire d'abord pâtissier se tourne bientôt vers les mystères de la boulangerie et de la viennoiserie pour enfin ouvrir son commerce en 2003. Pâtisseries françaises, viennoiseries, chocolats, «gelato», petits fours, assortiment de 15 éclairs, sandwichs, pains. Tout est fait maison. On peut manger sur place.

LES CUPCKAKES DE COQUELIKOT
9145, bd de l'Ormière, Québec | 418-843-7222
Coquelikot propose des petits gâteaux aux essences naturelles de fleurs, à l'alcool (en saison estivale) ainsi que d'autres plus classiques, comme l'Himalaya à la vanille. Les seuls à offrir des cours de décoration de cupcake à l'année. Teneur de la collection bonheur sucré.

LE TRUFFÉ
Pâtisserie - boulangerie - traiteur
2300, bd Père Lelièvre, Québec | 418-681-3384
Alain Bolf, chef pâtissier, est propriétaire du Truffé depuis 1988. Il mène de front les activités de pâtissier et de traiteur. Pâtisseries classiques confectionnées artisanalement. Choix de 32 pâtisseries par année, suivant des thèmes saisonniers: fruits l'été, érable au printemps, etc. Chocolaterie, goûter son Truffé noisette et chocolat. Pain français cuit sur place sur la sole du four. Importante variété de pains du jour, excellentes baguettes. Les plats cuisinés sur place de la section traiteur méritent que l'on s'y attarde. Terrines. Buffets froids. Menu traiteur. Mets régionaux. Repas distinction chaud servi à l'assiette. 5 à 7, réceptions, événements.

Mlle CUPCAKE PETITS GÂTEAUX
1660, rue de Bergeville, Québec | 418-614-7700
Une adresse incontournable pour tout amoureux de petits gâteaux. À base d'ingrédients frais et naturels, ces douceurs se déclinent en plusieurs saveurs avec des glaçages pur beurre, à la vanille, au citron, au thé matcha, au café, etc. Produits sans oeuf, sans lait, sans arachides, sans noix, sans colorants ni arômes artificiels. Section sans gluten. Gelato maison en saison. Spécialisé en cupcakes et gâteries sucrées.

NOURCY
2452, bd Laurier, Sainte-Foy | 418-651-7021
Grand choix de pâtisseries françaises et libanaises de style classique et actuel. Produits de viennoiserie et épicerie fine (huiles, vinaigres et confitures). Plats cuisinés.

PÂTISSERIE ANNA PIERROT
Les Halles du Petit Cartier
1191, av. Cartier, Québec | 418-524-2662
Les Halles de Sainte-Foy
2500, av. des Quatre-Bourgeois, Sainte-Foy
418-659-4876
Pâtisserie et chocolaterie. Grande variété de pâtisseries françaises. Choix de viennoiseries, de caramels salés, de chocolats de dégustation, de macarons aux divers parfums et de petits fours. À Sainte-Foy, tout est fait sur place.

POISSONNERIES

POISSONNERIE UNIMER
1191, av. Cartier, Québec | 418-648-6212
2500, ch. des Quatre-Bourgeois, Sainte-Foy
418-654-1880
Poissons et fruits de mer variés. Comptoir à sushis. Prêts à emporter ou sur réservation. Ouvert 7/7.

Québec OCÉAN
Les Halles Fleur de Lys
245, rue Soumande, Québec | 418-704-3757
1699, route de L'aéroport, L'Ancienne-Lorette
418-874-7773
Fruits de mer et poissons en tout genre. Au magasin des Halles Fleur de Lys seulement, il y a un comptoir à sushis et on peut manger un Fish and chips pour le dîner. Huîtres, crabes et homards en saison. Service de cuisson. Plats cuisinés (pâtés, tartares, coquilles Saint-Jacques, etc.).

SALONS DE THÉ ET CAFÉS

BRÛLERIE DE CAFÉ DE Québec
575, rue Saint-Jean, Québec | 418-529-4769
Les brûleries Faro proposent une sélection de micro-torréfaction. Choix de 60 cafés en grains, torréfiés chaque jour sur place, depuis 1982. Bar à espresso professionnel. Cafés à déguster ou à emporter. Pâtisseries.

BRÛLERIE ROUSSEAU
1191, rue Cartier, Québec | 418-522-7786
710, rue Bouvier, Québec | 418-948-7786
Les Halles de Sainte-Foy
2500, ch. des Quatre-Bourgeois, Sainte-Foy
418-659-7786
Plus de 50 sortes de cafés en grains provenant du monde entier, torréfiés sur place. Vente de cafés en grains pour la maison. Cafés frais tous les jours. Distributeur de la cafetière italienne Simonelli. Pâtisseries et sandwichs maison.

BRÛLERIE SAINT-ROCH
375, Saint-Joseph E., Québec | 418-704-4420
Un grand choix de cafés, de Sumatra jusqu'au Brésil, torréfiés à Vieux-Limoilou. Une grande sélection de thés ainsi que des repas légers sont servis dans cette brûlerie de quartier. Aussi cinq

autres adresses, Brûleries Saint-Jean, Limoilou, Vieux-Limoilou, Sainte-Foy et Vanier.

CAFÉ KRIEGHOFF ET PETIT HÔTEL
1220, rue des Sœurs-du-Bon-Pasteur, Québec
418-522-3711
Café de style européen installé depuis 1977 sur la très animée rue Cartier. Café espresso de goût européen au mélange bien choisi. Cuisine bistro. Grillades, canard confit, plats cuisinés maison. Petit hôtel 3 étoiles au-dessus du café.

CAMELLIA SINENSIS
624, Saint-Joseph E., Québec | 418-525-0247
Thés en vrac (vert, noir, blanc, jaune, wulong, pu-erh, thés sculptés), importés directement de l'artisan (Chine, Japon, Taïwan, Inde). Accessoires pour le thé. Livres sur le thé. École du thé. Dégustations et conférences, cérémonie du thé.

LES THÉS DAVIDsTEA
Galeries de la Capitale
5401, bd des Galeries, Québec | 418-624-1333
1049, rue Saint-Jean, Québec | 418-692-4333
Un milieu accueillant, une boutique moderne, spacieuse et colorée. Plus de 150 sortes de thés, dont des mélanges exclusifs, des collections saisonnières de série limitée, des thés classiques traditionnels et des infusions exotiques provenant des quatre coins du globe. Sans oublier une vaste collection de thés et infusions biologiques en Amérique du Nord. Une gamme novatrice, ludique d'accessoires pour le thé de conception maison, des cuillères aux infuseurs, en passant par les services à thé et les tasses de voyage.

MONSIEUR T.
Les Halles du petit Cartier
1191, av. Cartier, Québec | 418-524-5544
Les Halles de Sainte-Foy
2500, Quatre-Bourgeois, Québec | 418-353-2943
Thés en vrac, mixologie et infusions pour emporter. Accessoires de thé.

SEBZ THÉ ET LOUNGE
67, René-Lévesque E., Québec | 418-523-0808
Une maison qui tient plus de 190 variétés de thés classiques ou aromatisés (avec des fruits entiers), vendus au poids. On y trouve aussi un choix de tisanes ainsi que des théières. Ateliers de dégustation. Club de thé; dégustation mensuelle de thé, nouvel arrivage ou thé plus rare.

TRAITEURS

BUFFET MAISON
1165, av. Cartier, Québec | 418-828-2287
340, Seigneuriale, Beauport | 418-828-2287
1090, bd des Chutes, Beauport | 418-828-2287
995, route Prévost, Saint-Pierre, Île d'Orléans
418-828-2287
Savoir-faire, tradition de prêt à manger fait à partir de matières de première qualité. Récep-

tions jusqu'à 2 000 pers. (mariages, funérailles, etc.), buffets chauds et froids, plats cuisinés et pâtisseries maison. Épicerie fine. Service de chef à domicile. Beauport et Cartier sont seulement des points de service sans cuisine faite sur place.

CHEF CHEZ SOI
1280, Chanoine-Morel, Québec | 418-704-6114
En plus d'un menu du jour à consommer sur place le midi et d'un service de chef à domicile, le Chef chez soi prépare une sélection de plats frais et surgelés. Peut recevoir jusqu'à 20 pers. dans sa salle à manger. Services cocktails, mariages, événements corporatifs.

DEUX GOURMANDES, UN FOURNEAU
2405-3, rue De Celles, Québec | 418-687-3389
Boîtes à lunch à partir de 5 pers. aussi sans gluten ou végétariennes. Boîtes pour repas chauds. Buffet froid ou chaud, cocktail dînatoire, repas à l'assiette, chef à domicile. Service de traiteur pour 8 à 800 pers. Mariages.

MAISON THAÏLANDAISE
3, bd René-Lévesque E., Québec | 418-523-1849
4307, rue Saint-Félix, Cap-Rouge | 418-659-2332
2485, ch. Saint-Louis, Québec | 518-981-0515
Prépare une variété de plats thaïlandais sous vide; il suffit de réchauffer. Commande sur place seulement; plats savoureux et authentiques à emporter. Aucun service à domicile. Une cuisine santé, épicée et sans MSG (glutamate monosodique).

NOURCY TRAITEUR
5600, bd des Galeries, Québec | 418-653-4051
Service de traiteur complet, conseiller en vins, personnel, location de matériel, livraison. Grande variété de boîtes à lunch. Buffets chauds et froids. Traiteur pour 5 à 7, cocktails dînatoires, mariages, concept clé en main. Nourcy a ouvert un restaurant à cette même adresse en avril 2015.

PASTISSIMO
272, Saint-Joseph E., Québec | 418-648-2805
Traiteur de fine cuisine internationale. Buffets, cocktails dînatoires. Boîtes à lunch. Fontaine de chocolat. Spécialisé dans les événements corporatifs et culturels.

Le petit

debeur

des vins, cidres et spiritueux

Photo: charleshenridebeur.com

- Guide d'achat
- Index par pays
- Guide pratique

Une passion, un plaisir

De plus en plus de Québécois se passionnent pour le vin, la bière et le cidre. Certains sont déjà d'excellents dégustateurs, d'autres aimeraient bien le devenir. Notre propos, dans cet ouvrage, n'est pas de faire de vous des sommeliers professionnels ni des experts en oenologie, mais plutôt de vous aider à faire de meilleurs choix lors de vos achats, tout en vous renseignant sur le service et la méthode de dégustation des vins.

Sélection de vins, cidres et spiritueux

La deuxième partie de ce guide vous propose une Sélection de vins, cidres et spiritueux qui est modifiée chaque année. Elle regroupe des produits vendus au Québec qui ont été choisis par quatre dégustateurs d'expérience. **Tous les produits sont classés par catégorie (blanc, rosé, rouge, etc.) et par prix (du moins cher au plus cher).** Cela permet au consommateur d'orienter ses choix non seulement en fonction de ses goûts, mais aussi de son budget. Ce système original, créé par les Éditions Debeur en 1990, est largement imité aujourd'hui par d'autres guides connus. Ce qui est bien. Cela prouve que c'est une bonne idée.

Guide pratique du petit sommelier

La dernière partie de cet ouvrage comprend un **"guide pratique"** sur le service du vin, la cave, le vocabulaire pour en parler, la fiche de dégustation, les accords avec les mets, etc.

Note sur les millésimes

Les millésimes (années des récoltes) des vins indiqués dans notre **Sélection** sont ceux des produits qui étaient en vente au moment de la dégustation. **Il se peut que ces derniers soient épuisés et qu'une année plus récente les ait remplacés ou que le prix ait changé.** Néanmoins, les descriptions et les commentaires qui sont donnés devraient déjà permettre de vous faire une bonne opinion au moment de vos achats.

Nous espérons que cet ouvrage, qui est à la fois un **guide d'achat** et un **guide pratique**, vous fera faire de belles découvertes et que, compagnon de vos recherches, il vous procurera beaucoup de plaisir.

Les notes

Nous avons longtemps hésité à mettre des notes dans le présent ouvrage. Nous considérons que le vin peut évoluer, en bien ou en mal, et ne plus correspondre à l'aspect rigoureux d'une notation quelconque, entre le moment de notre dégustation et celui de la lecture du guide par le consommateur.

Après de longues et mûres réflexions, nous avons décidé de mettre des évaluations notées pour chacun des produits présentés. Nous n'avons pas changé d'avis pour autant. Mais nous nous sommes dit que le consommateur avait besoin d'une conclusion et de connaître nos impressions en un seul coup d'œil, rapide et précis, comme le sont les étoiles pour les restaurants. Les mots sont souvent interprétés de façon différente selon la perception des gens, leur culture et leur sensibilité. On dit parfois qu'il faut dix mots positifs pour contrebalancer un mot négatif. La notation peut donc aider le lecteur à mieux comprendre nos critiques et à en tirer une conclusion supplémentaire.

Cependant, nous mettons quand même le lecteur en garde contre le fait qu'il peut y avoir une petite différence entre notre notation faite à un moment donné et celle faite par le lecteur. De plus, comme ce guide est un ouvrage collectif, l'interprétation de cette notation peut changer d'un dégustateur à l'autre. Un dégustateur peut noter plus sévèrement ou plus généreusement qu'un autre.

Encore une fois, toute évaluation, qu'elle soit écrite ou notée, n'est donnée qu'à titre indicatif et il appartient au lecteur de faire sa propre expérience. C'est lui, en fin de compte, qui sera le seul juge.

Thierry Debeur
Rédacteur en chef

SYMBOLES UTILISÉS

Le nom de chaque produit est toujours suivi du prix suggéré au moment de la mise sous presse. Il est possible que ce dernier soit modifié au moment de l'achat. Il en est de même pour le millésime qui peut aussi avoir changé.

Code SAQ
Les produits vendus par la SAQ comportent toujours un code CCNP **(+00000000)** qui, dans ce guide, se trouve inséré dans le nom du produit, juste avant le prix. Cela suppose qu'un produit sans code ne sera vendu que sur les lieux de production (certains produits de vignoble québécois, de cidrerie, etc.) ou encore dans certains points de ventes exclusifs.

(D): Produit vendu au domaine.
(E): Produit vendu en épicerie

 Indique un **coup de coeur** des dégustateurs.

Signatures des dégustateurs

DJL : Don Jean Léandri
GR : Guénaël Revel
TD : Thierry Debeur

Cotation

L'évaluation correspond à ce que l'on a apprécié au moment de la dégustation. Il est fort possible que le produit ait évolué, en bien ou en mal, depuis cet instant-là.

Légende

★ : Correct
★★ : Bon
★★★ : Très bon
★★★★ : Excellent
★★★★★ : Exceptionnel
(★) vaut une demi-étoile

Sommeliers accrédités

L'Association canadienne des sommeliers professionnels (ACSP/CAPS) est membre de l'Association de la sommellerie internationale (ASI) qui regroupe plus de 50 000 sommeliers dans le monde. Sa mission est de défendre et promouvoir le métier de sommelier au Canada.

L'ACSP-Québec, qui représente le Québec à l'ACSP/CAPS et à l'ASI, **accueille tous les amateurs de vin** désireux d'aider la sommellerie et offre de nombreux avantages à ses membres, dont des rabais dans des magasins spécialisés ou l'accès gratuit (ou à rabais) à des événements prestigieux.

Fondée en 1989 et forte aujourd'hui de plus de 1 000 membres de Vancouver à Halifax, l'ACSP jouit d'un rayonnement international, notamment par ses participations remarquées au concours du **Meilleur sommelier du monde.**

En 2018, c'est d'ailleurs à Montréal que se tiendra le concours du **Meilleur sommelier des Amériques**, en présence et avec la participation des lauréats du Concours des Meilleurs sommeliers du monde.

Pour les sommeliers professionnels, l'ACSP joue essentiellement trois rôles

• La protection du titre de sommelier

Accréditation annuelle des sommeliers professionnels après étude de leur niveau de formation et de leur expérience en restauration.

Partenariats avec les écoles hôtelières du Québec pour aider les sommeliers de **toutes les régions** à faire reconnaître leurs compétences.

• La promotion du poste de sommelier en restauration

Récompense des restaurants embauchant des sommeliers accrédités en leur donnant de la visibilité, notamment grâce aux guides de restaurants (dont **l'excellent *Guide Debeur*** !) et la mise en ligne de vidéos.
http://sommelierscanada.com/quebec/fr/videos

• La promotion de l'excellence et de la formation continue

Organisation des **concours Meilleur sommelier du Québec** et du Canada.

Soutien des candidats à chaque étape des compétitions, jusqu'au concours mondial

Alors sommeliers, inscrivez-vous à l'ACSP et prenez place dans la plus grande famille du vin. Santé!

Romain Gruson
Président de l'ACSP-Québec
Vice-président de l'ACSP-Canada
www.sommelierscanada.com/quebec/fr

ASSOCIATION CANADIENNE DES
SOMMELIERS PROFESSIONNELS

Photo: charleshenrideBeur.com

Don-Jean LÉANDRI

Sommelier-conseil
Professeur de sommellerie à
l'École hôtelière de Laval
Maître sommelier à
l'Association canadienne
des sommeliers professionnels

membre
actif

Don-Jean Léandri œuvre dans le domaine de l'hôtellerie-restauration depuis son adolescence. Après avoir travaillé en France puis aux Bermudes, il est entré comme sommelier au service de plusieurs établissements montréalais de renom, dont le restaurant Les Halles (★★★★★ Debeur), le Club Castel et Chez Jongleux Café (★★★★★ Debeur), avant de joindre, en 1981, l'équipe de l'hôtel Le Quatre Saisons (aujourd'hui Hôtel Omni) où il cumulait les fonctions de sommelier et de gérant de la salle à manger principale. Aujourd'hui Don-Jean Léandri est professeur de sommellerie à l'École hôtelière de Laval, sommelier-conseil, animateur de dégustations, juge expert dans de grands jurys de concours internationaux comme les Sélections mondiales des vins de la SAQ (1988 à 2002) et membre de nombreuses confréries gastronomiques et vineuses.

Il s'est aussi impliqué dans plusieurs activités vinicoles. Ainsi il a été vice-président de l'Association canadienne des sommeliers professionnels (1992-2002), directeur technique du Concours du meilleur sommelier du monde (Rio de Janeiro en 1992, Tokyo en 1995, Vienne en 1998, Montréal en 2000), membre du comité Montréal Passion Vin depuis 2004. Par ailleurs, il est également conférencier et animateur de soirées vinicoles entre autres pour l'Université de Montréal (depuis 2006), Desjardins Valeurs mobilières (depuis 2006), l'Orchestre symphonique de Laval (2014) et la ville d'Anjou (2013, 2014).

Il a également collaboré à des émissions de télévision et de radio comme *Vins et fromages* (1992 à 1997) et *Cuisinez avec Jean Soulard* (2001, 2002), et il a tenu une chronique dans plusieurs magazines dont *Flaveurs* (2001 à 2006). Don-Jean Léandri a aussi collaboré au *Debeur* de 1990 à 1993.

Humble et généreux par nature, il n'a pas hésité à se remettre en question en participant au concours Sopexa du meilleur sommelier canadien en vins et spiritueux de France, dont il a été le lauréat en 1988.

Enfin et ce n'est que juste récompense, Don-Jean Léandri a obtenu des honneurs prestigieux comme celui de l'Association internationale des maîtres-conseils en gastronomie française, le prix Jules-Roiseux, le prix Claude-Hardy de la Fondation des amis de l'art culinaire, le Mérite et reconnaissance Debeur 2008 pour son implication et dévouement à la gastronomie québécoise.

Guénaël Revel
Auteur, conférencier,
chroniqueur et sommelier

membre
actif

Historien et sommelier de formation, **Guénaël Revel** a suivi des
études en histoire de l'art à l'École
du Louvre à Paris, avant d'en
poursuivre en œnologie à l'Université de Bordeaux.

Il s'installe au Québec en 1995 et
travaille à titre de sommelier dans
plusieurs établissements montréalais (Winnie's, Churchill, Hôtel
Germain). En 1997, il fonde l'en-
treprise Le petit canon, spécialisée en évaluation de caves auprès des
assureurs et en création d'événements culinaires et bachiques.

Il a été chroniqueur pour plusieurs magazines culinaires (*Flaveurs,
Vins & Vignobles, Effervescence*), membre de jurys internationaux
de concours de dégustation de vin ou de sommellerie, dont le Concours du meilleur sommelier du monde, et président de l'Association
canadienne des sommeliers professionnels de 2002 à 2006. Il siège
aujourd'hui à la commission de l'éducation de l'Association de la
sommellerie internationale.

Guénaël Revel est l'auteur des livres *L'essentiel des caves et des celliers*, aux éditions Les 400 coups, *La bible du porto*, publié par Modus
Vivendi, *Couleur champagne* coécrit avec la romancière québécoise
Chrystine Brouillet, publié par Flammarion et choisi comme meilleur
livre sur les vins au Canada en 2007 par le concours Cuisine Canada,
et enfin *Vins mousseux et champagnes: les 500 meilleurs effervescents du monde entier*.

Ses collègues journalistes et sommeliers le surnomment Monsieur
Bulles depuis qu'il écrit des ouvrages sur les vins effervescents du
monde et qu'il a été l'auteur et animateur de l'émission *Champagne*
pour la chaîne télé Canal Évasion. L'idée de créer un site et un blogue
sous ce surnom en 2010 était donc naturelle. Consacré au champagne et aux appellations de vins effervescents, **Monsieur-
Bulles.com** présente les actualités vinicoles ainsi que des anecdotes
historiques et des vidéos tournées dans les régions du monde que
Guénaël Revel parcourt pour la rédaction de son guide an-
nuel, le *Guide des champagnes et des autres bulles*. On peut l'écou-
ter dans l'émission *Plaisirs gourmands* sur les ondes de la radio CIBL
101,5 FM, le mercredi matin de 9h à 10h.

Thierry DEBEUR

Journaliste gastronomique
et vinicole

Chevalier de l'ordre
du Mérite agricole

Personnalité de l'année 2006
de la Société des chefs du Québec (SCCPQ)

membre
honoraire

Éditeur du présent guide, Thierry Debeur s'est fait connaître en tenant des chroniques régulières et en écrivant des articles dans plusieurs revues dont *La Barrique* (magazine spécialisé en vins), *Magazine M*, *Vivre*, *Montréal ce mois-ci*, *L'Hospitalité*, *L'Actualité*, et en coanimant l'émission radiophonique *Plein Soleil* avec André Marcoux, à CKMF 94,3. Il a également animé, avec Bruno Lacombe, l'émission *Gourmet gourmand* à CFLX FM Sherbrooke. Enfin, il a été animateur à l'émission télévisée *Guide Debeur* à Canal Évasion. Thierry Debeur a été chroniqueur à la radio au 98,5FM, chaque samedi à 9h30, à l'émission *Dutrizac le Week-End* animée par Benoît Dutrizac. Il est actuellement chroniqueur au 103,3FM, à l'émission animée et produite par Diane Trudel.

Membre de nombreux jurys nationaux et internationaux dont juge pour le Mérite de la restauration 1986 et 1987, membre du Jury international des Sélections mondiales, dégustateur officiel au Concours des grands vins de France à Mâcon, il est également l'auteur du livre *Les Arts de la table* aux éditions La Presse. Président ex-officio de l'Association canadienne pour la presse gastronomique et hôtelière, Thierry Debeur a remporté le deuxième Prix des critiques canadiens francophones des restaurants de l'année en 1987, pour son excellence professionnelle. En 2003, il est nommé Personnalité journalistique canadienne de l'année par la Fédération culinaire canadienne, qui lui remet également le trophée Signature pour l'est du Canada et le trophée Sandy Sanderson pour le Canada.

Thierry Debeur est membre de la Fédération internationale de la presse gastronomique vinicole et touristique, de la Fédération professionnelle des journalistes du Québec, de la Fédération internationale des journalistes et des écrivains du vin, de l'Association canadienne des sommeliers professionnels et membre honoraire permanent de la Société des chefs, cuisiniers et pâtissiers du Québec (SCCPQ).

Il est aussi Membre de l'Ordre Mondial des Gourmets Dégustateurs, Commandeur de l'Ordre du bon temps de Médoc et des Graves, Prudhomme de la Jurade de Saint-Émilion, Hospitalier de Pomerol, Compagnon du Beaujolais et membre de l'Ordre des Disciples d'Auguste Escoffier, Vigneron d'honneur des Vignerons de Saint-Vincent.

SAQ

La SAQ au coeur de la découverte

Les Québécois, c'est connu, sont curieux et apprécient la découverte de nouveaux produits. C'est pourquoi la **SAQ** offre 13 500 vins, bières et spiritueux en provenance de 77 pays. Elle les commercialise dans son réseau de 406 succursales et 440 agences et aussi sur le site SAQ.com. Chaque année, elle renouvelle 10% de ses produits pour satisfaire les clients. Ce renouveau constant de la gamme d'alcools est le fruit d'une collaboration entre la SAQ et ses 3 200 fournisseurs.

Expérience SAQ Inspire, déjà 1 an!

SAQ Inspire : une expérience à mon goût

Parce que chaque client est unique, la SAQ propose depuis un an, une nouvelle expérience encore plus branchée sur ses goûts. Le client est invité à se procurer **sa carte SAQ Inspire** en succursale ou sur SAQ.com et à créer son profil en ligne. Il recevra ainsi des informations liées à ses goûts et à ses intérêts, comme des idées de recettes, des nouveaux arrivages, des concours, des invitations à des dégustations, des promotions, etc. Le client pourra ainsi accumuler des points sur tous ses achats de produits effectués en succursale, sur SAQ.com, par le Courrier vinicole, et sur certains services, dont des ateliers de formation. Ce sera une autre façon, pour le client, de se faire plaisir. Le client pourra aussi consulter **son espace personnel en ligne**, dans lequel il retrouvera des informations, comme son solde de points, son profil de goût, **son historique d'achat** et les promotions liées à ses préférences. Au fil du temps, le client profitera d'autres avantages, toujours axés sur le plaisir et la découverte. Depuis son lancement, plus de 1,7 million de clients ont adhéré à la proposition SAQ Inspire.

Accompagner dans la découverte

Qui de mieux que les experts en succursale pour guider les clients dans leurs choix? Passé maître dans l'art de prodiguer des conseils en matière d'accords vins et mets, mais surtout de comprendre les goûts et besoins, le personnel de la SAQ se distingue par sa passion, son professionnalisme et ses connaissances.

Pour tout renseignement, communiquez avec le Centre de relation clientèle de la SAQ au **514-254-2020**, au **1-866-873-2020** ou consultez la page «Pour nous joindre» de **SAQ.com**.

VINS BLANCS

VINS BLANCS
À MOINS DE 12$

Portugal, Vinhos Verdes
doc Vinho Verde
Gazela, Sogrape Vinhos
+10667351 - 10,95$
On aime ou on n'aime pas! Le vinho verde est un vin portugais qui doit être bu sans trop se poser de questions. Un vin sec pétillant, fringant et nerveux qui rassemble les amis dans un air de fête. Le Gazela s'ouvre sur des notes d'agrumes et de pomme verte, marquées par une belle minéralité. On retrouve ce fruité en bouche avec un joli perlant qui lui confère de la fraîcheur. Un vin facile, léger et frais à boire froid (6°C) à l'apéro avec des tapas de fruits de mer ou des sardines grillées. **★(★) TD**

France, Gascogne
ac Vin de pays Côtes-de-Gascogne
Carrelot des Amants, Les Vignerons de Brulhois +11675871 - 11,45$
Profitez-en, ce sympathique vin blanc a baissé d'environ 2$ depuis notre dernière édition. Constitué en majeure partie de sauvignon, ce cépage, typique de la région, lui apporte une grande puissance ainsi qu'un côté exotique très séduisant. Ce bon vin blanc s'ouvre sur des parfums d'agrumes, de fleurs, de fruits tropicaux et de miel avec une touche à la fois minérale et végétale. Fruité et frais en bouche, il présente une jolie acidité qui justement confère cette belle fraîcheur. Un vin très agréable à servir frais (8°C) avec une timbale de fruits de mer ou des moules au curry. Très bon rapport qualité-prix. **★★ TD**

VINS BLANCS DE 12$ À 20$

États-Unis, Californie
Chardonnay, R.H. Phillips
+00594457 - 14,55$
Ce vin américain est laissé sur ses lies après un pressurage, ce qui lui confère

une belle matière, riche et ample, renforcée par un début de fermentation en barrique de chêne qui se terminera dans des cuves inox. Un vin blanc bien dosé et jouissant d'un bel équilibre. Il présente des odeurs intenses de fruits tropicaux, d'agrumes, de poire, de fleurs et de miel avec une pointe de vanille et de boisé. Frais, vif, puissant, long et puissant en bouche, il finit sa course sur des notes délicatement épicées. Un vin harmonieux et plaisant, à servir frais (8°C) lorsqu'on mange un risotto aux crevettes et au curry ou des suprêmes de volaille sauce blanche. **★★(★) TD**

Espagne, Rioja, Alavesa
doc Rioja
Genoli, Vina Ijalba +00883033 - 15,65$
La région Rioja est plutôt connue pour la qualité de ses vins rouges. Néanmoins, voici un très agréable vin blanc, issu d'une culture écologique, aux odeurs intenses de fleurs blanches, de pêche et de pomme verte avec une touche de miel. Fruité, gras, souple, vif et frais en bouche, il évolue gentiment sur des notes florales. Un vin simple et généreux à boire frais (10°C) lorsqu'on déguste des calmars cuits à la plancha ou des tapas de poisson. **★★(★) TD**

Grèce, Thessalie
Vin de pays Thessalia
Agioritikos, E. Tsantali
+00861856 - 16,95$
J'ai un petit faible pour ce vin grec de Thessalie, cette région historique située au centre de la Grèce, au sud du mont Olympe. Un vin sympathique aux parfums de fleurs et de fruits avec des notes de résine et une touche minérale qu'on retrouve en bouche avec beaucoup de fraîcheur et des notes empyreumatiques. Le servir frais (6°C) à l'apéro, ou en même temps que des fruits de mer grillés ou une friture de petits poissons. **★★ TD**

France, Bourgogne
aop Bourgogne Aligoté
Prince Philippe, Bouchard Aîné et Fils
+00143628 - 16,95$
L'aligoté est un vieux cépage bourguignon produisant des vins vifs et fruités que le chanoine Kir, député-maire après la Première Guerre mondiale (1914-1918), eut l'idée d'assembler avec de la crème de cassis pour produire cet apéritif éponyme. Le Prince Philippe, un vin blanc sec fait d'aligoté, s'ouvre sur des parfums délicats de fleurs, d'agrumes et de pomme avec une touche de grillé. Bien fruité en bouche, il possède une bonne acidité qui lui confère une agréable fraîcheur. Il doit être frais (7°C) pour en faire un kir à l'apéro, bien sûr, mais on peut aussi le servir avec une tarte à l'oignon ou des escargots à l'ail. ★★(★) **TD**

France, Alsace
aop Alsace
W3, Wolfberger +12284792 - 17,90$
Composé de trois cépages (riesling, muscat et pinot gris), cet excellent vin blanc s'ouvre sur des odeurs intenses d'agrumes, de fruits tropicaux et de fleurs. Généreusement fruité, long et frais en bouche, il jouit d'un très bel équilibre et d'une finale délicatement épicée. Servi frais (8°C), il s'harmonisera à une cassolette de fruits de mer, un feuilleté de ris de veau ou un poulet à l'estragon. ★★(★) **TD**

France, Bourgogne
aop Bourgogne aligoté
Bourgogne Aligoté, Bouchard Père
& FilS +00464594 - 17,95$
Aujourd'hui pratiquement disparu, le gouais était un cégape très populaire au Moyen-Âge. Il fait partie du patrimoine viticole européen. Une hybridation entre ce cépage et le pinot noir a permis la création de plusieurs cépages comme l'auxerrois et peut-être le chardonnay ainsi que l'aligoté qui nous intéresse aujourd'hui. Ce vin blanc sec présente des parfums de fleurs, de pomme verte et de miel avec une note minérale. Fruité, vif et frais en bouche, il se sert frais (8°C) et se marie bien avec des beignets de crevettes sauce mayonnaise au citron et aux fines herbes. ★★(★) **TD**

Etats-Unis, Californie
AVA Monterey, Central Coast
Pinot Grigio Private Selection,
Robert Mondavi +12952906 - 17,95$
Pinot grigio est le nom italien du cépage pinot gris. Étonnant de baptiser un vin californien avec un nom italien! Les origines du vigneron, peut-être? Celui-ci, fait à 100% de ce cépage, offre des parfums délicats de fleurs, d'agrumes et de poire avec une touche minérale. Fruité et assez long en bouche, il continue avec beaucoup de fraîcheur. Un vin agréable à boire au moment de l'apéro, ou à un repas de mets asiatiques. Essaye-le aussi avec une sole aux amandes. ★★(★) **TD**

France, Val de Loire
aop Touraine
Domaine de la Charmoise,
Sauvignon blanc, Henry Marionnet
+12562529 - 18,55$
Bien typé sauvignon, ce vin blanc de Touraine présente des odeurs intenses d'agrumes, de fleur d'acacia et d'ananas. Élégant, très frais et fruité en bouche, il possède une belle acidité et continue longuement sur des notes florales. Un beau Touraine blanc racé, à servir frais (8°C) et à marier avec une cassolette de fruits de mer, de la truite fumée ou un fromage de chèvre du type crottin de Chavignol. ★★(★) **TD**

France, Alsace
aop Alsace
Riesling Réserve, Willm
+00011452 - 18,70$
La culture du riesling, premier cépage alsacien, remonterait au 15e siècle. Un cépage qui donne son nom au vin dont il est issu et dont la popularité rattrape celle du chardonnay. Il produit des vins fruités, droit et d'une belle minéralité comme celui que je vous propose ici. Un vin aromatique dont le nez est caractérisé par des odeurs de fleurs et d'agrumes et une note de pétrole de bon aloi. Fruité, vif, net et franc en bouche, il démontre finesse et

élégance. Servi frais (8°C), il ira de pair avec un poulet à la crème ou une choucroute aux fruits de mer. ★★(★) **TD**

France, Pays d'Oc, Hérault
igp Pays d'Oc
Le Blanc, Sélection Chartier
+12068117 - 19,10$
Le Québécois François Chartier est reconnu dans le monde comme l'expert en harmonie des mets et des vins. Sa démarche scientifique consiste à faire le lien entre les vins et les aliments qui ont des molécules de flaveurs identiques. Ce vin blanc qu'il nous propose ici présente des parfums de noix de coco, de miel, de noix et, selon moi, de zeste de pamplemousse et d'épices avec une touche minérale. Fruité et frais en bouche avec une belle matière, il se sert rafraîchi (8°C), en même temps qu'un steak de jambon grillé aux ananas ou un mijoté de vivaneau au cari et lait de coco. ★★(★) **TD**

Espagne, Galice
do Valdeorras
Gaba do Xil Godello, Telmo Rodriguez
+11896113 - 19,55$
L'œnologue Telmo Rodriguez poursuit sa quête en remettant en état certains des plus beaux terroirs d'Espagne, dans neuf régions différentes. Il fut l'un des premiers à s'intéresser à la région galicienne de Valdeorras. Sa vision et sa rigueur lui ont valu le sobriquet d'«enfant terrible» du vin. En contrepartie, le cépage godello y a trouvé son terroir de prédilection. La cuvée 2014 se pare d'une robe vert pâle et libère des arômes de fleurs miellées, de coing et de fines notes minérales. Soutenue par une bonne acidité, la bouche lui apporte ce qu'il faut de fraîcheur et d'allonge en finale. Un poulpe à la galicienne viendra l'enlacer de ses huit bras. ★★★(★) **DJL**

France, Alsace
aop Alsace
Pinot Blanc, F.E. Trimbach
+00089292 - 19,55$
Ce vin, fait majoritairement de pinot auxerrois associé à du pinot blanc présente un nez de fruits avec des notes florales, minérales et des épices. Bien fruité, vif et frais en bouche avec une petite note perlante qui lui confère de la fraîcheur. Un joli vin qui ne manque pas d'élégance, à servir frais (8°C) à l'apéritif, ou avec un risotto aux fruits de mer ou un lapin au vin blanc. ★★(★) **TD**

États-Unis, Californie, Alameda
AVA Central Coast
Chardonnay Private Selection, Robert Mondavi Winery +00379180 - 19,95$
Le chardonnay est certainement le cépage le plus populaire aux États-Unis. En Californie, Robert Mondavi en produit un excellent, le Private Selection. Il s'ouvre sur des parfums de pomme, d'agrumes, de beurre et de vanille avec une petite touche de cassonade. Généreusement fruité, gras, coulant et frais en bouche, il évolue longuement avec une petite touche boisée. Un vin très agréable, à servir frais (8°C) en même temps qu'une cassolette de fruits de mer ou des fettuccinis sauce alfredo. Mondavi propose également de le servir en cocktail: on l'assemble avec du triple-sec, du jus d'orange et du jus de lime, et on le sert sur glace. ★★★ **TD**

VINS BLANCS À PLUS DE 20$

États-Unis, Washington
AVA Colombia Valley
Eve Chardonnay, Charles Smith
+12237195 - 20,55$
Charles Smith est un ancien gérant de groupes rock, d'origine européenne. Autodidacte, intuitif et bon dégustateur, il a émigré aux États-Unis et y a décidé de produire du vin, dont ce chardonnay que j'ai dégusté pour vous. Un vin blanc aux parfums délicats de fleurs et de pomme assez bien marqué par des notes minérales qu'on retrouve en bouche avec un certain mœlleux. On l'aurait aimé un peu plus vif. Voici un vin aimable et plaisant à servir frais (7°C) à l'apéritif, ou encore en mangeant des coquilles Saint-Jacques ou des bouchées à la reine. ★★(★) **TD**

Nouvelle-Zélande, Marlborough
Chardonnay Unoaked, Kim Crawford Wines +10669470 - 20,95$

Après le sauvignon exceptionnel de Kim Crawford, voici son excellent chardonnay aux parfums d'agrumes, de pomme verte et de brioche au beurre avec un léger boisé. Belle expression du chardonnay en bouche. Ample, gras, fruité, long et frais, il bénéficie d'un bel équilibre. Bien frais (8°C), il donnera du plaisir à un repas où l'on mange une bisque de homard, un canard à l'orange ou un poulet au cari. ★★★ **TD**

Nouvelle-Zélande, South Island, Marlborough
**Pinot Gris Marlborough, Kim Crawford
+12270964 - 20,95$**
Ce joli pinot gris offre des odeurs intenses de fruits exotiques, d'agrumes, de poire, de miel et de pain d'épices avec une touche minérale de bon aloi. Tout en équilibre en bouche, il présente un beau fruité, de la longueur et beaucoup de fraîcheur. Un bon vin élégant et fin à servir frais (8°C), qui fera une heureuse paire avec un curry d'agneau ou un saumon sauce béarnaise. ★★★(★) **TD**

Nouvelle-Zélande, Marlborough
**Sauvignon blanc, Kim Crawford
+10327701 - 20,95$**
Voici un excellent sauvignon blanc qui séduit d'emblée en offrant des parfums intenses d'agrumes, de fruits tropicaux et de fleurs avec une petite note minérale. Bien présent avec un bon fruité en bouche, il évolue avec beaucoup de fraîcheur et un bel équilibre. Un vin de plaisir qui se sert frais (8°C) et se montre parfait pour un homard mayonnaise, des lasagnes au crabe ou des croquettes de morue. ★★★★ **TD**

France, Languedoc-Roussillon aoc Minervois
**Schiste, Château Coupe Roses, Françoise Frissant-Le Calvez
+00894519 - 23$**
Situé sur le piémont de la montagne Noire, le vignoble minervois s'étend sur près

de 60 km entre Narbonne et Carcassonne. L'appellation Minervois ne produit qu'une quantité confidentielle de vin blanc. Une fois de plus, avec l'incontournable Château Coupe-Roses, nous tombons presque en pâmoison; sa cuvée «schiste» issue majoritairement de roussanne s'ouvre d'emblée sur des notes d'abricot et de fleurs blanches, relayées à l'aération par une note miellée. La bouche révèle un équilibre parfait entre gras et vivacité, et déploie une longue finale vive et fruitée. Une papillote de loup de mer aux baies roses et au citron me semble tout indiquée. ★★★★★ **DJL**

France, Vallée de la Loire, Nantes aoc Muscadet-Sèvre-et-Maine
**Expression d'Orthogneiss, Domaine de l'Écu, Frédéric Niger Van Herck
+10919141 - 23,40$**
Suivant la trace de son mentor, Frédéric Niger Van Herck nous livre ici toute la magie d'un muscadet de terroir. Il retranscrit l'expression du melon de Bourgogne, cépage emblématique du pays nantais sous l'appellation Muscadet-Sèvre-et-Maine. C'est sur un terroir d'Orthogneiss qu'est née cette cuvée typique aux parfums de pierre à fusil, de fruits à chair blanche et de badiane. Franche à l'attaque, d'une belle ampleur, la bouche dévoile une fraîcheur minérale sur une trame fruitée. Une douzaine d'huîtres crues s'entrebâilleront de bonheur au contact de ce vin à la texture tendue par la minéralité. ★★★★ **DJL**

France, Alsace aop Alsace
**Riesling, F.E. Trimbach
+11305547 - 23,75$**
Un très beau riesling au parfum de fleurs, d'agrumes et de miel avec des notes de pétrole et une belle minéralité. Vertical, fruité, vif et frais en bouche, il évolue longuement et finit sur quelques épices douces. Un riesling élégant et fin, à servir frais (9°C) lorsqu'on décide de déguster un feuilleté de ris de veau, un gravlax de saumon ou des huîtres crues. ★★★ **TD**

*Autriche, Basse-Autriche
(Niederösterreich)
dac Kremstal*
Rosensteig Grüner Veltliner, Weingut Geyerhof +12676307 - 23,90$
Le grüner veltliner, cépage emblématique de l'Autriche, connaît une grande popularité auprès de nos confrères sommeliers états-uniens, qui lui ont d'ailleurs donné le surnom de «Gru-Vee». Est-il groovy, sensationnel? Quelles que soient vos impressions, le nez de ce grüner est très expressif, précis et élégant, associant les agrumes à des notes plus mûres de pêche, nuancé d'une touche de poivre blanc. Dans la continuité de l'olfaction, le palais tonifié par une acidité minérale s'étire en finale. Ne se sentira nullement dépaysé aux côtés d'une escalope viennoise (wiener schnitzel). ★★★(★) **DJL**

*France, Bourgogne
aoc Chablis*
Chablis Les Champs Royaux, William Fèvre +00276436 - 24,95$
Chablis est situé à l'extrême nord de la Bourgogne. Il produit des vins vifs, fins et séduisants comme celui que je vous propose maintenant. Un beau vin blanc sec qui s'ouvre sur des parfums de fleurs, d'agrumes, de pomme verte et de vanille avec une belle note minérale (attendue d'un bon chablis). Généreux, fruité, long et frais en bouche, il présente des saveurs délicates, un bel équilibre et beaucoup de finesse. Ce vin blanc élégant est à boire frais (9°C), tout en dégustant des huîtres crues, des beignets de crevettes ou une blanquette de veau aux champignons. ★★★ **TD**

*France, Bourgogne, Côte de Beaune
aoc Bourgogne Aligoté*
Aligoté Bio Ecocert, Jean Claude Boisset +12479080 - 25,55$
Une appellation régionale qui porte le nom du cépage. Fait de 100% d'aligoté, ce vin blanc bourguignon offre des parfums complexes de fleur d'accacia, d'agrumes et de pomme verte avec des note beurrées. Belle matière en bouche, ample, long et généreux, pur, net et franc, tout à la fois puissant, élégant et distingué, j'ai beaucoup aimé ce vin. Je l'ai bu le jour de mon anniversaire, mais je ne vous dirai pas quand. Ce fut un plaisir! Le servir frais (8°C) et lui choisir un crabe farci, un homard mayonnaise ou un risotto aux morilles. ★★★(★) **TD**

*France, Vallée de la Loire
aoc Sancerre*
La Moussière rosé, Alphonse Mellot +12690694 - 25,60$
À ce prix-là, il ne peut qu'être bon. Et il l'est! Issu d'une parcelle de vignes de pinot noir située au cœur de l'appellation Sancerre, ce vin rosé sec montre une jolie robe rosée aux reflets orange doré. Il s'ouvre gentiment sur des notes vineuses avec des nuances de fraise, de violette et d'épices qu'on retrouve en bouche. Frais et fruité, il évolue longuement sur une trame minérale délicate, droite, et un superbe équilibre. Un autre grand rosé qui se mariera avec bonheur à un ris de veau, une saucisse de Morteau ou une paella. ★★★(★) TD

*France, Loire
aop Cour-Cheverny*
Domaine des Huards François 1ᵉʳ, Vieilles Vignes, Michel Gendrier +12476452 - 27,85$
C'est au cœur de la Sologne, sur la route des châteaux de la Loire, que se situe l'appellation Cour-Cheverny. Issue exclusivement du romorantin, cépage rare dont les premiers pieds furent introduits par le roi François 1ᵉʳ en 1519. Cette cuvée, dont les vignes ont été conduites en culture biodynamique, arbore une robe brillante et dorée. Elle s'exprime avec intensité à travers un bouquet d'agrumes bien mûrs et de fleurs blanches; le palais allie puissance et vivacité et présente une excellente aptitude au vieillissement. Après un passage en carafe, elle viendra sublimer un suprême de volaille à la crème d'agrumes, de même qu'un délicieux fromage cendré de la région: le Selles-sur-Cher. ★★★★ **DJL**

France, Val de Loire
aoc Sancerre
Domaine La Moussière, Alphonse Mellot +033480 - 31$
Sancerre est une région vinicole située dans l'est de la vallée de la Loire. La culture de la vigne dans ce terroir remonterait aux premiers siècles de notre ère. Ainsi, l'expertise des vignerons est séculaire, pourrait-on dire, et Alphonse Mellot, que j'ai eu l'occasion de visiter, est un homme authentique et généreux qui produit des vins vrais comme ce sancerre blanc. Celui-ci a des parfums d'agrumes, de fleurs et de pomme, le tout évoluant sur une trame minérale presque verticale. Il est droit, généreux, long, vif et fruité en bouche. C'est un vin élégant et fin, à boire frais (8°C) avec des andouillettes au vin blanc, des huîtres crues ou un fromage de chèvre comme le crottin de Chavignol.
★★★(★) **TD**

France, Corse
igp Île de Beauté
Domaine d'E Croce, Biancu gentile, Yves Leccia +12926708 - 35,50$
Quelques vignerons corses, comme Yves Leccia, ont la volonté de faire renaître ces cépages anciens que cultivaient nos aïeux et qui font toute la richesse et l'identité de notre île. Un de ces cépages endémiques, le biancu gentile, cuvée éponyme du domaine Île de Beauté (en IGP), est une très belle découverte. Délicatement bouqueté sur des fleurs de printemps et de cédrat confit, franc à l'attaque, sous-tendu par une juste fraîcheur; le palais est à l'unisson. Sur un pavé de denti (même famille que la daurade) braisé au cédrat: ce poisson méditerranéen frétille déjà de bonheur à l'idée de se marier à ce vin gourmand.
★★★★★ **DJL**

VINS MOUSSEUX ET CHAMPAGNES

VINS MOUSSEUX ET CHAMPAGNES À MOINS DE 50$

Hongrie
Hungaria Grande Cuvée, Hungarovin +00106492 - 13,95$
À un prix toujours aussi étonnant pour cette qualité, ce vin mousseux est élaboré selon la méthode traditionnelle avec du chardonnay (60%), du pinot noir et du riesling pour le reste. Une formule gagnante qui s'ouvre sur des odeurs florales et fruitées avec des notes de pomme verte, de beurre et de brioche et une belle minéralité. Intense, frais, élégant et fin en bouche, il continue longuement le plaisir. Le servir frais (8°C) à l'apéro ou en même temps qu'un gravlax de saumon. Il conviendra bien aussi à une salade de crevettes au pamplemousse. ★★★ **TD**

Espagne, Catalogne
ac Cava
Parés Baltà Brut +10896365 - 17,95$
Une cuvée Catalane de facture classique et prévisible, mais tellement bien construite pour les huîtres. D'abord minérale (presque typée riesling) au premier nez, puis rapidement axée sur des arômes de fruits blancs si l'on aère son verre, on est surpris dès l'attaque en bouche par son caractère citrique, légèrement rehaussé de notes pâtissières. L'effervescence est foisonnante et légère sur les papilles et la finale de dégustation un tantinet iodée complètera l'accord avec le mollusque marin. C'est un cava abordable qu'on achète à la caisse, comme les huîtres...
★★(★) **GR**

Espagne, Catalogne
ac Cava
Conde de Haro Brut, Bodega Muga +12396794 - 19,95$
Les saveurs pâtissières sont bien présentes et charment au nez comme en bouche, les notes d'agrumes tournent autour d'un vo-

lume aérien, la finale titille avec la juste note minérale qu'il faut; l'effervescence abonde, crémeuse et longue... On tombe sous le charme sans se ruiner, c'est donc encore meilleur! ★★★(★) **GR**

France, Languedoc-Roussillon
aoc Crémant de Limoux
Cuvée Expression Brut, G. et R. Antech SA Domaine De Flassian
+10666084 - 20,20$
Nez élégant, voire discret (fruits dorés et pain au lait), attaque en bouche assez tendue presque ferme, signe d'une jeunesse encore bien présente. Cette fougue se montre toutefois charmeuse grâce au comportement de l'effervescence fine et soyeuse. Les arômes sont pâtissiers, ils rappellent ceux initialement perçus. C'est un mousseux accompli. ★★(★) **GR**

Espagne, Catalogne
ac Cava
La Vida al Camp Brut, Viñedos Familiares +12693895 - 20,60$
La majorité des cavas présentent un premier nez légèrement axé sur des arômes d'hydrocarbures. Celui-ci ne déroge pas à la règle; l'aération apporte toutefois la note fruitée également attendue (poire et pomme), puis celle plus subtile de mie de pain chaude. L'attaque en bouche rappelle les fruits blancs initiaux, l'effervescence abonde et caresse le palais, elle a été très correctement établie, on déguste un très bon vin effervescent qui, dans la catégorie des moins de 20$, entre aujourd'hui dans le Top 5 au Québec. ★★★ **GR**

France, Alsace
aoc Crémant d'Alsace
Wolfberger Brut, Cave Vinicole Eguisheim +00732099 - 20,95$
Fondée en 1902, la maison Wolfberger a bâti sa réputation sur l'authenticité, la qualité et l'innovation. Toujours en constante recherche, elle crée le premier vin d'Alsace effervescent en 1970. Celui que nous

avons dégusté montre des bulles fines présageant déjà de la qualité du produit. Au nez, ce sont des parfums délicats de pomme verte, d'agrumes et de fleurs, avec des notes de brioche au beurre. Fruité, vif et frais, jouissant d'un bel équilibre en bouche, il évolue aimablement avec beaucoup d'élégance. Un beau crémant que l'on sert frais (8°C), lorsqu'on mange une terrine de homard ou une timbale de ris de veau, quenelle et champignons en sauce. ★★★ **TD**

Italie, Vénétie
ao Valdobbiane Prosecco di Conegliano
Bisol Crede Brut, Bisol Desiderio & Figli +10839168 - 22,65$
Le nez est discret, floral, classique par les notes d'amandes qui se dégagent après aération, puis qu'on retrouve dès l'attaque en bouche entremêlées de saveurs de pommes et de poires qui donnent l'impression d'une acidité tonique et rafraîchissante. Un vin au comportement sec et appétissant, très éclatant. ★★(★) GR

France, Bourgogne
aop Crémant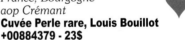
Cuvée Perle rare, Louis Bouillot +00884379 - 23$
Très expressive au nez, très blonde dans ses arômes de baguette fraîche, voire de pêches bien mûres, on s'attend à déguster un vin riche, déjà gagné par le temps, avec un rancio quelque peu appuyé et c'est pourtant le contraire qui gagne les papilles: au sein d'une effervescence aérienne où les bulles bien menées, se détachent pour provoquer un effet oxygéné, on déguste un vin aux saveurs de poires et de pommes qui, de l'attaque à la finale, dégagent un caractère de fraîcheur et d'équilibre impeccable. Un crémant qu'on place à l'apéritif ou sur un fromage jeune de type Brie. ★★★(★) **GR**

France, Savoie
aoc Bugey Cerdon
Bugey Cerdon, Alain Renardat Fâche +12477543 - 23,70$
Terre de confluence entre la Savoie et le Jura, le Bugey conjugue cépages classiques et variétés autochtones. Issu du ga-

may et du poulsard, le cru Cerdon donne naissance à un délicieux vin pétillant rosé. Les bulles sont obtenues par la méthode ancestrale (fermentation spontanée en bouteille). La robe est d'un rose soutenu, égayée d'un fin chapelet de bulles délicates. Le nez se révèle un vrai panier de fruits rouges (fraise, framboise, groseille, cerise). Quant à la bouche, tout aussi intense et pimpante, elle montre un bon équilibre, entre douceur et vivacité. Apprêtons-nous à commettre un péché de gourmandise avec un bavarois aux fruits rouges et quelques macarons à la framboise. Le grand gastronome Brillat-Savarin, enfant du Bugey, me répondrait par cet aphorisme: «La gourmandise est l'apanage exclusif de l'homme». ★★★★ **DJL**

France, Languedoc-Roussillon
aoc Crémant de Limoux
Clos des Demoiselles Brut, J. Laurens
+10498973 - 23,90$
Très expressif au nez, oscillant entre les notes de levures de boulanger jusqu'à une touche oxydative à l'aération, en passant par celle de croissant beurré, ce crémant charme indéniablement et se montre bien construit grâce à une texture tendre, à l'enveloppe citrique qui apporte l'adéquate fraîcheur. Séduisant dès l'apéritif, je le préconise tout de même à table sur un plat aussi bien construit comme des pétoncles grillés, couronnés d'une lamelle de foie gras. Une réussite qui place ce vin parmi les meilleures bulles actuellement disponibles au Québec, et sans doute en France, hors Champagne... ★★★★ **GR**

France, Jura
aoc Crémant du Jura
Brut sauvage, Domaine Baud
+12100316 - 25,45$
Dès qu'on parle de bulles, le champagne vient spontanément à l'esprit, mais on oublie qu'il existe d'autres vins effervescents pouvant nous procurer du plaisir à moindre coût. Issu de la même méthode d'élaboration que le champagne, le crémant est produit dans huit régions françaises. On applique des méthodes traditionnelles dans le Jura depuis deux siècles, mais le

statut d'AOP Crémant du Jura ne lui fut octroyé qu'en 1995. Établie au cœur du vignoble jurassien depuis neuf générations, la famille Baud élabore cette cuvée de chardonnay (70%) et de pinot noir. Un brut à peine dosé aux senteurs de pâtisserie, de noisette grillée, avec une subtile note oxydative. Ample, encore vif, il tiendra sa place à l'apéritif... avec quelques zakouskis pour lui tenir compagnie. ★★★★ **DJL**

Italie, Trentin
ac Trento
Ferrari Brut Rosé, Ferrari Filli Lunelli
+10496898 - 32,25$
Avec la même cuvée dans la catégorie Rosé, celle-ci est l'incontournable de la maison et se distingue par sa constance de goût et de comportement. Des notes de pain frais derrière une minéralité expressive se laissent d'abord saisir. On les retrouve en bouche au sein d'une effervescence très fine, compacte, riche, impeccable. Les flaveurs sont complexes, levurées, peu enjôleuses (farine de kamut), malgré des accents de banane et de poire en finale. Le dosage est parfait, c'est un vin effervescent sec très agréable, digne d'un champagne. ★★★★(★) **GR**

Italie, Lombardie
ac Franciacorta
Franciacorta Satèn, Barone Pizzini
+12712494 - 35$
Longtemps en importation privée, enfin sur les tablettes du monopole, cette maison au vignoble biodynamique a toujours offert des cuvées remarquables. Celle-ci le démontre encore: nez expressif axé sur des arômes d'agrumes confits (pamplemousse et bergamotte), l'aération laisse passer très subtilement quelques notes d'acacia. L'attaque en bouche est vive, encore jeune, comme les parfums des salade de fruits jaunes perçus, prédisposant ce vin à une garde avantageuse. Parfaitement construite, l'effervescence présente des bulles serrées dans un volume qu'il l'est tout autant, procurant une très agréable sensation de plénitude. Le dosage est également réussi, le vin reste sec jusqu'en finale; on est en présence d'un excellent

Vins mousseux et champagnes

effervescent établi pour un apéritif gourmand ou une entrée chaude de homard, par exemple. ★★★(★) **GR**

États-Unis d'Amérique, Californie
Mousseux rosé
Cuvée Brut Rosé, Mumm Napa Valley +11442672 - 36$
Autoritaire et parfumé en bouche, une belle et subtile palette de fruits rouges (cerises, framboise, groseille) forme les flaveurs, les bulles sont moyennes et persistantes, le volume est compact, on est en présence d'un vin fait pour un met ou un apéritif gourmand. Très bel effervescent. ★★★(★) **GR**

France, Champagne
aop Champagne
Cuvée Traditionnelle Brut, Champagne Henri Abelé +11469568 - 49,75$
Nez expressif et biscuité, où pointe un léger rancio de maturité très charmeur. Attaque tendre, un peu dosée, bulles au calibre moyen, toutefois abondantes et nouées formant une savoureuse effervescence. Peu complexe au niveau aromatique (fruits jaunes, toasts blonds), ce champagne de facture classique, plus concentré que minéral, est bien construit. ★★★ **GR**

VINS MOUSSEUX ET CHAMPAGNES À 50$ ET PLUS

France, Champagne
aop Champagne
Bouzy Grand Cru, Champagne Pierre Paillard +12284696 - 51,25$
Particulièrement savoureux, ce champagne au fruité jaune (tarte aux pêches, poire chaude, coing) joue davantage la carte de la rondeur et de la plénitude que celle de la tension et de la minéralité. Quelques

amers tournent en bouche et ajoutent du corps, de la tenue. Un excellent vin de table qu'on appréciera quand même à l'apéritif avec quelques canapés. ★★★ **GR**

France, Champagne, Côte des Blancs
aop Champagne Grand Cru
Grand Cru Blanc de Noirs Brut, E. Barnaut +11152958 - 52$
Cette maison champenoise fondée en 1874 est aujourd'hui entre les mains de la 5e génération, en la personne de l'œnologue Philippe Secondé. L'exploitation familiale est située au pied de la montagne de Reims; les vignes sont perchées sur les hauteurs du village de Bouzy, au cœur de la «côte des Noirs». Ce «blanc de noirs» issu à 100% de pinot noir, présente d'agréables arômes de petits fruits rouges surmûris et de délicates notes florales (iris, violette). Vineux, rond et mûr mais non dénué de fraîcheur, ce champagne s'invitera sur une table de fête pour accompagner une volaille rôtie ou une viande blanche. ★★★★ **DJL**

France, Champagne
aop Champagne rosé
Zéro Brut Nature, Champagne Tarlant +11902763 - 53,25$
Un champagne aux accents marins, un brin austère et anisé qui finit par séduire après quelques minutes dans le verre à travers des flaveurs d'agrumes, puis de pâtisseries beurrées. L'effervescence apporte une matière veloutée qui canalise l'acidité en bouche. Une cuvée d'apéritif où les huîtres pourront être servies avec du citron. ★★★★ **GR**

Espagne, Catalogne
ac Conca del Riu Anoia
De Nit Brut Rosé, Josep Maria Raventos i Blanc +12661851 - 54$/1,5L
Courez, car à 49$ en magnum (1,5L), c'est l'aubaine de cette année ! Comme sur le millésime 2012, la robe est très pâle

et le premier nez lui ressemble, il est très délicat, plus floral que fruité. C'est en bouche que le fruité rouge se dévoile avec un soupçon d'amertume qui donne du corps à une texture effervescente tout de même aérienne. C'est un «Conca» subtil et élégant qui pourra accompagner un plat de crustacée ou un soufflé de brochet, par exemple. ★★★(★) GR

Espagne, Catalogne
ac Cava
AA Privat Mirgin Brut, Alta Alella
+12955226 - 56$
Le nez est délicatement pâtissier, on peut y déceler des notes d'amandes, de beurre et de kouglof qu'on retrouve en bouche au sein d'une texture suave à l'enveloppe juste assez citrique et fraîche. L'équilibre est parfait, l'effervescence est soignée, ses bulles sont des perles nouées particulièrement persistantes. On déguste un grand vin blanc à la fois solide et élégant qui rappelle ceux de la Marne, pourtant bien lointaine, en raison d'une fine trame iodée qui parcourt toute la dégustation. Cette cuvée Mirgin est parmi les meilleurs vins effervescents d'Europe, elle est une digne ambassadrice de l'appellation Cava, encore trop souvent représentante de bulles faciles et légères. ★★★★★ GR

France, Champagne, Vallée de l'Aube
aop Champagne
Champagne Nathalie Falmet Brut
+ 11797377 - 56,75$
Voici un assemblage de pinot noir à 50%, de chardonnay à 30% et de réserve (une solera débutée en 2009) à 20%. La solera est une adaptation champenoise de la viniculture andalouse qui consiste dans ce cas-ci à garder une partie de la récolte représentant un bon potentiel et constituer une réserve qui sera assemblée avec un millésime subséquent. Si les vignerons ont l'habitude de dire que «cette méthode permet aux vieux vins d'éduquer les plus jeunes», elle a aussi pour but d'assurer une continuité dans le style d'une maison. Le champagne de la vigneronne et œnologue Nathalie Farmet offre des parfums de pomme verte et de fleurs. Il est profond, ample, long et charnu en bouche. Un champagne gourmand à servir frais (8°C) en même temps qu'un gravlax d'esturgeon, un saumon fumé, ou alors tout au long d'un repas. ★★★★★ TD

France, Champagne
aoc Champagne
Mumm Cordon Rouge Brut,
G.H. Mumm et Cie +00308056 - 59,75$
Cette cuvée, qui existe depuis 1875, a gardé sa vivacité exemplaire grâce à des accents d'agrumes marqués tant au nez qu'en bouche, toutefois, elle est plus onctueuse qu'autrefois. L'effervescence n'est plus évanescente, mais riche. Elle transporte une trame aromatique biscuitée, voire mielleuse. Peu complexe, mais franche et constante dans ses atouts, c'est une cuvée BSA équilibrée, remarquablement construite pour un tel volume vendu dans le monde. ★★★ GR

France, Champagne
aop Champagne
Les Vignes de Montgueux, Blanc de Blancs, Champagne Emmanuel Lassaigne +12061311 - 61,25$
Nez d'une grande pureté de fruit (mirabelle, pomme) et d'une vinosité «tranchante» dès l'attaque en bouche. On découvre un vin d'un grand équilibre, à la fois minéral et riche dans son comportement, où l'on perçoit à la fois des arômes toastés blonds et la fraîcheur d'une pomme jaune. Du plaisir accessible à l'état pur. ★★★(★) GR

France, Champagne
aop Champagne
Grande Réserve Brut, Champagne Gosset +10839619 - 72$
Un nez aussi intense que délicat qui rappelle la pêche blanche et la chair de noix de coco râpée, puis la mie de pain, les pommes brunes et la pâte d'amandes à l'aération. Corsé et fin en bouche, c'est un vin de repas parfumé qui présente des flaveurs un peu mielleuses tendant parfois vers la praline. La tension finale lui confère de l'élégance; il termine sa course de façon imposante, sans rien déséquilibrer. Un grand vin effervescent de repas du dimanche. ★★★★(★) GR

France, Champagne
aop Champagne
Blanc de Blancs Brut, Champagne Henriot +10796946 - 78,75$
Très frais, d'abord axé sur des arômes de tarte au citron, puis éclatant d'amandes fraîches qu'on perçoit également une fois en bouche, ce vin se comporte comme un frizzante d'une superbe vivacité, tellement les bulles sont fines! Sa nervosité se conjugue aux notes de bergamote, de gingembre, et de façon plus classique, à des notes de pain grillé blond en finale. Il a porté magnifiquement son nom autrefois (Pur Chardonnay), la pureté est toujours au rendez-vous. ★★★★(★) GR

France, Champagne
aop Champagne
Fleury Extra-Brut, Champagne Fleury Pères & Fils +11856138 - 80,75$
Nez délicat, toutefois net, de riz au lait, de chocolat blanc et de nougat dont on retrouve davantage les notes de miel en bouche que celles de la cuisson. La texture est dense, serrée, l'effervescence est suave, conduite par des perles très nouées. Quelques accents d'hydromel se laissent saisir en finale de dégustation, ainsi qu'une légère touche oxydative qui signe le départ d'évolution de ce vin particulièrement charmeur. Une cuvée qui séduit de l'attaque à la finale qu'on pourra apprécier à table, par exemple, sur un feuilleté de crustacés. C'est une magnifique cuvée, digne de celles de prestige de nombreuses maisons, toutefois plus accessible pour le porte-feuille. ★★★★ GR

France, Champagne
aop Champagne
Grand Cru Brut, Champagne Egly-Ouriet Tradition +11538025 - 97,50$
Ce sont les mêmes sensations perçues au fil des années quel que soit le vin de base, la signature d'une maîtrise parfaite dans l'élaboration. Cette cuvée offre d'abord des notes de mine de plomb, de craie, puis elle développe des arômes plus populaires, plus pâtissiers, de fruits secs et de sucre brun, finalement plus fidèles au pinot noir qui domine l'assemblage. Même impression en bouche où, après une

attaque minérale, l'effervescence vive, peut-être plus fugace que sur d'autres cuvées de la maison, transporte des accents boulangers qui se font légèrement fumés en finale de dégustation. C'est un très bon champagne, constant dans ses caractéristiques, idéal à l'apéritif avec quelques dés de cheddar ou de jeune comté. ★★★★ GR

VINS ROSÉS

France, Languedoc-Roussillon
igp Pays d'Oc
Le Rosé, Sélection Chartier +12253099 - 19$
François Chartier, le créateur d'harmonies québécois, a élaboré ce vin rosé d'exception pour nous offrir une expérience sensorielle unique. Voici un rosé resplendissant aux arômes de fruits frais et d'agrumes avec une touche végétale et animale. Ample, généreusement fruité, long et frais en bouche, il continue le plaisir avec quelques épices douces. Un excellent rosé qu'on servira frais (9°C) avec une salade de fruits de mer ou un poisson grillé. ★★★(★) TD

France, Provence
aop Côtes de Provence
Pétale de Rose, Régine Sumeire +00425496 - 20,95$
Voici le prince des vins rosés! Produit à Pierrefeux dans le midi de la France, il présente des parfums de fleurs, de rose entre autres, et de petits fruits rouges, avec des notes minérales et épicées. Fruité, frais, élégant et long en bouche, il se sert frais (8°C) pour accompagner un aïoli ou un loup au gros sel. Un superbe rosé! ★★★(★) TD

France, Provence
aop Côtes de Provence
Château de Miraval, Perrin et Fils +12296988 - 24,95$
Thomas Bove, un industriel américain, marié à une Parisienne, cherchait une maison de campagne lorsqu'il a trouvé cette propriété en 1992. Pièce par pièce, le domaine a été revalorisé, puis racheté dans

les années 2000 par Angelina Jolie et Brad Pitt, des vedettes américaines de cinéma (en instance de divorce au moment d'écrire ces lignes). C'est un domaine magnifique qui vaut le détour. Les vins sont faits avec la même philosophie et un objectif unique: la qualité. Ils font notamment ce superbe vin rosé vendu en flacon trapu des plus agréables. Il présente des arômes de fleurs, de fruits rouges et d'agrumes avec une très belle touche minérale, et il est joliment tendu en bouche avec un bel équilibre et une touche saline. Un beau rosé à servir frais (10°C) dans un repas de homard mayonnaise ou de fruits de mer à la plancha. ★★★(★) **TD**

France, Provence
aoc Bandol
Château de Pibarnon
+10275091 - 37,75$
Dans un vaste amphithéâtre, à faible distance de la grande bleue, les vignes du Château de Pibarnon s'accrochent de restanque en restanque, offrant un spectacle d'une beauté indicible qui semble sorti tout droit d'un roman de Pagnol. Sous la houlette d'Éric de Saint-Victor, les vins du domaine de 50 hectares sont régulièrement récompensés dans les concours vinicoles. Une teinte lumineuse rose clair habille cette cuvée dont le nez évoque la fraîcheur exotique de la goyave et du pamplemousse rose. Centrée sur un fruité croquant et très expressif, la bouche se montre persistante et enveloppante, mise en relief par une tendre amertume. Un vrai rosé de gastronomie qui fera rougir de plaisir votre tartare de thon à l'orientale.
★★★★★ **DJL**

VINS ROUGES

VINS ROUGES À MOINS DE 12$

Australie, Région méridionale,
Adélaide
Shiraz Private Bin Mc Guigan
+12166825 - 10,95$
Fait à 100% de shiraz (syrah en français), ce vin australien offre des odeurs intenses de cassis, de cerise noire et de mûre sauvage avec des notes de vanille, d'olive noire, de torréfié et d'épices. Rond, bien fruité et frais en bouche, il évolue longuement sur des tanins souples avec une finale délicatement poivrée. Un vin de tous les jours, agréable et convivial, à servir en même temps qu'un pâté de campagne au poivre vert ou une daube de bœuf. Excellent rapport qualité-prix. ★(★) **TD**

Grèce, Péloponnèse, Corinthe
opap Néméa
Pathos Agioritikos, E. Tsantali
+12698531 - 11,70$
L'agiorgitiko est un cépage rouge très ancien et très utilisé pour le vin en Grèce. Celui-ci est cultivé dans la région de Néméa, pleine de légendes, dont celle du fameux Hercule et de ses 10 travaux. Ce cépage est quelquefois surnommé Hercule, probablement à cause de sa puissance. On le retrouve dans ce bon vin de tous les jours qui s'ouvre sur des odeurs de violette, de cerise, de garrigue et de cassis avec des notes d'épices. Puissant, généreusement fruité et frais en bouche, il évolue sur des tanins serrés. Un vin bien fait et d'un excellent rapport qualité-prix, à servir en carafe avec un carré d'agneau au thym, ou des tagliatelles sauce tomate à la viande. ★★ **TD**

VINS ROUGES DE 12$ À 20$

France, Vallée du Rhône,
Rhône méridional
aoc Côtes du Ventoux
Grande Réserve des Challières,
Bonpas +00331090 - 13,35$

Dominé à 60% par le grenache (un cépage d'origine espagnole) associé ici à la syrah, ce vin rouge est produit dans la région du Ventoux. À ne pas confondre avec l'autre Grande Réserve des Challières, un aoc Côtes du Rhône (voir ci-après). Celui-ci s'ouvre gentiment sur des parfums de mûre, de cassis, de réglisse et de vanille avec quelques épices et un léger boisé. Beau fruité, long et frais en bouche, il évolue avec des tanins souples et une finale délicatement poivrée. Parfait pour un couscous au poulet ou une entrecôte sauce au poivre vert. ★★ **TD**

France, Sud-Ouest
aoc Côtes du Brulhois
Carrelot des Amants, Les Vignerons du Brulhois +00508879 - 13,65$
«Carrelot» désigne une ruelle en dialecte toulousain (France). «En 1574, la reine Margot eut pour amant Charles de Balzac, seigneur de la bastide de Dunes. La légende raconte qu'on les aurait aperçus dans un carrelot, dégustant une coupe de vin de ce pays de Gascogne.» Ce vin présente des odeurs intenses de mûre, de cassis et de vanille avec des notes de boisé et d'épices. Léger, fruité et frais en bouche, il possède des tanins secs. Je recommande de le servir en carafe et de le boire lorsqu'on sert un confit ou des rillettes de canard. ★★ **TD**

France, Languedoc-Roussillon
aoc Saint-Chinian
Clos Bagatelle Saint-Chinian +12824998 - 13,95$
En 1623, Pierre Mercadier défriche cette terre de Saint-Chinian dans le sud de la France et y plante ses premiers ceps de vigne; 337 ans plus tard, Henry et Marie-Françoise Simon poursuivent l'entreprise et modernisent la cave. Leurs enfants, Christine et Luc Simon, ont pris la relève en 1963. Selon eux, Bagatelle décrit à la fois une petite propriété et un comportement léger, ce qui exprime la dualité du Clos Bagatelle: «une rigueur cartésienne mêlée à une joie de vivre». Voici un vin aux odeurs de garrigue, de mûre sauvage, d'olive noire et d'épices qu'on retrouve avec plus d'intensité en bouche, à laquelle

s'ajoute quelques notes de violette, de poivre et des tanins mûrs. Un vin agréable à boire frais (16°C) lorsqu'on sert un cassoulet à l'oie ou un ragoût d'agneau aux herbes. ★★(★) **TD***France, Hérault*

aoc Vin de Pays d'Oc
Domaine La Gardie Cabernet Sauvignon Réserve, Barton & Guestier +11833649 - 13,95$
L'entreprise bordelaise Barton & Guestier produit dans cette région du sud de la France, en pays d'Oc plus précisément, faisant bénéficier cette appellation d'un savoir-faire girondin (région de Bordeaux). Nous avons goûté ici un vin aux parfums de fruit noir, de mûre sauvage, de prune et de cassis avec une note de cèdre, de réglisse, de vanille légère et de poivron vert. Capiteux, ample, long et fruité en bouche, il possède des tanins fins et serrés et une finale délicatement épicée et grillée. Le servir en carafe en même temps qu'une côte de bœuf aux cèpes, un filet d'agneau rôti ou des rognons de bœuf aux champignons. Bon rapport qualité-prix.
★★(★) **TD**

France, Languedoc-Roussillon
aoc Vin de Pays d'Oc
Merlot, Baron Philippe de Rothschild +00407544 - 14,15$
Issu du cépage cabernet-franc, le merlot tient son nom du fait que, étant précoce, il est très apprécié des merles. Celui-ci s'ouvre sur des odeurs de vanille, de framboise, de cerise noire et de pruneau avec des notes d'épices. Charnu, bien fruité et frais en bouche, il possède des tanins murs et une finale gentiment épicée. Un vin pour lequel on choisira une côte de veau aux pleurotes ou une fricassée de foies de volaille. ★★ **TD**

Turquie, Cappadoce, Anatolie
Kapadokya, Kocabag Gida Pazarlama +10703754 - 14,25$
La Turquie est le quatrième producteur de

raisins de table du continent européen et seulement 3% de sa production est vinifiée pour donner près de 90 millions de bouteilles par an. Le Kocabag Kapadokya est un vin rouge original et savoureux qui provient de la région historique de la Cappadoce, au centre de l'Anatolie. Élaboré à partir d'un cépage turc très ancien (öküzgözü), il affiche un nez intense et «solaire», presque confituré et épicé. Un caractère chaleureux aussi percevable dans une bouche aux tanins doux... comme son prix d'ailleurs! Pour l'escorter: des kébabs à l'agneau servis dans du pain pita, avec la sauce de votre choix, sans excès de pul biber (piment rouge en flocons). ★★★ DJL

France, Vallée du Rhône
aop Côtes du Rhône Réserve
Les Dauphins, Union des Vignerons +12384478 - 14,35$
Des vignes de 30 ans d'âge en moyenne (sélectionnées avec soin), des méthodes de culture respectueuses de l'environnement et des vendanges faites à la main: cela augure déjà un vin de qualité. Ce vin rouge s'ouvre sur les arômes intenses de mûre, de cassis, de cerise noire, de violette et de vanille avec des notes de garrigue et une touche animale. Fruité, corsé, riche et rond en bouche, il évolue gentiment sur des tanins veloutés et finit sur des notes poivrées. Un bon vin à servir à 16°C et pour lequel on choisira une entrecôte sauce béarnaise ou un couscous d'agneau. ★★(★) TD

France, Languedoc-Roussillon
aop Vin de pays d'Oc
Pinot noir, Baron Philippe de Rothschild +10915247 - 14,45$
Un agréable pinot noir aux odeurs de cassis, de cerise noire, de groseille et de framboise. Bien fruité et long en bouche, il possède des tanins souples et beaucoup de fraîcheur. Voici un vin généreux et coulant à boire légèrement frais (16°C). On peut le jumeler avec bonheur à un foie de veau au porto, un poulet de grain farci ou un risotto aux morilles. ★★ TD

Etats-Unis, Californie, Dunningan Hills
Cabernet Sauvignon, R.H. Phillips Vineyard +10355358 - 14,55$
Avec la maison Phillips, pas de surprise! On peut acheter ses vins les yeux fermés. Voici son cabernet-sauvignon aux odeurs intenses de mûre, de cassis, de violette et de vanille avec des notes de poivron et de boisé. Bien fruité, rond et frais en bouche, il évolue sur des tanins souples et une petite note épicée. Un bon vin pour accompagner des fajitas de poulet ou une côte de bœuf aux cèpes. Très bon rapport qualité prix. ★★(★) TD

États-Unis, Californie
Cabernet Sauvignon Woodbridge, Robert Mondavi +00048611 - 14,95$
Le cabernet-sauvignon est un cépage issu du croisement entre le cabernet franc et le sauvignon blanc. Aujourd'hui l'un des cépages les plus répandus au monde, il doit sa renommée à la région de Bordeaux en France. Celui-ci est cultivé en Californie et produit un vin aux odeurs intenses de cassis, de vanille, de baies sauvages et de violette avec des notes de boisé et de grillé et une touche végétale. Bien fruité, frais, puissant et long en bouche, il évolue sur des tanins souples et quelques épices. Un vin gouleyant à boire en même temps qu'un canard ou une entrecôte de bœuf aux cèpes. ★★(★) TD

France, Vallée du Rhône,
Rhône méridional
aoc Côtes du Rhône
Grande Réserve des Challières, Bonpas +12383352 - 14,95$
Élaboré en grande partie avec du grenache, un cépage d'origine espagnole, et de la syrah avec un peu de mourvèdre, ce vin rouge du sud de la vallée du Rhône s'ouvre sur des parfums de mûre, de cerise noire et de framboise avec des notes épicées dominées par le poivre. Généreusement fruité, long et frais en bouche, il possède des tanins mûrs et une finale

poivrée. Ce gentil vin se révélera parfait pour un tajine d'agneau ou des rognons de veau au cognac. ★★ **TD**

États-Unis, Californie
AVA Contra Costa
Big House Red, The Wine Group
+00308999 - 15,05$
«Big house» ou «grande maison», cette expression américaine, qui date de 1915, signifie «la prison» dans le langage du milieu américain. C'est d'ailleurs l'image d'une prison qui figure sur l'étiquette de ce vin. Cet agréable vin rouge californien présente des odeurs de fruits noirs, de mûre sauvage et de cerise avec des notes framboisées, animales et vanillées. Corsé, fruité, long et frais en bouche, il évolue sur des tanins souples et une finale épicée. Un vin très agréable, servi avec un tartare de bœuf ou une entrecôte sauce béarnaise. ★★(★) **TD**

Uruguay, Canelones, Juancio
Don Pascual Reserve Tannat,
Establecimiento Juanico
+10299122 - 15,80$
Establecimiento Juanico a voulu rendre hommage à Don Pascual Harriague qui a introduit le tannat dans le vignoble d'Uruguay en 1978. C'est un cépage originaire de France qui tire son nom de la langue d'oc et veut dire «tanin». Ce vin rouge, fait à 100% de tannat, s'ouvre sur des odeurs intenses de petits fruits rouges, de chocolat, de vanille, de réglisse et d'épices. Largement fruité et frais en bouche, il continue longuement sur des tanins souples et termine sa course sur de légères notes de poivre. Un vin relativement corsé pour lequel on choisira un steak sauce au poivre et aux champignons ou un poulet aux poivrons. ★★(★) **TD**

Italie, Les Pouilles
igt Puglia
True Zin, Zinfandel Organic,
Casa Vinicola Botter Carlo
+13087192 - 16,65$
On ne croit pas habituel de boire du zinfandel en Italie, et pourtant... Ce «zin», élevé dans les Pouilles, une région au climat propice à ce cépage, est vraiment bien

fait, agréable et pas sophistiqué pour un sou. Il s'ouvre sur des odeurs d'eucalyptus, de framboise, de prune et de vanille avec des notes de cacao, de boisé, de torréfié et de tabac. Frais et fruité en bouche, il évolue sur des tanins mûrs, un léger boisé, puis il finit sur des épices. Le servir en carafe en mangeant des côtes levées de porc ou un magret de canard aux pruneaux. ★★(★) **TD**

Espagne, Murcia
do Jumilla
Ricardo Monastrell, Bodegas Lo Nuevo
+12743725 - 16,85$
Fait à 100% de monastrell, deuxième cépage noir d'Espagne, ce vin rouge sélectionné par Ricardo Larrivée s'ouvre sur des odeurs de mûre sauvage, de cerise noire, de prune et de fruits secs avec des notes de vanille et de violette. Corsé et fruité en bouche, il évolue sur des tanins ronds, une finale légèrement épicée et une pointe d'amertume. Un vin sans chichi, convivial, parfait pour des grillades de viande rouge, des lasagnes à la viande ou un pâté de campagne. ★★ **TD**

Espagne, La Rioja, Alta
doc Crianza
Tempranillo Ibéricos, Miguel Torres
+11180342 - 17$
L'appellation Crianza signifie que ce vin a subi un vieillissement de deux ans, dont un an en barrique avant d'être libéré. Ce vin rouge de la région haute de la Rioja bénéficie d'un climat plus frais qui produit des vins en général aromatiques et équilibrés comme celui-ci. Un beau vin rouge qui s'ouvre sur des odeurs de mûre, de bleuet sauvage, de framboise et de chocolat avec des notes épicées et une note animale. Bien fruité en bouche, il évolue longuement sur des tanins mûrs. Un vin parfait pour des brochettes d'agneau ou une estouffade de bœuf à la provençale. ★★★ **TD**

États-Unis, Californie, Napa
Exp Liaison, R.H. Phillips Vineyard
+11674764 - 17,25$
Ce vin est une liaison de trois cépages: merlot, syrah et zinfandel s'assemblent en

un ensemble harmonieux qui emplit le verre de solides effluves de mûre, de framboise et de vanille avec des notes de boisé et de chocolat. Largement fruité, frais et gouleyant en bouche, il continue longuement sur des tanins ronds et une finale doucement épicée. Un beau vin élégant qui sera l'agréable compagnon d'un bœuf teriyaki ou d'un pâté de campagne au poivre noir. ★★(★) **TD**

Chilli, Valle central
do Valle del Maipo
Cabernet Sauvignon Reserva, Vina Perez Cruz +12798865 - 17,80$
Ce vin chilien de la vallée de Maipo s'ouvre tranquillement sur des odeurs complexes de fleurs, de mûre, de cassis et de vanille avec des notes d'estragon et de poivre, plus une touche végétale. Généreux et frais en bouche avec des notes de boisé, de groseille, de framboise, de fruits exotiques et de grillé, il évolue gentiment sur des tanins souples. Un vin très agréable à boire légèrement rafraîchi, et associé à une côte de bœuf aux cèpes, un canard aux figues ou un vieux cheddar. ★★★ **TD**

Italie, Piémont
doc Langhe
Beni di Batasiolo +00611251 - 17,85$
Issu des Langhe, région historique du Piémont en Italie, ce vin rouge présente des parfums de fleurs et de fruits avec des notes de boisé, de grillé, d'épices avec une note animale. Intense, fruité et concentré en bouche, il bénéficie d'une certaine fraîcheur, de tanins serrés et d'une finale légèrement réglissée. Servi en carafe, il sera un bon choix pour un osso buco, un spaghetti sauce bolognaise ou un jambon braisé au sirop d'érable. ★★(★) **TD**

États-Unis, Californie, Dunnigan Hills
Syrah EXP Toasted Head, R. H. Phillips Winery +00864801 - 17,95$
«Toasted Head» signifie que l'intérieur du fût dans lequel on élève le vin a d'abord

été brûlé (ou grillé). Cela renforce la saveur de fumée dans le vin et lui confère une certaine rondeur. Voici un vin rouge californien fait de syrah, très agréable, au nez intense de violette, de framboise, de mûre, de bleuet sauvage et de vanille avec des notes de grillé, de cacao et de menthe. Largement fruité et frais en bouche, il évolue avec des tanins souples, une finale à la fois poivrée et réglissée, plus une petite touche de truffe. Parfait pour un tournedos sauce au foie gras ou un chapon farci aux truffes. ★★★ **TD**

Italie, Vénétie
doc Valpolicella Superiore Ripasso
Sartori Ripasso, Casa Vinicola Sartori +10669242 - 18,35$
Le terme «ripasso» signifie que le vin a subi une deuxième fermentation avec des lies d'amarone, ce qui en augmente la concentration et le degré d'alcool. Celui de la maison Sartori en est un bel exemple. Il s'ouvre sur des odeurs de cerise confite, de prune cuite, de garrigue, de tabac et d'épices. Concentré, ample et généreusement fruité en bouche, il possède des tanins souples et une finale épicée avec une touche animale. Servi en carafe, ce vin nous donne alors beaucoup de plaisir et se révèle parfait pour un canard aux figues ou un jambon braisé au sirop d'érable. ★★★(★) **TD**

France, Bordeaux
aop Bordeaux supérieur
Château de Goëlane, Castel Frères +11770220 - 18,80$
L'appellation Bordeaux supérieur doit répondre à des critères qualitatifs supérieurs à l'aoc Bordeaux. Mais l'une comme l'autre peuvent être issues de n'importe quel endroit du vignoble bordelais. Voici donc un vin rouge éclatant aux odeurs concentrées de mûre, de violette, de boisé et de vanille avec des notes de poivre et une petite touche végétale. Onctueux, ample, long, fruité et frais en bouche avec des tanins souples et une finale de cerise et d'épices. Servi en carafe, ce vin sera le bon compagnon d'une entrecôte grillée sauce béarnaise ou d'un camembert au lait cru. ★★★ **TD**

*France, Bourgogne, Côte de Beaune
aoc Bourgogne*
**Bourgogne Gamay, Louis Latour
+11979241 - 18,85$**
On reconnaît une grande maison de Bourgogne à la qualité de ses vins d'entrée de gamme. Chez l'illustre maison bourguignonne Louis Latour, on ne lésine pas sur les soins apportés à cette catégorie. Née en 2011, l'appellation Bourgogne-Gamay se compose de raisins issus exclusivement des crus du Beaujolais, 15% de pinot noir (au maximum) peut compléter la cuvée. Le 2013 de ce domaine bicentenaire revêt une robe violine et libère des arômes de petits fruits rouges (fraise, groseille) mâtinés d'une touche épicée; le palais se montre gouleyant et fruité avec une légère fermeté tannique perceptible en finale. On l'appréciera avec un onglet à l'échalote. ★★★ **DJL**

*Italie, Toscane
docg Chianti classico*
Aziano, Ruffino +12990128 - 18,95$
Ce vin d'Italie est fait avec les meilleurs raisins du domaine, qui est situé sur les col-lines de Grève, au cœur de la région du Chianti Classico. Cela donne un vin rouge au nez délicat de violette, de framboise et de cerise noire avec des notes de boisé et quelques épices. Ample, bien fruité et frais en bouche, il évolue longuement avec des tanins souples et finit sur une note gentiment poivrée. Un bon vin pour un risotto aux champignons sauvages ou un spaghetti sauce à la viande. ★★(★) **TD**

États-Unis, Californie
Cabernet Sauvignon, Private Selection, Robert Mondavi +00392225 - 18,95$
Incroyable! Alors que tout augmente, ce bon vin rouge américain est moins cher qu'il y a 10 ans. C'est une aubaine dont il faut profiter! Voici un beau vin qui s'ouvre sur des parfums de vanille, de cassis, de cerise et de mûre sauvage avec des notes de cacao, de boisé et de grillé. Intense, fruité, concentré et soyeux en bouche, il évolue longuement avec des tanins mûrs et finit avec une petite note d'eucalyptus. Un vin agréable qui sera mis en valeur par un filet de bœuf aux morilles ou un gigot d'agneau au thym. ★★★ **TD**

États-Unis, Californie, Montery
**Pinot noir, Blackstone Winery
+10544811 - 18,95$**
Le pinot noir s'exprime très bien dans le comté de Monterey parce que la zone de culture est plus fraîche qu'ailleurs. Au nez, c'est d'abord la vanille qu'on sent, puis c'est le fruit avec des effluves de cerise griotte, suivis de notes minérales, d'épices et de grillé. Généreusement fruité, long, rond et gouleyant en bouche avec des tanins soyeux, le tout finissant sur les notes de pruneau et de framboise. Le servir légèrement rafraîchi (18°C) et lui choisir des charcuteries ou une fricassée de volaille aux morilles. ★★★ **TD**

Australie méridionale, Barossa
**Wyndham Estate 12 Brothers, Wyndham Estate Winery
+12823442 - 19$**
Ce vin rouge australien est un hommage aux 12 fils de George Wyndham, le premier vigneron à avoir planté de la syrah en Australie, en 1830. À l'époque, un esprit d'entraide et de cohésion animait les vignerons ainsi que leurs familles, c'est sans doute cette harmonie et cette solidité que la maison Wyndham a voulu exprimer dans ce vin. D'ailleurs, les raisins qui ont servi à le fabriquer viennent de 12 parcelles différentes. Un détail à remarquer: la moitié des 12 frères figurent sur l'étiquette de corps, l'autre moitié sur l'étiquette de dos. Ce vin s'ouvre sur des odeurs intenses et complexes de mûre, de confiture de cassis, de prune, d'épices avec des notes d'eucalyptus, de vanille, de grillé, de boisé et une touche végétale. Largement fruité en bouche, il évolue longuement sur une belle structure avec des tanins charnus. Il finit sur des notes d'épices et de réglisse. On le mettra en cave quelques mois, ou bien on le servira en carafe en même

temps qu'une terrine de pâté de campagne au poivre noir ou des côtelettes d'agneau grillées aux herbes. ★★★ **TD**

États-Unis, Californie, Sonoma
The Dreaming Tree Crush
+11975102 - 19,50$
Élaboré par deux vignerons passionnés, Dave Matthews et Steve Reeder, ce vin californien est un assemblage des plus belles variétés de merlot et de zinfandel. Au nez, ce sont des odeurs de framboise, de mûre, de vanille et de violette avec une touche de chêne et de pain d'épices. Généreusement fruité, moelleux et frais en bouche, il bénéficie de tanins souples et de quelques épices en finale. Un beau vin, élégant, à servir en même temps que des côtes levées, une paella au poulet ou des côtes de porc grillées. ★★(★) **TD**

États-Unis, Californie
Zinfandel Vintners Blend, Ravenswood
+00427021 - 19,50$
«Blend» parce qu'il est un assemblage des meilleurs lots de vignerons californiens. Voici un bon «zin», intense et aromatique, qui offre des odeurs de vanille, de framboise et de mûre avec un léger boisé. Ample, corsé, fruité, moelleux et frais en bouche avec des tanins serrés, une finale épicée. Un vin très agréable à boire tout en mangeant un confit de canard ou une fricassée de foies de volaille aux chanterelles. ★★★ **TD**

Australie méridionale
The Lackey, Kilikanoon Wines
+10959725 - 19,95$
Lackey est un terme australien pour désigner un travailleur vaillant et infatigable assigné à des tâches inférieures sans jamais se plaindre» (Debeur 2016, p. 175). Composé à 100% de syrah, vaillant et généreux cépage vedette en Australie, il s'ouvre sur des odeurs intenses de fruits noirs, de vanille et de torréfié avec des notes d'épices, de boisé et d'eucalyptus. Généreux, fruité, frais et équilibré en bouche, il continue longuement sur des tanins souples et finit sur quelques épices délicates. Un vin rouge solide et très agréable à servir en même temps qu'un canard aux

cèpes ou une terrine de lapin aux noisettes. ★★★ **TD**

VINS ROUGES À PLUS DE 20$

Nouvelle-Zélande, Marlborough, South island
Pinot Noir, Kim Crawford
+10754244 - 20,95$
La fabrication des vins de Kim Crawford a commencé en 1996 dans un petit cottage d'Auckland en Nouvelle-Zélande. Réputée pour son fameux sauvignon blanc, elle s'est fait connaître aussi pour sa philosophie d'une production non conventionnelle, dont est issu ce savoureux pinot noir. Il s'ouvre sur des odeurs intenses de mûre et de cerise noire avec des notes florales et une touche épicée. Coulant, fruité et frais en bouche, il évolue gentiment sur des tanins souples. Un vin très agréable qui sera mis en valeur par un canard rôti aux champignons des bois ou une gigue de chevreuil. ★★★ **TD**

Espagne, Catalogne
do Penedès
Gran Coronas Reserva, Miguel Torres
+00036483 - 21$
Gran coronas signifie «grandes couronnes» en espagnol. S'agit-il d'une hiérarchie dans la noblesse des vins Torrès? En tout état de cause, voici un vin aux odeurs intenses de mûre, de cassis et de cerise noire, avec des notes de vanille, de menthe et de boisé et une touche de grillé. Puissant, fruité et racé en bouche, tout en harmonie, il continue longuement sur des tanins charnus et finit avec quelques épices et une petite note végétale. Servir ce vin généreux et charmeur avec un carré d'agneau aux herbes de Provence ou un tournedos de bœuf au foie gras. ★★★ **TD**

France Corse
aoc Corse Porto-Vecchio
Domaine de Torraccia
+00860940 - 21,05$
«Aimer, Croire et Oser» telle est la devise de la famille Imbert depuis 1964, date de la création du domaine situé autour de la

ville éponyme. Le vignoble s'étend aujourd'hui sur 90 hectares. Et pourtant, à l'arrivée du patriarche, il n'y avait aucun pied de vigne, mais que du maquis... il fallait oser y croire! Marc Imbert continue l'œuvre de son père et dirige le domaine depuis 2008. Conduits en bio, les cépages corses alliés aux cépages continentaux donnent ici un vin rond et gourmand, sur des fruits rouges et noirs confits; la bouche offre un beau volume et un équilibre assuré entre l'alcool, la fraîcheur et les tanins, un rien plus sévère en finale. Pour lui, une daube de sanglier me semble idéal. ★★★★(★) DJL

Espagne, Castille Léon
do Ribera del Duero
Celeste Crianza, Seleccion de Torres
+11741285 - 22,05$
L'appellation Ribera del Duero concerne des vins d'excellente réputation et s'ils bénéficient, en plus, de l'appellation Crianza (vieillissement de deux ans, dont un an en barrique), là c'est le nirvana. J'exagère? À peine! Bon d'accord, mais avouez quand même que ce vin s'en rapproche. Il offre des parfums intenses de mûre, de cassis et de cerise avec des notes de grillé et d'épices. Généreusement fruité et corsé en bouche, il évolue longuement avec des tanins mûrs et des épices. Un bon vin charnu pour accompagner un bœuf au foie gras ou un carré d'agneau. ★★★(★) TD

France, Provence
aoc Côtes de Provence
Château la Tour de L'Évêque,
Régine Sumeire +00440123 - 22,50$
Régine Sumeire démontre, une fois de plus, que les vins de Provence peuvent être aussi de grands vins. Voici son vin rouge élaboré du côté de Pierrefeux, qui s'ouvre sur des odeurs intenses de mûre sauvage, de cassis, de fleurs et d'épices. Généreusement fruité, ample et corsé en bouche, il évolue longuement avec des tanins fins et élégants et finit sur une note épicée. Le marier à un lapin aux pruneaux ou un magret de canard aux cèpes. ★★★ TD

France, Provence
aoc Coteaux d'Aix-en-Provence
Château Revelette, Peter Fischer
+10259737 - 23,30$
C'est à l'abri de la montagne Sainte-Victoire si chère à Paul Cézanne que se situe l'un des fleurons des Coteaux-d'Aix-en-Provence: le Château Revelette avec ses jardins à la française, ses cèdres centenaires et son vignoble conduit en biodynamie par le talentueux Peter Fischer. D'un assemblage de grenache (50%), syrah (30%) et cabernet-sauvignon (20%) naît un vin sombre et dense aux accents floraux (violette) et fruités (griotte) ponctués de garrigue et de menthol. À l'unisson, le palais, concentré à souhait, suave et soyeux, s'appuie sur une solide charpente tannique, épaulée par un élevage parfaitement ajusté. Avec un gigot d'agneau des Alpilles ou de Kamouraska... un vrai régal! ★★★★(★) DJL

Italie, Vénétie
doc Valpolicella Classico Superiore
Sagramoso Ripasso, Pasqua Vineti
+602342 - 23,35$
Ripasso signifie «repassé» ou «passé de nouveau», un procédé créé à l'origine par la maison Masi, qui l'a également introduit en Amérique du Sud avec un vin nommé Passo Doble. Ce procédé consiste à faire refermenter du vin sur des lies (d'amarone dans ce cas-ci) ou avec du raisin passerillé (séché sur des claies). Ce procédé donne plus de matière et de caractère au vin ainsi traité. Celui-ci, un vin de la maison Pasqua, offre un beau nez de garrigue, de baies sauvages, de myrtille, de cassis et de vanille avec des notes de grillé, de cacao et des traces de boisé. Intense, fruité, long et épicé en bouche, il bénéficie d'un bel équilibre et de tanins soyeux. Un bon vin pour accompagner un magret de canard sauce aux airelles ou un carré d'agneau à l'ail et aux fines herbes. ★★★(★) TD

Italie, Toscane
igt Toscana
Villa Antinori, Marchese Antinori
+10251348 - 24,60$
Ils sont reconnus comme l'une des plus grandes familles viticoles au monde. Le

marquis Piero Antinori et ses trois filles dirigent une entreprise de 1400 hectares, qui a vu le jour en Toscane, il y a de cela 631 vendanges. Élaborée à partir d'une sélection des meilleurs raisins (sangiovese, cabernet-sauvignon, merlot et syrah) cultivés exclusivement dans les vignes des domaines Antinori en Toscane, la cuvée Villa Antinori, créée en 1928, est un exemple de régularité. Le bouquet débute par un joli boisé (moka), suivi de fruits frais (cerise bigarreau, mûre). En bouche, les tanins se montrent sous leur meilleur jour, souples et mûrs, en harmonie avec le fruit. Un sauté de lapin aux olives à la mode toscane s'en remettra volontiers à ce vin savoureux. ★★★★★ **DJL**

Italie, Piémont
Ruchè di Castagnole Monferrato
Laccento, Monferrato,
Società Agricola Montalbera
+12237697 - 24,65$
Située dans une région vallonnée au nord-est d'Asti, cette appellation piémontaise couvre moins de 50 hectares et elle est consacrée à un cépage très rare: le ruchè. Cette cuvée est issue d'une sélection de raisins légèrement surmûris sur pied, à laquelle on a ajouté environ 5% de raisins passerillés sur nattes de bois. Le résultat est éloquent. Le ton est donné dès le premier nez: une intensité florale se développe avec force (rose, lavande), suivie de fragrances fruitées (fruits des champs compotés). La même sensation de maturité se dégage au palais, où l'on retrouve un fruité chaleureux, suave, fin et onctueux. Idéal avec des agnolottis à la viande de veau, spécialité de Monferrato. ★★★(★) **DJL**

France, Vallée du Rhône méridionale
aoc Lirac
Château Mont-Redon, Abeille - Fabre
+11293970 - 24,95$
La famille Abeille-Fabre travaille dans le respect du terroir en privilégiant les arômes, l'équilibre et la couleur. Cette philo-

sophie se retrouve dans leurs vins comme ce Lirac rouge fruité et corsé qui s'ouvre sur des arômes intenses de petits fruits rouges, de vanille, de chocolat, de réglisse et d'épices avec un léger boisé. Ample, long, frais et fruité en bouche, il évolue sur des tanins serrés et une petite finale de fruits à l'eau-de-vie. Le mettre en carafe (16°C) et le servir en même temps qu'un filet mignon sauce au bleu, un magret de canard sauce aux airelles ou encore un cassoulet. ★★★(★) **TD**

Espagne, Castille Léon
doc Toro Reserva
Frontaura Aponte Reserva Toro,
Bodega del Palacio de Los Frontaura
Y Victoria +12259407 - 25,35$
Fait à 100% du cépage tinta de roro, plus connu sous le nom de trempanillo qui veut dire «tôt» en espagnol; un cépage de maturité précoce. Ce vin rouge capiteux s'ouvre sur des odeurs de mûre, de cassis et de fraise des bois. Ample et fruité en bouche, il évolue avec des tanins soyeux. Essayez-le avec un cassoulet au canard, un tagine d'agneau aux figues ou une paella au poulet. ★★★ **TD**

Espagne, Castille Léon
do Bierzo
Petalos Bierzo, Alvaro Palacios
+10551471 - 25,35$
Autrefois les pèlerins qui ne pouvaient poursuivre leur pérégrination recevaient, en franchissant la Puerta del Perdón de Villafranca del Bierzo, les mêmes indulgences que celles qu'ils auraient obtenues en allant jusqu'à Compostelle. Pour parvenir à cette «ville franque», les pèlerins œnophiles des temps modernes pourront faire un léger détour et cheminer à travers les vignes de mencia qui grimpent jusqu'à 1000 mètres d'altitude. Depuis 1998, Alvaro Palacios et son neveu ont fait renaître de ses cendres ce cépage oublié; la cuvée Pétalos, issue de vignes haut perchées, libère des notes chaleureuses d'épices, de cassis et de fraise écrasée. Concentré, ample et profond, ce millésime est le digne descendant d'une grande lignée. Ce vin généreux appelle un plat roboratif, tel qu'un pot-au-feu à la galicienne (caldo gallego). ★★★(★) **DJL**

Italie, Toscane
docg Chianti Classico Riserva
Riserva Ducale, Ruffino
+00045195 - 25,80$
Il a été créé en 1890 pour le duc d'Aosta, qui en a fait son vin préféré, d'où le nom de Riserva Ducale («réserve du duc»). Ce bel italien offre des parfums de cassis, de mûre et de cerise noire avec des notes de boisé et d'épices. Ample, fruité, corsé, minéral et frais en bouche, il évolue lentement avec des tanins mûrs et une finale doucement épicée. Un bon vin pour des tagliatelles à la bolognaise, une côte de bœuf grillée ou un magret de canard. ★★★(★) TD

Italie, Toscane
doc Bolgheri
Bruciato, Tenuta Guado al Tasso
Marchese Antinori +11347018 - 25,95$
Lorsque, en l'an 1385, Giovanni di Piero Antinori s'inscrivit à l'arte dei vinattieri en qualité de marchand de vin novice, il était loin de s'imaginer que la tradition vinicole allait se perpétuer durant les 26 générations suivantes. Le marquis Piero Antinori et ses trois filles dirigent l'entreprise dont la renommée dépasse depuis longtemps les frontières de la Toscane. Parmi le large éventail de vins élaboré par la maison Antinori, celui du domaine Guado al Tasso, est l'une des valeurs les plus sûres. Une robe éclatante et un bouquet de fruits rouges à noyau et d'épices, soulignés d'une fine ligne boisée aux tonalités empyreumatiques. Tout laisse deviner un élevage bien conduit, que confirme un palais savoureux épaulé par des tanins raffinés. Le servir avec des pappardelles à la viande sauvage braisée. ★★★★ DJL

France, Vallée de la Loire, Touraine
aoc Chinon
Thélème, Pascal et Alain Lorieux
+00917096 - 26,20$
Thélème est le nom d'une abbaye utopique imaginée par François Rabelais. Véri-

table paradis terrestre où régnait la liberté absolue: on pouvait entrer et sortir librement, y manger et y boire à son aise. Les héros rabelaisiens de la démesure auraient sans doute bu cette cuvée élaborée par les frères Lorieux. Superbe parure rubis ornée d'un disque violine, une olfaction nette et franche sur les baies de sureau avec des notes crayeuses. Tout aussi fruitée et légèrement épicée, la bouche de bonne longueur se montre gouleyante, étayée par des tanins fins. Un vin de plaisir par excellence. Avec une géline de Touraine (race ancienne de volaille française) rôtie aux champignons et aux lardons: que du bonheur! ★★★(★) DJL

Chili, Vallée d'Acongagua
do Valle de Aconcagua
Subsollum Pinot noir, Clos des Fous
+12304335 - 26,80$
Surnommé le «chasseur de terroirs», Pedro Para a fondé le Clos des Fous conjointement avec trois de ses amis. Un projet axé sur la revitalisation de vignobles très anciens, cultivés selon les principes de l'aridoculture (ensemble de techniques permettant la culture non irriguée en sol aride). Le pinot noir Subsollum de ce domaine provient de sols volcaniques (vallée de Malleco) et calcaires (vallée d'Aconcagua). Il en résulte un 2014 s'ouvrant sans réserve sur des notes de fruits rouges, de poivre blanc et de réglisse. Souple et frais en attaque, le palais offre une matière pulpeuse adossée à des tanins charmeurs; le milieu de bouche est soyeux, fruité et floral (violette) en rétro-olfaction. Prendra son envolée avec des cailles aux airelles. ★★★ DJL

France, Languedoc-Roussillon
aoc Faugères
Transhumance, Domaine Cottebrune,
Pierre Gaillard +10507307 - 26,85$
Autrefois, la vie des bergers était rythmée par deux transhumances: l'été en montagne et l'hiver en plaine. Si cette pratique pastorale se perd, la transhumance des vignerons vers d'autres (régions) terres) viticoles semble gagner du terrain. C'est le cas du vigneron rhodanien Pierre Gaillard qui s'est déplacé à Faugères près de Bé-

ziers, au domaine Cottebrune. Tous les parfums de la garrigue agrémentés de notes fruitées (cassis, olive noire) s'expriment dans cette cuvée (50% de grenache, 35% de syrah, 15% de mourvèdre). La bouche développe une belle matière charnue, gourmande, adossée par des tanins dodus, et s'étire en une longue finale toastée et grillée. Pour rester dans l'ambiance pastorale, une épaule d'agneau confite à l'anis étoilé me semble parfaite. Oxygénez ce vin en carafe, une bonne heure avant de le servir. ★★★(★) **DJL**

Italie, Sardaigne
igt Isols dei Nuraghi
Iselis, Argiolas & C.
+11896560 - 28,45$
Cette appellation IGT Isola dei Nuraghi (île des nuraghes) fait référence à ces nombreuses tours mégalithiques en forme de cône tronqué, dont près de 7000 subsistent encore en Sardaigne. Le domaine Argiolas est considéré comme le précurseur de la viticulture sarde qui se consacre essentiellement aux cépages autochtones. La cuvée Iselis, avec 90% de monica, nous démontre l'étonnante complexité de ce cépage. On apprécie les parfums de fruits rouges (framboise, cassis) mâtinés d'épices douces. Une trame à laquelle fait longuement écho une bouche parfaitement équilibrée, ronde sans lourdeur, étayée par des tanins présents mais qui glissent gracieusement. Un mi-cuit de thon rouge et sa compotée de tomates viendront le sublimer. ★★★ **DJL**

France, Bordeaux
aoc Lalande-de-Pomerol
Château La Croix des Moines,
Jean-Louis Trocard +00973057 - 28,75$
Chaque fois que je pense à l'appellation Lalande-de-Pomerol, je vois encore le jeune fils Janoueix, un passionné, en train de travailler une toute petite parcelle de vigne de cette appellation, avec l'intention d'en produire un très grand vin. Effeuillage, vendange verte, vinification avec bâtonnage et collage en tonneau de forme très allongée, spécialement fabriqué pour lui: tout devait concourir au succès. Je n'ai jamais su la fin de l'histoire, ni s'il avait

réussi. Mais cette passion et son dévouement pour cette appellation me sont restés à l'esprit et montrent qu'il y a toujours des vignerons sincères et passionnés comme celui que je vous propose aujourd'hui. Jean-Louis Trocard nous offre ici un vin rouge où domine largement le cépage merlot. Il s'ouvre sur des odeurs de baies sauvages, de cassis, de prune, de réglisse et de grillé avec de subtiles notes végétales, de boisé et des traces de truffe. Ample, fruité et équilibré en bouche, il évolue sur des tanins fins et soyeux. Un vin élégant à servir (18°C) avec un carré d'agneau grillé au thym ou une côte de bœuf sauce bordelaise. ★★★★ **TD**

Canada, Colombie-Britannique
vqa Vallée de l'Okanagan,
Okanagan Falls
R & D Red blend, Culmina Estate
+12794442 - 29,95$
La vallée d'Okanagan en Colombie-Britannique offre des paysages grandioses et jouit d'un remarquable écosystème. Véritable éden pour l'arboriculture fruitière (cerises, pêches, abricots...) et pour la vigne qui a trouvé là un terroir de prédilection. Élaborée majoritairement avec le cépage merlot (83%) et les cabernets en appoint, la nouvelle cuvée R & D de Culmina est très prometteuse. D'un beau rouge sombre, ouvert sur les petits fruits rouges et noirs bien mûrs agrémentés d'élégantes notes empyreumatiques (torréfaction, cacao). On retrouve un équilibre boisé-fruité dans une bouche offrant une belle mâche autour de tanins soyeux et une pointe de fraîcheur en finale. Un médaillon de bison au parfum de bleuets l'attend impatiemment. ★★★★(★) **DJL**

Espagne, Catalogne
doc Priorat
Riu, Combier-Fischer-Guerin
+12134170 - 32$
Le Priorat, au sud de Barcelone, est le berceau des grands vins rouges catalans. Depuis 30 ans, ses vins sont entrés dans l'élite mondiale grâce à une poignée de viticulteurs visionnaires. À l'aube du 21e siècle, une nouvelle génération a pris le relais avec un très fort désir d'exploiter

l'immense potentiel de cette région viticole et d'y produire de superbes vins. C'est le cas des trois amis vignerons: Combier-Fischer-Guerin. Leur cuvée RIU, issue des cépages carignan, alicante bouschet et syrah en parts égales, se libère, après aération, d'une note terroitée pour rejoindre le fruit rouge, la réglisse et le genièvre. L'attaque veloutée ouvre un palais flatteur aux tanins savoureux. Des boulettes de viande à la catalane seront un bon faire-valoir. ★★★★ **DJL**

France, Bordeaux
aoc Pomerol
Pomerol, Jean-Pierre Moueix
+739623 - 34$
Parmi les nombreux crus de la rive droite proposés par les prestigieux établissements Jean-Pierre Moueix, le Château Pétrus trône incontestablement en haut de la liste. Mais au prix de 3685$ pour un seul flacon de 2012, je me garde une petite gêne. Leur vin plus modeste d'appellation communale, Pomerol, ne me fera certes pas entrevoir le paradis comme avec le prestigieux Pétrus, mais, à une fraction du prix (1/108e), il reste un excellent rapport qualité-prix-plaisir. Le merlot (90%) s'allie au cabernet franc dans ce 2012 dont la robe profonde inspire confiance. Au nez, les fruits noirs compotés se mêlent à la réglisse. Riche, dense et concentré, il dévoile des tanins boisés qui s'affineront au contact d'une entrecôte saignante. ★★★(★) **DJL**

Canada, Colombie-Britanique, Vallée de l'Okanagan
Le Grand Vin, Osoyoos Larose
+10293169 - 45$
Quand on associe un des meilleurs terroirs canadiens avec le savoir-faire d'une grande maison bordelaise (Gruau Larose), il ne peut qu'en résulter un grand vin. C'est ce que nous offre Osoyoos Larose, certainement le plus grand vin rouge canadien. Un vin qui allie la force et la structure avec la finesse et l'élégance. Au nez, ce sont des odeurs de cassis, de mûre sauvage, de pruneau, de violette et de poivron avec une touche vanillée, boisée et grillée. Généreux, concentré, long, fruité et frais en bouche, il continue son parcours avec des tanins fins. Un vin à mettre en cave ou à servir en carafe pour le boire avec un tournedos aux cèpes ou un foie gras poêlé. ★★★★(★) **TD**

VINS FORTIFIÉS

Portugal, Porto, Douro
docp Porto
Offley, Porto blanc Cachucha, Sogrape Vinhos +00582064 - 19,90$
La cachucha est une danse espagnole exécutée en solo, avec accompagnement aux castagnettes, mais c'est aussi le nom d'un des meilleurs portos blancs de sa catégorie. Un vin d'emblée engageant par son nez intense et complexe: fruits confits, pâte de coing, épices. Le palais se montre riche et onctueux, soutenu par une fine vivacité qui équilibre et dynamise. Ne commettez pas un crime de lèse-majesté en le servant à l'apéritif, allongé de tonique. Réservez-lui plutôt des fromages de brebis ou des fromages à croûte lavée. Après un ou deux verres de ce délicieux porto issu de vignes blanches, vous aurez probablement envie d'exécuter quelques pas de cachucha. ★★★★ **DJL**

Espagne, Andalousie
do Jerez-Xérès-Sherry y Manzanilla-Sanlúcar de Barrameda
Puerto Fino Solera Reserva, Emilio Lustau +11568347 - 20,30$
L'authentique xérès, jerez en espagnol, est produit en Andalousie, dans le sud de l'Espagne. Ce grand vin fortifié se décline en plusieurs catégories, du plus sec au plus doux, ce qui contribue à désorienter la plupart des consommateurs. Les vins les plus légers, les plus fins sont fortifiés à 15% puis élevés trois ans en fût selon le principe de la solera (système pyramidal de fûts superposés). Ce procédé complexe de «fontaine perpétuelle» assure un goût constant au vin. Celui de Lustau nous comble de bonheur avec un nez exhalant des arômes de noix grillées, de rancio bien fondu et d'une touche iodée. Un vin rafraîchissant, raffiné, au corps joliment musclé et très vertical, qui viendra escorter tout naturellement des tapas andalouses. ★★★★★ **DJL**

Portugal, Haut-Douro
doc Porto LBV

LBV 2011, Taylor Fladgate & Yeatman Vinhos +00046946 - 21,80$

LBV signifie «late bottled vintage port». Il s'agit d'un porto millésimé, d'une seule année, mis en bouteille tardivement. Celui-ci, constant d'un millésime à l'autre, offre un beau nez intense de fruits secs, de pruneau, de chocolat et d'épices avec une note boisée. Onctueux, très long, ample et fruité en bouche, il bénéficie d'un très bel équilibre. Parfait pour un tournedos de bœuf sauce au fromage persillé, une charlotte au chocolat ou un gâteau opéra.
★★★(★) **TD**

Portugal, Haut-Douro
do Porto
Tawny 10 ans, Taylor Fladgate +00121749 - 33,75$

Le tawny est un porto qui a subi une oxydation au contact de l'air et qui prend une teinte fauve (tawny en anglais) lors de son vieillissement en barrique. Lorsqu'il porte un millésime comme celui-ci, il s'agit de l'âge moyen des différentes barriques qui entrent dans son assemblage. Constant d'une production à l'autre, ce beau 10 ans présente des odeurs intenses de fruits secs, de cassonade, de violette, de cerise confite et de chocolat. Onctueux, concentré et fruité en bouche, il évolue sur des tanins fondus et une finale boisée avec des notes de noix. Le servir à l'apéro ou avec un gorgonzola, ou encore avec un brownie au chocolat. ★★★★ **TD**

CIDRES

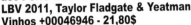

CIDRES MOUSSEUX OU PÉTILLANTS

Canada, Québec, Hemmingford
Crémant de pomme, 2,5%, Cidrerie du Minot +00245316 - 11,95$

Voici un cidre égal à lui-même d'une an-

née à l'autre. Léger, fruité et frais, élaboré selon la méthode charmat (en cuve close), il offre des parfums de pomme cuite, de fleurs et de crème pâtissière. Généreux, fruité et frais en bouche, il bénéficie d'un bel équilibre et d'une bonne longueur. Un cidre élégant et fin, à servir frais (8°C) à l'apéritif, ou en même temps qu'un poulet grillé ou un dessert au chocolat.
★★(★) **TD**

Canada, Québec, Hemmingford
Crémant de pomme rosé, 2,5%, Cidrerie du Minot +00717579 - 14,05$

Il y a le crémant de pomme également commenté dans ce guide d'achat et il y a ce crémant rosé, très bien fait, s'ouvrant sur des parfums de fleurs, de petits fruits rouges et de compote de pomme qu'on retrouve en bouche avec beaucoup de fraîcheur. Servez frais (8°C) ce généreux cidre rosé et il se révélera le bon partenaire d'un boudin blanc ou d'une volaille en sauce. ★★(★) **TD**

Canada, Québec, Frelighsburg
Verger Sud, 11%, Domaine Pinnacle +10850560 - 15$

Pour moi, un cidre sec est toujours mousseux ou pétillant, comme on voudra. C'est d'ailleurs la condition pour l'appellation protégée du cidre en Bretagne d'où il est natif. Celui-ci s'ouvre sur des odeurs de pomme cuite, de fleurs et de miel avec une touche d'agrumes. Vif, fruité, ample et long en bouche, il jouit d'un bon équilibre et d'une grande fraîcheur. Un cidre agréable à boire frais (8°C) en même temps qu'un boudin noir aux pommes, un camembert au lait cru ou une tarte tatin.
★★ **TD**

Canada, Québec, Hemmingford
Du Minot Brut, 7%, Cidrerie du Minot +00733386 - 16,65$

Voici un très bon cidre fait selon la méthode traditionnelle, c'est-à-dire élaboré comme pour un vin de champagne. Des bulles fines présagent déjà d'une qualité certaine qui se vérifie à la dégustation. Au nez, ce sont des parfums de fleurs, de pomme cuite et de vanille. Généreusement fruité, long, mœlleux et frais en bouche, il offre

Cidres de glace

une belle expression de la pomme. Un très beau cidre, élégant et fin, qu'on servira frais (8°C) à l'apéritif, ou alors avec une crêpe au pommes ou une tarte aux bleuets sauvages. ★★★(★) **TD**

CIDRES DE GLACE

Canada, Québec, Hemmingford
Du Minot des Glaces, 10,5%, Cidrerie du Minot +00733782 - 25$/375ml
Si le cidre de glace est une invention québécoise, il est, à cause de son processus de fabrication, assez cher en général. Il est à la pomme ce que le vin de glace est au raisin. Voici un très beau cidre de glace à prix abordable. Il s'ouvre sur des odeurs intenses de compote de pomme, de fruits secs, de pâtisserie et de miel. Généreusement fruité, onctueux, long et frais en bouche, il évolue avec souplesse et harmonie sur un très bel équilibre acide-sucre. Un cidre de glace élégant à servir frais (8°C) en dégustant un bavarois aux fraises ou un fromage bleu de l'abbaye de Saint-Benoît-du-Lac. ★★★★ **TD**

Canada, Québec, Frelighsburg
Cidre de glace, 12%, Domaine Pinnacle +00734269 - 25,05$/375ml
Ce beau cidre de glace est une véritable bête à concours. Ses récompenses au Canada comme à l'international ne se comptent plus. Il offre des arômes intenses de pomme cuite, d'écorce d'orange, de sucre brun et de miel. Largement fruité, onctueux et long en bouche, il bénéficie d'une très bonne acidité qui lui confère à la fois équilibre et fraîcheur. Servi frais (8°C), il se révélera un bon choix pour une crème brûlée au foie gras ou une charlotte aux pommes et abricots. ★★★ **TD**

Canada, Québec, Hemmingford
Crémant de glace, 7,5%, Cidrerie du Minot +10530380 - 25,60$/375ml
Créateur du terme «crémant» pour un cidre (qu'il soit de glace ou effervescent), l'œnologue Robert Demoy propose ici un cidre de glace pétillant aux odeurs puissantes de compote de pomme et de fruits tropicaux. Élégant, crémeux, onctueux et bien fruité en bouche, il bénéficie d'une belle acidité qui lui confère équilibre et fraîcheur. Pour ce vin qu'on boit frais (8°C), il faut par exemple un chapon farci au foie gras ou un fromage bleu de l'abbaye de Saint-Benoît-du-Lac. ★★★ **TD**

Canada, Québec, Frelighsburg
Cidre de glace mousseux
Cidre de glace pétillant, 12%, Domaine Pinnacle +10341247 - 29,05$/375ml
Voici un très bon cidre de glace effervescent aux bulles fines et au nez de compote de pomme, de miel et de fleurs avec des notes d'écorce d'orange et d'épices. Bien fruité, très long, onctueux et frais en bouche, il affiche un bel équilibre acide-sucre. Un cidre de glace tout en harmonie à boire frais (8°C) lorsqu'on décide de manger un foie gras mi-cuit, un fromage persillé ou une tarte aux abricots. ★★★(★) **TD**

Canada, Québec, Frelighsburg
Signature Réserve Spéciale, 11%, Domaine Pinnacle +10233756 - 38,50$/375ml
Une signature est comme une empreinte, telle la signature d'un artiste sur son œuvre. Ce cidre de glace est en quelque sorte un chef-d'œuvre, un produit d'exception. On s'en rend compte rapidement à la dégustation. Il impressionne par ses parfums intenses de pomme cuite presque caramélisée, de cassonade, de pâtisserie et de miel. Très beau fruité, puissant, généreux et onctueux en bouche, il évolue longuement avec beaucoup d'élégance. Un magnifique cidre de glace à boire frais (8°C) en l'associant à un foie gras poêlé sur pain d'épices ou une charlotte aux abricots. ★★★★(★) **TD**

Canada, Québec, Hemmingford
Du Minot des Glaces, Récolte d'hiver, 11%, (D) 40$/375ml
Pour faire ce cidre de glace, on a cueilli les pommes gelées (à -10°C) sur l'arbre, en plein hiver. À cette température, le fruit est déshydraté; on obtient ainsi un jus très concentré en sucre. Celui-ci fermentera

pendant huit mois à basse température pour donner ce magnifique cidre de glace aux parfums de fleurs, de pomme cuite, de sirop de poire, de cassonade et d'épices. Intense, puissant, généreusement fruité, frais et long en bouche, il bénéficie d'un très grand équilibre. Un produit exceptionnel! Servi frais (8°C), il ira à merveille avec un clafoutis aux cerises ou un foie gras mi-cuit. ★★★★★ **TD**

SPIRITUEUX

Cuba
Rhum brun
Havana Club Añejo 3 Años (3 ans), 40%, Hiram Walker & Sons +12275124 - 24,60$
Un des meilleurs rhums actuellement sur le marché. Le rhum Havana Club Añejo 3 Años est le résultat de l'assemblage d'aguardientes de canne, vieillis et parfumés (un mélange alcoolisé intense, fermenté et distillé) avec des distillats de canne extralégers, tout juste avant d'être mis au repos dans des fûts de chêne blanc. Les meilleurs fûts permettent de créer le produit final, soit un rhum vieilli de trois ans qui, après avoir été mis au repos une seconde fois, est filtré et mis en bouteille. On peut facilement l'utiliser dans des cocktails qu'il rehausse de ses saveurs exotiques et chaleureuses, mais c'est probablement nature qu'on l'apprécie le plus. Il a des parfums de caramel anglais, d'agrumes et de fruits tropicaux avec des notes de pomme cuite, de boisé et de fumé. En bouche, il rappelle un peu le calvados sans agressivité et finit longuement sur des épices. Un beau rhum très agréable qui pourra accompagner des desserts au chocolat ou des mousses aux fruits. ★★★★ **TD**

France, Provence
Apéritif anisé
Ricard, 45%, Pastis de Marseille +00015693 - 27,10$
La boisson la plus populaire à Marseille est l'apéritif anisé, qu'on appelle le pastis ou «pastaga» en marseillais. Pastis, en provençal, signifie «mélange». Le pastis est fait d'un mélange de plusieurs plantes aromatiques macérées dans de l'alcool, notamment la réglisse et l'anis. Le plus connu dans le monde est le Ricard. Il offre des arômes d'anis et de réglisse très agréables. Ce pastis, rond et rafraîchissant en bouche, se déguste coupé avec de l'eau glacée, tout en mangeant des canapés de poisson fumé par exemple ou d'autres bouchées. On peut aussi l'utiliser dans des cocktails ou des recettes. ★★★★★ **TD**

Canada, Québec, Frelighsburg
Liqueur de crème d'érable
Coureur des bois, 15%, Les spiritueux Ungava +11091921 - 28,10$
Le Coureur des bois est fait de crème fraîche, de sirop d'érable québécois de première catégorie et de rhum. C'est un très beau produit à la texture riche et onctueuse, aux odeurs nettes et franches d'érable et de noix de Grenoble, avec une finale délicatement épicée. Très long avec des notes presque fruitées en bouche. Le servir frais (8°C), nature ou sur glace. On peut aussi le verser sur de la crème glacée à la vanille, au chocolat ou au café, ou encore sur un gâteau aux amandes. Superbe! ★★★★(★) **TD**

Canada, Québec, Frelighsburg
Rhum épicé
Chic Choc, rhum épicé québécois, 42,1%, Les spiritueux Ungava +12362674 - 34$
Distillé en petits lots dans un alambique traditionnel, ce rhum a d'abord longtemps macéré avec des épices, des baies, des herbes et des racines boréales comme les baies des cassinoïdes, le poivre des dunes, les racines de céleri sauvage, le myrique baumier, la comptonie voyageuse et les herbes aux anges. De ce mélange complexe, il résulte un rhum séduisant au nez intense et complexe d'eau-de-vie, d'épices, de fumé et de boisé avec des notes de caramel et une touche d'érable. Ample, rond, presque sucré en bouche, il évolue rapidement sur des épices bien présentes. Un rhum très agréable, parfumé, long et corsé qu'on servira comme digestif ou qu'on accompagnera de foie gras sur pain d'épices. ★★★★(★) **TD**

Canada, Québec, Frelighsburg
Whisky canadien
Canadian Shield, 43.2%, Les spiritueux Ungava +12729341 - 34,75$
Fait d'un assemblage d'ingrédients 100% canadiens, ce whisky est distillé et vieilli au Québec en petits lots. Il s'ouvre sur des parfums complexes de fumé, d'eau-de-vie de fruit, de fleurs, de miel et de cassonade avec des notes de sirop d'érable et de torréfié plus une touche boisée. Rond, intense et frais en bouche, il continue longuement avec quelques épices en finale. Le boire nature ou sur glace, dans un cocktail ou un café irlandais. Le gâteau au chocolat aussi lui va bien. ★★★★ **TD**

Canada, Québec, Frelighsburg
Whisky à l'érable
Coureur des Bois, whisky canadien et sirop d'érable, 31,7 %, Les spiritueux Ungava +11724979 - 35,25$
Exceptionnel! Nous avons ici un mélange de whisky canadien vieilli et de sirop d'érable de catégorie A, pur à 100%. Il offre des odeurs intenses et complexes de sirop d'érable, de caramel, de vanille et de noix de Grenoble. Rond, onctueux et fruité en bouche, il évolue très longuement sur des notes délicatement épicées. Superbe! Quelle belle réussite... Nous l'avons dégusté tempéré, mais il gagne à être bu frais, voire sur glace, avec de la tarte au sucre. On peut aussi le servir simplement comme digestif, car il finit agréablement un repas. ★★★★ **TD**

Canada, Québec,
Cantons de l'Est
Dry gin
Ungava, 43,1%, Les spiritueux Ungava +11156764 - 35,25$
Originaire d'Angleterre, le gin est fait à partir de baies de genévrier. Pour rendre hommage à la culture amérindienne, Domaine Pinnacle a mis au point cette eau-de-vie unique, ce gin «fait d'une macération d'herbes indigènes de l'Arctique québécois». Nous avons adoré! Il dégage des odeurs intenses de petits fruits, de genièvre, d'érable et de torréfié avec une petite note boisée. Bien fruité en bouche, il évolue longuement sur d'intenses notes d'épices. Excellent! Le servir à l'apéro en cocktail, nature ou sur glace. ★★★★(★) **TD**

Canada, Québec, Frelighsburg
Vodka
Quartz Premium Vodka, 41%, Les spiritueux Ungava +12392451 - 40,25$
Cette magnifique vodka est le fruit d'un partenariat: Lise Watier a dessiné la bouteille en forme de cristal de roche ? tel un bijou, et le Domaine Pinnacle a élaboré la recette avec de l'eau pure et cristalline de marque Eska, puisée à même un esker de glace. Voici une vodka pure, élégante, délicatement parfumée. Une vodka d'une grande finesse aux arômes délicats floraux et épicés qui explosent littéralement en bouche avec beaucoup de longueur. Superbe! Soit on la sert glacée nature, soit on la boit en dégustant du caviar sur blinis, ou du saumon mariné-fumé avec crème sure aux câpres. Dans des cocktails, ce n'est pas mal non plus. Un produit raffiné et racé! ★★★★★ **TD**

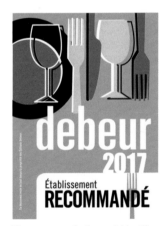

Établissement
RECOMMANDÉ

Vous pouvez facilement identifier les établissements recommandés par le guide **Debeur** grâce à cet autocollant millésimé.

INDEX DES VINS PAR PAYS

VINS ROUGES

Ricardo Monastrell, Bodegas Lo Nuevo
+12743725 - 16,85$ **181**

Tempranillo Ibéricos, Miguel Torres
+11180342 - 17$ **181**

Gran Coronas Reserva, Miguel Torres
+00036483 - 21$ **184**

Celeste Crianza, Seleccion de Torres
+11741285 - 22,05$ **185**

Frontaura Aponte Reserva Toro, Palacio de
Los Frontaura Y Victoria +12259407 -
25,35$ **186**

Petalos Bierzo, Alvaro Palacios
+10551471 - 25,35$ **186**

Riu, Combier-Fischer-Guerin
+12134170 - 32$ **188**

VIN FORTIFIÉ

Puerto Fino Solera Reserva, Emilio Lustau
+11568347 - 20,30$ **189**

ÉTATS-UNIS

VINS BLANCS

Chardonnay, R.H. Phillips +00594457 -
14,55$ **167**

Pinot Grigio Private Selection, Robert
Mondavi +12952906 - 17,95$ **168**

Chardonnay Private Selection, Robert
Mondavi Winery +00379180 -
19,95$ **169**

Eve Chardonnay, Charles Smith
+12237195 - 20,55$ **169**

VIN MOUSSEUX

Cuvée Brut Rosé, Mumm Napa Valley
+11442672 - 36$ **175**

VINS ROUGES

Cabernet Sauvignon, R.H. Phillips
Vineyard +10355358 - 14,55$ **180**

Cabernet-Sauvignon Woodbridge, Robert
Mondavi +00048611 - 14,95$ **180**

Big House Red, The Wine Group
+00308999 - 15,05$ **181**

Exp Liaison, R.H. Phillips Vineyard
+11674764 - 17,25$ **181**

Syrah EXP Toasted Head, R. H. Phillips
Winery +00864801 - 17,95$ **182**

Cabernet Sauvignon, Private Selection,
Robert Mondavi +00392225 -
18,95$ **183**

Pinot noir, Blackstone Winery +10544811
- 18,95$ **183**

The Dreaming Tree Crush +11975102 -
19,50$ **184**

Zinfandel Vintners Blend, Ravenswood
+00427021 - 19,50$ **184**

FRANCE

• ALSACE

VINS BLANCS

W3, Wolfberger +12284792 -
17,90$ **168**

Riesling Réserve, Willm +00011452 -
18,70$ **168**

Pinot Blanc, F.E. Trimbach +00089292 -
19,55$ **169**

Riesling, F.E. Trimbach +11305547 -
23,75$ **170**

VIN MOUSSEUX

Wolfberger Brut, Cave Vinicole Eguisheim
+00732099 - 20,95$ **173**

• BORDEAUX

VINS ROUGES

Château de Goëlane, Castel Frères
+11770220 - 18,80$ **182**

Château La Croix des Moines, Jean-Louis
Trocard +00973057 - 28,75$ **188**

Pomerol, Jean-Pierre Moueix +739623 -
34$ **189**

• BOURGOGNE

VINS BLANCS

Prince Philippe, Bourgogne Aligoté,
Bouchard Aîné et Fils +00143628 -
16,95$ **168**

Bourgogne Aligoté, Bouchard Père & FilS
+00464594 - 17,95$ **168**

Chablis Les Champs Royaux, William
Fèvre +00276436 - 24,95$ **171**

Aligoté Bio Ecocert, Jean Claude Boisset
+12479080 - 25,55$ **171**

VIN MOUSSEUX

Cuvée Perle rare, Louis Bouillot
+00884379 - 23$ **173**

VIN ROUGE

Bourgogne Gamay, Louis Latour
+11979241 - 18,85$ **183**

• CHAMPAGNE

VINS MOUSSEUX

Cuvée Traditionnelle Brut, Champagne
Henri Abelé +11469568 - 49,75$ **175**

Guide du petit sommelier

LES PRINCIPES DE BASE

Pour ne pas vous priver du plaisir de l'achat d'une bonne bouteille de vin, n'achetez pas à la dernière minute. Dans la mesure du possible, évitez de le transporter le jour même de la dégustation. Un vin qui vient d'être secoué risque de vous décevoir. En achetant votre vin à l'avance, cela lui laisse le temps de se remettre de ses émotions et de se reposer dans les meilleures conditions possibles, jusqu'au jour du repas.

Conservez-le à l'abri de la lumière, dans un endroit frais. Attention, le réfrigérateur ne peut pas servir à stocker vos bouteilles. On l'utilise uniquement le temps de les rafraîchir quelques heures, tout au plus une journée avant le service. Il n'est pas recommandé non plus d'apporter le vin rouge dans la salle à manger quelques heures avant de le servir sous prétexte de le "chambrer", c'est-à-dire de l'amener à la température de la pièce. Cette méthode date d'une époque où les maisons avaient une température ambiante de 15° à 18°C. Depuis, pour notre confort, nous avons inventé le chauffage et nos thermomètres grimpent jusqu'à 23°C, ce qui est trop chaud pour le vin.

Température du vin

Chaque vin a des qualités qui lui sont propres, mais chacun atteint sa plénitude à des températures différentes. En général, les vins jeunes, légers et fruités, se servent plus frais que les vins vieux et corsés. Un vin doit rester rafraîchissant à boire. Les vins rouges moyennement corsés à corsés seront bus à 18°C, sans dépasser cette température. Au-delà, ils développent habituellement une forte présence d'alcool et d'acidité qui masquent ainsi leurs belles qualités. Les vins rouges jeunes, plutôt légers et tout en fruit, seront mis en valeur à une température variant entre 13° et 15°C. Les rouges très légers, style Beaujolais, pourront être servis un peu plus frais.

Les vins rosés et les vins blancs secs et demi-secs se prennent assez frais, de 8° à 10°C. Quant aux grands vins blancs secs (Bordeaux et Bourgogne par exemple), ils supporteront un bon 12°C, car trop froids ils perdent leur bouquet. Cependant, plus ils sont doux et liquoreux, plus ils se dégustent froids. C'est valable pour le Sauternes et le Monbazillac entre autres que l'on apprécie à 6°C environ.

L'écart brutal de température: un des pires ennemis du vin

Il faut en effet amener le vin progressivement à sa température idéale. Mettre dans un congélateur une bouteille dont le liquide avoisine 23°C est un crime qu'un dégustateur ne vous pardonnera pas... le vin non plus. Le choc thermique brise les arômes et casse l'équilibre du vin. On dit qu'on le "met à genoux". Pour lui conserver tout son caractère, il faut le refroidir ou le réchauffer en douceur, lentement, le plus naturellement du monde, sans brusquerie aucune.

Comment réchauffer un vin trop froid

Lorsqu'on doit "monter" la température d'un vin trop froid, on conseille de le laisser quelque temps dans une pièce tempérée. Il prendra rapidement quelques degrés de plus. Une autre méthode: une bouteille plongée dans un récipient d'eau tiède à 21°C prendra 6°C en huit minutes. Mais attention, ne réchauffez jamais brusquement un vin en le mettant sous l'eau très chaude, sur une source de chaleur ou au micro-ondes. Enfin, vous pouvez aussi le transvaser dans une carafe dont le verre est chaud. La première méthode suggérée est certainement la plus satisfaisante.

Comment rafraîchir un vin

On propose de l'immerger complètement dans un seau rempli moitié eau, moitié glace. En dix minutes le vin perdra 6°C. Si vous le mettez dans le **bas** du réfrigérateur, il lui faudra une heure pour perdre 6°C. Cette méthode est moins traumatisante. Accordez votre préférence à la méthode la plus lente.

Quant au vin rouge, pour lui faire perdre quelques degrés et le maintenir à la bonne température, l'utilisation d'un seau rempli d'eau bien fraîche du robinet est tout à fait recommandée.

Le débouchage

Tout peut arriver quand on ouvre une bouteille!

Manipulez la bouteille avec douceur pour ne pas secouer le vin. Avez-vous remarqué comment un Champagne bousculé explose avec colère au débouchage? Le vin est plus silencieux, mais il est tout aussi troublé.

Lorsque vous versez le vin, il ne doit jamais entrer en contact avec les matières composant la capsule de protection qui recouvre le bouchon et entoure l'extrémité du goulot. Si la capsule est à base de métal, le risque est grand de donner au vin un mauvais goût.

C'est pour cette raison qu'il est préférable de découper la capsule au-dessous et non au-dessus de la bague de verre affleurant le col de la bouteille.

Ôtez la partie découpée et essuyez le bord du verre avec un linge propre pour enlever toute trace de moisissure. Introduisez le tire-bouchon avec précision, en essayant de ne pas transpercer le bouchon de part en part. Tirez doucement et régulièrement. Après l'extraction du bouchon, essuyez l'intérieur du goulot si nécessaire, avec une serviette de service.

Le Champagne est, quant à lui, chatouilleux. Pour éviter ses débordements, inclinez la bouteille au moment du débouchage, les gaz sortiront sans dégâts en un chuintement suave. En cas de difficultés, recouvrez le bouchon d'une serviette humide et faites quelques mouvements de rotation.

Choisir le tire-bouchon

Un tire-bouchon ne doit être un accessoire de torture ni pour vous ni pour le vin. Il doit extraire le bouchon sans vous obliger à agiter la bouteille ni en modifier la position. Les meilleurs sont ceux qui ne requièrent ni muscles ni efforts démesurés de votre part. Préférez le tire-bouchon à levier, à vrille large et longue, non coupante. Les mieux adaptés sont le traditionnel tire-bouchon du sommelier, le "limonadier" des barmen et le "screwpull" qui tous trois prennent appui sur la bouteille. Le "screwpull" est considéré par plusieurs comme un des meilleurs tire-bouchons. Son inventeur, un Texan, s'est inspiré des techniques de forage pétrolier. Un seul geste suffit, que dis-je un doigt suffit; un enfant peut l'utiliser.

Humer le bouchon

Après avoir ouvert la bouteille, humez et palpez discrètement le bouchon. Il ne doit sentir que le vin. Une forte odeur ou une moisissure annoncent un vin bouchonné, à cause d'un bouchon défectueux ou des mauvaises conditions d'entreposage. Un bouchon sec, trop étroit, sortant facilement de la bouteille peut favoriser une oxydation. Pour éviter ces inconvénients désagréables, placez toujours vos vins à l'horizontale et n'achetez pas de bouteilles ayant séjourné longtemps debout. Le bouchon doit rester en contact constant avec le liquide pour assurer par son gonflement une fermeture hermétique. Sinon, avec le temps, il se dessèche, réduit de volume, et laisse pénétrer dans la bouteille suffisamment d'air, créant ainsi un risque d'oxydation. Le manque d'humidité dans la cave peut également faire suinter (ou couler) le vin par le col.

La décantation

La décantation consiste à transvaser le vin d'un contenant dans l'autre, soit pour l'aérer, donc pour l'oxygéner, soit pour le débarrasser des dépôts qu'il contient, soit pour effectuer ces deux opérations. En fait, il serait plus facile et plus logique d'appeler chaque manipulation d'un nom différent. La première opération serait l'oxygénation et la seconde, la décantation.

L'expertise humaine et les raffinements technologiques nous permettent de contrôler plus précisément qu'autrefois le comportement du vin. Nous savions déjà qu'il était inutile d'ouvrir à l'avance les vins blancs secs, les vins rosés, les vins rouges et fruités et les vins très vieux, puisque ceux-ci dégagent le maximum de leurs arômes et de leur bouquet dès l'ouverture de la bouteille.

Des études récentes ont démontré qu'il n'est plus nécessaire d'ouvrir une bouteille à l'avance pour laisser le vin respirer. En effet, la surface de liquide en contact avec l'air à la sortie du goulot est trop réduite pour permettre une oxygénation satisfaisante. Certains vins rouges assez durs ou corsés développent leur bouquet après une petite aération (oxygénation). Vous pouvez les oxygéner en les transvasant dans une carafe à décanter ou en les servant un peu à l'avance dans les verres. Toutefois, certains vins exigent une décantation.

LE SERVICE DU VIN

Le vin, matière vivante, accompagne la destinée de l'homme depuis les dieux de l'Olympe, à qui Ganymède versait l'ambroisie, jusqu'à nos tables où un sommelier, détenteur de secrets divins, nous verse un nectar patiemment affiné. À la maison, c'est à l'hôte que revient cette tâche.

Pour servir le vin à table, soulevez la bouteille avec précaution en la tenant par le milieu du corps et faites couler le liquide le long des parois du verre, sans prendre appui sur celui-ci. Relevez la bouteille dans un mouvement de rotation pour retenir la dernière goutte. Vous pouvez aussi l'essuyer discrètement avec le linge de service, ou utiliser éventuellement un anneau attrape-gouttes.

Quelle quantité servir ?

On ne remplit pas les verres à ras bord, un quart à un tiers suffit pour les dégustations. Dans le cadre d'un repas, un demi-verre convient. Mais tout cela dépend du type de verre et de sa capacité totale. Le volume d'air restant au-dessus du liquide va permettre au vin de s'aérer et de mettre en valeur ses arômes. Habituellement, on prévoit une bouteille pour 6 à 8 convives.

Combien de bouteilles ?

Pour un repas, une demi-bouteille par personne paraît raisonnable. Considérant que plus les convives sont nombreux, plus la consommation est élevée, il serait sage de prévoir une bouteille par personne. Ne les ouvrez pas toutes, gardez-les en attente au cas où... On remarque que l'on boit plus de vins légers et de vins ordinaires qu'un très grand vin, et davantage au début du repas qu'à la fin.

Ordre des vins

En général, il vaut mieux commencer par les vins mousseux, puis les vins blancs, les rosés et enfin les vins rouges. Bien entendu, selon la force de chacun. On va du frais au chambré, du plus léger au plus corsé, du plus jeune au plus vieux, du plus sec au plus doux (sucré), avec cependant quelques exceptions. On pourrait dire que l'on va du plus faible au plus fort, en une progression agréable, sans oublier qu'un vin ne doit ni écraser, ni faire regretter l'autre.

Le service du vin au restaurant

Afin de profiter pleinement d'un bon repas au restaurant, voici quelques attitudes suggérées.

Ne pas accepter:
– un vin blanc givré, car une température trop basse masque les défauts du vin et fait disparaître le bouquet.
– un vin rouge servi trop chaud, qui a été "chambré" en salle à manger à 24°C, température ambiante. La chaleur développe une forte présence d'alcool et

d'acidité qui masquent les qualités du vin.
– le soi-disant sommelier qui tournicote la capsule en boucles savantes sur le goulot, pour le rendre plus beau. Demandez-lui gentiment de bien vouloir la couper sous le bourrelet pour l'enlever, surtout si elle est faite de matière métallique. Quand il sert le vin, il doit prendre garde que le liquide n'entre pas en contact avec les bords de la capsule, car cela risque de lui donner mauvais goût.
– que l'on remplisse votre verre à ras bord. Le vin a besoin d'un espace suffisant pour s'aérer et se développer pleinement.
– que le garçon vide la bouteille dans six verres, alors que vous êtes sept à table.
– que l'on vous serve le vin blanc avant qu'il n'ait atteint sa température de service. Demandez qu'on le laisse dans le seau plus longtemps. Le seau ne doit pas être rempli de glace vive mais bien mi-eau, mi-glace.
– d'être servi généreusement en attendant indûment que les plats arrivent.

Retourner:
– une bouteille décachetée à l'avance. Celle-ci doit être ouverte devant vous, après que vous ayez pris connaissance de l'étiquette, ceci afin d'éviter toute erreur de vin et de millésime.
– un vin "bouchonné" (forte odeur de bouchon, goût de bouchon).
– un Champagne sans bulles, un vin éventé, une bouteille sur les parois de laquelle des bulles se forment. Dans ce cas, le vin n'a pas été stabilisé, ou a été embouteillé trop tôt.
– un vin "piqué" (aigre et acide, légèrement pétillant).

LA DÉGUSTATION DU VIN

Souvent, nous avalons notre vin d'un trait, distraitement, l'esprit ailleurs et nous nous privons d'un grand plaisir, celui de la dégustation. Un bon vin mérite mieux qu'un coup d'oeil et une déglutition rapide, une langue distraite et un nez paresseux. Prenons le temps de l'observer, de le mirer, de le goûter, de le mâcher, de le faire rouler, de l'avaler tendrement et d'être attentif à la sensation qu'il laisse en nous.

Comment l'aborder

De prime abord, la dégustation semble une activité réservée à une certaine élite. Pourtant, chacun de nous peut devenir un dégustateur acceptable en moins d'un an. Il suffit d'aimer le vin, de vouloir partager ses connaissances et ses hésitations avec d'autres, de se fier sans crainte à ses propres impressions ou de se ranger à celles des autres si elles corroborent les nôtres. Il faut goûter, regoûter, comparer et goûter encore. La dégustation demande de la pratique, de la concentration et surtout une excellente mémoire, car en réalité, nous "sentons" davantage les goûts.

Quant au vocabulaire utilisé à profusion par les connaisseurs, il sonne à nos oreilles de profane comme une langue étrangère. Le langage du vin s'exprime en images, en couleurs, en odeurs, en saveurs, etc. Mais quel que soit le vocabulaire, déguster demeure un plaisir. Toujours assoiffés de connaissances, les dégustateurs chevronnés recherchent la joie de la découverte, l'appréciation du goût et la comparaison avec d'autres expériences. Chaque fois renouvelé, différent selon le lieu et le moment, le vin est un ami que l'on aime pour sa constance, mais aussi pour sa versatilité. Le cheminement de la dégustation fait appel à la vue (aspect visuel), au nez (aspect olfactif) et au goût (aspect gustatif).

L'ASPECT VISUEL
se juge avec l'oeil

Il examine la robe, la limpidité et la viscosité du vin. La couleur du vin change avec l'âge et avec le temps, le vin rouge s'éclaircit puis brunit, le vin blanc fonce.

L'ASPET OLFACTIF
se perçoit avec le nez

Celui-ci apprécie l'arôme et le bouquet à travers les senteurs qui nous rappellent par analogie les fruits, les fleurs, les herbes, le sous-bois, les épices, etc. ou d'autres moins agréables de moisi, de bouchon, de soufre, de vinaigre ou d'oeuf pourri.

L'ASPECT GUSTATIF implique à la fois la bouche et le nez

La bouche est sensible aux quatre saveurs de base: le salé, le sucré, l'acide et l'amer. D'autres informations peuvent cependant y être décelées comme le chaud, le froid, la texture (épaisse, fluide, rugueuse, etc.), l'astringence, etc. Quant aux odeurs que l'on peut y trouver, ce sont celles qui, de la bouche, reviennent dans le nez par l'arrière-nez (au fond de la gorge). On appelle cela la "rétro-olfaction".

Griserie ou sobriété ?

On dit que nos ancêtres buvaient dur et sec, malgré la désapprobation du clergé qui voyait là une source de turpitudes morales. Ils passaient des heures à préparer amoureusement leur vin de table. Ce vin, parfois alourdi de dépôts, riche en alcool, leur permettait de se soigner mais aussi de traverser plus agréablement les rudes mois de l'hiver. Aujourd'hui, nous n'avons pas les mêmes besoins; aussi devons-nous être plus sobres.

Marche à suivre

Avant de déguster, il faut avoir la bouche vierge, s'abstenir de fumer, de sucer des bonbons, de boire un alcool trop fort. Ne pas être enrhumé ni porter un parfum pénétrant. Pour une dégustation, mangez trois ou quatre heures avant, n'arrivez pas l'estomac trop plein ou trop vide.

1) Remplissez le verre (si possible un verre à dégustation genre INAO) au tiers et saisissez-le par la base du pied.
2) Observez le vin sur un fond blanc, en inclinant le verre pour regarder la couleur, la limpidité, la profondeur et la viscosité. Les connaisseurs y trouvent des indications pour deviner l'âge. Un vin blanc clair annonce un vin jeune, un vin rouge aux reflets brunâtres ou tuilés dénote un vin plus vieux.
3) Faites tourner le vin en un mouvement circulaire tranquille pour libérer les arômes.
4) Piquez le nez dans le verre après avoir vidé l'air de vos poumons et inspirez profondément. Répétez cette opération plusieurs fois pour découvrir toutes les odeurs. Elles seront discrètes et courtes ou longues et puissantes.
5) Faites tourner le vin à nouveau mais plus brutalement, sans le vider sur la table, d'un mouvement plus sec.
6) Plongez une nouvelle fois votre nez dans le verre. Vous allez déceler d'autres odeurs, peut-être des qualités nouvelles ou des défauts que l'agitation brusque aura dégagés.
7) Prenez une première gorgée pour évaluer le vin. S'ajouteront alors la perception d'acidité, de sucre, de tanins et de minéraux.
8) Mâchez le vin, faites-le rouler et tourner partout dans votre bouche. Si vous le pouvez, aspirez une petite quantité d'air comme si vous vous gargarisiez. Les saveurs vont alors se combiner à la chaleur de l'alcool.
9) Pour terminer, avalez-le. C'est à ce moment-là que vous pourrez noter vos impressions. Fiez-vous à votre propre goût et à vos perceptions personnelles. Si possible, utilisez le vocabulaire du vin.

La dernière impression est celle qui reste après que l'on ait avalé. Il s'agit de la P.A.I. (persistance aromatique intense). Les grands vins persistent en bouche de 12 à 30 secondes, parfois plus, les bons vins un peu moins longtemps et les vins ordinaires ne laissent rien.

Si la persistance est longue, le langage devient imagé. On dit d'un vin qui s'épanouit dans la bouche qu'*il fait la queue de paon*, que c'est *le petit Jésus en culotte de velours* ou plus simplement qu'*il est bien en bouche* et qu'*il est généreux*. **D**

Tourisme et gastronomie

Saint-Tropez
ça se mérite!

Par Huguette Béraud et Thierry Debeur
Photos ©2016 Debeur

Vue générale de Saint-Tropez et de son port, prise de la Citadelle *(Photo Debeur)*

«Saint-Tropez, ça se mérite!», nous lance pour toute excuse **Claude Maniscalco**, directeur de Tourisme Saint-Tropez, après avoir manqué deux autres rendez-vous avec nous, auxquels nous nous étions rendus, pour rien. «Figurer dans le *Guide Debeur*, ça se mérite aussi», lui répondis-je. Nous n'avons pas très bien saisi tout de suite l'esprit des Tropéziens. Apparemment très indépendants, ils vivent en circuit fermé où l'étranger doit faire preuve de beaucoup de ténacité pour s'intégrer. Mais, avec le temps… tout se bonifie.

Heureusement, nous avons eu la chance de rencontrer des personnages passionnés, amoureux de leur ville et de son histoire. Tout d'abord monsieur le maire, **Jean-Pierre Tuveri**, qui offre une large vision de Saint-Tropez, tenant compte de son intégration dans l'évolution du tourisme et de la protection de sa culture. Ainsi que madame **Simone Duckstein**, propriétaire de l'hôtel La Ponche, un des lieux mythiques de Saint-Tropez. Nous avons aussi rencontré **Stéphane Personeni**, directeur général de l'hôtel Byblos, ainsi que **Olivier Valentin**, directeur de l'hôtel le Mas de Chastelas, des gens soucieux de la qualité de l'offre gastronomique et hôtelière de Saint-Tropez et de sa région.

C'est sans compter les vignerons, ces gens de la terre, passionnés et sincères, qui portent, au-delà de leur région, un message de convivialité et de plaisir.

Découvrons donc cette cité, pas à pas, au vrai sens du terme puisque nous avons commencé par une visite à pied. Mais rencontrons d'abord son maire, Jean-Pierre Tuveri.

Préparation du départ des Voiles latines

Jean-Pierre Tuveri

Entrevue avec Jean-Pierre Tuveri, maire de Saint-Tropez

Thierry Debeur: Comment Saint-Tropez a-t-il su résister au tourisme de masse, notamment avec le jet-set qui a fait sa réputation?

Jean-Pierre Tuveri: Il a fallu nous adapter à l'évolution moderne du tourisme de masse pour préserver justement l'âme de Saint-Tropez, l'adaptation étant une des conditions de la survie. Les Tropéziens sont très attachés à leur ville et à leurs traditions. Il y a d'ailleurs un conservateur en titre des traditions, le cépoun, et des manifestations culturelles appelées les bravades. C'est une manifestation militaro-religieuse, pa-

tronale et votive, qui retrace depuis 1558 ce vaillant passé de la ville, que les Tropéziens célèbrent avec une très grande foi, car ils sont très attachés à leur cité et à leur saint patron, **saint Tropez**.

TD: Autre aspect culturel, parlez-moi de la tradition culinaire tropézienne?

JPT: La gastronomie tropézienne s'est forgée à partir des influences méditerranéennes, notamment italiennes et provençales. Durant l'entre-deux-guerres et après la Deuxième Guerre mondiale, des établissements ont contribué à développer cette tradition culinaire tropézienne. Aujourd'hui celle-ci s'est diversifiée, car nous avons la chance d'avoir un certain nombre d'établissements de qualité sur la presqu'île et notamment à la commune de Saint-Tropez, dirigés par des chefs qui enrichissent l'offre culinaire tropézienne.

TD: Pouvez-vous me citer quelques spécialités tropéziennes?

JPT: Parmi les recettes populaires, on retrouve la tarte tropézienne, les petits farcis ou la bouillabaisse qui est issue d'une longue tradition et diffère de la

Saint-Tropez vue de la mer *(Photo prise à bord du Brigantin II)*

bouillabaisse marseillaise par exemple. On peut considérer que la bouillabaisse est un plat typiquement tropézien!

SAINT-TROPEZ

Aujourd'hui port de plaisance et destination touristique, la ville de Saint-Tropez est située sur une presqu'île, plantée de nombreux vignobles, découpée de plusieurs caps sur la mer dont les plus connus sont Camarat, Tayat et Lardier. Plusieurs petites routes la sillonnent, constituant des lieux de promenades pittoresques à travers de charmants villages comme Ramatuelle et Gassin, pour lesquels une halte s'impose.

Saint-Tropez fut d'abord lieu de retraite des artistes de toutes disciplines. Ce village est vite devenu un lieu de tourisme trépidant, attirant tout le jet-set français, italien, américain ainsi que de nombreux curieux avides de le côtoyer. Les terrasses se sont multipliées, les boutiques ont poussé, le port s'est rempli de yachts luxueux. Aujourd'hui le charme opère encore!

Excursions

Les deux premières choses à faire en arrivant:

La visite guidée, faite à pied en déambulant dans les ruelles de la ville. On part de l'Office du tourisme sur le port, à côté de Sénéquier. En com-

pagnie d'un guide, on se plonge dans une jolie balade à la fois historique et culturelle de la ville médiévale.

La balade en mer montre un aspect de Saint-Tropez très différent. Une vue globale, en dehors des murs, fait découvrir la ville fermée sur les possibilités d'attaques extérieures des époques anciennes. Un joli coup d'œil! Vaut mieux les départs du matin pour bénéficier de l'orientation du soleil qui permet de plus belles photos. Après avoir quitté la ville en bateau, on longe la côte et on découvre des propriétés appartenant à des gens célèbres comme **Brigitte Bardot, le roi de Suède,** la famille **Hilton,** le groupe **BMH, Dior, Louis Vuitton** ou

La Citadelle dominant Saint-Tropez, qui abrite le Musée de la marine

louées à **Sylvester Stallone, Georges Clooney,** etc.

Nous avons choisi **Croisières Brigantin II.** Le père, **Jean-Pierre Vasse,** possédait un chantier naval dans les années 1960 et proposait des excursions aux touristes. Compte-tenu que son épouse travaillait chez Brigitte Bardot et que lui-même s'occupait de l'entretien des bateaux de gens célèbres, on lui demandait souvent des renseignements à leur sujet. Cela lui a donné l'idée de créer ce type d'excursion sur le jetset. Une entreprise reprise par son fils **Stéphane** et son équipe. Une très belle aventure émaillée de commentaires et anecdotes.

Le Sentier des douaniers est une promenade pédestre de 30 km. Il part du bout du port de Saint-Tropez, au pied d'une des quatre tours d'angle de l'ancienne enceinte. On apporte un piquenique.

Quelques bonnes tables

La Bravade et le buste de saint Tropez

Terrasse de la chambre qu'occupait Brigitte Bardot à L'hôtel La Ponche

Restaurant La Ponche
Hôtel La Ponche
3, rue des Remparts, Saint-Tropez
06 08 92 68 65 | www.laponche.com
Autrefois petit port de pêche situé à l'arrière du port de villégiature de la ville de Saint-Tropez, au pied de la Citadelle, **La Ponche** est un quartier du vieux village qui a vu se dérouler une partie de son histoire. Mais c'est aussi un petit bar, créé par **Marguerite Armando,** la mère de la propriétaire actuelle, **Simone Duckstein.** Un lieu où les pêcheurs venaient se reposer, boire un pastis ou un verre de vin. Au fil des ans, le **Bar de La Ponche** s'est transformé en un petit bar-restaurant, puis en hôtel, **La Ponche,** qui abrite une excellente table dont la terrasse et les fenêtres s'ouvrent sur la mer Méditerranée. De nombreux personnages célèbres venaient s'y défouler et même loger sur place comme **Colette, Françoise Sagan, Juliette Greco, Daniel Gélin, Annabel, Gunter Sachs, Jack Nicholson, Romy Schneider.** Un second Saint-Germain-des-Prés, à l'abri des folies de la guerre. Le Club Saint-Germain, une discothèque, y a même élu domicile à l'instigation de **Boris Vian.**

On y a tourné des films avec **Brigitte Bardot.** Celle-ci y séjourna de nombreuses fois avant d'acheter la fameuse Madrague. Mais ce sont tout d'abord les peintres et les poètes de l'époque qui ont popularisé la ville et incité le jet-set à y élire domicile durant les belles journées d'été. Des personnages comme **Si-**

Simone Duckstein, son chef Axel Guimiot et la directrice du restaurant La Ponche, Mélanie

Vincent Maillard, chef du Rivea au Byblos

Terrasse couverte de l'hôtel La Ponche installée au même endroit qu'au temps du Bar de la Ponche

gnac, Bonnard, Matisse, Picasso et plus récemment **Jacques Cordier** l'ont peinte sous tous ses angles.

Simone Duckstein, grande amoureuse de sa ville, veille à perpétuer son histoire et son rôle d'accueil institué par sa famille. Une dame charmante, accueillante, distinguée et d'une grande simplicité. Pour elle, le client est un ami, elle veut ce qu'il y a de mieux pour lui et s'y emploie avec ardeur. Elle a loué puis acheté les maisons de village mitoyennes, agrandissant, rénovant, créant des espaces intimes, des terrasses avec des vues apaisantes, tout en conservant le caractère provençal des murs.

Le restaurant La Ponche, c'est aussi une brillante cuisine provençale authentique: petits farcis maison, papillons de sardines marinées, soupe de poisson, tarte au citron meringuée. Un lieu où un personnel stylé, mais pas du tout guindé, circule à pas feutrés à travers de petites salles imprégnées du passage des gens célèbres qui y ont mangé et qui y mangent encore.

Restaurant Rivea

Hôtel Byblos
20, av. Paul Signac, Saint-Tropez
04 94 56 68 00 | byblos.com
Un village dans la ville, à l'image du port de Byblos, petites maisons et ruelles à flanc de colline! On a tourné plusieurs films ici aussi. Dans les années 1960, un riche Libanais, Prosper Gay-Para, a fait construire l'hôtel Byblos pour séduire Brigitte Bardot, qui ne voulait pas se dé-

Poitrine de canette, betteraves et navets au nougat

Loup sauvage, courgettes fleurs

Sériole (poisson) mariné dans le citron et le fenouil

placer à l'étranger… Il allait chercher à reproduire le Liban au cœur de Saint-Tropez. Mais un grand amour destinait plutôt la star à Gunter Sachs… Ce beau bâtiment est devenu au fil du temps un magnifique hôtel avec un grand restaurant. **Vincent Maillard,** le chef actuel, a travaillé avec **Alain Ducasse.** Il fait une cuisine délicieuse, recherchée, goûteuse, inventive, bien équilibrée dans les saveurs et spectaculaire dans l'assiette. Un lieu magique qu'on pourrait croire guindé, mais qui, au contraire, grâce à son directeur général **Stéphane Personeni,** sait doser l'extrême convivialité avec le bien-être du client-roi traité ici comme s'il était chez lui. Après un apéritif à la provençale, servi par le chef sur un billot de bois en cuisine, nous avons mangé un magnifique repas sur la terrasse abritée par de grands arbres.

La célèbre terrasse Sénéquier, sur le port

Sénéquier
Quai Jean Jaurès
Saint-Tropez
04 94 97 20 20
senequier.com
Ne pas manquer de passer une heure ou deux à la terrasse de Sénéquier sur le port, une autre institution à Saint-Tropez. «L'endroit pour voir et être vu.» Les Sénéquier ont débuté par l'ouverture d'une pâtisserie située à l'arrière, à laquelle on accède encore aujourd'hui par la place aux Herbes. Elle s'est fait connaître surtout pour son fameux nougat, un incontournable qu'il faut avoir goûté avant de quitter Saint-Tropez.

La Table du Marché
11, rue des Commerçants, Saint-Tropez
04 94 97 01 25 | christophe-leroy.fr
À deux pas du Vieux-Port, un tout petit bistro avec boutique gourmande (pâtisseries, viennoiseries, tartes, épicerie fine). Un lieu à l'ambiance *cosy* qui a su conserver son authenticité. Espace boutique au rez-de-chaussée et cuisine d'inspiration provençale à l'étage.

Restaurant L'Acacia
Hôtel Château de la Messardière
Palace cinq étoiles
2, route de Tahiti, Saint-Tropez
04 94 56 76 00 | messardiere.com
Un complexe hôtelier recherché, au charme mi-rococo mi-moderne et d'influence mauresque, culminant au sommet d'une colline qui domine la plage de Pampelone, côté terrasse; Saint-Tropez et sa baie, côté piscine. Beau, chic et cher! Nous y avons dégusté un bon repas, les yeux rivés sur la pinède et la mer.

Bar, carottes, purée de pois vert

Nougat et sorbet aux fruits

GUIDE DEBEUR 2017

Terrasse de La Table du Mas

La Table du Mas

Hôtel Mas de Chastelas
Quartier Bertaud
route de Saint-Tropez, Gassin
04 94 56 71 71 | chastelas.com

C'était un des endroits à la mode, recherché des intellectuels et des artistes des années 1970. Cette bastide du 18e est devenue un hôtel-restaurant de luxe. Planté entre vignes et boisé, l'hôtel a su garder son authenticité provençale tout en bénéficiant du confort contemporain. Un lieu bourré d'histoire, un endroit magique, hors du temps!

Rouget-barbet désarêté

Asperges vertes, galette de blé noir, oeuf bio, jus de riquette

En 2012, l'hôtel et le restaurant ont pris un nouvel essor sous la direction d'**Olivier Valentin,** l'ancien directeur du palace **Château Beauvallon.** On y sert une cuisine évolutive savoureuse. L'excellent chef **Mathieu Héricotte** s'y exprime de façon remarquable.

Citron en tarte meringuée

La fraise en vacherin

Une cuisine méridionale revisitée avec des produits frais de la région, déclinés de plusieurs façons. Une excellente assiette! On mange sur une jolie terrasse ombragée au bord de la piscine. Décor romantique, service stylé mais pas emprunté.

Restaurant La Ramade

Cuisine provençale
3, rue du Temple, Saint-Tropez
04 81 58 67 | Voir page Facebook

Situé derrière la place des Lices, un petit restaurant très sympathique avec sa cuisine provençale familiale (viandes et poissons grillés dans la cheminée, du tian, de la daube) et sa terrasse nichée dans un jardin ombragé abondamment fleuri.

L'Opéra Saint-Tropez

Résidence du Port, Saint-Tropez
04 94 49 51 31
opera-saint-tropez.com/fr

On y mange à une terrasse surélevée qui permet un joli coup d'œil sur le vieux port et la ville de Saint-Tropez. Un décor glamour blanc et doré, moderne, époustouflant, service agréable, repas raffiné avec de beaux efforts dans les présentations. C'est abordable le midi.

Détail d'une des sculptures en céramique que l'on peut admirer au fond de la terrasse de la Table du Mas, côté piscine

Marchand de fruits et légumes

Boulangerie-pâtisserie Aux deux frères

Marchés publics

Marché public de Saint-Tropez

Place des Lices
Chaque mardi et samedi matin se tient sur cette place un grand marché provençal très coloré. Vers 18h, on y joue des parties de boules animées.

Marché aux poissons

Entre le port et la place aux Herbes, il se niche dans une des quatre tours de garde. Dans ce petit marché, il y a deux côtés: si on arrive du port, on trouve les produits des pêcheurs à gauche, ceux des revendeurs à droite. Il faut faire la différence. C'est ouvert tous les jours de 8h à 13h.

Marchand d'ail

Gourmandises

Aux deux frères

Boulangerie-pâtisserie
7, rue des Commerçants, Saint-Tropez
Selon **Françoise Leberre,** une des meilleures guides de Tourisme Saint-Tropez, ce commerce fondé en 1830, serait la plus ancienne boulangerie du vieux village. On y produit de façon artisanale des tartes tropéziennes et des tartes aux abricots brûlés.

La Tarte tropézienne (Micka)

Plusieurs adresses tant à Saint-Tropez que dans les environs
latartetropezienne.fr
La fameuse tarte tropézienne est une galette plate, faite de brioche garnie d'une sorte de crème bavaroise (moitié crème pâtissière et moitié crème fouettée) et finie avec du sucre en grain sur le dessus. Alexandre Micka a eu le génie de déposer cette recette qui existait déjà bien avant le dépôt du brevet. On l'appelait aussi piqûre d'abeille.

Barbarac

Crèmes glacées et sorbets à emporter
2, rue Général Allard, Saint Tropez
04 94 97 67 83 | barbarac.fr
La glacerie Barbarac, qui signifie «glace» en arménien, a été créée à Saint-Tropez en 1986 par **Harry Teneketzian.** Il s'y fait d'excellentes crèmes glacées et des sorbets artisanaux à base de produits frais et naturels, dans la pure tradition italienne importée par Catherine de Médicis.

Alain Rondini, artisan sandalier

Artisanat

Rondini

Sandales tropéziennes
18-18 bis, rue Georges Clémenceau, Saint-Tropez
04 94 97 19 55 | rondini.fr
De très belles sandales faites à la main, de façon très traditionnelle, dans des cuirs de toute première qualité. **Alain Rondini,** quatrième génération, conçoit encore les modèles qu'ont portés Colette, Marlène Dietrich, Brigitte Bardot et autres célébrités. Ces sandales tropéziennes, simplement faites d'une semelle et de lanières de cuir, rappellent les spartiates, mais en plus élégant.

Musée de la gendarmerie et du cinéma

Autres intérêts

Musée de la gendarmerie et du cinéma de Saint-Tropez

À côté de l'Hôtel de Paris
2, place Blanqui, Saint-Tropez
04 94 55 90 20
fr-ca.facebook.com/mgcsainttropez/
Ouvert fin juin 2016, ce musée interactif nous fait entrer dans l'univers de la série des films du *Gendarme de Saint-Tropez*, tournés sur les lieux mêmes. La façade a été conservée et restaurée en l'état.

La Citadelle de Saint-Tropez
Musée de l'Histoire maritime

sainttropeztourisme.com
Des salles remplies d'artéfacts nous racontent l'histoire de la marine. Les visiteurs peuvent aussi se promener dans le parc pour admirer la ville de Saint-Tropez à partir des hauteurs de la Citadelle. N'oubliez pas vos appareils photo.

Musée de l'Annonciade

Place Grammont, Le Port, Saint-Tropez
04 94 17 84 10
sainttropeztourisme.com
Le public peut y voir des œuvres de peintres comme **Signac**, qui ont participé à la réputation de Saint-Tropez en peignant des scènes de rue et des paysages de la ville.

Vignobles

Château Barbeyrolles

Presqu'île de Saint-Tropez, Gassin
04 94 56 33 58 | barbeyrolles.com
Régine Sumeire est la créatrice de la couleur pâle, légèrement saumonée, moderne et chic des rosés de Provence. Une couleur synonyme d'élégance qui a

Régine Sumeire, vigneronne

Laurent Natalini, Véronique Gartich, sa maman Ariane et son fils Florent

été largement imitée par de nombreux vignerons de l'appellation et au-delà. Son fameux rosé Pétale de rose fut à l'origine de cette évolution. Et si les vins provençaux sont mieux connus, c'est en grande partie grâce au dynamisme de cette femme de tête.

Parmi ses produits, on remarque bien sûr la cuvée **Pétale de rose,** un rosé exceptionnel, très pâle, élégant et féminin, ainsi que le **Château Barbeyrolles,** soyeux et charpenté à la fois, long en bouche. Celui-ci est un grand vin rouge de Provence; seuls les grands millésimes sont mis en bouteille. Ces deux vins sont en vente à la SAQ.

Cave du Château des Marres

Château des Marres
Route des Plages, Ramatuelle
04 94 97 22 6
chateaudesmarres.com
Originaire de Ramatuelle, la famille **Benet-Gartich** y produit des vins depuis le 17e siècle. En 1907, elle achète ce domaine que **Véronique Gartich**

gère avec l'aide de sa famille et de son gendre **Laurent Natalini,** responsable des ventes. Une solide équipe qui produit avec cœur et sincérité un éventail diversifié de produits de qualité. Voici donc un domaine et une famille d'experts et de passionnés, liés par une histoire vinicole séculaire.

Avec de la syrah et du vieux grenache, on peut faire de grands vins rouges, selon Laurent Natalini. Il considère que le très populaire cabernet-sauvignon n'a pas d'avenir sur les terres des côtes de Provence, notamment à cause du réchauffement planétaire qui affecte ce cépage par un stress hydrique important. Cela a pour conséquence de démultiplier le goût végétal, celui de poivron, qui n'est plus au goût du consommateur.

Domaine de la Rouillère
Route de Ramatuelle (D61), Gassin
04 94 55 72 60
domainedelarouillere.com
Un grand domaine avec un héliport et des installations impeccables. L'entreprise prône une philosophie alliant le savoir-faire ancestral avec les méthodes modernes de culture et de vinification. Beaucoup de dynamisme et le résultat est là… dans la bouteille, qui se retrouve sur les plus grandes tables, selon **Magali Laget,** la copropriétaire. Nous avons particulièrement apprécié son vin rosé, élégant, fruité et floral, un vin à l'image de son terroir.

Vignoble La Ferme des Lices

Yann Cherici, oenologue et directeur d'exploitation du Domaine de la Madrague

La Ferme des Lices

Chemin des Treilles de la Moutte, Saint-Tropez
0 4 94 59 12 40 | fermedeslices.fr

La Ferme des Lices est un ancien domaine vinicole morcelé et vendu en huit lots pour y construire des villas. L'œnologue **Laurence Berlemont** s'est donné la tâche d'y faire revivre les vignes et d'y produire de très bons vins biologiques portant l'empreinte de la région. Une petite production, mais une belle gamme de qualité incluant un superbe vin liquoreux. C'est la seule cave particulière installée dans la commune de Saint-Tropez.

Maîtres vignerons de la Presqu'île de Saint-Tropez

270 RD98, La Foux, Gassin
04 94 56 32 04 |
vignerons-saint-tropez.com

Cette coopérative importante offre une gamme très diversifiée de vins de Provence. L'ancien président de la coopérative, **Pascaud de Gasquet,** est aussi propriétaire du **Château Pampelonne,** vinifié, embouteillé et étiqueté à part, mais commercialisé par le groupe. Son domaine est situé sur la route reliant Saint-Tropez à Ramatuelle. On y produit notamment un grand vin rouge fruité, robuste et puissant, un superbe vin en vente à la SAQ.

Domaine de la Madrague

Route de Gigaro, La Croix-Valmer
04 94 49 04 54
domainedelamadrague.com

La madrague était autrefois un filet de pêche à thon. Les pêcheurs le tiraient du bord de l'eau vers le large et le relevaient le matin.

Voici un domaine qui descend tranquillement vers la mer. Une fois l'an, on amène un cheval pour travailler les sols de la vigne. Le domaine produit des vins bio de qualité, avec de la syrah principalement pour les rouges et du rolle pour les blancs. Des vins majestueux et concentrés.

Des livres

Hôtel de la Ponche
Simone Duckstein, Le cherche midi

Et Saint-Tropez créa La Ponche
Simone Duckstein, Le cherche midi

Explorez Nice et la Côte d'Azur
Sarah Meublat, Guides de voyage Ulysse
Le meilleur pour vos découvertes, en version papier ou numérique

Debeur Marseille-Nice et inversement (accès gratuit)
Un livre numérique coécrit par Huguette Béraud et Thierry Debeur, un ouvrage où les auteurs font part de leurs expériences et leurs découvertes en suivant un circuit routier.
debeur.com/Debeur-Marseille-Nice.pdf

La Madrague de Brigitte Bardot

Voiles latines au po

Quartier de La Ponche

Macarons framboise
La Ponch

Dessert à l'abricot
La Messardière

Artistes peintres sur le por

Bateaux de luxe dans le port

Petit resto dans une ruelle

Adresses utiles

Tourisme Saint-Tropez
8, quai Jean Jaurès, Saint-Tropez
www,sainttropeztourisme.com

Croisières Brigantin II
06 07 09 21 27 (Victoria ou Stéphane) www.lebrigantin.com

Pour le transport

Transat Canada
Pour un vol direct Montréal-Marseille
(vol identique pour Nice)
www.transat.com

Vogages Océane
Nous avons acheté nos billets à l'a-
gence Voyages Océane
450-444-3100 ou 866-644-3100
www.voyageoceane.com

Gamme de vins rosés, Domaine de La Madrague · Château des Marres

Cayo Guillermo de Cuba

Par Huguette Béraud et Thierry Debeur
Photos ©2017 Debeur

Nous avons aimé cet endroit attachant, ces grandes plages fantastiques et la gentillesse des gens.

C'était dur de s'arracher à cette plage féérique de sable blanc à l'infini!

Le fumeur de cigare
Portrait peint par Cancio

Palmeraie au bord de la mer des Caraïbes à l'hôtel Melia Cayo Guillermo

Salsa et rien que de la salsa. Je ne sais pas pourquoi on danse le merengue à Cuba. De la rumba je veux bien, du tango peut-être, mais c'est surtout la salsa qui donne de la couleur à ce pays. De la couleur et du charme aussi, car Cuba est un pays agréable à vivre pour le touriste. Des paysages magnifiques, des plages de sable fin, une mer turquoise, la douceur d'un petit vent rafraîchissant et une cuisine historiquement savoureuse. Que demander de plus?

On a un peu l'impression que le temps s'est arrêté à Cuba. La plupart des voitures datent des années 1950. Bien entretenues, au mieux des possibilités des propriétaires, elles font souvent office de taxis. C'est à bord de l'un d'eux que nous avons parcouru le trajet reliant l'aéroport à l'hôtel. Faites-le, cela dépayse immédiatement et vous prépare à un beau séjour.

Activité de zumba sur la plage

Jetée promenade Hemingway

Nous avons longtemps hésité entre le charme désuet de La Havane et les décors presque polynésiens des cayos (îles en espagnol). Nous avons opté pour Cayo Guillermo, dont le seul accès est une route construite sur l'eau, contrôlée par la police locale. Ainsi, peu ou pas de vendeurs ambulants sur les plages.

Gastronomie

Le plat national c'est l'**ajiaco**, une soupe de pommes de terre (et autres légumes) et viande de porc. L'ordinaire cubain se compose la plupart du temps de riz, de haricots noirs, de banane plantain servie frite, de porc au four, grillé ou

Alejandro, chef des hôtels Mélia de la région

Buffet de mets traditionnels

Crevettes anchilado sur tranche d'ananas

Tarte noix de coco, fruit exotique confit

frit, de cochon de lait à la broche, de poulet à la braise, de hachis de bœuf combiné à du maïs tendre, de yucca, de bananes frites et de beignets de manioc. Une diète surtout orientée vers les légumes et les fruits.

Le **Cerrano Cubitas** est connu comme étant le meilleur café. En ce qui concerne le rhum, le plus réputé est le **Seleccion de Maestros** (cher), puis le **Habana Club** et enfin le **Santiago de Cuba.**

Village des Déportés

Cocktails

Cuba, c'est la capitale du cocktail. On dit même que c'est là qu'il fut inventé. Les plus connus sont le Cuba libre, le mojito et le daïquiri.

L'hôtel au bord de la mer

Hôtel Melia Cayo Guillermo
+53 33 301680
http://hotels.findhotel.fr/Hotel/Melia_Cayo_Guillermo.htm

Le site est très beau, un hôtel magnifique, faisant partie de la chaîne Mélia, mais il a besoin de quelques petites rénovations. L'architecture est belle, aérée, élégante, un peu essoufflée par endroits, mais ce serait très facile à corriger. On dirait que ce n'est pas leur préoccupation première.
Malgré cela, dès le deuxième jour, nous étions conquis et n'avons pas voulu changer d'hôtel. La piscine, peu profonde, est entourée de chaises longues et d'alcôves romantiques avec voilage. Les employés, quant à eux, sont charmants.

cuisine du pays. C'était délicieux, les côtes de porc et le poulet étaient goûteux à souhait, ni trop cuits ni trop durs. Mais c'était le chef des chefs qui se trouvait à la cuisine...

Outre le buffet, l'hôtel offre deux restaurants à la carte, un snack-bar à la piscine, un resto-gril sur la plage, où nous avons rencontré Hemingway statué en grandeur nature, plusieurs bars, un fabricant de churros à la demande. Nous avons aimé la tendreté du filet de bœuf au restaurant **La Lagune** (seul endroit où il faut manger du bœuf).

L'animation est sympathique et se compose de nombreux intervenants, plutôt talentueux, formés au ballet classique. Ils font preuve de beaucoup de gentillesse avec les enfants. Il y a un spectacle chaque soir, plus des musiciens au bar central pour le cinq à sept.

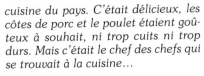
Filet de bœuf au vin rouge, purée de courge

Chevrolet Bel Air 1955

Petit train de la plage Pilar

Spectacle aquatique

La nourriture est bonne, fraîche, avec des crevettes et calmars en abondance assez souvent. La viande est trop cuite, un défaut souvent rencontré dans les Caraïbes. Le buffet comporte de nombreuses stations avec un bon choix de mets si on sait agir avec discernement. **Alejandro**, le chef de tous les hôtels Mélia de la région, est arrivé lors de notre passage et il devrait remettre les pendules à l'heure. **Cet hôtel mérite de redevenir un cinq-étoiles.**

Nous avons fait une entrevue avec Alejandro, et le soir il nous a cuisiné un repas cubain à tendance nouvelle

Animation de l'hôtel Melia Cayo Guillermo

Piscine de l'hôtel Melia Cayo Guillermo

La plage est magnifique, une merveille, longue et large, immense au moment de la marée. Une mer merveilleuse, bleue, émeraude et turquoise… Du sable blanc et fin, un peu de vent rafraîchissant, c'est le rêve! Le chemin d'accès se prolonge par une longue passerelle qui s'avance sur la mer, avec des palapas et des bancs. L'eau est si peu profonde que, même arrivé au bout, on a pied. Il faut marcher longtemps avant d'avoir de l'eau jusqu'à la poitrine. Et il n'y a pas de méchantes vagues. C'est idéal si on a des enfants. Nous avons fait du pédalo, protégés du soleil par le petit toit de toile. Nous avons croisé un kayak et un autre pédalo avec un baigneur à côté d'eux; ils étaient très loin du bord, mais le gars avait encore pied dans l'eau.

Petit irritant: le moustique nommé jejen et la puce de sable à certains endroits. Évitez les buissons de verdure qui bordent le sable.

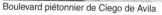

Boulevard piétonnier de Ciego de Avila

Excursions

Spectacular, une excursion culturelle de Cubanacan

On y va en autobus neuf très confortable. On franchira une route construite sur l'eau. Quelque 17 km avec 14 ponts bas permettent à l'eau de la baie des Chiens de passer de part et d'autre. Un circuit plus agréable que culturel, mais quand même. Tout d'abord nous visitons la **Ferme des crocodiles** (américains); on peut s'y faire photographier moyennant 1$US par prise de vue avec un serpent, un petit vautour, un iguane, un petit crocodile et un buffle. Ensuite c'est la visite de la **lagune la Redonda.** Après l'avoir traversée dans un bateau à moteur puissant, nous nous sommes en-

Boulevard piétonnier de Ciego de Avila

Fabricant de bijoux à Ciego de Avila

fiques bijoux faits à partir d'ustensiles de table à l'origine en argent allemand. Aujourd'hui, c'est plutôt un alliage de cuivre, de zinc et d'étain dont l'aspect, une fois poli, ressemble à s'y méprendre à de l'argent.

À l'heure du lunch, nous avons pris un très bon repas cubain dans un resto avec atrium et musiciens, une halte très romantique.

Lors de la visite libre de la ville, nous nous sommes promenés à pied sur la rue principale que longent des magasins aux colonnes doriques et corinthiennes,

Marchand ambulant de fruits et légumes à Ciego de A

Crocodile à La Ferme

gagés dans un chenal en tunnel formé de mangroves aux racines rouges, avec un capitaine franchement amusant. Toujours pas très culturel, mais sympathique.

Puis c'est l'arrivée à **Ciego da Avila,** capitale de la province de Camagüey, où le trafic se fait principalement en vélo (à deux ou trois roues), en taxi, en calèche, en triporteur ou en charrette à cheval. On y voit aussi, bien sûr, des voitures américaines des années 1950 et même des tracteurs. Enfin, tout ce qui roule et peut transporter des gens.

Nous y avons visité une boutique qui vend de très beaux objets et de magni-

Marchande de tomates sur la route

Plage Pilar à Cayo Guillermo

Plage Pilar à Cayo Guillermo

Banque Royale (canadienne) à Ciego de Avila

avec d'innombrables fenêtres protégées par des volutes de fer forgé. Il y circule un monde coloré sur fond sonore de salsa. C'est l'endroit pour acheter des cigares et du rhum.

À **Moron**, une autre ville importante, nous avons fait un **tour de la ville en calèche.** Un vrai rodéo! Là, nous avons terminé l'excursion dans un café musical où enfin nous avons pu boire un vrai pina colada, ce qui n'est pas possible à l'hôtel, car les cocktails n'y sont pas terribles (parce que faits avec des alcools Cubay, très ordinaires). N'hésitez pas à demander que votre cocktail soit fait avec du **Havana Club,** c'est bien meilleur.

Plage Pilar

Une autre excursion incontournable: une journée à la **Plage Pilar.** On s'y rend en autobus panoramique ou en petit train. Comptez payer environ 5$US/pers. pour le voyage qui dure autour de 25 minutes. Une fois sur place, vous pourrez louer une chaise longue à l'ombre et passer une superbe journée sur une plage idyllique dans une baie peu profonde, organisée pour les touristes. Vaut le coup d'œil et la détente!

Conclusion

Cela nous a fait un grand bien de déconnecter durant quelques jours. C'était dur de s'arracher à cette plage féérique de sable blanc à l'infini et à la gentillesse des Cubains. Dans l'avion, au retour, nos oreilles résonnaient encore du son de la salsa, du ressac des vagues, du cri de mouettes et de cette belle langue espagnole au chant si sensuel.

Pontiac 1953

Vente d'artisanat au village des Déportés

Grillardin Ciego de Avila

Statue d'Ernest Hemingway

Buffle à La Ferme

Kitesurf à Cayo Guillermo

Fiche technique

Climat tropical
Archipel de 4195 îles, 15 provinces
Au nord de Cuba, quelques îles réservées aux touristes, nommées cayos

Monnaie touriste : le peso convertible 1$ US = **1 CUC**/1,38 $CAN
Cartes de crédit canadiennes acceptées, cartes états-uniennes refusées

Population cubaine: 11 millions; La Havane, 2,2 millions (métis, Noirs d'Afrique, descendants d'Européens, de Philippins,

de Chinois). Les Cubains ont un grand sens de l'hospitalité, d'un abord aimable et beaucoup d'humour

Économie basée sur la culture agricole, la culture de la canne à sucre, la pêche (surtout les fruits de mer), l'industrie du tabac, le tourisme et la production de pétrole (5 à 10 millions de barils possibles)

Une destination Vacances Transat
514-987-1616 | www.transat.com
Acheté à l'agence Voyages Océane
450-444-3100 et 1-866-644-3100
www.voyageoceane.com **D**

Animation de l'hôtel Melia Cayo Guillermo